Arthur Hailey · Airport

Arthur Hailey
AIRPORT

Roman

Titel der amerikanischen Originalausgabe: »Airport«
Aus dem Amerikanischen von Wilm W. Elwenspoek

Lizenzausgabe mit Genehmigung des Ullstein Verlages, Berlin
für Bertelsmann, Reinhard Mohn OHG, Gütersloh
den Europäischen Buch- und Phonoklub Reinhard Mohn, Stuttgart
und die Buchgemeinschaft Donauland Kremayr & Scheriau, Wien
© 1968 Arthur Hailey, Ltd.
Übersetzung © 1968 Verlag Ullstein GmbH, Frankfurt/M. – Berlin
Umschlag- und Einbandgestaltung K. Hartig
Umschlagfoto dpa-Wefers
Gesamtherstellung Istituto Italiano d'Arti Grafiche, Bergamo
Printed in Italy · Buch-Nr. 6971'1000

18 Uhr 30
bis
20 Uhr 30

I

Es war halb sieben, an einem Freitagabend im Januar. Lincoln International Airport, Illinois, war offen, wenn auch unter Schwierigkeiten.

Der Flughafen ächzte – wie der gesamte mittlere Westen der Vereinigten Staaten – unter dem schlimmsten, heftigsten Schneesturm seit einem halben Dutzend Jahren. Der Sturm hatte drei Tage gedauert. Jetzt brachen ständig, wie Schwären an einem mitgenommenen, geschwächten Körper, Gefahrenpunkte auf.

Ein Verpflegungswagen der United Air Lines mit zweihundert Abendessen war verlorengegangen und stak vermutlich irgendwo im Außenbezirk des Flughafens im Schnee. Die Suche nach dem Lastwagen – in Schneetreiben und Dunkelheit – war bisher ergebnislos geblieben. Weder das vermißte Fahrzeug noch sein Fahrer waren aufzufinden.

Flug 111 der United – eine DC-8 nach Los Angeles, ohne Zwischenlandung, den der Verpflegungswagen versorgen sollte – hatte bereits mehrere Stunden Verspätung. Die Panne mit dem Cateringwagen würde sie noch vergrößern. Ähnliche Verzögerungen betrafen aus den verschiedensten Gründen mindestens hundert Flüge der zwanzig anderen Fluggesellschaften, die Lincoln International anflogen.

Draußen auf dem Flugfeld war die Startbahn Drei-Null außer Betrieb, sie wurde von einer Düsenmaschine der Aéreo Mexican – einer Boeing 707 – blockiert, deren Räder tief in den wasserdurchtränkten Boden unter dem Schnee neben der Rollbahn eingesunken waren. Nachdem Aéreo Mexican die eigenen Hilfsmittel erschöpft hatte, wandte sie sich jetzt an TWA um Hilfe.

Durch den Ausfall der Startbahn Drei-Null behindert, hatte die Flugsicherung Maßnahmen ergriffen, um die Wahl der Anflüge aus den benachbarten Luftfahrtzentren Minneapolis, Cleveland, Kansas City, Indianapolis und Denver einzuschränken. Trotzdem zogen zwanzig Maschinen Warteschleifen in der Luft, und einige näherten sich bereits dem Mindesttreibstoffbestand.

Auf dem Boden machte sich die doppelte Anzahl startbereit. Doch bis die Zahl der in der Luft wartenden Maschinen verringert werden konnte, hatte die Flugsicherung weitere Verzögerungen für den abgehenden Verkehr angeordnet. Inzwischen füllten sich die Rampe, die Taxiwege und die Wartepositionen immer mehr mit Maschinen, viele mit laufenden Motoren.

Die Luftfrachtlagerhallen aller Fluglinien waren bis an die Grenze ihrer Verladepaletten mit Waren vollgestopft. Ihre übliche große Umschlagsgeschwindigkeit wurde durch das Unwetter beeinträchtigt. Frachtinspektoren kontrollierten nervös leichtverderbliche Güter – Treibhausblumen aus Wyoming für Neu-England, eine Tonne Käse aus Pennsylvania für Anchorage in Alaska, gefrorene Erbsen für Island, lebende Hummer aus dem Osten für einen Flug über die Polarroute mit Bestimmungsziel Europa. Die Hummer waren für die Speisekarten in Edinburgh und Paris bestimmt, wo man sie als »frische einheimische Meeresfrüchte« anbieten und wo nichtsahnende amerikanische Touristen sie bestellen würden. Sturm oder nicht, Verträge schrieben vor, daß leichtverderbliche Luftfracht frisch und schnell am Bestimmungsort einzutreffen hatte.

Besondere Sorge verursachte bei American Airlines eine Lieferung von mehreren tausend Truthahnküken, die erst vor Stunden in Brutöfen ausgeschlüpft waren. Der genaue Fahrplan für Schlüpfen und Versand war – wie ein komplexer Schlachtplan – vor Wochen ausgearbeitet worden, noch ehe die Truthahneier gelegt waren. Er sah die Anlieferung der lebenden Vögel an der Westküste innerhalb von achtundvierzig Stunden nach dem Ausschlüpfen vor, die Existenzgrenze für die winzigen Geschöpfe, ehe sie das erste Wasser oder Nahrung erhielten. Normalerweise boten die Vorkehrungen eine Überlebenschance der Tiere von hundert Prozent. Beachten mußte man auch, daß die Vögel zu stinken anfingen, wenn man sie unterwegs fütterte, und ebenso, noch Tage danach, das Flugzeug, das sie transportierte. Der Flugplan für das Geflügel war schon um Stunden aus den Fugen geraten, aber eine Maschine war bereits vom Personenverkehr auf den Frachttransport umgebucht worden, und heute abend würden die frisch gebrüteten Truthühner Priorität vor allen anderen Personen einschließlich menschlicher VIPs haben.

In der Haupthalle für Passagiere herrschte Chaos. Die Warteräume waren von Tausenden von Passagieren verspäteter oder gestrichener Flüge überfüllt. Überall lag Gepäck in Stapeln. Der breite Hauptzugang bot den Anblick einer Fußballschlacht oder des Weihnachtsverkaufs in einem Warenhaus. Der unbescheidene Werbespruch *Lincoln International – Luftkreuz der Welt* hoch oben auf dem Dach des Flughafengebäudes war im Schneetreiben völlig untergegangen.

Das Wunder war, überlegte Mel Bakersfeld, daß überhaupt noch etwas weiter funktionierte.

Mel, der Generaldirektor des Flughafens – hager, gelenkig und eine Kraftstation beherrschter Energie –, stand neben dem Schneekontrollstand hoch oben im Kontrollturm. Er spähte in die Dunkelheit hinaus. Normalerweise war von diesem verglasten Raum aus der gesamte Komplex des Flughafens sichtbar – Rollbahnen, Taxistreifen, Endpositionen, der Verkehr auf dem Boden und in der Luft – wie ordentlich aufgestellte Häuserblöcke und Modelle. Selbst nachts wurden seine Formen und Bewegungen durch Lichter klar bestimmt. Nur noch eine höhere Aussicht existierte – die von der Flugsicherung, die das Stockwerk darüber einnahm. Doch heute nacht durchdrang nur der schwache Schimmer weniger naher Lichter den fast undurchsichtigen Vorhang des vom Wind getriebenen Schnees. Mel vermutete, daß dieser Winter noch für Jahre ein Diskussionsthema auf Meteorologentagungen sein würde.

Der gegenwärtige Schneesturm war vor fünf Tagen an der Leeseite der Colorado Mountains geboren worden. Bei seiner Geburt war es ein winziges Tiefdruckgebiet, nicht größer als eine Ansiedlung am Fuß der Berge, und die meisten Wettervoraussagen auf den Wetterkarten der Flugstrecken hatten es entweder nicht bemerkt oder ignoriert. Fast wie aus Rache hatte sich das Tiefdruckgebiet daraufhin ausgedehnt wie ein riesiger Krankheitsherd und war immer noch wachsend erst nach Südosten und dann nach Norden gewandert.

Es überquerte Kansas und Oklahoma, verharrte dann in Arkansas und sammelte dort ein Sortiment von Bosheiten. Am nächsten Tag polterte es fett und ungeheuerlich das Mississippi-Tal hinauf. Über Illinois entlud sich der Sturm dann und lähmte den Staat fast mit Schneestürmen, Temperaturen unter dem Gefrierpunkt und fünfundzwanzig Zentimeter Neuschnee innerhalb von vierundzwanzig Stunden.

Auf dem Flughafen war diesen fünfundzwanzig Zentimetern Schnee ein ständiger, wenn auch leichter Niederschlag vorausgegangen. Jetzt folgte ihm mehr Schnee, von bösartigen Winden gepeitscht, die neue Verwehungen anhäuften – noch während die Schneepflüge die alten forträumten. Die Gruppen der Schneeräumer näherten sich der Grenze der Erschöpfung. Innerhalb der letzten paar Stunden waren verschiedene Leute nach Hause geschickt worden, übermüdet trotz der Pausen in den Schlafquartieren, die der Flughafen gerade für Notfälle dieser Art bereithielt.

Am Schneekontrollpunkt neben Mel sprach jetzt Danny Farrow – sonst ein Stellvertreter des Flughafendirektors, jetzt Schichtinspektor der Schneeräumung – über Sprechfunk mit der Schneeräumzentrale.

»Die Parkplätze gehen uns verloren. Ich brauche sechs weitere Lastwagen und eine Banjomannschaft bei Y-74.«

Danny saß an dem Schneepult, das eigentlich kein Pult, sondern eine breite dreiteilige Konsole war. Vor Danny und seinen beiden Assistenten, einer auf jeder Seite, stand eine Batterie von Telefonen, Fernschreibern und Funkgeräten. Sie waren von Karten, grafischen Darstellungen und Tabellen umgeben, die den Zustand und den Standort jedes einzelnen Fahrzeugs des motorisierten Schneeräumungskommandos verzeichneten wie auch der Männer und des Überwachungspersonals. Für die Banjogruppe, mit Schneeschaufeln ausgerüstete Einsatztrupps, war eine besondere Tafel vorhanden. Das Schneekontrollpult wurde nur für seine einmalige, jahreszeitlich bedingte Aufgabe besetzt. Während der anderen Jahreszeiten blieb der Raum leer und stumm.

Dannys kahler Schädel zeigte Schweißtröpfchen, während er

auf eine Karte des Flughafens in großem Maßstab Notizen kritzelte. Er wiederholte seine Nachricht an die Zentrale und ließ sie wie eine verzweifelte persönliche Bitte klingen, was sie vielleicht auch war. Hier oben war die Befehlsstelle der Schneeräumung. Wer sie leitete, hatte den Flughafen als Ganzes zu sehen, Anforderungen abzuwägen und Gerät dort einzusetzen, wo die Not am größten schien. Das Problem jedoch – und zweifellos eine Ursache für Dannys Schweißausbruch – bestand darin, daß die unten, die darum kämpften, ihren eigenen Betrieb aufrechtzuerhalten, in der Frage der Vordringlichkeit selten gleicher Meinung waren.

»Gewiß, gewiß, sechs weitere Lastwagen.« Eine grantige Stimme von der Zentrale, die auf der gegenüberliegenden Seite des Flugfeldes lag, knarrte in der Hörmuschel. »Wir holen sie uns vom Weihnachtsmann. Er müßte hier irgendwo in der Nähe sein.« Eine Pause, danach aggressiver: »Sonst noch ein paar idiotische Wünsche?«

Mit einem Blick auf Danny schüttelte Mel den Kopf. Er erkannte die Stimme in der Hörmuschel als die eines dienstälteren Vorarbeiters, der wahrscheinlich ununterbrochen gearbeitet hatte, seit der Schneefall begann. Aus gutem Grund waren die Temperamente in solchen Zeiten leicht reizbar. Im allgemeinen veranstalteten die Flughafenwartung und die Leitung nach einem anstrengenden Winter der Schneebekämpfung gemeinsam ein Abendessen, das sie »Liebes- und Versöhnungsfest« nannten. In diesem Jahr würden sie es bestimmt brauchen.

Danny sagte besänftigend: »Wir haben vier Lastwagen hinter dem Verpflegungswagen der United hergeschickt. Sie müßten zurück sein oder bald kommen.«

»Möglicherweise – wenn wir den verdammten Karren finden könnten.«

»Ihr habt ihn noch nicht gefunden? Was macht ihr Kerle eigentlich? Habt ihr Damenbesuch zum Abendessen?« Danny drehte die Lautstärke für den Empfang zurück, als die Antwort erdröhnte.

»Jetzt hört ihr Vögel in eurem komischen Taubenschlag mal zu! Habt ihr eine Ahnung, wie es draußen auf dem Flugfeld aussieht? Vielleicht seht ihr gelegentlich mal zum Fenster 'raus. In dieser Nacht könnte einer irgendwo am verdammten Nordpol sein und keinerlei Unterschied bemerken.«

»Blas dir mal in die Hände, Ernie«, antwortete Danny. »Vielleicht bleiben sie davon warm, und du redest dann nicht so laut.«

In Gedanken schob Mel Bakersfeld den größten Teil des Wortwechsels von sich, obwohl ihm klar war, daß alles zutraf, was über die Verhältnisse außerhalb des Flughafengebäudes gesagt wurde. Vor einer Stunde war Mel selbst über das Flugfeld gefahren. Er hatte die vorgesehenen Fahrwege benutzt, doch obwohl er die Anlage des Flughafens genau kannte, hatte er heute abend Schwierigkeiten gehabt, sich zurechtzufinden und war mehrmals nahe daran gewesen, die Orientierung zu verlieren.

Mel war zu einer Inspektion in die Schneeräumungszentrale gefahren, und dort, wie jetzt hier, hatte emsige Aktivität geherrscht. Wenn das Schneekontrollpult die Befehlsstelle war, so war die Schneeräumungszentrale der Frontgefechtsstand. Hier kamen und gingen Räumtrupps und Vormänner, entweder schwitzend oder frierend. Die Reihen der regulären Arbeitskräfte waren durch Hilfstruppen verstärkt worden – Schreiner, Elektriker, Klempner, Schreiber, Polizisten. Die Hilfskräfte wurden von ihren regulären Arbeiten auf dem Flughafen abkommandiert und erhielten fünfzig Prozent Zuschlag zu ihren Bezügen, bis der Schneenotstand vorüber war. Aber sie wußten, was von ihnen erwartet wurde, da sie wie Reservisten den ganzen Sommer und den Herbst über auf Rollbahnen und Taxistreifen Schneeräumen geübt hatten. Manchmal amüsierten sich Außenstehende darüber, wenn sie an einem warmen Tag Schneeräumtrupps mit einsatzbereiten Schneepflügen und dröhnenden Exhaustoren auf dem Flugfeld sahen. Doch wenn jemand sein Erstaunen über das Ausmaß der Vorbereitungen ausdrückte, wurde er von Mel Bakersfeld darauf hingewiesen, daß die Entfernung des Schnees vom Betriebsbereich des Flughafens der Räumung von siebenhundert Meilen Autostraße gleichkam.

Wie das Schneekontrollpult im Kontrollturm wurde die Schneeräumungszentrale nur im Winter in Betrieb genommen. Sie lag in einem großen höhlenartigen Raum über einer Lastwagengarage des Flughafens und unterstand im Betrieb einem Einsatzleiter. Nach der Stimme im Sprechfunkgerät zu schließen, nahm Mel an, daß der reguläre Einsatzleiter zur Zeit abgelöst worden war, vielleicht um im »Blue Room«, in der Blauen Kammer, wie die Dienstvorschrift des Flughafens mit einem Anflug von Humor die Ruhebaracke der Schneeräumer bezeichnete, etwas Schlaf zu finden.

Die Stimme des Einsatzleiters meldete sich wieder am Telefon. »Wir machen uns Sorgen um diesen Lastwagen, Danny. Der Fahrer, der arme Kerl, kann da draußen erfrieren. Wenn er allerdings einen Funken Grütze hat, wird er nicht gerade verhungern.«

Der Verpflegungswagen der United Air Lines hatte vor annähernd zwei Stunden die Versorgungsküche der Fluggesellschaft verlassen, um zum Flughafen zu fahren. Seine Route führte über die Zufahrtsstraße, eine Fahrt, die im allgemeinen fünfzehn Minuten dauerte. Der Wagen war aber nicht angekommen, und offensichtlich hatte der Fahrer die Orientierung verloren und war irgendwo in den Außenbereichen des Geländes im Schnee steckengeblieben. Die Fluggesellschaft hatte zunächst ihren eigenen Suchtrupp ausgeschickt, jedoch ohne Erfolg. Jetzt hatte sich die Flughafenleitung eingeschaltet.

»Die Maschine der United ist schließlich aber doch gestartet?« fragte Mel. »Wohl ohne Verpflegung.«

Danny Farrow antwortete, ohne aufzusehen. »Ich habe gehört, der Kapitän hätte die Entscheidung den Passagieren überlassen. Er hat ihnen gesagt, es würde über eine Stunde dauern, um andere Verpflegung zu bekommen, es wären aber ein Film und Getränke an Bord, und in Kalifornien scheine die Sonne. Jeder stimmte dafür, so schnell wie möglich aus der Hölle 'rauszukommen. Hätte ich auch getan.«

Mel nickte. Er widerstand der Versuchung, die Leitung der Suche nach dem vermißten Fahrer und seinem Wagen selbst in die Hand zu nehmen. Tätigkeit wäre zwar eine Medizin, denn die tagelange Kälte und die sie begleitende Feuchtigkeit hatten die Schmerzen an Mels alter Kriegsverletzung wieder auftreten lassen – eine Erinnerung an Korea, die er nie loswerden würde –, und jetzt machte sie sich wieder bemerkbar. Er wechselte seine Stellung, beugte sich vor und verlagerte sein Gewicht auf sein unversehrtes Bein. Die Erleichterung war nur vorübergehend. Fast sofort meldeten sich die Schmerzen in der neuen Stellung wieder.

Einen Augenblick später war er froh, daß er sich nicht eingemischt hatte. Danny tat bereits das Richtige – verstärkte die Suche nach dem Lieferwagen, zog Schneepflüge und Leute vom Flugplatzgelände ab und schickte sie zur Zufahrtsstraße. Für den Augenblick mußten die Parkplätze zurückstehen. Später würde es deshalb genügend Beschwerden geben. Zunächst aber mußte der vermißte Fahrer gerettet werden.

Zwischen Telefongesprächen warnte Danny Mel: »Machen Sie sich auf weitere Beschwerden gefaßt. Durch diese Suche wird die Zufahrtsstraße blockiert. Wir müssen alle anderen Verpflegungswagen anhalten, bis wir diesen Burschen gefunden haben.«

Mel nickte. Beschwerden gehörten zum täglichen Brot eines Flughafendirektors. In diesem Fall war, wie Danny voraussagte, mit einer Flut von Protesten zu rechnen, wenn die anderen Fluggesellschaften bemerkten, daß ihre Verpflegungsfahrzeuge, aus welchem Grund auch immer, nicht durchkamen.

Es würde Leute geben, die es für unglaubwürdig hielten, daß ein Mensch an einem Mittelpunkt der Zivilisation, wie einem Flughafen, der Gefahr des Erfrierens ausgesetzt sein konnte, was trotzdem möglich war. Die abgelegeneren Bereiche eines Flughafens waren kein Ort, an dem man sich in einer solchen Nacht ohne Not aufhalten sollte. Und wenn der Fahrer auf den Gedanken kam, in seiner Kabine sitzen zu bleiben und den Motor laufen zu lassen, um sich warm zu halten, konnte es passieren, daß er bald im Schnee verweht wurde, unter dem sich dann tödliches Kohlendioxyd ansammelte.

Mit einer Hand hielt Danny jetzt ein rotes Telefon, während er mit der anderen in den Alarmvorschriften blätterte, Vorschriften, die von Mel stammten und für Fälle wie den vorliegenden sorgfältig ausgearbeitet worden waren.

Das rote Telefon war eine direkte Verbindung mit dem Leiter der Feuerwehr des Flughafens. Danny faßte die vorliegende Situation zusammen.

»Und wenn wir den Wagen gefunden haben, müssen wir einen Krankenwagen hinausschicken, und Sie werden vielleicht ein Sauerstoffgerät oder Wärme brauchen, möglicherweise beides. Aber warten Sie lieber mit dem Einsatz, bis wir genau wissen, wohin es geht. Wir wollen euch Kerle nicht auch noch ausgraben müssen.«

Der Schweiß glänzte in zunehmendem Maß auf Dannys kahl werdendem Schädel. Mel wußte genau, daß Danny nur ungern die Leitung der Schneekontrollstelle übernahm und lieber in seiner Abteilung für die Planung des Flughafens saß, um sich mit Logistik und Hypothesen über die Zukunft der Luftfahrt zu befassen. Dinge dieser Art wurden in aller Ruhe weit voraus geplant, während man Zeit zum Überlegen hatte und nicht zusammenhanglos improvisieren mußte wie bei den Problemen dieser Nacht. Genau wie es Menschen gab, die in der Vergangenheit lebten, überlegte Mel, so war für die Danny Farrows dieser Welt die Zukunft eine Zuflucht. Aber ob gern oder ungern und ungeachtet des Schweißes nahm Danny die gestellte Aufgabe ernst.

Mel beugte sich über Dannys Schulter und griff nach einem Telefon, das unmittelbar mit der Flugsicherung verbunden war. Der Leiter der Wache auf dem Kontrollturm meldete sich.

»Wie steht es mit der 707 der Aéreo Mexican?«

»Sitzt noch an der gleichen Stelle, Mr. Bakersfeld. Sie arbeiten seit ein paar Stunden daran, sie fortzuschaffen, aber bisher ohne Erfolg.«

Diese besondere Schwierigkeit war kurz nach Einbruch der Dunkelheit eingetreten, als ein Kapitän der Aéreo Mexican, der zum Startplatz rollte, bei einem blauen Taxilicht irrtümlich nach rechts statt nach links abbog. Unglücklicherweise bestanden bei dem Boden rechts, der normalerweise mit Gras bewachsen war, Entwässerungsschwierigkeiten, die nach dem Winter in Angriff genommen werden sollten. Inzwischen war dort trotz der dicken Schneedecke dicht unter der Oberfläche ein schlammiger Morast. Wenige Sekunden nach dem falschen Abbiegen war das hundertzwanzig Tonnen schwere Flugzeug tief im Schlamm eingesunken.

Als man merkte, daß das Flugzeug beladen aus eigener Kraft nicht freikommen konnte, wurden die ungehaltenen Passagiere ausgeladen und durch den Morast zu schnell gemieteten Bussen gebracht. Jetzt waren über zwei Stunden vergangen, und die große Düsenmaschine saß noch fest und blockierte mit ihrem Rumpf und mit ihrem Leitwerk die Startbahn Drei-Null. »Startbahn und Taxistreifen sind noch nicht wieder betriebsfähig?«

»Ganz richtig«, bestätigte der Leiter der Wache im Kontrollturm. »Wir halten den gesamten abfliegenden Verkehr an den Toren auf und schicken ihn dann über die längere Route zu den anderen Startbahnen.«

»Das geht wohl recht langsam, was?«

»Es verringert die Abfertigung um fünfzig Prozent. Im Augenblick halten wir die Erlaubnis, zum Start zu rollen, für zehn Maschinen zurück, und zwölf weitere warten auf Erlaubnis, die Motoren anzulassen.«

Das demonstrierte, wie dringend der Flughafen zusätzliche Start- und Taxibahnen brauchte. Seit drei Jahren drängte er auf den Bau einer neuen Startbahn parallel zur Drei-Null sowie anderer Verbesserungen der Betriebsanlagen. Aber der Verwaltungsrat des Flughafens verweigerte unter dem politischen Druck der Stadtverwaltung seine Zustimmung. Der Druck erfolgte, weil die Stadträte aus nur ihnen bekannten Gründen eine neue Anleihe vermeiden wollten, die für die Finanzierung erforderlich gewesen wäre.

»Dazu kommt«, fuhr der Leiter der Kontrollturmwache fort, »daß wir die startenden Maschinen über Meadowood leiten müssen, da Startbahn Drei-Null außer Betrieb ist. Die Beschwerden haben schon angefangen.«

Mel stöhnte. Die Gemeinde Meadowood, die im Südwesten an den Flughafen grenzte, war ihm ein ständiger Dorn im Auge und eine Behinderung des Flugbetriebs. Zwar war der Flughafen lange vor der Gemeinde entstanden, trotzdem beklagten sich die Bewohner von Meadowood über den Lärm der Flugzeuge über ihnen. Von der Presse wurden diese Klagen aufgegriffen, was noch mehr Beschwerden mit immer erbitterteren Anschuldigungen gegen den Flughafen und seine Leitung nach sich zog. Schließlich hatten der Flughafen und die Luftfahrtbehörde des Bundes nach langwierigen Verhandlungen, bei denen auch politische Einflüsse, noch mehr Publizität in der Presse und – nach Mel Bakersfelds Ansicht – grobe Verzerrungen mitgewirkt hatten, zugestanden, daß Starts und Landungen von Düsenmaschinen nur dann unmittelbar über Meadowood erfolgen sollten, wenn besondere Umstände das erforderlich machten. Da dem Flughafen Start- und Landebahnen ohnehin nur in begrenztem Umfang zur Verfügung standen, war die Einbuße an Leistungsfähigkeit beträchtlich.

Darüber hinaus wurde auch vereinbart, daß Maschinen, die über Meadowood starteten, sofort nach dem Abheben Vorkehrungen zur Drosselung des Lärms ergreifen sollten. Das löste seinerseits wieder Proteste der Piloten aus, die diese Maßnahmen für gefährlich hielten. Die Fluggesellschaften dagegen – die an den öffentlichen Zorn und den Ruf ihrer Firmen dachten – ordneten an, daß die Piloten sich diesen Vorschriften fügen sollten. Doch selbst damit gaben sich die Einwohner von Meadowood noch nicht zufrieden. Ihre kampffreudigen Führer protestierten weiterhin, organisierten und planten, jüngsten Gerüchten zufolge, juristische Schritte gegen den Flughafen.

»Wie viele Anrufe sind gekommen?« fragte Mel den Leiter der Wache. Schon vor der Frage kam er zu der düsteren Überzeugung, daß noch mehr Stunden seines Arbeitstages durch Delegationen, Auseinandersetzungen und die gleichen ergebnislosen Diskussionen wie früher beansprucht werden würden.

»Ich würde sagen, mindestens fünfzig haben wir beantwortet. Und auf weitere Anrufe haben wir nicht mehr reagiert. Das Telefon fängt unmittelbar nach jedem Start zu klingeln an – auch auf unseren Anschlüssen, die nicht im Telefonbuch stehen. Ich würde was dafür geben, wenn ich wüßte, woher sie die Nummern haben.«

»Sicher haben Sie den Leuten, die anriefen, gesagt, daß wir in einer besonders schwierigen Lage sind – das Unwetter, die nichtbetriebsfähige Startbahn.«

»Wir haben alles erklärt, aber niemand hat sich dafür interessiert. Die Leute wollen einfach, daß die Flugzeuge nicht mehr über sie hinwegfliegen. Manche sagen, ob Schwierigkeiten bestünden oder nicht, die Piloten seien gehalten, die Vorschriften zur Minderung des Lärms zu befolgen, täten es aber nicht.«

»Mein Gott! Wenn ich Pilot wäre, täte ich's auch nicht«, sagte Mel. Wie konnte ein intelligenter Mensch bei dem heutigen Unwetter von einem Piloten erwarten, unmittelbar nach dem Start die Motoren zu drosseln und dann im Instrumentenflug in eine scharfgezogene Kurve zu gehen: denn das schrieben die Vorschriften zur Minderung des Lärms vor.

»Ich auch nicht«, stimmte der Leiter auf dem Kontrollturm zu, »obwohl das wahrscheinlich eine Frage des Standpunkts ist. Wenn ich in Meadowood wohnte, wäre ich vielleicht der gleichen Ansicht wie die Leute dort.«

»Sie wären nicht nach Meadowood gezogen, Sie hätten auf die Warnungen gehört, die wir den Leuten zukommen ließen, schon vor Jahren, sie sollten dort keine Häuser bauen.«

»Wahrscheinlich. Übrigens sagte mir einer meiner Leute, sie würden heute abend dort wieder eine Gemeindeversammlung veranstalten.«

»Bei diesem Wetter?«

»Anscheinend wollen sie bei ihrer Absicht bleiben, und nach dem, was wir gehört haben, hecken sie etwas Neues aus.«

»Was es auch sei«, prophezeite Mel, »ich werde es bald erfahren.«

Trotzdem, überlegte er, wenn in Meadowood tatsächlich eine öffentliche Versammlung stattfand, war es ärgerlich, den Leuten noch Wasser auf die Mühle zu gießen. Es war so gut wie sicher, daß Presse und Lokalpolitiker anwesend waren, und die vielen Flüge unmittelbar über ihre Köpfe hinweg, so notwendig sie auch sein mochten, würden ihnen reichlich Stoff zum Schreiben und Reden geben. Deshalb, je eher die blockierte Startbahn – Drei-Null – wieder betriebsfähig war, um so besser war es für alle Betroffenen.

»Ich werde selbst auf das Flugfeld hinausgehen«, sagte Mel, »und nachsehen, was vorgeht. Ich gebe Ihnen Nachricht, wie es da draußen steht.«

»Danke.«

Mel wechselte das Thema und fragte: »Hat mein Bruder heute abend Dienst?«

»Ja. Keith hat Radarwache – Anflüge von Westen.«

Anflüge von Westen, das war eine der schwierigen, anspruchsvollen Aufgaben im Kontrollturm, zu der die Überwachung aller eintreffenden Maschinen im westlichen Quadranten gehörte. Mel zögerte erst, aber er kannte den Dienstleiter im Kontrollturm schon lange, darum fragte er: »Ist mit Keith alles in Ordnung? Zeigt er keine Erschöpfung?«

Erst nach einer kurzen Pause kam die Antwort. »Doch, das tut er, mehr als üblich.«

Beiden Männern war Mels jüngerer Bruder in letzter Zeit eine Quelle der Sorge gewesen.

»Offen gesagt«, fuhr der Dienstleiter im Kontrollturm fort, »ich wünschte, ich könnte ihm einen leichteren Dienst geben, aber es geht nicht. Wir sind unterbesetzt, und jeder ist hart eingespannt. Das gilt auch für mich«, fügte er noch hinzu.

»Das weiß ich, und ich bin Ihnen dankbar, daß Sie sich so um Keith kümmern.«

»Na ja, in unserem Beruf haben die meisten hin und wieder mal eine Periode der Erschöpfung.« Mel spürte, daß der Dienstleiter seine Worte sorgfältig wählte. »Manchmal zeigt es sich in der geistigen Verfassung, manchmal in der nervlichen. Aber was es auch ist, wir versuchen uns gegenseitig zu helfen, wenn es dazu kommt.«

»Danke.« Das Gespräch hatte Mels Sorge nicht gemildert. »Vielleicht schaue ich später mal herein.«

»Jederzeit, Sir.« Der Dienstleiter auf dem Kontrollturm hängte ein.

Das »Sir« war reine Höflichkeit. Mel hatte keine Autorität über die Flugsicherung, die ausschließlich der Bundesbehörde für Luftfahrt in Washington unterstand. Aber die Beziehungen zwischen den Dienstleitern der Flugsicherung und der Flug-hafendirektion waren gut, und Mel ließ es sich angelegen sein, daß sie es blieben.

Ein Flughafen, jeder Flughafen weist eine schwer durchschaubare Komplexität sich überschneidender Autoritäten auf. Keine Einzelperson hat höchste Anweisungsbefugnis, dennoch ist kein einziger Abschnitt völlig unabhängig. Als Generaldirektor des Flughafens kam Mel einer alles umfassenden Leitung am nächsten, aber es gab Bereiche, von denen er wußte, daß es klüger war, sich nicht einzumischen. Einer davon war die Flugsicherung, ein anderer die Leitung internationaler Fluggesellschaften. Er konnte in Angelegenheiten eingreifen, die das Wohl des Flughafens als Ganzes oder der Menschen, die sich seiner bedienten, betrafen. Er konnte widerspruchslos einer Fluggesellschaft befehlen, ein Schild zu entfernen, das irreführend war oder den Normen des Flughafens nicht entsprach, doch was hinter ihrer Tür vorging, war innerhalb vernünftiger Grenzen ausschließlich die Angelegenheit der Beauftragten der Fluggesellschaft.

Aus diesem Grund mußte der Direktor eines Flughafens nicht nur ein Taktiker, sondern auch ein vielseitiger und gewandter Verwaltungsfachmann sein.

Mel legte den Hörer in der Schneekontrolle auf die Gabel zurück. Auf einer anderen Leitung stritt sich Danny Farrow mit dem Aufsichthabenden der Parkplätze, einem geplagten Individuum, das seit mehreren Stunden zornige Beschwerden steckengebliebener Autobesitzer weitergegeben hatte. Die Leute fragten: »Wissen die Stellen, die für die Leitung des Flughafens verantwortlich sind, denn nicht, daß es schneit? Und wenn sie es wissen, warum macht sich dann nicht jemand auf die Socken und schafft das Zeug fort, damit man mit seinem Wagen, wann und wohin man will, fahren kann, wie es das demokratische Recht jedes Menschen ist?«

»Sagen Sie, wir hätten eine Diktatur ausgerufen.« Danny bestand darauf, daß die nicht bewachten Parkplätze warten müßten, bis die vordringlichen Probleme gelöst seien. Er würde Ausrüstung und Leute schicken, sobald er könne. Er wurde durch einen Anruf des Dienstleiters im Kontrollturm unterbrochen. Eine neue Wettervoraussage kündigte in einer Stunde einen Wechsel der Windrichtung an. Das bedeutete, daß andere Startbahnen benutzt werden mußten. Ob nicht ganz schnell Startbahn Eins-Sieben links vom Schnee geräumt werden könne? Er würde sein möglichstes tun. Er würde mit dem Leiter des Schneeräumkommandos Verbindung aufnehmen und den Kontrollturm zurückrufen.

Dies war der Druck, der jetzt schon seit drei Tagen und drei Nächten ungemindert anhielt, seit der Schneefall eingesetzt hatte. Die Tatsache, daß trotz dieses Drucks bisher alles funktioniert hatte, machte eine Notiz noch aufreizender, die Mel vor fünfzehn Minuten durch einen Boten erhalten hatte. Die Notiz lautete:

m—

meine müßt warnen – schneeausschuß (auf drängen vern demerst – warum kann ihr schwager sie nicht leiden?) reicht kritischen bericht ein weil schneeräumung roll- und taxibahnen (sagt v. d.) miserabel, unfähig...

bericht beschuldigt flughafen (also sie) hauptanteil an verzögerung der abflüge zu haben... behauptet auch steckende 707 gäbe es nicht wenn taxibahnen früher und besser geräumt ... deshalb werden jetzt alle Gesellschaften bestraft, etc etc sie verstehen schon ... und wo stecken sie – in einer? (schneedrift meine ich)... steigen sie aus und holen mich bald zum kaffee ab.

herzlichst

t

Das »t« bedeutete Tanya – Tanya Livingston, Agentin für Passagierbetreuung der Trans America und Mels besondere Freundin. Mel las die Notiz noch einmal, wie er es mit Mitteilungen Tanyas im allgemeinen tat, die beim zweiten Lesen verständlicher wurden. Tanya, zu deren Aufgaben es gehörte, aufgebrachte Passagiere zu besänftigen und ähnliche Public-Relations-Probleme zu lösen, hatte etwas gegen große Buchstaben. (»Mel, ist es nicht wahr? Wenn wir die Großbuchstaben abschafften, gäbe es erheblich weniger Ärger. Sieh dir doch nur die

21

Zeitungen an!«) Sie hatte sogar einen Mechaniker der Trans America gezwungen, von den Typen ihrer Schreibmaschine alle Großbuchstaben abzumeißeln. Ein Vorgesetzter hatte sich darüber aufgeregt, wie Mel erfahren hatte, und auf die strengen Richtlinien der Fluggesellschaft gegen willkürliche Beschädigung von Firmeneigentum hingewiesen, aber Tanya war damit durchgekommen. Im allgemeinen gelang ihr das.

Der Vern Demerst in ihrer Notiz war Kapitän Vernon Demerest, gleichfalls bei der Trans America. Er war nicht nur einer der dienstältesten Flugkapitäne der Gesellschaft, er war auch ein militanter Vorkämpfer der Air Lines Pilots Association, des Berufsverbands der Piloten, und in diesem Jahr Mitglied des Schneeausschusses der Fluggesellschaften auf Lincoln International Airport. Der Ausschuß inspizierte während der Schneeperioden Startbahnen und Taxibahnen und erklärte sie für betriebsbereit oder bemängelte ihren Zustand. Dem Ausschuß gehörte immer ein aktiver Flugkapitän an.

Zufällig war Vernon Demerest auch Mels Schwager und mit dessen älterer Schwester Sarah verheiratet. Die Sippe Bakersfeld hatte durch Vorfahren und Eheschließungen Wurzeln und Zweiglinien in der Luftfahrt, wie andere Familien einmal mit der Seefahrt verbunden waren. Die Beziehungen zwischen Mel und seinem Schwager waren jedoch wenig herzlich, und Mel hielt Vernon Demerest für eingebildet und anmaßend. Andere waren der gleichen Ansicht, wie er wußte. Kürzlich war es zwischen Mel und Kapitän Demerest zu einem erregten Wortwechsel auf einer Sitzung des Verwaltungsrats des Flughafens gekommen, auf der Demerest die Interessen des Pilotenverbands vertrat. Mel vermutete, daß der kritische Bericht über die Schneelage – der anscheinend auf die Initiative seines Schwagers zurückging – die Vergeltung dafür war.

Mel machte sich wegen dieses Berichts keine großen Sorgen. Welche Mängel der Flughafen auch auf anderen Gebieten haben mochte, er wußte, daß sie mit dem Schneesturm ebensogut fertig wurden wie andere Organisationen. Trotzdem war der Bericht ärgerlich. An alle Fluggesellschaften würden Exemplare verteilt werden, und morgen würden telefonische Rückfragen

und Memoranden kommen, und es mußten Erklärungen abgegeben werden.

Mel vermutete, daß es ratsam sei, wenn er auf dem laufenden
blieb, sich in Bereitschaft hielt. Er beschloß, sich zu vergewissern, wie die Dinge mit der Schneeräumung gegenwärtig standen, und gleichzeitig die blockierte Startbahn und das ein-
gesunkene Düsenflugzeug der Aéreo Mexican zu überprüfen,
wenn er draußen auf dem Flugfeld war.

In der Schneekontrollstelle sprach Danny Farrow gerade wieder
mit der Flughafenwartung. Als eine kurze Pause eintrat, warf
Mel dazwischen: »Ich gehe jetzt ins Empfangsgebäude und
fahre dann hinaus aufs Flugfeld.«

Ihm war eingefallen, was Tanya in ihrer Notiz über eine gemeinsame Tasse Kaffee geschrieben hatte. Zuerst würde er in
sein Büro gehen und dann auf seinem Weg durch das Empfangsgebäude bei der Trans America hereinschauen, um sie zu sprechen. Der Gedanke belebte ihn.

II

Mel nahm den privaten Fahrstuhl, der nur mit einem besonderen Schlüssel bedient werden konnte, um in die Verwaltungsetage im Zwischenstock zu fahren. Seine Büroräume lagen zwar verlassen, die Schreibtische der Stenotypistinnen waren aufgeräumt und die Schreibmaschinen zugedeckt, aber die Lichter brannten. Er ging in sein Privatbüro. Aus einem Wandschrank neben dem breiten Mahagonischreibtisch, den er tagsüber benutzte, nahm er einen dicken Mantel und ein Paar pelzgefütterte Stiefel.

Heute abend hatte Mel keine besonderen Verpflichtungen auf dem Flughafen. So sollte es auch sein. Er war nur während des größten Teils des dreitägigen Schneesturms hiergeblieben, um im Falle eines Notstands zur Verfügung zu stehen. Sonst, dachte er, während er sich die Stiefel anzog und verschnürte, wäre er längst zu Haus bei Cindy und den Kindern. Oder etwa nicht?

Gleichgültig, wie sehr man sich um Objektivität bemühte, ging es ihm durch den Kopf, war es doch schwierig, sich über seine eigenen Motive völlig klar zu sein. Wenn der Schneesturm nicht gewesen wäre, hätte sich wahrscheinlich ein anderer Grund angeboten, um zu rechtfertigen, daß er nicht ginge. Tatsächlich schien es in letzter Zeit so, als ob nicht nach Hause zu gehen ihm zur Gewohnheit geworden sei. Sein Beruf war selbstverständlich eine Ursache dafür. Er bot reichlich Gründe, um zusätzliche Stunden auf dem Flughafen zu bleiben, wo sich in letzter Zeit für ihn schwierige Probleme ergeben hatten, ganz abgesehen von den Schwierigkeiten des heutigen Abends. Aber – wenn er sich selbst gegenüber ehrlich war – der Flughafen bot ihm auch eine Zuflucht vor den unaufhörlichen Streitereien zwischen Cindy und ihm, zu denen es neuerdings kam, sobald sie zusammen waren.

»Zum Teufel!« Mels Ausruf zerschnitt die Stille des Büros.

Er schlurfte in den pelzgefütterten Stiefeln zu seinem Schreibtisch. Ein Blick auf die getippte Notiz seiner Sekretärin bestätigte, was ihm gerade wieder eingefallen war. Heute abend fand wieder einmal eine dieser langweiligen Wohltätigkeitsveranstaltungen seiner Frau statt. Vor einer Woche hatte Mel widerwillig versprochen, daran teilzunehmen. Es war eine Cocktailparty mit anschließendem Essen in der Stadt, in der eleganten »Michigan Inn«. Um welchen wohltätigen Zweck es dabei ging, war in der Notiz nicht angegeben, und falls es je erwähnt worden war, so hatte er es vergessen. Das spielte aber auch keine Rolle. Die hohen Ziele, denen Cindy Bakersfeld sich widmete, waren bedrückend gleichartig. Die Würdigkeit wurde – wie Cindy es sah – durch das gesellschaftliche Ansehen der anderen Mitglieder des jeweiligen Wohlfahrtsausschusses bewiesen.

Glücklicherweise begann – um des Friedens mit Cindy willen – die Veranstaltung erst spät. Er hatte fast noch zwei Stunden Zeit, und in Anbetracht des herrschenden Wetters konnte es sogar noch später werden. Er würde es also noch schaffen, selbst wenn er erst das Flugfeld inspizierte. Danach konnte er in sein Büro zurückkommen, sich dort rasieren und umziehen und mit geringer Verspätung in der Stadt sein. Dennoch war es besser, wenn er Cindy warnte. Er griff nach dem Telefon und wählte seine Privatnummer. Roberta, seine ältere Tochter, meldete sich.

»Hallo«, sagte Mel. »Hier ist dein Alter Herr.«

Robertas Stimme klang kühl: »Ja, ich weiß.«

»Wie war's heute in der Schule?«

»Könntest du etwas genauer sein, Vater? Wir hatten verschiedene Fächer. Für welches interessierst du dich?«

Mel seufzte. Es gab Tage, an denen in seinem häuslichen Leben alles auf einmal zu zerbrechen schien. Er erkannte, daß Roberta in einer ihrer Launen war, die Cindy als rotzig bezeichnete. Verloren alle Väter, fragte er sich abrupt, die Verbindung zu ihren Töchtern, sobald die Mädchen dreizehn wurden? Vor noch nicht zwei Jahren hatte es so ausgesehen, als ob sie beide einander so nahe ständen, wie Vater und Tochter nur sein können. Mel liebte seine beiden Töchter herzlich – Roberta und ihre jüngere Schwester Libby. Gelegentlich wurde ihm bewußt, daß sie der einzige Grund waren, weshalb seine Ehe noch bestand. Was Roberta anging, so hatte er gewußt, daß sie als Teenager Interessen entwickeln würde, die er weder teilen noch völlig verstehen konnte. Er hatte sich darauf vorbereitet. Was er nicht erwartet hatte, war, daß er völlig ausgeschlossen oder mit einer Mischung aus Gleichgültigkeit und Herablassung behandelt wurde. Aber, um objektiv zu sein, er vermutete, daß die schärfer werdende Spannung zwischen Cindy und ihm mit dazu beigetragen hatte. Kinder waren empfindsam.

»Laß nur«, antwortete Mel. »Ist deine Mutter zu Hause?«

»Sie ist fortgegangen. Sie hat gesagt, wenn du anrufst, soll ich dir sagen, du müßtest sie in der Stadt treffen und wenigstens diesmal versuchen, nicht zu spät zu kommen.« Mel unterdrückte seine Gereiztheit. Roberta wiederholte zweifellos nur genau Cindys Worte. Er konnte fast hören, wie seine Frau sie ausgesprochen hatte.

»Wenn deine Mutter anruft, dann sage ihr, ich könnte mich vielleicht etwas verspäten, aber das ließe sich nicht ändern.« Darauf folgte Stille, und er fragte: »Hast du mich verstanden?«

»Ja«, antwortete Roberta. »Willst du sonst noch etwas, Vater? Ich habe noch Schularbeiten zu machen.«

Er erwiderte scharf: »Ja, ich will noch etwas. Du wirst deinen Ton mir gegenüber ändern, junges Fräulein, und etwas mehr Respekt zeigen. Außerdem beende ich unser Gespräch, wenn ich soweit bin.«

»Wie du willst, Vater.«

»Und hör auf, mich Vater zu nennen!«

»Jawohl, Vater.«

Mel war versucht zu lachen, hielt es dann aber für richtiger, es zu unterdrücken. Er fragte: »Ist zu Hause alles in Ordnung?«

»Ja, aber Libby will mit dir sprechen.«

»Einen Augenblick noch. Ich wollte dir noch sagen: Wegen des Schneesturms komme ich heute vielleicht nicht nach Hause. Hier auf dem Flughafen ist eine Menge passiert. Ich fahre wahrscheinlich zurück und schlafe hier.«

Wieder folgte eine Pause, ganz als ob Roberta erwäge, ob ihr eine freche Antwort wie »Und ist das was Neues?« durchgelassen würde oder nicht. Anscheinend verzichtete sie lieber darauf. »Willst du jetzt Libby sprechen?«

»Ja, gib sie mir. Gute Nacht, Robbie.« – »Gute Nacht.«

Es folgte ein ungeduldiges Scharren, ehe der Hörer weitergegeben wurde, und dann meldete sich Libbys piepsige, atemlose Stimme: »Daddy! Rate mal was!« Libby war immer atemlos, als ob für eine Siebenjährige das Leben ständig vor ihr herrannte und sie Schritt halten müsse, um nicht zurückzubleiben.

»Laß mich mal überlegen«, antwortete Mel. »Ich weiß es – du hast im Schnee getobt und dich großartig amüsiert.«

»Ja, das hab' ich, aber das meine ich nicht.«

»Dann kann ich es nicht erraten. Du mußt es mir schon sagen.«

»Also, in der Schule hat Miß Curzon uns die Hausaufgabe gestellt, alles aufzuschreiben, was wir im nächsten Monat an Schönem und Gutem erwarten.«

Liebevoll dachte er: Libbys Begeisterung ist verständlich. Für sie war fast alles aufregend und gut, und die wenigen Dinge, die es nicht waren, wurden beiseite gewischt und schnell vergessen. Er fragte sich, wie lange ihre glückliche Unschuld noch währen würde. »Das ist hübsch«, sagte Mel. »Das gefällt mir.«

»Daddy, Daddy! Hilfst du mir?«

»Wenn ich kann.«

»Ich brauche eine Landkarte vom Februar.«

Mel lächelte. Libby hatte eine eigene Kurzsprache, die manchmal ausdrucksstärker schien als konventionelle Worte.

»In meinem Schreibtisch ist ein Kalender.« Mel erklärte ihr, wo sie ihn finden würde und hörte ihre kleinen Füße aus dem Zimmer laufen. Das Telefon war vergessen. Mel nahm an, daß es Roberta war, die wortlos einhängte.

Mel verließ sein Büro und trat auf die Galerie des Zwischenstocks hinaus, die das Empfangsgebäude des Flughafens der ganzen Länge nach durchlief. Den dicken Mantel trug er über dem Arm. Für einen Augenblick blieb er stehen und blickte in die überfüllte Halle hinunter; in der letzten halben Stunde schien der Betrieb noch größer geworden zu sein. In den Wartehallen war jeder verfügbare Platz besetzt. Zeitungskioske und Informationsstände waren von Menschen umringt, unter ihnen viele in Uniform. Vor den Schaltern aller Fluggesellschaften standen Schlangen, von denen sich manche um die Ecken zogen. Das Personal hinter den Schaltern, um Kollegen früherer

Schichten verstärkt, die Überstunden machten, hatte Flugpläne und Flugscheine wie Orchesterpartituren vor sich ausgebreitet. Verzögerungen und Umleitungen, die der Schneesturm verursacht hatte, erschwerten die Abfertigung und stellten die menschliche Geduld auf harte Proben. Unmittelbar unter Mel, am Schalter der Braniff, protestierte ein jüngerer Mann mit langem blondem Haar und einem gelben Schal laut: »Sie haben die Stirn, mir zu sagen, daß ich nach Kansas City muß, um nach New Orleans zu kommen? Ihr werft hier ja die Geographie über den Haufen! Ihr seid ja besoffen von eurer Macht!«

Das Mädchen hinter dem Schalter, eine attraktive Brünette Mitte Zwanzig, strich sich mit der Hand über die Augen, ehe sie mit professioneller Geduld antwortete: »Wir können Sie für einen direkten Flug vorsehen, Sir, aber wir wissen nicht für wann. Infolge der Wetterverhältnisse ist der längere Weg schneller, und der Flugpreis bleibt der gleiche.«

Hinter dem Mann mit dem gelben Schal drängten sich andere Passagiere mit anderen Problemen.

Am Schalter der United spielte sich eine kleine Pantomime ab. Ein Passagier – ein gutgekleideter Geschäftsmann – neigte sich vor und sprach leise. Nach dem Ausdruck und dem Verhalten des Mannes konnte Mel erraten, was gesagt wurde. »Ich würde größten Wert darauf legen, mit dem nächsten Flug mitzukommen.«

»Es tut mir leid, Sir. Die Maschine ist ausgebucht, und wir haben schon eine lange Warteliste...« Doch ehe die Angestellte der Fluggesellschaft ihren Satz beendet hatte, blickte sie auf. Der Passagier hatte seine Aktentasche vor sich auf den Schalter gelegt. Ebenso unauffällig wie nachdrücklich klopfte er mit einem Kofferanhänger auf seine Aktentasche. Der Kofferanhänger war ein Abzeichen des 100 000-Meilen-Clubs, wie sie die United Airlines an ihre guten Kunden ausgab und damit, wie alle anderen Fluggesellschaften, eine Elite schuf. Die Haltung der Angestellten veränderte sich. Ihre Stimme wurde ebenso leise. »Ich glaube, wir können etwas arrangieren.« Ihr Bleistift zögerte noch einen Moment, strich dann den Namen eines anderen Passagiers, den sie für den Flug vorgesehen hatte, aus, und setzte den Namen des Neuankömmlings an dessen Stelle ein. Niemand in der Schlange hinter ihm hatte es bemerkt. Mel wußte, daß das gleiche überall an allen Schaltern der Fluggesellschaften geschah. Nur Naive oder Nichtinformierte glaubten daran, daß Wartelisten oder Reservierungen mit unerschütterlicher Objektivität behandelt wurden.

Mel beobachtete eine Gruppe von Neuankömmlingen – vermutlich aus der Stadt –, die das Flughafengebäude betraten. Sie klopften Schnee von ihren Mänteln, während sie hereinkamen, und nach ihrer Erscheinung zu urteilen, schien sich das Wetter draußen zu verschlechtern. Die Neuankömmlinge wurden von der wartenden Menge schnell aufgesogen.

Wenige der etwa achttausend Reisenden, die täglich durch das Flughafengebäude strömten, blickten je zur Etage der Verwaltung hinauf. Und noch weniger bemerkten heute abend Mel, der auf sie hinabblickte. Die meisten von ihnen stellten sich unter Flughäfen nichts anderes als Fluggesellschaften und Flugzeuge vor. Es war zweifelhaft, ob vielen von ihnen die Existenz eines Verwaltungsapparats überhaupt bewußt war – unsichtbar, aber vielschichtig, mit Hunderten von Angestellten –, der ständig arbeitete und den Flugplatz in Betrieb hielt.

Vielleicht ist das ganz gut, dachte Mel, während er mit dem Fahrstuhl weiter nach unten fuhr. Falls die Leute besser unterrichtet wären, würden sie mit der Zeit auch mehr über die Schwächen und Gefahren des Flughafens wissen und danach weniger beruhigt abfliegen und ankommen.

Durch den Hauptgang ging er auf den Flügel der Trans America zu. Dicht bei dem Anmeldeschalter hielt ein uniformierter Angestellter der Fluggesellschaft ihn an.

»Guten Abend, Mr. Bakersfeld. Suchen Sie Mrs. Livingston?«

Wie stark der Betrieb auf dem Flughafen auch war, dachte Mel, zum Klatsch blieb immer Zeit. Er fragte sich, wieweit sein Name mit dem von Tanya bereits in Verbindung gebracht wurde.

»Ja«, antwortete er, »das tue ich.«

Der Angestellte deutete mit dem Kopf auf eine Tür mit der Aufschrift »Nur für Personal der Fluggesellschaft«.

»Sie finden sie da drin, Mr. Bakersfeld. Wir hatten hier einen kleinen Zwischenfall. Sie kümmert sich gerade darum.«

In dem kleinen Salon, der manchmal zum Empfang von VIPs benutzt wurde, schluchzte ein junges Mädchen in der Uniform einer Angestellten der Trans America hysterisch.

Tanya Livingston führte sie zu einem Sessel. »Fassen Sie sich erst einmal«, sagte Tanya nüchtern, »und lassen Sie sich Zeit. Danach wird Ihnen besser sein, und dann können wir miteinander reden.«

Tanya setzte sich selbst und strich ihren straffen, engen Uniformrock glatt. Sonst war niemand in dem Raum, und außer dem schwachen Summen der Klimaanlage hörte man nur das Schluchzen.

Zwischen den beiden Frauen bestand ein Altersunterschied von etwa fünfzehn Jahren. Das Mädchen war knapp über zwanzig und Tanya in der zweiten Hälfte der Dreißiger. Als Tanya sie ansah, empfand sie den Altersunterschied größer, als er war. Vermutlich kam es daher, dachte sie, daß sie verheiratet gewesen war. Wenn auch nur kurz und vor langer Zeit – wenigstens schien es ihr so.

Das ist das zweite Mal, daß mir heute mein Alter bewußt wird, dachte sie. Das erste Mal war es gewesen, als sie am Morgen ihr Haar kämmte. Sie hatte verräterische Strähnen in ihrem kurzgeschnittenen, flammend roten Haar entdeckt. Es war mehr Grau darin als vor einem Monat, und beide Male hatte es sie daran erinnert, daß die Vierzig – ein Alter, in dem eine Frau wissen sollte, was und warum sie etwas wollte – näher rückte, als ihr lieb war. Dann kam ihr ein anderer Gedanke: In fünfzehn Jahren war ihre eigene Tochter so alt wie das Mädchen, das jetzt vor ihr weinte.

Das Mädchen, es hieß Patsy Smith, wischte sich die geröteten Augen mit einem großen leinenen Taschentuch, das Tanya ihr gegeben hatte. Sie sprach mühsam, wobei sie weitere Tränen unterdrückte. »Zu Hause – so würden sie da nicht reden – so gemein und grob – mit ihren Frauen nicht . . .«

»Meinen Sie die Passagiere?«

Das Mädchen nickte.

»Manche doch«, sagte Tanya. »Wenn Sie erst verheiratet sind, Patsy, werden Sie das merken. Ich wünsche es Ihnen zwar nicht. Aber wenn Sie meinen, daß Männer sich wie unerwachsene Flegel betragen, wenn etwas mit ihren Reiseplänen schiefgeht, dann gebe ich Ihnen recht.«

»Ich gab mir die größte Mühe... Das taten wir alle... Den ganzen Tag; und gestern – und vorgestern... Aber wie die Leute mit einem reden...«

»Ja, die benehmen sich, als ob Sie selbst an dem Schneesturm schuld wären, um ihnen Ungelegenheiten zu machen.«

»Ja... Und dann der letzte... Bis dahin ging alles gut...«

»Was ist denn eigentlich passiert? Ich wurde erst gerufen, als alles vorbei war.«

Langsam fand das Mädchen seine Selbstbeherrschung wieder.

»Also... Er hatte einen Flugschein für Flug 72, und der war wegen des Wetters gestrichen worden. Wir verschafften ihm einen Platz für 114, und den hat er verpaßt. Er sagte, er sei im Speisesaal gewesen und hätte den Aufruf nicht gehört.«

»Die Aufrufe werden im Speisesaal nicht durchgegeben«, sagte Tanya. »Ein großes Schild gibt das bekannt, und es steht auf allen Speisekarten.«

»Das habe ich ihm auch erklärt, Mrs. Livingston, als er vom Ausgang zurückkam. Trotzdem war er gehässig. Er benahm sich, als ob es meine Schuld wäre, daß er seinen Flug verpaßt hatte, und nicht seine eigene. Er sagte, wir seien alle unfähig und schliefen halb.«

»Haben Sie die Aufsicht gerufen?«

»Das habe ich versucht, aber die hatte zu tun.«

»Und was haben Sie dann getan?«

»Ich sicherte dem Passagier einen Platz – auf dem Sonderflug 2122.«

»Und dann?«

»Dann wollte er wissen, welcher Film auf dem Flug gezeigt würde. Ich stellte das fest, und er sagte, den Film hätte er schon gesehen. Er wurde wieder ausfallend. Der Film, den er sehen wollte, wurde auf dem ersten Flug gezeigt, der abgesagt worden war. Er verlangte, ich sollte ihm einen anderen Flug geben, bei dem der gleiche Film gezeigt würde wie auf dem ersten. Und die ganze Zeit über waren andere Fluggäste da, die sich an den Schalter herandrängten. Manche machten Bemerkungen darüber, wie langsam ich wäre. Also, als er das von dem Film sagte, passierte es, daß ich...« Das Mädchen zögerte. »Wahrscheinlich ist dann etwas bei mir geplatzt.«

»Das war, als Sie ihm den Flugplan an den Kopf warfen?« drängte Tanya.

Patsy Smith nickte verzweifelt. Es sah aus, als ob sie wieder anfangen würde zu weinen. »Ja. Ich weiß nicht, was in mich gefahren ist, Mrs. Livingston... Ich warf den Plan einfach über den Schalter und sagte ihm, er solle sich seinen Flug selbst aussuchen.«

»Ich kann nur hoffen, daß Sie ihn getroffen haben«, sagte Tanya.

Das Mädchen blickte auf. Statt der Tränen zeigte sie den Ansatz eines Lächelns. »O ja, das habe ich.« Sie überlegte, lächelte dann. »Sie hätten sein Gesicht sehen sollen. Er war völlig überrascht.« Ihr Gesichtsausdruck wurde ernst. »Und danach...«

»Was danach geschah, weiß ich. Sie hatten einen Zusammenbruch, und das war ganz natürlich. Sie wurden hier reingeschickt, um sich auszuweinen, und das haben Sie jetzt getan, und jetzt fahren Sie mit einem Taxi nach Hause.«

Das Mädchen sah sie ungläubig an. »Meinen Sie – das ist alles?«

»Selbstverständlich ist das alles. Haben Sie gedacht, wir würden Sie deswegen rauswerfen?«

»Ich – ich war mir nicht sicher.«

»Vielleicht müssen wir es«, sagte Tanya, »so ungern wir es täten, Patsy, wenn Sie das gleiche noch einmal machen. Aber das tun Sie doch nicht, oder? Bestimmt nicht.«

Das Mädchen schüttelte nachdrücklich den Kopf. »Nein, bestimmt nicht. Ich kann es nicht erklären, aber wenn man es einmal getan hat, genügt es.«

»Das wäre also erledigt. Falls Sie nicht hören wollen, was danach geschehen ist.«

»Ja, bitte.«

»Ein Herr meldete sich. Er sagte, er habe das Ganze mit angesehen und mit angehört. Er sagte auch, er habe eine Tochter im gleichen Alter wie Sie, und wenn dieser Mann mit seiner Tochter so gesprochen hätte wie mit Ihnen, hätte er ihm persönlich eine runtergehauen. Dann hinterließ der zweite Herr aus der Schlange seinen Namen und seine Adresse und sagte, falls der Mann, den Sie bedient haben, sich beschwere, solle man ihm Bescheid geben, und dann würde er berichten, was wirklich vorgefallen sei.« Tanya lächelte. »Sie sehen also – es gibt auch nette Menschen.«

»Ich weiß«, sagte das Mädchen. »Es gibt nicht viele, aber wenn man einen trifft, der nett und freundlich zu einem ist, möchte man ihn direkt umarmen.«

»Unglücklicherweise dürfen wir das nicht tun, ebensowenig wie mit Flugplänen werfen. Unsere Aufgabe ist, jeden in gleicher Weise zu behandeln und höflich zu sein, selbst wenn die Fluggäste es nicht sind.«

»Ja, Mrs. Livingston.«

Tanya war überzeugt, daß Patsy Smith in Zukunft nicht versagen würde. Anscheinend hatte sie nicht daran gedacht zu kündigen, wie manche Mädchen, die ähnliche Erfahrungen machten. Tatsächlich hatte sie jetzt ihren Schock überwunden, und Patsy schien über die Widerstandskraft zu verfügen, die ihr künftig nützlich sein würde.

Weiß Gott, man braucht Widerstandskraft, dachte Tanya – und eine gewisse Härte, wenn man es mit Reisenden zu tun hat, in welcher Position auch immer.

Zum Beispiel die Vorbestellungen. Sie wußte, daß an den Schaltern für Vorbestellungen in der Stadt die persönliche Belastung noch stärker war als auf dem Flughafen. Seit Ausbruch des Schneesturms mußten die Angestellten an den Platzreservierungen Tausende von Telefongesprächen geführt und Passagiere über Verzögerungen und Umstellungen informiert haben. Das war eine Aufgabe, die alle Angestellten haßten, weil die Angerufenen unweigerlich verärgert waren und häufig schimpften. Verzögerungen bei Fluggesellschaften schienen bei jenen, die davon betroffen waren, eine schlafende Wildheit zu wecken. Männer wurden beleidigend zu Telefonistinnen, und selbst Leute, die sonst höflich und verständnisvoll waren, wurden unwillig und unangenehm. Am schlimmsten war es bei den Flügen nach New York. Es war bekannt, daß Angestellte, die Buchungen entgegennahmen, sich weigerten, Verzögerungen oder Streichungen von Flügen telefonisch an Passagiere für New York durchzugeben, und lieber ihre Stellung riskierten, als den Sturm der Beschimpfungen zu ertragen, der ihnen, wie sie wußten, bevorstand. Tanya hatte oft darüber nachgedacht, warum gerade New York alle Reisenden in einen wahren Taumel versetzte, dorthin zu gelangen.

Aber aus welchen Gründen auch immer, sie wußte, daß beim Personal der Fluggesellschaften Kündigungen folgen würden – bei den Buchungen und in anderen Abteilungen –, sobald der gegenwärtige Notstand vorüber war. So war es immer. Auch mit einigen Nervenzusammenbrüchen mußte man rechnen. Im allgemeinen bei den jüngeren Mädchen, die für die Grobheiten und die schlechte Laune der Fluggäste empfindlicher waren. Gleichbleibende Höflichkeit war, selbst wenn man darin geschult war, eine Belastung, die einen hohen Preis forderte. Deshalb war sie froh, daß Patsy Smith nicht unter den Opfern war.

Es klopfte an der Tür. Sie öffnete sich, und Mel Bakersfeld sah herein. Er trug pelzgefütterte Stiefel und hatte einen dicken Mantel über dem Arm. »Ich kam gerade vorbei«, sagte er zu Tanya. »Wenn Sie wollen, komme ich später wieder.«

»Bleiben Sie bitte.« Sie lächelte ihm entgegen. »Wir sind beinahe fertig.«

Sie beobachtete ihn, während er durch den Raum zu einem Sessel ging. Er sieht erschöpft aus, dachte Tanya.

Sie wandte ihre Aufmerksamkeit wieder dem Mädchen zu, füllte ein Formular aus und gab es ihr. »Gehen Sie damit zum Einsatzleiter für die Taxis, Patsy, er läßt Sie dann nach Hause bringen. Schlafen Sie sich gründlich aus, damit Sie frisch und munter sind, wenn Sie morgen wieder herkommen.«

Als das Mädchen gegangen war, drehte sich Tanya auf ihrem Sessel um und wandte sich Mel zu. »Wie geht's?« fragte sie gutgelaunt.

Er legte die Zeitung nieder, in die er hineingeblickt hatte, und lächelte sie an. »Wie geht's selbst?«

»Haben Sie meine Nachricht bekommen?«

»Ich bin gekommen, um mich dafür zu bedanken, obwohl ich wahrscheinlich auch so gekommen wäre.« Er deutete auf die Tür, durch die das Mädchen verschwunden war, und fragte: »Was hat es denn hier gegeben? Einen Nervenzusammenbruch?«

»Nicht ganz so schlimm.« Sie erzählte ihm den Vorfall.

Mel lachte. »Müde bin ich auch. Wollen Sie mich nicht auch in einem Taxi nach Hause schicken?«

Tanya sah ihn forschend an. Der Blick ihrer leuchtenden hellblauen Augen war bemerkenswert direkt. Sie hatte den Kopf zur Seite geneigt, und die Deckenbeleuchtung ließ auf ihrem Haar rote Glanzlichter reflektieren. Eine schlanke Figur, aber wohlgeformt, was die anliegende Uniform der Fluggesellschaft noch hervorhob ... Wieder fiel Mel auf, wie anziehend und begehrenswert sie war.

»Das wäre zu erwägen«, antwortete sie, »vorausgesetzt, daß das Taxi zu meiner Wohnung fährt und ich für Sie Abendessen machen darf. Sagen wir: Hammelragout.«

Er zögerte und wog die einander ausschließenden Verpflichtungen gegeneinander ab und schüttelte dann resigniert den Kopf. »Ich wollte, ich könnte es annehmen. Aber wir haben hier einige Schwierigkeiten, und anschließend muß ich in die Stadt.« Er stand auf. »Aber Kaffee wollen wir wenigstens zusammen trinken.«

»Also gut.«

Mel hielt ihr die Tür auf, und sie traten in die belebte und geräuschvolle Haupthalle hinaus.

Vor den Schaltern der Trans America drängten sich jetzt noch mehr Leute als vorhin. »Ich habe nicht lange Zeit«, sagte Tanya. »Meine Schicht dauert heute noch zwei Stunden.«

Während sie sich zwischen den Menschen und den Stapeln von Gepäck hindurchdrängten, mäßigte sie ihren im allgemeinen flinken Schritt und paßte sich Mels langsamerem Tempo an. Sie bemerkte, daß er stärker als sonst hinkte. Sie hätte gern seinen Arm genommen, um ihm zu helfen, unterließ es aber lieber. Sie trug noch die Uniform der Trans America, und der Klatsch lief schon schnell genug um, ohne daß man ihm aktiv Nahrung gab. Die beiden waren in letzter Zeit häufig zusammen gesehen worden, und Tanya war überzeugt, daß die Klatschmaschine des Flughafens – die wie ein Dschungeltelegraf mit der Geschwindigkeit eines Computers arbeitete – bereits davon Kenntnis genommen hatte. Wahrscheinlich wurde angenommen, daß sie und Mel miteinander ins Bett gingen, obwohl zufällig gerade das nicht stimmte.

Sie gingen zum Cloud Captain's Coffee Shop in der Haupthalle.

»Aber dieses Hammelragout«, begann Mel. »Könnte das nicht an einem anderen Abend stattfinden? Sagen wir mal übermorgen?«

Tanyas spontane Einladung hatte ihn überrascht. Sie waren zwar schon zusammen ausgegangen, zu einem Drink und zum Abendessen – aber bis jetzt hatte sie noch keine Einladung in ihre Wohnung ausgesprochen. Selbstverständlich war es möglich, daß er nur zum Essen gebeten wurde. Trotzdem – es bestand immerhin die Möglichkeit, daß es mehr bedeutete.

In letzter Zeit hatte Mel das Gefühl, wenn sie ihre Begegnungen außerhalb des Dienstes auf dem Flughafen fortsetzten, könnte eine natürliche und naheliegende Entwicklung einsetzen. Aber er war vorsichtig gewesen. Sein Instinkt warnte ihn davor, daß eine Affäre mit Tanya nicht nur eine vorübergehende Romanze sein würde, sondern etwas, worin sie beide emotionell tief verstrickt würden. Auch mußten seine Probleme mit Cindy berücksichtigt werden. Es würde sehr schwierig sein, für sie Lösungen zu finden, falls überhaupt Lösungen dafür gefunden werden konnten, und die Zahl der Probleme, mit denen ein Mann sich gleichzeitig befassen konnte, war begrenzt. Es eine merkwürdige Situation, dachte er, daß es leichter zu sein scheint, mit einer Affäre fertigzuwerden, wenn man in einer gesicherten Ehe lebt, als wenn diese Ehe erschüttert ist. Wie dem auch sei, Tanyas Einladung war zu verlockend, um sie zu übergehen.

»Übermorgen ist Sonntag«, erinnerte sie ihn, »aber ich habe an dem Tag frei, und wenn Sie es arrangieren können, habe ich mehr Zeit.«

Mel lächelte. »Kerzen und Wein also?«

Er hatte vergessen, daß es ein Sonntag war. Aber er würde trotzdem zum Flughafen kommen, denn selbst wenn der Schneesturm weiterzog, würde er seine Nachwirkungen haben. Und was Cindy anging, sie selbst war an Sonntagen mehrfach fortgegangen, ohne daß sie Gründe dafür angegeben hatte.

Einen Augenblick wurden Mel und Tanya getrennt, als sie einem eiligen Mann mit einem frischen, geröteten Gesicht auswich, dem ein Gepäckträger mit einem Karren folgte, dessen Ladung Golfschläger und Tennisracketts krönten. Wohin diese Ladung auch bestimmt ist, dachte Tanya neidisch, sie geht bestimmt weit, weit nach Süden.

»Einverstanden«, antwortete sie, als sie sich wieder trafen. »Kerzen und Wein.«

Als sie in die Kaffeestube eintraten, erkannte eine flinke Kellnerin Mel sofort und führte ihn vor anderen zu einem kleinen Tisch im Hintergrund, mit dem Schild »Reserviert«, an dem die leitenden Leute des Flughafens oft saßen. Als er sich setzen wollte, kam er etwas ins Stolpern und griff nach Tanyas Arm. Die aufmerksame Kellnerin ließ schnell ihre Blicke, mit dem Anflug eines Lächelns, über die beiden schweifen. Klatschmaschine, paß auf, dir steht Nahrung bevor, dachte Tanya.

Laut sagte sie: »Haben Sie je solche Menschenmassen gesehen? Das sind die schlimmsten drei Tage, die ich je erlebt habe.«

Mel sah sich in der dichtgefüllten Kaffeestube um. Der Stimmenlärm wurde durch das Geschirrklappern gelegentlich noch übertönt. Er deutete mit dem Kopf zur Eingangstür, durch die sie gerade gekommen waren, und durch die sie wirbelnde, sich drängende Menschenschwärme sehen konnten. »Wenn Sie das schon für eine große Horde halten, dann warten Sie erst mal ab, bis die Lockheeds L-500 in Dienst gestellt werden.«

»Ich weiß – wir werden ja kaum mit den 747 fertig. Aber tausend Passagiere, die sich dann auf einmal vor den Empfangsschaltern drängen – Gott sei uns gnädig!« Tanya schauderte.

»Können Sie sich vorstellen, wie es zugehen wird, wenn die alle ihr Gepäck abholen. Ich wage nicht, auch nur daran zu denken.«

»Das tun viele andere auch nicht – Leute, die aber heute schon daran denken sollten.« Es amüsierte ihn, daß ihr Gespräch sich bereits der Luftfahrt zugewendet hatte. Flugzeuge und Fluggesellschaften faszinierten Tanya, und sie sprach gern darüber. Das galt auch für Mel, und hier lag einer der Gründe, weshalb er ihre Gesellschaft liebte.

»Welche Leute denken nicht daran?«

»Jene, die die Verkehrspolitik bestimmen – für Flughäfen und Luftverkehr. Die meisten tun so, als ob die Düsenmaschinen von heute ewig fliegen würden. Sie scheinen zu glauben, wenn sich jeder still und ruhig verhielte, würden die neuen großen Maschinen verschwinden und uns nicht belästigen. Auf diese Weise brauchten wir dann keine Bodeneinrichtungen, die diesen Maschinen entsprechen.«

Tanya sagte nachdenklich: »Aber auf den Flughäfen wird doch rege gebaut. Man sieht es überall, wohin man auch kommt.«

Mel bot ihr eine Zigarette an, aber sie schüttelte ablehnend den Kopf. Er zündete sich selbst eine an, ehe er antwortete.

»Die meisten Bauarbeiten sind Flickwerk – Umbauten und Erweiterungen an Flughäfen, die in den fünfziger Jahren oder Anfang der sechziger entstanden sind. Aber wenig ist wirklich voraussehend geplant. Es gibt Ausnahmen – eine davon ist Los Angeles; Tampa in Florida und Dallas/Fort Worth in Texas sind andere. Das werden die einzigen Flughäfen der Welt sein, die für die neuen Mammutmaschinen mit Überschallgeschwindigkeit bereit sind. Kansas City, Houston und Toronto machen sich nicht schlecht. San Francisco hat einen Plan, aber der kann politisch torpediert werden. In Nordamerika gibt es sonst nicht viel, das einem imponieren könnte.«

»Wie steht es mit Europa?«

»Nichts als Routine«, antwortete Mel, »abgesehen von Paris – der neue Flughafen im Norden, der Le Bourget ersetzen soll, wird einer der besten sein. London ist ein untaugliches Schlamassel, wie es nur die Engländer zustande bringen.« Er überlegte kurz. »Aber wir sollten nicht auf anderen Ländern herumreiten. Bei uns selbst ist es schlimm genug. New York ist angsterregend, trotz der Veränderung auf Kennedy Airport. Über New York ist einfach nicht genug Luftraum vorhanden; ich überlege, ob ich in Zukunft nicht mit dem Zug hinfahren soll. Washington quält sich verzweifelt – Washington National ist eine finstere Falle; Dulles war ein Riesenschritt in die falsche Richtung. Und Chicago wird eines Tages aufwachen und feststellen, daß es zwanzig Jahre hinter der Zeit herhinkt.« Wieder überlegte er. »Erinnern Sie sich an die Zeit vor ein paar Jahren, als die ersten Düsenflugzeuge kamen – wie die Zustände auf den Flugplätzen waren, die für die DC-4 und die Constellation angelegt worden waren?«

»Ich erinnere mich«, antwortete Tanya. »Ich habe auf einem gearbeitet. An normalen Tagen konnte man sich vor Menschenmassen nicht von der Stelle rühren, an Tagen mit Hochbetrieb konnte man nicht einmal atmen. Wir sagten immer, es sei so, als ob man die Olympischen Spiele in einem Sandkasten austragen würde.«

»Was nach 1970 kommt, wird schlimmer«, prophezeite Mel, »viel schlimmer, und nicht nur, weil wir an Menschen ersticken werden. Wir werden auch an anderen Dingen zu würgen haben.«

»An was zum Beispiel?«

»Einmal Flugrouten und Flugsicherung, aber das ist eine andere Geschichte. Das wirklich Große, womit sich die Flughafenplanung noch nicht befaßt hat, ist, daß wir auf den Tag zusteuern – und zwar schnell –, an dem der Luftfrachtverkehr größer sein wird als der Passagierverkehr. Das galt seit jeher für alle Transportarten, angefangen beim Birkenrindenkanu. Zunächst wurden Menschen transportiert und zusätzlich ein bißchen Fracht; aber es dauerte nie lange, dann war mehr Fracht vorhanden als Menschen. Im Luftverkehr sind wir diesem Stadium bereits viel näher, als allgemein bekannt ist. Wenn Fracht an die erste Stelle tritt – wie das in rund zehn Jahren der Fall sein wird –, sind eine Menge unserer gegenwärtigen Vorstellungen von Flughäfen veraltet. Wenn Sie einen Wegweiser haben wollen, in welche Richtung sich alles bewegt, dann beobachten Sie einmal einige der jungen Leute, die jetzt in die Leitung der Luftverkehrsgesellschaften eintreten. Vor nicht allzu langer Zeit wollte kaum jemand in den Abteilungen für Luftfracht arbeiten; das war zweitrangig; das Passagiergeschäft allein hatte Glanz. So ist es nicht mehr! Die klugen jungen Leute wenden sich jetzt der Luftfracht zu. Sie wissen, wo die Zukunft und die großen Aufstiegsmöglichkeiten liegen.«

Tanya lachte. »Ich bleibe altmodisch und halte mich an die Menschen. Fracht ist irgendwie...« Eine Kellnerin trat an ihren Tisch. »Die Sperrstunde ist aufgehoben, und wenn wir heute abend hier noch viel Gäste bekommen, wird nicht viel übrig bleiben, was wir ihnen anbieten können.«

Sie bestellten Kaffee, Tanya einen Zimttoast dazu und Mel ein Sandwich mit Spiegelei.

Als die Kellnerin gegangen war, grinste Mel. »Ich glaube, ich habe angefangen, eine Rede zu halten. Entschuldigung.«

»Vielleicht müssen Sie mal wieder üben.« Sie sah ihn neugierig an. »In der letzten Zeit haben Sie das nicht mehr oft getan.«

»Ich bin nicht mehr Präsident des Airport Operator Council. Ich komme nicht mehr oft nach Washington und woandershin auch nicht.«

Aber das war nicht der einzige Grund, weshalb er keine Reden mehr hielt und seltener öffentlich auftrat. Er vermutete, daß Tanya das wußte.

Seltsamerweise war es einer der Vorträge Mels gewesen, wodurch sie überhaupt bekannt geworden waren. Bei einer der wenigen gemeinsamen Tagungen, auf denen die verschiedenen Fluggesellschaften zusammenkamen, hatte er über die künftige Entwicklung der Luftfahrt gesprochen und das Hinterherhinken der Bodenorganisation mit den Fortschritten in der Luft verglichen. Er hatte die Veranstaltung benutzt, um einen Vortrag zu proben, den er etwa eine Woche später vor einem das ganze Land umfassenden Forum halten wollte. Tanya hatte der Delegation der Trans America angehört, und am nächsten Tag hatte sie ihm eine ihrer Notizen zugeschickt:

mr. b
rede großartig. wir erdgebundenen sklaven preisen sie für
eingeständnis, daß schöpfer der luftfahrtpolitik an zeichen-
brettern schlafen. das mußte mal gesagt werden. ein vorschlag gefällig? wäre viel lebendiger, wenn weniger fakten,
mehr leute ... wenn passagiere erst im bauch (flugzeug oder
wal, erinnere an jonas) denken nur an sich, nicht an system.
wette daß orville/wilbur das gleiche dachten, sobald aufgestiegen. stimmts?

                                                    tl

Die Notiz hatte ihn nicht nur amüsiert, sondern auch nachdenklich gemacht. Es traf zu – er hatte sich auf Fakten und Systeme
konzentriert und darüber die Menschen als Individuen ver-
nachlässigt. Er überprüfte die Notizen zu seinem Vortrag noch
einmal und verlagerte das Gewicht so, wie Tanya es angeregt
hatte. Das Ergebnis war der erfolgreichste Vortrag, den er je
gehalten hatte. Er trug ihm einen Beifallssturm ein, und auf
internationaler Ebene wurde ausführlich darüber berichtet.
Nachher hatte er Tanya angerufen, um sich bei ihr zu bedanken. Seitdem waren sie öfter zusammengekommen.
Der Gedanke an Tanyas erste Notiz erinnerte ihn an jene, die
sie ihm heute abend geschickt hatte. »Für den Tip über den
Bericht des Schneeausschusses bin ich Ihnen dankbar, obwohl es
mich interessieren würde, wie es Ihnen gelungen ist, ihn vor mir
zu Gesicht zu bekommen.«
»Kein Geheimnis. Er wurde im Büro der Trans America getippt.
Ich habe gesehen, wie Kapitän Demerest ihn durchsah und
darüber frohlockte.«
»Vernon hat Ihnen den Bericht gezeigt?«
»Nein, aber er hatte ihn ausgebreitet, und ich bin geübt, Texte,
die auf dem Kopf stehen, zu lesen. Wobei mir einfällt, daß Sie
meine Frage nicht beantwortet haben: Was hat Ihr Schwager
eigentlich gegen Sie?«
Mel schnitt eine Grimasse. »Wahrscheinlich weiß er, daß ich
nicht besonders viel für ihn übrig habe.«
»Wenn Sie ihm das mal sagen wollen, können Sie es jetzt tun«,

sagte Tanya. »Da ist der große Mann persönlich.« Sie deutete mit dem Kopf zur Kasse, und Mel wandte sich um.

Kapitän Vernon Demerest von der Trans America zählte das Wechselgeld, nachdem er seine Rechnung bezahlt hatte. Er war eine große, breitschultrige, auffallende Erscheinung, die alle anderen um ihn herum überragte. Er war leger in eine Harris-Tweedjacke und eine makellos gebügelte Hose gekleidet, aber dennoch gelang es ihm, den Eindruck von Autorität um sich zu verbreiten – wie ein hoher General, der vorübergehend Zivil trägt, dachte Mel. Demerests festes, aristokratisches Gesicht lächelte nicht, als er sich an einen Kapitän der Trans America in Uniform mit vier Streifen am Ärmel wandte, der ihn begleitete. Anscheinend erteilte Demerest Anweisungen, denn der andere nickte. Kapitän Demerest sah sich kurz in der Kaffeestube um, bemerkte Mel und Tanya und grüßte mit einem knappen kühlen Nicken. Dann blickte er auf seine Uhr und ging nach einem letzten Wort an den anderen Kapitän hinaus.

»Anscheinend hat er Eile«, sagte Tanya. »Aber was er auch vorhat, er hat nicht viel Zeit. Kapitän D. nimmt heute abend den Flug Zwei nach Rom.«

Mel lächelte. »*The Golden Argosy*?«

»Nichts Geringeres. Aber wie ich sehe, Sir: Sie lesen unsere Anzeigen.«

»Dem kann man sich nur schwer entziehen.« Mel wußte, wie Millionen andere Leute, die die doppelseitigen Vierfarbenanzeigen in *Life, Look, Good House-keeping*, der *Saturday Evening Post* und anderen großen Zeitschriften bewunderten, daß Flug Zwei der Trans America – *The Golden Argosy* – der Spitzenprestigeflug der Gesellschaft war. Er wußte auch, daß nur die erfahrensten Flugkapitäne der Gesellschaft die Maschinen auf diesem Flug steuerten.

»Es scheint Einigkeit darüber zu herrschen«, sagte Mel, »daß Vernon einer der besten Piloten ist, die es gibt.«

»Aber ja, ohne jeden Zweifel. Hervorragend und anmaßend.« Tanya zögerte, dann sagte sie in vertraulichem Ton: »Wenn Ihnen gerade nach Klatsch zumute sein sollte: Sie sind nicht der einzige, der sich aus Ihrem Schwager nicht viel macht. Vor gar nicht langer Zeit hörte ich einen unserer Mechaniker sagen, es tue ihm leid, daß es keine Propellermaschinen mehr gäbe, weil er immer gehofft hätte, Kapitän Demerest würde mal in einen Propeller reinlaufen.«

Mel sagte scharf: »Das ist eine reichlich brutale Vorstellung.«

»Zugegeben. Persönlich ziehe ich vor, was unser Präsident, Mr. Youngquist, gesagt haben soll. Soviel ich weiß, lautete seine Anweisung bezüglich Kapitän Demerests: Man halte mir diesen anmaßenden Burschen vom Hals, aber für seine Flüge soll man mich buchen.«

Mel lachte verhalten. Er kannte beide Männer und war deshalb überzeugt, daß diese Bemerkung so gefallen war. Er hätte sich nicht auf ein Gespräch über Vernon Demerest einlassen sollen, erkannte er, aber die Mitteilung über den kritischen Schneebericht und der Ärger, den das nach sich ziehen würde, wurmten ihn. Er fragte sich flüchtig, wohin sein Schwager im Augenblick wohl gehe und ob es sich um eines seiner amourösen Abenteuer handle, deren es – verbürgten Berichten zufolge – zahlreiche gab. Als er in die Haupthalle hinausblickte, stellte er fest, daß Kapitän Demerest bereits in der Menschenmenge untergetaucht war.

Auf der anderen Seite des Tisches strich Tanya mit einer raschen Bewegung, die Mel schon früher an ihr beobachtet hatte und die ihm gefiel, ihren Rock glatt. Es war eine weibliche Geste und eine Erinnerung daran, daß nur wenige Frauen in Uniform so gut aussahen, weil die Uniform oft eine desillusionierende Wirkung hatte; aber bei Tanya war es umgekehrt.

Manche Fluggesellschaften verzichteten bei älteren Angestellten, die die Passagiere bedienten, auf die Uniform, aber bei Trans America schätzte man die Würde, die das fesche Blau und Gold verliehen. Zwei goldene, weißgefaßte Streifen an Tanyas Ärmelaufschlägen verkündeten ihre Stellung und ihr Dienstalter. Als ob sie seine Gedanken erriete, sagte sie: »Ich ziehe diese Uniform vielleicht bald aus.«

»Warum?«

»Unser Bezirksverkehrsleiter wird nach New York versetzt.

Sein Stellvertreter rückt auf, und ich habe mich um seinen Posten beworben.«

Er betrachtete sie mit einer Mischung aus Bewunderung und Neugier. »Ich glaube, daß Sie die Stelle bekommen. Und das wird noch nicht das Ende vom Lied sein.«

Sie zog die Augenbrauen hoch. »Glauben Sie, ich könnte noch Vizepräsident werden?«

»Das glaube ich schon. Das heißt, falls Sie den Ehrgeiz haben. Eine Frau in leitender Stellung und was so dazugehört.«

Leise sagte Tanya: »Ich bin mir nicht sicher, ob ich es will oder nicht.«

Die Kellnerin brachte ihnen die Bestellung. Als sie wieder allein waren, sagte Tanya: »Uns berufstätigen Frauen bleibt manchmal keine große Wahl. Wenn man sich mit dem Job, den man hat, bis zur Pensionierung nicht zufrieden geben will – und viele von uns tun das nicht –, gibt es nur einen Ausweg: nach oben.«

»Schließen Sie eine Ehe aus?«

Sie nahm ein Stück ihres Zimttoastes. »Ich schließe sie nicht aus, aber bei mir hat es das erste Mal nicht geklappt, und klappt es vielleicht nie wieder. Außerdem gibt es nicht viele Anwärter – verfügbare, meine ich – für benutzte Bräute mit Babys.«

»Es könnte Ausnahmen geben.«

»Ich könnte das große Los gewinnen. Aus Erfahrung, mein lieber Mel, kann ich Ihnen versichern, daß Männer ihre Frauen gern ohne Vorbelastungen haben. Fragen Sie meinen früheren Mann. Das heißt, falls Sie ihn finden können. Mir ist das nicht gelungen.«

»Er hat Sie verlassen, nachdem Ihr Kind geboren wurde?«

»Meine Güte, nein! Dann hätte Roy ja sechs Monate lang eine Verantwortung auf sich genommen. Ich glaube, es war ein Donnerstag, als ich ihm sagte, daß ich ein Kind bekäme. Ich konnte es mir selbst nicht mehr länger verheimlichen. Als ich am Freitag von der Arbeit heimkam, waren Roys Anzüge verschwunden. Und Roy auch.«

»Haben Sie ihn seitdem wiedergesehen?«

Sie schüttelte den Kopf. »Am Ende hat das die Scheidung sehr erleichtert – böswilliges Verlassen. Keine Komplikationen, wie zum Beispiel eine andere Frau. Ich muß jedoch fair sein. Roy war nicht durch und durch schlecht. Er hob nicht unser gemeinsames Bankkonto ab, obwohl er das gekonnt hätte. Ich muß zugeben, daß ich mich manchmal gefragt habe, ob das Freundlichkeit war oder ob er es nur vergessen hat. Jedenfalls hatte ich die ganzen achtzig Dollar für mich.«

»Das haben Sie bisher noch nie erwähnt«, sagte Mel.

»Hätte ich das tun sollen?«

»Um Mitgefühl zu finden vielleicht.«

Sie schüttelte den Kopf. »Wenn Sie mich besser verstünden, wüßten Sie, daß ich Ihnen das nicht erzähle, weil ich Mitgefühl brauche. Alles ist gutgegangen.« Tanya lächelte. »Vielleicht werde ich sogar Vizepräsident einer Fluggesellschaft. Das haben Sie doch gesagt.«

An einem Nachbartisch sagte eine Frau: »Mein Gott! Sieh mal, wie spät es ist!« Instinktiv folgte Mel der Aufforderung. Es war eine dreiviertel Stunde vergangen, seit er Danny Farrow in der Schneekontrolle verlassen hatte. Er stand auf und bat Tanya: »Gehen Sie noch nicht. Ich muß nur telefonieren.«

Auf der Theke neben der Kassiererin stand ein Apparat, und Mel wählte eine der im Telefonverzeichnis nicht aufgeführten Nummern der Schneekontrolle. Danny Farrow meldete sich mit »Moment mal«, und war wenige Augenblicke später wieder am Apparat.

»Ich wollte Sie schon anrufen«, sagte Danny. »Ich habe gerade eine Meldung über die festgefahrene Maschine der Aéreo Mexican.«

»Ja, bitte.«

»Sie wissen, daß die Mexikaner TWA um Hilfe gebeten haben?«

»Ja.«

»Also, die haben jetzt Schlepper und Kräne und weiß Gott was draußen. Startbahn und Taxistreifen sind völlig blockiert, aber sie haben die Maschine noch nicht von der Stelle bekommen. Das Neueste ist, daß TWA nach Joe Patroni geschickt hat.«

»Ich bin froh, das zu hören«, sagte Mel erleichtert. »Allerdings wünschte ich, sie hätten das früher getan.«

Joe Patroni war der Leiter des Wartungsdienstes bei TWA und der geborene Zauberer, wenn es um Schwierigkeiten ging. Er war eine praktische, dynamische Persönlichkeit und ein naher Freund von Mel.

»Anscheinend haben sie versucht, Patroni sofort zu erreichen«, sagte Danny. »Aber er war nicht zu Hause, und die Leute hatten Mühe, ihn ausfindig zu machen. Der Schneesturm scheint viele Telefonleitungen beschädigt zu haben.«

»Aber jetzt weiß er Bescheid? Sind Sie sicher?«

»Bei TWA sind sie sicher. Sie sagen, er sei auf dem Weg hierher.«

Mel rechnete. Er wußte, daß Joe Patroni in Glen Ellyn wohnte, etwa fünfundzwanzig Meilen vom Flughafen entfernt, und selbst bei idealen Fahrbedingungen nahm der Weg vierzig Minuten in Anspruch. Heute abend, bei eingeschneiten Straßen und kriechendem Verkehr, hatte der Leiter des Wartungsdienstes Glück, wenn er es in der doppelten Zeit schaffte.

»Wenn jemand dieses Flugzeug heute nacht von der Stelle bewegt, dann Joe Patroni«, stimmte Mel bei. »Inzwischen will ich aber nicht, daß jemand untätig herumsitzt, bis er ankommt. Machen Sie jedem eindeutig klar, daß wir Startbahn Drei-Null dringend einsatzfähig brauchen.« Abgesehen von den Notwendigkeiten für den Flugbetrieb dachte er auch daran, daß die Maschinen immer noch über Meadowood starteten. Er fragte sich, ob die Gemeindeversammlung, von der ihm der Dienstleiter im Kontrollturm berichtet hatte, noch tagte.

»Das habe ich allen auseinandergesetzt«, bestätigte Danny. »Ich werde es noch einmal tun. Ach ja, und auch eine gute Neuigkeit – wir haben diesen Verpflegungswagen gefunden.«

»Ist der Fahrer in Ordnung?«

»Er war bewußtlos unter dem Schnee. Sein Motor lief, und wir nehmen an, daß er etwas Kohlendioxyd abbekommen hat. Aber wir haben ihn mit Sauerstoff behandelt, und er wird keinen Schaden zurückbehalten.«

»Gut. Ich gehe jetzt aufs Flugfeld hinaus und überzeuge mich selbst, wie es da aussieht. Ich rufe von dort über Sprechfunk wieder an.«

»Packen Sie sich gut ein«, rief Danny. »Soviel ich gehört habe, ist es lausig kalt draußen.«

Tanya saß noch am Tisch, als Mel zurückkam, machte sich aber bereit zu gehen.

»Warten Sie«, sagte Mel. »Ich komme mit.« Sie zeigte auf sein unberührtes Sandwich. »Und was wird aus dem Abendessen? Falls das eines gewesen sein sollte.«

»Das muß im Augenblick genügen.« Er nahm einen Mundvoll, spülte mit Kaffee hastig nach und griff nach seinem Mantel. »Ich esse auf jeden Fall heute abend noch in der Stadt.«

Als Mel ihre Rechnung bezahlte, kamen zwei Angestellte der Trans America in die Kaffeestube. Der eine war der leitende Mann beim Abfertigungsschalter, mit dem Mel schon vorhin gesprochen hatte. Als er Tanya bemerkte, kam er herüber.

»Entschuldigen Sie, Mr. Bakersfeld ... Mrs. Livingston, der Bezirksverkehrsleiter sucht Sie. Er hat wieder mal ein Problem.«

Mel nahm das Wechselgeld von der Kassiererin entgegen und steckte es ein. »Lassen Sie mich raten. Es hat wieder jemand mit Flugplänen um sich geworfen.«

»Nein, Sir.« Der Mann grinste. »Wenn so etwas heute abend noch einmal geschieht, bin ich es wahrscheinlich. Hier geht es um einen blinden Passagier. Auf Flug 80 von Los Angeles.«

»Ist das alles?« Tanya war erstaunt. Blinde Passagiere auf Flugzeugen – das gab es bei allen Gesellschaften und war selten ein Anlaß zu ernstlicher Sorge.

»Nach dem, was ich gehört habe, ist der, um den es sich handelt, etwas bescheuert. Es liegt ein Funkspruch des Kapitäns vor, und eine Sicherheitswache ist hinausgefahren, um das Flugzeug zu empfangen. Aber was auch immer los ist: man sucht Sie, Mrs. Livingston.« Mit einem freundlichen Kopfnicken ging er zu seinem Kollegen zurück.

Mel trat mit Tanya aus der Kaffeestube in die Haupthalle hinaus. Vor dem Fahrstuhl, mit dem Mel in die unterirdische Garage fahren wollte, um seinen dort parkenden Wagen zu holen, blieben sie stehen.

47

»Fahren Sie vorsichtig da draußen«, warnte sie, »und kommen Sie keinem Flugzeug in die Quere.«

»Wenn das passiert, werden Sie es bestimmt erfahren!« Er zog sich seinen dicken Mantel an. »Ihr blinder Passagier klingt interessant. Ich will versuchen, noch einmal vorbeizukommen, ehe ich gehe, um zu erfahren, was hinter der Geschichte steckt.« Er zögerte, ehe er noch hinzufügte: »Das gibt mir auch einen Vorwand, Sie heute abend noch einmal zu sehen.«

Sie standen nahe beieinander. Mit einer gleichzeitigen Bewegung reichten sie sich die Hände. »Wer braucht dazu einen Vorwand?« fragte Tanya leise.

Als Mel im Fahrstuhl nach unten fuhr, spürte er noch die glatte Wärme ihrer Haut und hatte ihre Stimme im Ohr.

IV

Joe Patroni befand sich – wie Mel Bakersfeld erfahren hatte – auf dem Weg von seinem Heim in Glen Ellyn zum Flughafen. Der untersetzte Italo-Amerikaner, Leiter der Wartungsabteilung der TWA auf dem Flughafen, hatte seinen vorstädtischen, im Ranchstil erbauten Bungalow vor etwa zwanzig Minuten mit dem Auto verlassen. Er kam nur außergewöhnlich langsam vorwärts, wie Mel bereits vermutet hatte.

Im Augenblick wurde Joe Patronis Buick Wildcat durch eine Verkehrsstauung aufgehalten. Vor und hinter ihm standen, so weit er sehen konnte, andere Fahrzeuge. Während Patroni wartete, zündete er sich im Schein der Rückleuchten des Wagens vor ihm eine frische Zigarre an.

Um Joe Patroni hatte sich ein Kranz von Legenden gebildet; manche beschäftigten sich mit seiner Arbeit, andere galten ihm privat.

Seine berufliche Laufbahn hatte er als Abschmierer in einer Autowerkstatt begonnen. Bald darauf nahm er die Werkstatt seinem Arbeitgeber beim Würfeln ab, so daß nach dem Spiel die Rollen vertauscht waren. Dadurch erbte der junge Joe auch eine Anzahl nicht einziehbarer Außenstände, durch die er unter anderem Besitzer eines alten, abgeklapperten Waco-Doppeldeckers wurde. Mit Hilfe seiner Erfindungsgabe und seines technischen Geschicks reparierte er das Flugzeug und flog es erfolgreich – wenn auch ohne in den Genuß von Flugunterricht gekommen zu sein, weil er sich die Stunden nicht leisten konnte.

Das Flugzeug und seine technische Funktion absorbierten Joe Patroni völlig – in einem solchen Maß, daß er seinen früheren Arbeitgeber zu einem neuen Würfelspiel verleitete und ihn die Werkstatt zurückgewinnen ließ. Darauf gab Joe seine Stellung auf und nahm eine als Flugzeugmechaniker an. Er besuchte eine Abendschule, wurde Erster Mechaniker, dann Abteilungsleiter und stand in dem Ruf, absolute Spitzenklasse beim Ausfindigmachen und Beheben von Pannen zu sein. Seine Gruppe konnte einen Motor schneller auswechseln, als die Hersteller angaben, und das mit absoluter Zuverlässigkeit. Bald hieß es, wenn Not am Mann war oder eine schwierige Reparatur vorgenommen werden mußte: Holt Joe Patroni.

Ein wichtiger Grund für seinen Erfolg lag darin, daß er niemals Zeit auf Diplomatie verschwendete. Statt dessen kam er immer sofort zur Sache, sowohl im Umgang mit Menschen als auch mit Flugzeugen. Er besaß eine völlige Mißachtung für jeden Rang und trat gegenüber jedem rückhaltlos offen auf, die leitenden Männer der Fluggesellschaft eingeschlossen.

In einem Fall, von dem bei den Fluggesellschaften immer noch gesprochen wurde, wenn man Erinnerungen austauschte, verließ Joe Patroni, ohne jemand vorher zu fragen oder auch nur ein Wort zu sagen, seinen Arbeitsplatz und nahm ein Flugzeug nach New York. Er hatte ein Paket bei sich. Nach seiner Ankunft fuhr er mit Bus und U-Bahn zu den olympischen Höhen der Gesellschaft mitten in Manhattan und marschierte dort ohne vorherige Anmeldung oder eine Vorrede in das Büro des Präsidenten. Er öffnete sein Paket und breitete auf dem makellosen Schreibtisch des Präsidenten einen verölten, auseinandergenommenen Vergaser aus.

Der Präsident, der von Joe Patroni nie etwas gehört hatte und den niemand ohne vorher festgelegten Termin erreichte, war einem Schlaganfall nahe, doch Joe erklärte ihm: »Wenn Sie ein paar Flugzeuge in der Luft verlieren wollen, können Sie mich 'rauswerfen. Wenn nicht, setzen Sie sich, und hören Sie zu.«

Der Präsident setzte sich – während Joe Patroni sich eine Zigarre anzündete – und hörte zu. Später rief er den technischen Vizepräsidenten zu sich, der anschließend einige mechanische Veränderungen anordnete, die die Vereisung von Vergasern beim Flug betrafen, auf die Patroni seit Monaten auf der unteren Ebene erfolglos gedrängt hatte.

Später erhielt Patroni eine öffentliche Belobigung, und aus dem Vorfall wurde eine weitere Episode in dem bereits wachsenden Bestand an Geschichten über Patroni. Bald danach wurde Patroni zum Oberinspektor befördert und erhielt wenige Jahre später den wichtigen Posten als Leiter des Wartungsdienstes auf dem Lincoln International.

Auf der persönlichen Ebene besagte ein anderer Bericht, daß

Joe Patroni in den meisten Nächten mit seiner Frau Marie schlief, etwa so, wie andere vor dem Abendessen einen Aperitif genießen. Das entsprach den Tatsachen. Tatsächlich war er gerade damit beschäftigt, als die telefonische Nachricht vom Flughafen über die festgefahrene Düsenmaschine der Aéreo Mexican kam, die wiederflottzumachen die TWA gebeten worden war.

Ein weiteres Gerücht hielt sich hartnäckig: Patroni schliefe mit seiner Frau so, wie er auch alles andere tat – mit einer langen, dünnen Zigarre im Mundwinkel. Das stimmte nicht, jedenfalls jetzt nicht mehr. Nachdem Marie in ihren ersten Ehejahren verschiedentlich mit brennenden Kopfkissen hatte fertig werden müssen – wobei sich beim Löschen ihre Ausbildung als Stewardeß der TWA als nützlich erwies –, hatte sie sich weitere Zigarren im Bett nachdrücklich verbeten. Joe fügte sich dem Spruch, weil er seine Frau liebte. Er hatte Grund dazu. Als er sie heiratete, war sie wahrscheinlich die bekannteste und schönste Stewardeß sämtlicher Fluggesellschaften, und zwölf Jahre später, mit drei Kindern, konnte sie es immer noch mit den meisten ihrer Nachfolgerinnen aufnehmen. Es gab Leute, die sich verwundert fragten, warum Marie, die von Kapitänen und Ersten Offizieren heiß umworben worden war, überhaupt Joe Patroni gewählt hatte. Aber Joe hatte schon damals, als sie sich kennenlernten, als junger Vorarbeiter im Wartungsdienst, das gewisse Etwas an sich und hatte Marie seither immer zufriedengestellt – auf jedem wichtigen Gebiet.

Joe Patroni besaß aber noch etwas anderes: Er geriet in einer Krisensituation nie in Panik. Statt dessen bildete er sich schnell ein Urteil über die Lage, entschied, welche Dringlichkeit der Krise zukam, und ob er eine andere Aufgabe erst abschließen sollte, ehe er sich mit der neuen befaßte. Im Fall der festgefahrenen 707 sagte ihm sein Instinkt, daß es sich um eine mittlere bis akute Krise handele, und das bedeutete, daß er das, womit er gerade beschäftigt war, beenden oder aber zu Abend essen konnte, jedoch nicht beides. Dementsprechend verzichtete er auf das Abendessen. Bald danach hetzte Marie im Morgenrock in die Küche, um für Joe schnell ein paar Sandwiches zu machen,

51

die er auf der Fünfundzwanzig-Meilen-Fahrt zum Flughafen essen konnte, und er kaute gerade an einem.

Daß er nach einem vollausgefüllten Arbeitstag zum Flughafen zurückgerufen wurde, war für ihn nichts Neues; heute abend aber war das Wetter schlechter als bei jedem früheren Anlaß, soweit er sich erinnern konnte. Überall waren die sich summierenden Auswirkungen des dreitägigen Schneesturms zu spüren und machten das Fahren anstrengend und gefahrvoll. Riesige Schneeberge säumten die Straßen, und in der Dunkelheit schneite es immer noch. Auf den Schnellstraßen wie auf den normalen Straßen bewegte sich der Verkehr kriechend oder überhaupt nicht weiter. Selbst die M + S-Reifen, die Patroni an seinem Wagen hatte, faßten nur schlecht. Scheibenwischer und Entfrostungsanlagen kamen gegen die Schneeböen draußen und die beschlagenen Scheiben drinnen nicht an, und die Scheinwerfer erhellten nur ein kurzes Stück der Straße vor den Wagen. Stilliegende Fahrzeuge, manche von ihren Fahrern preisgegeben, verwandelten die Straßen in Hindernisbahnen. Offensichtlich wagten sich nur Leute, die guten Grund dazu hatten, an diesem Abend auf die Straße.

Patroni sah auf seine Uhr. Sowohl sein Wagen als auch der seines Vordermannes standen jetzt schon einige Minuten. Auch weiter vorn konnte er gleichfalls haltende Wagen ausmachen, und rechts von ihm stand eine weitere Reihe haltender Fahrzeuge. Außerdem war schon seit einiger Zeit kein Fahrzeug mehr aus der entgegengesetzten Richtung gekommen: folglich war etwas geschehen, wodurch der ganze Verkehr auf allen vier Fahrbahnen blockiert wurde. Wenn sich in den nächsten fünf Minuten nichts ergab, wollte er aussteigen, um nachzuforschen, obwohl er in Anbetracht des Matsches, der Verwehungen und des unverändert fallenden Schnees hoffte, daß es nicht nötig wäre. Ihm stand noch ausreichend Gelegenheit bevor, bis auf die Knochen durchzufrieren, wozu es zweifellos kommen würde, ehe die Nacht vorüber war, sobald er auf dem Flugplatz ankam. Inzwischen drehte er das Autoradio lauter, das auf eine Rock-'n'-Roll-Sendung eingestellt war, und paffte an seiner Zigarre.

Fünf Minuten verstrichen. Joe Patroni sah, daß vor ihm Leute ausstiegen und nach vorn gingen, und schickte sich an, ihnen zu folgen. Er trug einen pelzgefütterten Anorak, den er jetzt um sich zog und sich die Kapuze über den Kopf streifte. Er griff nach der schweren Taschenlampe, die er immer mit sich führte. Als er die Wagentür öffnete, fegten Wind und Schnee herein. Er stieg aus und schloß die Tür schnell hinter sich.

Er stampfte vorwärts, während die Türen anderer Wagen schlugen und Stimmen riefen. »Was ist denn los?« Jemand rief zurück: »Da vorn war ein Unfall. Eine Riesenschweinerei.« Als er näher kam, wurden vor ihm aufblitzende Lichter sichtbar, Schatten bewegten und trennten sich, wurden zu einer Menschentraube. Eine neue Stimme sagte: »Glauben Sie mir, das läßt sich so schnell nicht beiseite räumen. Wir sitzen hier für Stunden fest.«

Ein großer dunkler Schatten tauchte vor ihm auf, zum Teil von sprühenden roten Fackeln angestrahlt. Er stellte sich als ein schwerer Sattelschlepper mit Anhänger heraus, der auf der Seite lag. Das klobige, sechzehnrädrige Gefährt lag quer über der Fahrbahn und blockierte jeden Verkehr. Ein Teil der Ladung – anscheinend Kartons mit Konserven – war herausgestürzt, und schon trotzten einige Spekulanten dem Schnee und sammelten Kartons ein, um sie schnell zu ihren Wagen zu bringen.

Zwei Streifen der Verkehrspolizei befanden sich am Unfallort. Polizisten vernahmen den Lastwagenfahrer, der anscheinend unverletzt geblieben war.

»Ich habe nur ganz leicht auf die verdammte Bremse gedrückt«, protestierte der Fahrer laut, »und schon kam das Ding ins Schleudern und wälzte sich im Schnee wie eine heiße Hure.«

Einer der Polizisten schrieb in sein Notizbuch, und eine Frau fragte mit gedämpfter Stimme den Mann neben sich: »Glaubst du, daß er das wörtlich aufschreibt?«

Eine andere Frau rief mit schriller Stimme gegen den Wind: »Das hilft uns auch nichts. Warum schafft ihr Polypen das Ding nicht aus dem Weg?«

Einer der Polizisten kam herüber. Sein Uniformmantel war fast vollständig von Schnee bedeckt. »Wenn Sie mal eben mit anfassen wollen, meine Dame, werden wir es vielleicht schaffen.«

Ein paar Leute lachten. Die Frau murrte: »Klugschwätzer.«

Ein Abschleppwagen mit rotierendem gelbem Warnlicht näherte sich auf der anderen Straßenseite langsam dem Hindernis. Der Fahrer fuhr auf der jetzt leeren Gegenfahrbahn. Er hielt an und stieg aus. Als er die Größe und die Lage des Sattelschleppers erkannte, schüttelte er zweifelnd den Kopf.

Joe Patroni drängte sich vor. Er paffte an seiner Zigarre, die im Wind rot aufglühte, und klopfte dem Polizisten nachdrücklich auf die Schulter. »Passen Sie mal auf, mein Junge. Mit einem Abschleppwagen bekommen Sie den Brocken nie von der Stelle. Ebensogut könnten Sie eine Schnecke vor...«

Der Polizist drehte sich um. »Was ebensogut ist, spielt keine Rolle, Mister; aber hier ist Benzin ausgelaufen, darum machen Sie mal Ihre Zigarre aus.«

Patroni ignorierte die Anweisung, wie er alle Rauchverbote ignorierte. Er deutete mit seiner Zigarre auf den umgekippten Sattelschlepper. »Außerdem, junger Mann, vergeuden Sie die Zeit von allen Leuten hier, meine und Ihre auch, wenn Sie versuchen wollen, den Schrotthaufen da bei Nacht auf die Räder zu kriegen. Den müssen Sie auf die Seite schleppen, damit der Verkehr wieder durchkann, und dazu brauchen Sie noch zwei Abschleppwagen – einen auf dieser Seite hier, der schiebt, und zwei da drüben, die ziehen.« Er ging um den großen Lastzug herum, inspizierte ihn im Licht seiner Lampe von den verschiedensten Stellen. Wie immer, wenn er sich mit einem Problem befaßte, wurde er von der Aufgabe völlig in Anspruch genommen. »Die beiden Schlepper müssen gleichzeitig an drei Punkten ansetzen. Zuerst wird das Triebfahrzeug weggezogen. So geht es am schnellsten. Dadurch werden auch die Anhänger frei. Der andere Abschleppwagen...«

»Augenblick mal«, unterbrach der Polizist. Er rief zu den anderen Beamten hinüber. »He, Hank, hier ist einer, der weiß anscheinend, wovon er redet.«

Zehn Minuten später hatte Joe Patroni im Verein mit den Polizisten praktisch die Bergungsarbeit übernommen. Über Funk wurden seinem Vorschlag gemäß zwei weitere Abschleppwagen angefordert. Während noch auf sie gewartet wurde, befestigte der Fahrer des ersten Abschleppwagens auf Patronis Anweisungen Ketten an der Achse des umgestürzten Sattelschleppers. Die Situation ließ bereits eine zweckmäßige Zielstrebigkeit erkennen – ein charakteristisches Merkmal jeder Maßnahme, bei der der energische Chef des Wartungsdienstes der TWA seine Hand im Spiel hatte.

Patroni selbst war inzwischen mehrmals besorgt der Grund durch den Kopf gegangen, warum er in dieser Nacht eigentlich unterwegs war, und daß er schon längst auf dem Flughafen hätte sein müssen. Aber er rechnete sich aus, daß er am schnellsten dorthin käme, wenn er half, die blockierte Straße freizubekommen. Sein eigener Wagen würde ebensowenig weiterkönnen wie die anderen, solange der verunglückte Lastzug nicht von der Fahrbahn heruntergeschleppt worden war. Umzudrehen und es auf einem anderen Weg zu versuchen war aussichtslos, weil inzwischen die Straße hinter ihm auch durch eine ständig länger werdende Wagenschlange meilenweit, wie ihm die Polizisten versicherten, verstopft war.

Er kehrte zu seinem Wagen zurück, um über Funktelefon anzurufen, das er sich auf Vorschlag seiner Arbeitgeber angeschafft hatte und für das sie die monatlichen Gebühren übernahmen. Er rief die Wartungsabteilung der Gesellschaft auf dem Flughafen an, um sie über seine Verspätung zu informieren, und erhielt seinerseits die Mitteilung von Mel Bakersfeld, daß es dringend erforderlich sei, die Startbahn Drei-Null zu räumen und einsatzfähig zu machen.

Joe Patroni gab über das Telefon einige Anweisungen durch, war sich aber klar, daß es das Wichtigste sei, selbst so schnell wie möglich zum Flughafen zu kommen.

Als er zum zweitenmal aus dem Buick ausstieg, schneite es immer noch stark. Er wich Schneeverwehungen aus, die sich um die Schlange der wartenden Wagen gebildet hatten, und kehrte in einem mühsamen Zotteltrab zum Schauplatz des Unfalls zurück. Mit Erleichterung stellte er fest, daß inzwischen der erste der beiden zusätzlichen Abschleppwagen eingetroffen war.

V

Der Fahrstuhl, in den Mel Bakersfeld gestiegen war, nachdem er sich von Tanya verabschiedet hatte, brachte ihn in das Kellergeschoß des Flughafengebäudes. Sein Dienstwagen – senfgelb und mit Sprechfunk ausgerüstet – stand an einem reservierten Platz in der Nähe bereit. Mel fuhr durch die Ausfahrt auf eine der Abstellrampen für Flugzeuge in den Sturm hinaus. Sobald er aus dem Schutz der unterirdischen Garage kam, prallten Wind und wirbelnder Schnee mit ungezügelter Wildheit gegen seine Windschutzscheibe. Die Scheibenwischer fuhren hastig hin und her, konnten aber nur knapp so viel Platz freihalten, daß er nach vorn Sicht hatte. Durch das auf einen schmalen Spalt geöffnete Fenster fuhren ein eisiger Windstoß und Schnee herein.

Hastig kurbelte er das Fenster zu. Der Unterschied zwischen der behaglichen Wärme des Flughafengebäudes und den Unbilden der Nacht draußen war überraschend.

Unmittelbar vor ihm waren Maschinen in Verladeposition an der Rampe abgestellt. Zwischen Schneeböen, die entstanden, wenn der Wind um die Ecken der Gebäude fegte, konnte er das beleuchtete Innere verschiedener Flugzeuge erkennen, in denen die Passagiere bereits Platz genommen hatten. Offenkundig waren mehrere Maschinen startbereit und warteten auf Genehmigung vom Kontrollturm, die Motoren anzulassen. Die anhaltende Verzögerung war die Folge davon, daß Startbahn Drei-Null blockiert war. Weiter draußen auf dem Flugfeld nahm er die verschwommenen Umrisse und Positionslichter weiterer Maschinen wahr, die kürzlich angekommen waren und mit laufenden Motoren warteten. Sie befanden sich in einem Wartegebiet, das die Piloten die Strafzelle nannten, und würden weiterrollen, sobald Verladepositionen für sie frei wurden. Zweifellos spielte sich das gleiche vor den sieben anderen Flugsteigen ab, die um das Hauptgebäude herumgruppiert waren.

Das Funksprechgerät in Mels Wagen, das auf die Frequenz der Bodenkontrolle eingestellt war, erwachte knisternd zum Leben.

»Kontrollturm an Eastern siebzehn«, gab ein Kontroller durch:

»Sie haben freie Bahn zur Startbahn Zwei-Fünf. Schalten Sie jetzt die Funkfrequenz für Ihre Starterlaubnis ein.«

Ein Knattern statischer Elektrizität. »Eastern siebzehn. Verstanden.«

Eine lautere Stimme verkündete gereizt: »An Bodenkontrolle von Pan Am vierundfünfzig auf äußerem Taxiweg zu Zwei-Fünf. Vor mir ist eine private Cessna – zweimotorige Schildkröte. Ich stehe auf der Bremse, um sie nicht zu überrollen.«

»Pan Am vierundfünfzig, warten.« Eine ganz kurze Pause, dann wieder die Stimme des Kontrollers: »An Cessna sieben drei metro von Bodenkontrolle. Nächste Abzweigung rechts einbiegen, abwarten und Pan American vorbeilassen.«

Überraschend antwortete eine angenehme Frauenstimme: »An Bodenkontrolle von Cessna sieben drei metro. Ich biege ab. Machen Sie zu, Pan Am, Sie dicker Protz.«

Ein verhaltenes Lachen. Dann: »Danke, mein Schatz. Sie können inzwischen Ihre Lippen nachmalen.«

Die Stimme des Kontrollers fuhr dazwischen: »Turm an alle. Beschränken Sie sich auf dienstliche Durchsagen.«

Der Kontroller war gereizt, wie Mel erkannte, trotz der geübten einstudierten Ruhe. Aber wer wäre das an diesem Abend, bei diesem Wetter und diesem Betrieb nicht? Mit Unbehagen dachte er an seinen Bruder Keith, der unter dem unablässigen Druck der Kontrolle der aus dem Westen eintreffenden Maschinen stand.

Der Austausch zwischen Turm und Flugzeugen ging weiter, ohne Pause zwischen den einzelnen Durchsagen. Als eine Durchsage beendet war, drückte Mel auf den Schaltknopf seines Mikrofons. »An Bodenkontrolle von Mobil eins. Ich bin bei Eingang fünfundsechzig auf dem Weg nach Drei-Null zur Position der festgefahrenen 707.«

Er wartete, während der Kontroller zwei weiteren gerade gelandeten Maschinen Anweisung für die Taxiwege gab. Dann: »Turm an Mobil eins. Verstanden. Folgen Sie DC-9 der Air Canada, die vor Ihnen von der Rampe rollt. Halten Sie knapp vor Rollbahn Zwei-Eins.«

Mel bestätigte. Er konnte die Maschine der Air Canada sehen, die sich in diesem Augenblick von einer Sperre des Hauptgebäudes löste; ihr hohes anmutiges Leitwerk erschien als kantige Silhouette.

Solange er noch im Gebiet der Verladerampen war, fuhr er vorsichtig auf das Flugfeld hinaus, hielt Ausschau nach Rampenläusen – wie auf dem Flughafen die Fülle der Fahrzeuge, die die Flugzeuge auf dem Boden umschwärmten, genannt wurde. Neben den üblichen waren heute abend auch mehrere sogenannte Kirschpflücker unterwegs – Lastwagen mit hoch ausfahrbaren, beweglichen Plattformen auf steuerbaren Stahlträgern. Auf den Plattformen bemühten sich Leute vom Bodenpersonal, die Tragflächen der Flugzeuge vom Schnee zu befreien und besprühten sie mit Glycol, um die Eisbildung zu verhindern. Die Leute selbst auf ihren ungeschützten Plätzen waren von Schnee bedeckt.

Mel bremste plötzlich, um einem schnellfahrenden Honigwagen auszuweichen, der aus dem Rampenbereich kam, um seine übelriechende Ladung von vierhundert Gallonen fortzuschaffen, die er aus den Toiletten der Flugzeuge herausgepumpt hatte. Die Ladung wurde in einen Reißwolf in einem besonderen Gebäude des Flughafens, um das alle einen möglichst weiten Bogen machten, geleert und dann in die städtische Kanalisation gepumpt. Meistens ging die Beseitigung glatt vonstatten, außer wenn Passagiere Verluste anmeldeten: Gebisse, Handtaschen, Brieftaschen, sogar Schuhe, die ihnen versehentlich in die Toiletten der Flugzeuge gefallen waren. Das geschah jeden Tag ein- oder zweimal. Dann mußten die Ladungen gesiebt werden, und jeder Beteiligte hoffte, daß der vermißte Gegenstand schnell gefunden würde.

Mel wußte, daß auch ohne besondere Zwischenfälle das sanitäre Personal des Flughafens eine arbeitsreiche Nacht vor sich hatte. Aus Erfahrung war der Leitung des Flughafens bekannt, daß die Inanspruchnahme der Toilettenanlagen auf dem Boden und in der Luft bei sich verschlechterndem Wetter stieg. Mel fragte sich, wie viele Leute wohl wissen mochten, daß die Aufsicht über die sanitären Anlagen des Flugplatzes stündlich Wettervoraussagen erhielt und dementsprechend ihre Vorkehrun-

gen traf – für zusätzliche Reinigung und verstärkten Material-
bedarf.

Die Maschine der Air Canada, der er folgen sollte, hatte das
Hauptgebäude zurückgelassen und erhöhte seine Rollgeschwindigkeit. Mel gab Gas, um den Anschluß zu halten. Es war beruhigend, das Rücklicht der DC-9 als Richtpunkt vor sich zu haben, da die Scheibenwischer mit der Fülle des Schnees kaum
fertig wurden. Im Rückspiegel konnte er die Umrisse einer
weiteren größeren Düsenmaschine ausmachen, die ihm jetzt
folgte. Der Bodenkontroller warnte über Funk: »Air France
vier null vier, zwischen Ihnen und Air Canada befindet sich ein
Bodenfahrzeug des Flughafens.«

Mel brauchte eine Viertelstunde, bis er die Kreuzung erreichte,
an der die Startbahn Drei-Null von der 707 der Aéreo Mexican blockiert wurde. Vorher hatte er sich von dem Strom der
anrollenden Flugzeuge getrennt, die zum Start auf den beiden
anderen offenen Startbahnen bestimmt waren.

Er hielt den Wagen an und stieg aus. In der Dunkelheit und
Einsamkeit hier draußen erschien der Sturm noch eisiger und
heftiger als in der Nähe des Hauptgebäudes. Der Wind heulte
über die leere Startbahn. Wenn heute nacht Wölfe auftauchen,
dachte Mel, wäre das nicht überraschend.

Eine schattenhafte Gestalt rief ihn an. »Sind Sie es, Mr. Patroni?«

»Nein, aber er ist auf dem Weg hierher.« Mel stellte fest, daß er
schreien mußte, um sich bei dem Wind verständlich zu machen.

Der andere kam näher. Er war in einen Anorak gehüllt, das
Gesicht blau vor Kälte. »Wir sind wirklich froh, wenn er
kommt, obwohl ich mir auch nicht vorstellen kann, was er noch
unternehmen will. Wir haben alles Erdenkliche versucht, um das
Mistding frei zu kriegen.« Er deutete auf das Flugzeug, das
verschwommen hinter ihm aufragte. »Die sitzt gründlich fest.«

Mel gab sich zu erkennen und fragte dann: »Wer sind Sie?«

»Mein Name ist Ingram, Sir. Ich bin der Leiter des Wartungsdienstes der Aéreo Mexican. Im Augenblick wäre ich aber froh,
wenn ich einen anderen Job hätte.«

Während die beiden Männer sich unterhielten, gingen sie näher an die festgefahrene Boeing 707 heran und suchten instinktiv Schutz unter den Tragflächen und dem Rumpf über ihnen. Unter dem Bauch der großen Düsenmaschine blinkten rhythmisch rote Warnleuchten. In ihrem Schein erkannte Mel den Schlamm unter dem Schnee, in den das Fahrwerk der Maschine tief eingesunken war. Auf der Startbahn und dem angrenzenden Taxistreifen stand, eng zusammengedrängt wie besorgte Verwandte, eine Ansammlung von Lastwagen und Versorgungsfahrzeugen, darunter ein Tankwagen, Gepäckkarren, ein Postwagen, zwei Busse für die Arbeitskräfte und ein lautdröhnendes Generatorfahrzeug.

Mel klappte den Mantelkragen hoch und schloß ihn fest. »Wir brauchen dringend diese Startbahn – noch heute abend. Was haben Sie bisher unternommen?«

In den vergangenen zwei Stunden, berichtete Ingram, waren vom Hauptgebäude altmodische Einstiegsleitern herbeigeschafft, von Menschenhand an die Maschine herangebracht und die Passagiere über sie aus dem Flugzeug gebracht worden. Es war eine langwierige, schwierige Aufgabe, weil die Stufen ebenso schnell wieder vereisten, wie sie vom Eis befreit worden waren. Eine ältere Frau war von zwei Mechanikern die Stufen heruntergetragen worden. Babys waren in Decken gehüllt von Hand zu Hand weitergegeben worden. Inzwischen waren alle Passagiere fortgebracht worden – in Bussen, zusammen mit den Stewardessen und dem Zweiten Offizier. Der Kapitän und der Erste Offizier waren geblieben.

»Haben Sie versucht, die Maschine fortzubewegen, seit die Passagiere weg sind?«

Ingram nickte zustimmend. »Haben die Motoren zweimal wieder angelassen. Der Kapitän hat so viel Dampf wie möglich gegeben. Aber sie kam nicht frei. Sie scheint nur noch tiefer einzusinken.«

»Und was geschieht jetzt?«

»Wir erleichtern sie noch weiter und hoffen, daß das hilft.« Der größte Teil des Treibstoffs, fügte Ingram hinzu, war von Tankwagen übernommen worden – eine schwere Ladung, da die Maschine für den Start vollgetankt hatte. Gepäck- und Frachtraum im Rumpf waren ausgeräumt worden, ein Fahrzeug der Post übernahm die Postsäcke wieder.

Mel nickte. Die Post mußte auf jeden Fall ausgeladen werden, das war ihm bekannt. Das Postamt auf dem Flughafen überwachte die Flugpläne der Gesellschaften bis auf die Minute. Dort wußte man genau, wo die Postsäcke jeweils waren, und sobald Verzögerungen eintraten, wurde die Post von Postbeamten sofort von einer Linie auf eine andere transferiert. Die Post der festgefahrenen Düsenmaschine war jedenfalls besser daran als die Passagiere. In spätestens einer halben Stunde befand sie sich an Bord einer anderen Maschine, wenn notwendig auf einer anderen Route.

»Haben Sie genug Hilfe?« fragte Mel.

»Ja, Sir – für alles, was wir im Moment tun können. Ich habe den größten Teil unseres Personals von der Aéreo Mexican hier – ein Dutzend Leute. Im Augenblick wärmt sich die Hälfte in einem der Busse auf. Vielleicht will Patroni noch mehr Leute. Es hängt davon ab, was er beabsichtigt.« Ingram drehte sich um und betrachtete düster die stumme Maschine. »Aber wenn Sie mich fragen, ich fürchte, es ist eine langwierige Arbeit, für die wir schwere Kräne, Hebegeräte und aufpumpbare Säcke brauchen, um die Tragflächen anzuheben. Für das meiste müssen wir warten, bis es wieder hell ist. Die Geschichte kann den größten Teil des morgigen Tages in Anspruch nehmen.«

Mel erwiderte scharf: »Das ist unmöglich. Wir können nicht einmal die Nacht opfern. Die Startbahn muß geräumt werden...« Er brach unvermittelt ab, er schauderte mit einer Plötzlichkeit, die ihn erschreckte. Diese Intensität kam unerwartet, beinahe gespenstisch.

Mel schauderte erneut. Was war das? Er beruhigte sich selbst: das Wetter – der scharfe, beißende Wind über dem Flugfeld, der den Schnee vor sich herwirbelte. Trotzdem war es seltsam, denn seit er aus dem Wagen ausgestiegen war, hatte sein Körper sich doch an die Kälte gewöhnt.

Von der anderen Seite des Flugfeldes konnte er trotz des Windes das Dröhnen der Düsenmotoren hören. Sie steigerten sich zu einem Crescendo und verklangen dann, nachdem die

Maschine vom Boden abgehoben hatte. Wieder folgte eine, dann noch eine. Dort drüben war alles in Ordnung. Und hier? Es stimmte doch, oder nicht? Für den Bruchteil einer Sekunde hatte er eine Vorahnung gehabt. Ein Hauch, nicht mehr; eine Intuition; die Ahnung von drohender größerer Gefahr. Selbstverständlich sollte er das alles ignorieren: Impulse, Vorahnungen hatten dort keinen Platz, wo nüchtern und sachlich gearbeitet wurde. Hatte er nicht schon einmal, vor langer Zeit, das gleiche Gefühl gehabt – die Überzeugung, daß sich Ereignisse zusammenbrauten und einem katastrophalen, unvorstellbaren Ende zustrebten. Mel erinnerte sich an das Ende, das abzuwenden er völlig machtlos gewesen war.

Er sah wieder zu der 707 hinauf. Sie war jetzt schneebedeckt, ihre Umrisse verschwammen. Nüchterner Menschenverstand sagte ihm: Von der Sperrung der Startbahn und den Ungelegenheiten durch die Starts über Meadowood abgesehen, war die Situation harmlos. Es hatte ein Mißgeschick gegeben, ohne Verletzte, anscheinend ohne Schaden. Sonst war nichts geschehen.

»Gehen wir zu meinem Wagen«, forderte er den Mann der Aéreo Mexican auf. »Wir setzen uns ans Funkgerät und stellen fest, was vorgeht.«

Unterwegs fiel ihm ein, daß Cindy ihn in Kürze ungeduldig in der Stadt erwarten würde.

Mel hatte die Wagenheizung nicht abgestellt, und in dem Wagen war es behaglich warm. Ingram grunzte angenehm überrascht. Er öffnete seinen Anorak und beugte sich vor, um seine Hände in den warmen Luftstrom zu halten. Mel schaltete sein Funksprechgerät auf die Frequenz der Wartungsabteilung des Flughafens.

»Mobil eins an Schneekontrolle. Danny, ich bin bei der blockierten Kreuzung der Drei-Null. Rufen Sie bei TWA an, und fragen Sie nach Joe Patroni. Wo er steckt. Wann er kommt. Kommen.«

Danny Farrows Stimme knisterte durch den Lautsprecher am Instrumentenbrett. »Schneekontrolle an Mobil eins. Verstanden. Außerdem hat Ihre Frau angerufen, Mel.«

Mel drückte auf den Mikrofonknopf. »Hat sie eine Nummer hinterlassen?«

»Allerdings.«

»Mobil eins an Schneekontrolle. Rufen Sie sie bitte an, Danny, sagen Sie ihr, es täte mir leid, aber ich würde mich etwas verspäten. Fragen Sie aber zunächst mal nach Patroni.«

»Verstanden. Melde mich wieder.« Das Funkgerät verstummte.

Mel griff unter seinen Mantel nach seinen Zigaretten. Er hielt die Packung Ingram hin.

»Danke.«

Sie zündeten sich die Zigaretten an und sahen dem Scheibenwischer zu, der hin- und herfuhr.

Ingram deutete mit dem Kopf auf das beleuchtete Cockpit des Düsenflugzeugs der Aéreo Mexican. »Das dumme Schwein von Kapitän da oben heult wahrscheinlich in seinen Sombrero. Das nächste Mal wird er auf die blauen Taxilichter aufpassen, als wären es Altarkerzen.«

»Besteht Ihr Bodenpersonal aus Mexikanern oder Amerikanern?« fragte Mel.

»Wir sind alle Amerikaner. Nur solche Dummköpfe wie wir arbeiten bei diesem miserablen Wetter. Wissen Sie, wohin die Maschine bestimmt war?«

Mel schüttelte den Kopf.

»Acapulco. Heute nachmittag noch hätte ich gern für ein halbes Jahr auf sonst was verzichtet, wenn ich in ihr hätte sitzen können.« Der Vormann lachte verhalten vor sich hin. »Stellen Sie sich doch mal vor ... Sie steigen ein, Sie machen es sich bequem, und dann müssen Sie so wieder raus. Sie hätten hören sollen, wie die Passagiere fluchten. Besonders die Frauen. Heute abend habe ich ein paar neue Ausdrücke gelernt.«

Das Funkgerät erwachte wieder zum Leben.

»Schneekontrolle an Mobil eins«, sagte Danny Farrow. »Ich habe mit TWA wegen Joe Patroni gesprochen. Sie haben Nachricht von ihm. Er wurde durch eine Verkehrsstauung aufgehalten. Er braucht mindestens noch eine Stunde. Er hat eine Nachricht durchgegeben. Haben Sie alles verstanden?«

»Alles verstanden«, bestätigte Mel. »Wie lautet die Nachricht?«

»Patroni warnt davor, die Maschine noch tiefer in den Schlamm zu manövrieren, als sie schon ist. Er sagt, das könne leicht passieren. Wenn also die Leute von der Aéreo Mexican sich nicht ganz sicher sind, daß sie das Richtige machen, sollen sie ihre Finger davon lassen, bis Joe da ist.«

Mel sah Ingram von der Seite an. »Was haben Sie und Ihre Leute dazu zu sagen?«

Ingram nickte. »Patroni kann von uns aus alles versuchen, was er will. Wir warten, bis er da ist.«

»Alles verstanden?« fragte Danny Farrow. »Alles klar?«

Mel drückte auf den Schaltknopf am Mikrofon. »Alles klar.«

»Gut. Jetzt noch was. TWA holt sich noch zusätzliche Kräfte vom Bodenpersonal zur Hilfe heran. Und Ihre Frau hat noch einmal angerufen, Mel. Ich habe Ihre Nachricht an sie weitergegeben.« Mel spürte, daß Danny zögerte, weil er wußte, daß noch andere ihre Funksprechgeräte auf die Frequenz der Flughafenwartung eingestellt hatten und zuhörten.

»Sie war wohl nicht bei bester Laune?« fragte Mel.

»Kann man wohl sagen.« Wieder eine sekundenlange Stille. »Am besten rufen Sie bald mal bei ihr an.«

Ich könnte darauf wetten, dachte Mel, daß Cindy zu Danny noch schnippischer gewesen ist als sonst, aber aus Loyalität sagt er nichts darüber.

Mit der 707 der Aéreo Mexican konnte offensichtlich nichts weiter unternommen werden, bis Joe Patroni eintraf. Patronis Hinweis, daß die Maschine noch tiefer in den Schlamm manövriert werden könnte, war einleuchtend.

Ingram knöpfte seinen Mantel wieder zu und streifte seine dikken Fausthandschuhe über. »Danke für das Aufwärmen.« Er kletterte aus dem Wagen in den Sturm und Schnee hinaus und warf die Tür schnell hinter sich zu. Gleich darauf konnte Mel ihn durch die hohen Schneewehen auf die Fahrzeuge auf der Taxibahn zuwaten sehen.

Über Sprechfunk sprach die Schneekontrolle jetzt mit dem Schneeräumungskommando. Mel wartete, bis das Gespräch beendet war, ehe er wieder auf den Schaltknopf drückte. »Hier Mobil eins, Danny. Ich fahre jetzt zur Conga-Kette.«

64

Er fuhr langsam an, suchte sich vorsichtig seinen Weg durch den wehenden Schnee und die Dunkelheit, in der ihm nur die in weiten Abständen stehende Befeuerung der Startbahn Anhaltspunkte gab.

Die Conga-Kette, gleichzeitig Speerspitze und Hauptstreitmacht des Systems zur Schneeräumung auf dem Flughafen, befand sich im Augenblick auf Startbahn Eins-Sieben links. In wenigen Minuten würde er wissen, dachte Mel grimmig, ob der kritisierende Bericht von Kapitän Demerests Schneeausschuß der Fluggesellschaften von der Wahrheit oder nur von der Bosheit diktiert worden war.

VI

Die Person, an die Mel gerade dachte – Kapitän Vernon Demerest von der Trans America –, befand sich im Augenblick etwa
drei Meilen vom Flughafen entfernt. Er fuhr in seinem Mercedes 230 SL Coupé, und im Vergleich mit der Fahrt, die er von
seinem Haus zum Flughafen hinter sich hatte, machten ihm die
kürzlich vom Schnee geräumten Straßen in dieser Gegend wenig
Schwierigkeiten. Immer noch fiel dichter, vom Wind gepeitsch-
ter Schnee, aber die frische Decke auf dem Boden war noch nicht
tief genug, um das Fahren zu erschweren.

Demerests Ziel war eine Gruppe dreistöckiger Apartmenthäu-
ser, die allgemein »Stewardeß Row« hießen. Hier hielten sich
viele der am Lincoln International stationierten Stewardessen
aller Fluggesellschaften Apartments. In jedes teilten sich gewöhnlich zwei oder drei der Mädchen, und die Eingeweihten
hatten auch eine Bezeichnung für die einzelnen Wohngemein-
schaften. Sie hießen Stewardeß-Nester.

Diese Nester waren häufig Schauplatz lebhafter Partys während der Freizeit des Flugpersonals und manchmal Ausgangs-
punkt der Liebesaffären, die sich mit voraussagbarer Regel-
mäßigkeit zwischen den Stewardessen und den männlichen Be-
satzungsmitgliedern ansponnen.

Im ganzen gesehen ging es in den Stewardeß-Nestern aber
nicht mehr noch weniger ungezügelt zu als in anderen Apartments, die alleinstehende Mädchen bewohnten. Der Unterschied
bestand darin, daß sich das ungehemmte, amoralische Treiben
vorwiegend auf das Personal der Fluggesellschaften beschränkte.

Das hatte seine guten Gründe. Sowohl die Stewardessen als
auch die männlichen Besatzungsmitglieder, mit denen sie zu-
sammentrafen – Kapitäne, Erste und Zweite Offiziere – waren
ausnahmslos Leute von Format. Alle hatten ihre Stellungen, um
die viele andere sie beneideten, durch einen harten, zermürbenden Prozeß der Auslese erworben, bei dem die weniger Begabten völlig ausgeschaltet wurden. Die verhältnismäßig wenigen,
die dabei übrigblieben, waren die klügsten und die besten. Dar-

aus ergab sich eine Auslese intelligenter, aufgeklärter Persönlichkeiten, voller Lebenslust und mit der Gabe, ihresgleichen anzuerkennen und zu schätzen.

Vernon Demerest hatte während seiner Laufbahn viele Stewardessen ebenso schätzengelernt wie sie ihn. Tatsächlich hatte er eine Reihe von Affären mit schönen, intelligenten jungen Frauen hinter sich, die mancher Monarch und manches männliche Filmidol begehrt haben mochten, ohne sie je zu gewinnen. Die Stewardessen, die Demerest und seine Kollegen kannten und mit denen sie gewöhnlich schliefen, waren keine Huren, nicht einmal leichtfertig. Sie waren lebensfrohe, aufgeschlossene und sexuell ungehemmte junge Frauen, die Qualität schätzten und akzeptierten, wenn sie ihnen so selbstverständlich und ohne Schwierigkeiten geboten wurde.

Eine, die das Gebotene – um es so auszudrücken – von Vernon Demerest angenommen hatte und geneigt schien, es weiterhin zu tun, war die lebhafte, attraktive, in England geborene Gwen Meighen. Sie war die Tochter eines Farmers, die vor zehn Jahren als Achtzehnjährige ihre Heimat verlassen hatte und in die Vereinigten Staaten gekommen war. Ehe sie bei der Trans America eintrat, hatte sie in Chicago kurz als Modell gearbeitet. Vielleicht auf Grund ihres bewegten Lebens verband sie eine ungehemmte Sinnlichkeit im Bett mit Eleganz und Lebensstil im Alltag.

Gwen Meighens Apartment war jetzt das Ziel von Kapitän Demerest. Später am Abend würden sie gemeinsam mit Trans Americas Flug Zwei die Reise nach Rom antreten. In der Pilotenkanzel würde Kapitän Demerest den Befehl haben, in der Passagierkabine hinten würde Gwen Meighen Erste Stewardeß sein. Am Ende der Reise in Rom erwartete die Besatzung ein dreitägiges »Layover«, während der eine andere Besatzung – die inzwischen zu ihrer eigenen Ruhepause bereits in Italien war – die Maschine zum International Lincoln Airport zurückflog.

Der Ausdruck »Layover« war schon vor langer Zeit von den Fluggesellschaften übernommen worden und wurde ohne Wimpernzucken gebraucht. Vielleicht hatte der Betreffende, der den

Ausdruck geprägt hatte, einen gewissen Humor besessen. Jedenfalls gaben die Flugbesatzungen ihm häufig neben der offiziellen Bedeutung auch eine praktische Nutzanwendung. Demerest und Gwen beabsichtigten ihm eine persönliche Bedeutung zu verleihen. Nach der Ankunft in Rom wollten sie sofort zu einem gemeinsamen »Layover« von achtundvierzig Stunden weiter nach Neapel. Das war eine friedliche, idyllische Aussicht, und bei dem Gedanken daran lächelte Vernon Demerest erwartungsvoll. Er näherte sich jetzt der Stewardeß Row, und als er auch noch daran dachte, wie gut andere Dinge an diesem Abend gelaufen waren, vertiefte sich sein Lächeln.

Er war frühzeitig auf dem Flugplatz eingetroffen, nachdem er seine Frau Sarah verlassen hatte, die ihm – geduldig wie immer – eine angenehme Reise wünschte. In jüngeren Jahren hätte sich Sarah vielleicht während der Abwesenheit ihres Ehemannes mit Sticken oder Stricken beschäftigt, aber jetzt würde sie, wie er genau wußte, sich in ihrem Damenklub mit Bridge und Malen beschäftigen, die zum Hauptinhalt ihres Lebens geworden waren.

Sarah Demerests Geduld und ihre Langweiligkeit, die selbstverständlich mit ihr einherging, waren Eigenschaften, mit denen ihr Mann sich abgefunden hatte und die er auf eine perverse Weise an ihr schätzte. Zwischen seinen Flügen und seinen reizvolleren Affären mit anderen Frauen dachte er an seinen Aufenthalt zu Hause als »zur Inspektion in den Hangar gehen«, wie er Vertrauten gegenüber es manchmal formulierte. Seine Ehe hatte eine weitere Annehmlichkeit. Solange sie bestand, konnten die Frauen, zu denen er Liebesaffären unterhielt, so gefühlvoll und anspruchsvoll sein, wie sie wollten, niemals konnten sie von ihm erwarten, die höchste Forderung nach einer Ehe zu erfüllen. Auf diese Weise besaß er einen ständigen Schutz gegen seine eigenen, in der Glut der Leidenschaft übereilten Handlungen. Was seine sexuellen Beziehungen zu Sarah betraf, so genügte er gelegentlich immer noch seinen Pflichten, wie man eben mit einem alten Hund auch noch Apportieren spielt. Sarah reagierte pflichtschuldig, mit den üblichen Körperzuckungen und beschleunigtem Atmen, obwohl er den Argwohn hegte, beides entstamme eher der Gewohnheit als der Leidenschaft und daß sie nicht sonderlich betroffen sein würde, wenn sie den Geschlechtsverkehr völlig einstellten. Er war auch überzeugt, daß Sarah seine Untreue vermutete, wenn auch vielleicht nicht in Kenntnis der Tatsachen, dann doch instinktiv. Aber in für sie typischer Weise zog sie es vor, nichts zu wissen, eine Haltung, der Vernon Demerest nur zu gern Vorschub leistete.

Und mit noch etwas anderem war er an diesem Abend zufrieden: Dem Bericht der Schneekommission der Fluggesellschaften, in dem er einen verbalen Tritt in den Unterleib ausgeteilt hatte, der auf seinen hochnäsigen Schwager Mel Bakersfeld zielte.

Der kritische Bericht war ausschließlich auf Demerests Initiative zurückzuführen. Die Vertreter der beiden anderen Fluggesellschaften in dem Ausschuß hatten zunächst den Standpunkt vertreten, die Leitung des Flughafens gebe sich die größte Mühe und leiste unter ungewöhnlichen Umständen ihr Bestes. Kapitän Demerest widersprach dem. Schließlich hatten die anderen sich ihm angeschlossen und zugestimmt, daß Demerest persönlich den Bericht aufsetzte, den er so beißend abfaßte, wie er nur konnte. Er hatte sich nicht um Genauigkeit oder andere Geringfügigkeiten gekümmert; wer sollte bei so viel Schnee schon wirklich etwas Zuverlässiges sagen können? Er hatte jedoch dafür gesorgt, daß der an einen großen Kreis verbreitete Bericht für Mel Bakersfeld ein Maximum an Unannehmlichkeiten und Ärger mit sich brachte. Der Bericht wurde gerade vervielfältigt, um an die regionalen Vizepräsidenten der Fluggesellschaften sowohl als auch an deren Präsidenten in New York oder andernorts verschickt zu werden. Da Kapitän Demerest wußte, es würde jeden freuen, einen Sündenbock für die eingetretenen Verzögerungen zu finden, verließ er sich darauf, daß gleich nach dem Eingang Telefone und Fernschreiber zu tun bekämen.

Vergeltung ist geübt worden, dachte Vernon Demerest befriedigt, eine geringfügige zwar, aber eine verdiente. Jetzt würde dieser hinkende Viertelkrüppel von Schwager es sich wohl zweimal überlegen, ehe er Kapitän Demerest und die Air Line Pilots

Association herausforderte, wie Mel Bakersfeld es angeblich vor zwei Wochen in aller Öffentlichkeit getan hatte.

Kapitän Demerest steuerte den Mercedes auf einen Parkplatz des Apartmentblocks. Er brachte den Wagen langsam zum Stehen und stieg aus. Er war etwas zu früh gekommen, wie er bemerkte, eine Viertelstunde früher, als er mit Gwen vereinbart hatte, um sie abzuholen und zum Flughafen hinauszubringen. Er entschloß sich, trotzdem zu ihr hinaufzugehen.

Als er das Haus mit dem Schlüssel, den Gwen ihm gegeben hatte, betrat, summte er leise vor sich hin, lächelte dann, als er bemerkte, daß es *O sole mio* war. Nun ja, warum nicht? Es war angebracht – Neapel – eine warme Nacht statt des Schnees, der Ausblick auf die Bucht im Sternenlicht, leise Mandolinenmusik, Chianti zum Abendessen und Gwen Meighen neben sich – all das lag nur vierundzwanzig Stunden entfernt. Ja, wirklich! – *O sole mio* . . . Er summte die Melodie weiter.

Während er im Fahrstuhl hinauffuhr, fiel ihm noch etwas anderes Angenehmes ein. Der Flug nach Rom würde mühelos werden. Zwar hatte Kapitän Demerest heute nacht das Kommando bei Flug Zwei – *The Golden Argosy* –, aber er würde nur wenig von der Mühe auf sich nehmen, die mit dem Flug verbunden war. Der Grund dafür war, daß er ihn als Check-Pilot mitmachte. Ein anderer Kapitän mit vier Streifen, Anson Harris, fast mit dem gleichen Dienstalter wie Demerest – war mit dem Flug beauftragt und würde den linken Sitz des kommandierenden Piloten einnehmen. Demerest würde rechts sitzen, im allgemeinen der Platz des Ersten Offiziers, und von dort Kapitän Harris beobachten und über seine Leistung berichten.

Diese Überprüfung war angesetzt worden, weil die Versetzung von Kapitän Harris vom Inlandsdienst der Trans America zum internationalen Dienst vorgesehen war. Bevor er jedoch als vollgültiger Pilot im internationalen Luftverkehr fliegen durfte, mußte er zwei Flüge auf einer Überseeroute mit einem regulären Linienkapitän, der auch eine Fluglehrerprüfung bestanden hatte, absolvieren. Vernon Demerest besaß die erforderliche Qualifikation. Nach den beiden Flügen, von denen der heutige der zweite sein würde, mußte sich Kapitän Harris einer Abschlußprüfung durch einen dienstälteren vorgesetzten Kapitän unterziehen, ehe er für den internationalen Dienst akzeptiert wurde.

Zu diesen Prüfungen gehörte, wie auch zu den regelmäßigen, sechsmonatlichen Prüfungsflügen, denen sich alle Piloten aller Fluggesellschaften unterziehen mußten, eine scharfe Überprüfung der Fähigkeiten und des Verhaltens während des Flugs. Die Prüfungen fanden bei regulären, planmäßigen Flügen statt, und der einzige Hinweis, den die Passagiere darauf erhielten, bestand in der Tatsache, daß bei solchen Flügen vorn in der Pilotenkanzel zwei Kapitäne mit vier Streifen anwesend waren.

Trotz der Tatsache, daß die Kapitäne sich dabei gegenseitig prüften, waren diese Tests, sowohl die regelmäßigen als auch die besonderen, im allgemeinen ernste, anstrengende Proben des Könnens. Die Piloten wollten es nicht anders haben. Zuviel stand auf dem Spiel – die Sicherheit der Öffentlichkeit und der Leistungsstandard der Piloten –, um gegenseitig nachsichtig zu sein oder Schwächen zu übersehen. Ein Kapitän, der überprüft wurde, wußte, daß er die geforderten Normen in jeder Hinsicht erfüllen mußte. Falls das nicht geschah, war automatisch ein tadelnder Bericht die Folge, der, falls es ernst genug war, eine noch schärfere Prüfung durch den Chefpiloten der Gesellschaft nach sich zog, bei der es um die Stellung des Prüflings ging.

Doch wenn die Anforderungen an die Leistungen auch nicht verringert wurden, behandelten die prüfenden Piloten ihre erfahrenen Kollegen stets mit untadeliger Höflichkeit. Mit Ausnahme von Vernon Demerest.

Demerest behandelte jeden Piloten, der ihm zur Prüfung zugeteilt wurde, ob er nun dienstälter oder jünger als er selbst war, in genau der gleichen Weise: wie einen aufsässigen Schuljungen, der zum Direktor gerufen worden war, um sich zu rechtfertigen. Darüber hinaus gab sich Demerest in der Rolle des Schuldirektors dienstlich, anmaßend, herablassend und streng. Er machte keinen Hehl aus seiner Überzeugung, daß die Fähigkeiten keines Piloten seinen eigenen überlegen waren. Kollegen, die sich dieser Behandlung ausgesetzt sahen, tobten innerlich, aber sie hatten keine andere Wahl, als stillzusitzen und es hinzunehmen. Infolgedessen schworen sie sich gegenseitig, daß sie, wenn Demerest an die Reihe kam, ihn des gemeinsten und härtesten Prüfungsflugs unterziehen würden, den er je erlebt hatte. Das taten sie auch regelmäßig, mit dem einzigen, immer gleichbleibenden Ergebnis: Vernon Demerest wartete mit einer makellosen Leistung auf, an der nichts ausgesetzt werden konnte.

In der für Demerest charakteristischen Weise hatte er dem Prüfungsflug am Nachmittag einen Telefonanruf bei Kapitän Anson Harris vorausgeschickt. »Wir werden heute abend schlechte Straßenverhältnisse haben«, begann Demerest ohne weitere Vorrede. »Ich lege Wert darauf, daß meine Besatzung pünktlich ist. Deshalb rege ich an, daß Sie sich reichlich Zeit nehmen, um zum Flugplatz zu kommen.« Anson Harris, der in zweiundzwanzig Dienstjahren bei der Trans America nie zu einer Beanstandung Anlaß gegeben hatte und zu keinem einzigen Flug verspätet zum Flughafen gekommen war, war so empört, daß er fast erstickte. Zum Glück hängte Demerest den Hörer ein, bevor er nur ein Wort herausbrachte.

Immer noch kochend, aber um sicherzugehen, daß Demerest ihm nichts anhaben konnte, war Kapitän Harris fast drei Stunden vor der Abflugzeit, statt der üblichen einen Stunde, auf dem Flughafen eingetroffen. Kapitän Demerest, von seinem Erfolg beim Schneekomitee der Fluggesellschaften in bester Laune, war Harris in dem Cloud Captain's Coffee Shop begegnet. Demerest trug eine Tweedjacke und eine Flanellhose. Er bewahrte eine Reserveuniform auf dem Flughafen auf und beabsichtigte, sich später umzuziehen. Kapitän Harris, ein ergrauter, bewährter Veteran, den viele jüngere Piloten mit »Sir« anredeten, trug die Pilotenuniform der Trans America.

»Hallo, Anson.« Vernon Demerest ließ sich auf dem Platz an der Theke neben Harris nieder. »Wie ich sehe, sind Sie meinem guten Rat gefolgt.«

Kapitän Harris faßte den Henkel seiner Kaffeetasse etwas fester, antwortete aber nur: »Guten Abend, Vern.«

»Wir wollen mit dem Briefing für den Flug zwanzig Minuten früher als sonst anfangen«, sagte Demerest. »Ich möchte Ihre Flughandbücher überprüfen.«

Gott sei Dank, dachte Harris. Seine Frau hatte seine Flughandbücher erst gestern durchgesehen und die neuesten Ergänzungen eingefügt. Aber es war wohl besser, wenn er noch einmal in
seinem Postfach im Dienstzimmer nachsah. Dieser Schuft brachte es fertig, ihm noch einen Fehler anzukreiden, weil er eine
Ergänzung noch nicht aufgenommen hatte, die erst an diesem
Nachmittag herausgegeben worden war. Um seine Hände zu
beschäftigen, die ihm juckten, stopfte Kapitän Harris seine
Pfeife und zündete sie an. Er merkte, daß Vernon Demerest ihn
dabei kritisch musterte.

»Sie tragen ein vorschriftswidriges Hemd.«

Einen Augenblick lang konnte Kapitän Harris nicht glauben,
daß sein Kollege das ernst meinte. Als er aber erkannte, daß es
doch der Fall war, lief sein Gesicht dunkelrot an. .

Dienstlich vorgeschriebene Hemden waren ein wunder Punkt
für die Piloten der Trans America, so gut wie für die Piloten
anderer Gesellschaften. Sie konnten nur durch die Gesellschaft
bezogen werden, kosteten neun Dollar das Stück, saßen oft
schlecht und waren aus fragwürdigem Material. Zwar widersprach es den Vorschriften, aber man konnte sich selbst um
mehrere Dollar billiger ein viel besseres Hemd kaufen, dessen
äußere Unterschiede kaum zu bemerken waren. Die meisten
Piloten kauften sich vorschriftswidrige Hemden und trugen sie.
Auch Vernon Demerest tat das. Bei mehreren Gelegenheiten
hatte Anson Harris Demerest geringschätzig über die Hemden
der Gesellschaft sprechen und auf die überlegene Qualität seiner eigenen hinweisen hören.

Kapitän Demerest winkte der Kellnerin nach Kaffee und beruhigte Harris dann: »Es spielt jetzt keine Rolle. Ich werde
nicht berichten, daß Sie hier ein unvorschriftsmäßiges Hemd getragen haben, solange Sie sich umziehen, ehe Sie sich zu meinem
Flug melden.«

Halte an dich! sagte Anson Harris zu sich selbst. *Lieber Gott
im Himmel, gib mir die Kraft nicht herauszuplatzen, denn das
ist es wahrscheinlich, was der gemeine Schweinehund will.
Aber warum? Warum?*

Also gut! Also gut, beschloß er, und wenn es eine Demütigung ist, ich werde dieses vorschriftswidrige Hemd mit einem den Vorschriften entsprechenden tauschen. Er würde Demerest nicht die Genugtuung gönnen, ihm bei der Überprüfung auch nur einen einzigen winzigen Minuspunkt nachzuweisen. Es würde schwer sein, sich heute abend noch ein Hemd der Gesellschaft zu beschaffen. Wahrscheinlich mußte er sich eins leihen – sein Hemd mit einem anderen Kapitän oder Ersten Offizier tauschen. Wenn er ihnen sagte, warum, würden sie ihm kaum glauben. Er konnte es selbst kaum glauben.

Aber wenn der nächste Prüfungsflug von Demerest kam – *der nächste und von diesem Augenblick an alle weiteren –, er sollte sich vorsehen.* Anson Harris hatte unter den anderen Piloten, die Prüfungsflüge abnahmen, gute Freunde. Demerest sollte vorgeschriebene Hemden tragen; Demerest sollte auch in jeder anderen Weise, selbst in den geringfügigsten Punkten, die Vorschriften befolgen – *sonst...*! Dann dachte Harris düster: Der gerissene Hund wird sich daran erinnern; er wird sich das genau merken.

»He, Anson.« Demerest schien sich zu amüsieren. »Sie haben das Mundstück Ihrer Pfeife durchgebissen.«

Das stimmte tatsächlich. Als Vernon Demerest sich daran erinnerte, lachte er leise vor sich hin. Das *würde* heute nacht ein leichter Flug werden – für ihn.

Seine Gedanken kehrten zum gegenwärtigen Augenblick zurück, als der Fahrstuhl im zweiten Stock des Apartmenthauses hielt. Er trat auf den mit Teppich ausgelegten Korridor hinaus und wandte sich zielsicher nach links, ging zu dem Apartment, das Gwen Meighen mit einer Stewardeß der United Air Lines teilte. Das andere Mädchen war auf einem Nachtflug, wie Demerest von Gwen wußte. An der Apartmenttür gab er das übliche Signal, seine Initialen in Morse – dit-dit-dit-dah dah-dit-dit –, öffnete dann die Tür mit dem gleichen Schlüssel, mit dem er die Haustür aufgeschlossen hatte, und trat ein.

Gwen stand unter der Dusche. Er konnte das Wasser rauschen hören. Als er zur Tür ihres Schlafzimmers ging, rief sie: »Vernon, bist du's?« Trotz des Wasserrauschens in der Dusche klang ihre Stimme mit dem fehlerlosen englischen Akzent, den er so liebte, weich und erregend. Kein Wunder, daß Gwen bei den Passagieren so viel Erfolg hatte, dachte er. Er hatte sie vor ihr schmelzen sehen – besonders die Männer –, wenn sie ihren natürlichen Charme spielen ließ.

»Ja, mein Schatz«, rief er zurück.

Ihre duftige Unterwäsche lag auf dem Bett ausgebreitet – Schlüpfer, dünne Nylons und durchsichtiger Büstenhalter, fleischfarben, wie auch der Strumpfhalter aus dem gleichen Material, ein seidener, handgestickter Unterrock aus Frankreich. Gwens Uniform entsprach zwar den Normen, aber für das, was darunter kam, glaubte sie an kostspielige Individualität. Seine Sinne erwachten; widerstrebend wandte er seine Blicke ab.

»Ich bin froh, daß du so zeitig kommst«, rief sie wieder. »Ich möchte mit dir etwas besprechen, ehe wir gehen.«

»Aber sicher. Wir haben Zeit.«

»Du kannst Tee machen, wenn du willst.«

»Mach ich.«

Sie hatte ihn zu der englischen Gewohnheit, zu jeder Tageszeit Tee zu trinken, bekehrt, obwohl er kaum je Tee getrunken hatte, solange er Gwen noch nicht kannte. Aber jetzt verlangte er zu Hause oft Tee, was Sarah überraschte, besonders wenn er darauf bestand, daß er richtig zubereitet wurde – erst die Kanne wärmen, wie Gwen es ihn gelehrt hatte, das Wasser, noch in dem Augenblick kochend, wenn es den Tee berührte.

Er ging in die winzige Küche, in der er sich auskannte, und setzte den Wasserkessel auf den Herd. Aus einer Tüte im Kühlschrank goß er Milch in einen Topf, trank selbst etwas von der Milch, ehe er den Karton zurückstellte. Er hätte einen Gin-Tonic bevorzugt, aber wie die meisten Piloten, verzichtete er vierundzwanzig Stunden vor jedem Flug auf jeden Alkohol. Aus Gewohnheit blickte er auf seine Uhr; sie zeigte wenige Minuten vor 20 Uhr. In diesem Augenblick, ging es ihm durch den Kopf, wurde auf dem Flughafen die elegante Langstrecken-Düsenmaschine vom Typ Boeing 707 für den Fünftausend-Meilen-Flug nach Rom für ihn bereit gemacht.

Er hörte die Dusche verstummen. In die Stille hinein begann er wieder zu summen. Glücklich. *O sole mio.*

VII

Der tobende, schneidende Wind raste mit unverminderter Heftigkeit über das Flugfeld und trieb den dichtfallenden Schnee mit gleicher Gewalt vor sich her.

Mel Bakersfeld überfiel ein Schaudern, als er wieder in seinem Wagen saß. Er nahm Richtung auf Startbahn Eins-Sieben links, die gerade gefegt wurde, und ließ Startbahn Drei-Null mit der versackten Aéreo-Mexican-Maschine hinter sich zurück. Mel fragte sich, ob dieses Schaudern durch die Kälte draußen verursacht worden sei oder nicht vielmehr durch die Erinnerung an die Vorahnung von Unheil, die ihn vor ein paar Minuten gleichzeitig mit der bohrenden Mahnung an seine alte Fußverletzung überkommen hatte.

Diese Verletzung hatte Mel vor der Küste von Korea erlitten, wo er als Marineflieger vom Flugzeugträger *Essex* aus Kampfeinsätze flog. Während der letzten zwölf Stunden vor jenem Flug (daran erinnerte er sich sogar jetzt noch deutlich) hatte er ein bevorstehendes Unheil geahnt. Es war keine Angst – wie die anderen Ängste, mit denen zu leben er gelernt hatte; nein, eher die feste Überzeugung, daß etwas Schicksalhaftes, womöglich Endgültiges, unerbittlich auf ihn zukam. Am nächsten Tag beim Luftkampf mit einer MIG-15 war Mels Marine F9F-5 dann ins Meer geschickt worden.

Es gelang ihm, die Maschine beim Aufsetzen auf das Wasser in der Hand zu behalten, aber obwohl er selbst unverletzt blieb, wurde sein Fuß durch ein blockiertes Steuerpedal eingeklemmt. Während die Maschine schnell versank – eine F9F-5 hat die Schwimmfähigkeit eines Ziegelsteins –, hatte Mel mit dem Jagdmesser aus der Rettungsausrüstung wild und verzweifelt auf seinen Fuß und das Pedal eingehauen. Irgendwie bekam er den Fuß unter Wasser frei und gelangte mit heftigen Schmerzen und halb ertrunken an die Oberfläche zurück.

Acht Stunden lang trieb er im Wasser, ehe er bewußtlos aufgefischt wurde. Später erfuhr er, daß er die vorderen Sehnen seines Knöchelgelenkes durchschnitten hatte, so daß sein Fuß in einer beinahe geraden Linie an seinem Bein hing.

Mit der Zeit hatten die Marineärzte den Fuß wieder hinbekommen, doch seitdem war Mel nicht wieder – als Pilot – geflogen. Aber in Abständen tauchte der Schmerz immer wieder auf und gemahnte ihn daran, daß schon vor langer Zeit, ebenso wie später bei anderen Gelegenheiten, sein Gefühl für drohendes Unheil recht behalten hatte. Und eine ähnliche Vorahnung hatte ihn auch gerade jetzt wieder überfallen.

Vorsichtig steuerte er seinen Wagen, achtete sorgfältig darauf, bei der herrschenden Dunkelheit und der beschränkten Sicht seine Richtung einzuhalten, und näherte sich nun der Startbahn Eins-Sieben links. Es war die Rollbahn, die, wie der Dienstleiter im Kontrollturm angekündigt hatte, durch die Flugsicherung freigegeben werden sollte, sobald der Wind sich drehte, was für bald vorausgesagt worden war.

Im Augenblick waren auf dem Flugfeld zwei Startbahnen in Betrieb: Eins-Sieben rechts, und Zwei-Fünf.

Lincoln International besaß insgesamt fünf Startbahnen, die während der vergangenen drei Tage und Nächte bei dem Kampf gegen den Sturm die vorderste Frontlinie gebildet hatten.

Die längste und breiteste war Drei-Null, die jetzt von der Aéreo Mexican blockierte Rollbahn. (Bei einer Drehung des Windes und beim Anflug einer Maschine aus entgegengesetzter Richtung wurde sie auch Landebahn Eins-Zwei genannt, denn die Zahlen gaben die Kompaßrichtungen 300 beziehungsweise 120 Grad an.) Diese Rollbahn war nahezu zwei Meilen lang und so breit wie ein kurzer Häuserblock. Auf dem Flughafen ging das Scherzwort um, man könne wegen der Erdkrümmung von einem Ende aus das andere nicht sehen.

Jede der anderen vier Rollbahnen war um etwa eine halbe Meile kürzer und weniger breit.

Seit Beginn des Schneesturms wurden die meilenlangen Startbahnen ununterbrochen gepflügt, abgesaugt, gefegt und gestreut. Der motorisierte technische Dienst – mit dröhnenden Dieselmotoren im Werte von etlichen Millionen Dollar – hatte jedesmal nur wenige Minuten pausiert, vorwiegend um aufzutanken oder die Besatzungen abzulösen. Es war eine Arbeit, die die Flugreisenden nie aus der Nähe zu sehen bekamen, weil keine Maschine eine frisch gereinigte Rollbahn benutzen durfte, ehe der Boden kontrolliert und für sicher erklärt worden war. Die Maßstäbe waren rigoros. Ein halbes Zoll Matsch oder drei Zoll Pulverschnee waren das für Düsenmaschinen erlaubte Maximum, denn wenn der Boden höher bedeckt war, wurden Matsch oder Schnee von den Motoren eingesaugt und gefährdeten deren Betrieb.

Vor ein paar Jahren noch hätte ein Flughafen bei einem derartigen Schneesturm vollständig geschlossen werden müssen. Heutzutage nicht mehr. In erster Linie, weil die Einrichtungen des Bodenbetriebs – jedenfalls auf diesem besonderen Gebiet – mit der Entwicklung in der Luft Schritt gehalten hatten. Doch von wie vielen Gebieten ließ sich das noch sagen? Bekümmert dachte Mel: von sehr wenigen.

VIII

Es war noch keine fünf Jahre her, seit der Flughafen als einer der besten und modernsten der Welt gegolten hatte. Delegationen besichtigten ihn voll Bewunderung. Lokalpolitiker wiesen voll Stolz auf ihn hin und warfen sich mit »Führung in der Luftfahrt« und »ein Symbol des Düsenzeitalters« in die Brust. Heute warfen sich die Politiker immer noch in die Brust, allerdings mit weniger Berechtigung. Was die meisten nicht erkannten, war, daß Lincoln International Airport, wie auch eine überraschend große Zahl anderer großer Flughäfen, dicht davor stand, zu einer gekalkten Gruft zu werden.

Mel Bakersfeld brütete über dem Ausdruck »*gekalkte Gruft*«, während er in der Dunkelheit über die Startbahn Eins-Sieben links fuhr. Es war eine treffende Definition, dachte er. Die Mängel des Flughafens waren ernst und grundlegend, aber da sie zum größten Teil der Öffentlichkeit nicht ins Auge fielen, waren sie nur Eingeweihten bekannt.

Reisende und Besucher sahen auf Lincoln International hauptsächlich das Hauptempfangsgebäude – ein hellbeleuchtetes Taj Mahal mit Klimaanlage. Der Bau aus schimmerndem Glas und Chrom war imposant weiträumig angelegt. Seine von Menschen überfüllten Wandelgänge grenzten an elegante Warteräume. Zahlreiche Anlagen zur Bedienung des Publikums säumten den Bereich der Passagiere. Sechs Spezialitätenrestaurants reichten von einem Speisesaal für Gourmets, mit goldgeränderten Tellern und entsprechenden Preisen, bis hinunter zu Würstchenständen. Bars, mit schummriger Beleuchtung oder von Neonröhren erhellt und ohne Sitzgelegenheiten, waren ebenso zahlreich wie die Toilettenräume. Während ein Fluggast auf seine Maschine wartete, konnte er, ohne das Gebäude zu verlassen, einkaufen, ein Zimmer mit Bett nehmen oder ein Dampfbad mit Massage, sich die Haare schneiden, seinen Anzug bügeln, die Schuhe putzen lassen und sogar sterben und sein Begräbnis den *Holy Ghost Memorial Gardens* übertragen, die eine Zweigstelle an einem der unteren Wandelgänge unterhielten.

Wenn man nach dem Empfangsgebäude allein urteilte, war der Flughafen noch beeindruckend. Seine Mängel lagen im Betriebsbereich, besonders bei den Start- und Taxibahnen.

Wenigen der achtzigtausend Passagieren, die täglich eintrafen und abflogen, war bekannt, wie unzulänglich und deshalb gefährlich das System der Startbahnen geworden war. Bereits vor einem Jahr hatten Startbahnen und Taxiwege kaum noch ausgereicht; jetzt wurden sie bedrohlich überfordert. Bei normal starkem Verkehr startete oder landete auf den beiden Hauptrollbahnen alle dreißig Sekunden eine Maschine. Die Lage von Meadowood und die Rücksicht, die der Flughafen auf die Bewohner der Gemeinde nahm, machten es in Stoßzeiten notwendig, eine Ausweichstartbahn zu benutzen, die eine der beiden anderen kreuzte. Infolgedessen starteten und landeten Flugzeuge auf sich überschneidenden Kursen, und es gab Augenblicke, in denen die Kontroller den Atem anhielten und beteten. Erst in der vergangenen Woche hatte Keith Bakersfeld, Mels Bruder, grimmig prophezeit: »Na schön, wir stehen also hier im Turm auf Zehenspitzen und werden mit den haarigsten Situationen fertig, und wir haben auch noch nie zwei Flugzeuge gleichzeitig an die Kreuzung gebracht; aber eines Tages wird es einen Augenblick mangelnder Aufmerksamkeit oder eine falsche Beurteilung der Lage geben, und dann ist einer von uns dran. Ich hoffe zu Gott, daß ich es nicht bin, denn dann passiert noch einmal dasselbe wie im Grand Canyon.«

Die Kreuzung, von der Keith gesprochen hatte, war dieselbe, die von der Conga-Kette gerade überquert worden war. Mel, im Führerhaus der Schneeschleuder, blickte nach hinten. Die Conga-Kette hatte sie inzwischen klar hinter sich gelassen, und durch eine Lücke im treibenden Schnee waren auf der anderen Startbahn die Positionslichter eines Flugzeuges sichtbar, die sich schnell bewegten, als die Maschine startete. Dann tauchten plötzlich nur wenige Meter dahinter weitere Lichter auf, als eine zweite Maschine landete, im gleichen Augenblick, wie es schien.

Auch der Fahrer der Schneeschleuder hatte den Kopf gewendet. Er stieß einen Pfiff aus. »Das ist aber gerade noch mal gutgegangen.«

Mel nickte. Sie waren dicht hintereinander gewesen, ungewöhnlich dicht, und einen Augenblick lang war ihm eine Gänsehaut über den Rücken gelaufen. Offensichtlich hatte einer der Kontroller bei seinen Anweisungen an die Piloten der beiden Maschinen haargenau abgeschätzt. Wie üblich hatte sich sein auf Erfahrung beruhendes Urteil als richtig erwiesen, wenn auch nur gerade noch. Die beiden Maschinen waren in Sicherheit – die eine jetzt in der Luft, die andere auf dem Boden. Aber die Notwendigkeit zu derartig haarscharfen Beurteilungen schuf eine nicht endende Kette von Gefahren.

Mel hatte auf diese Gefahren vor dem Verwaltungsrat des Flughafens und Mitgliedern des Stadtrats, die über die Finanzierung des Flughafens bestimmten, häufig genug hingewiesen. Er hatte nicht nur auf den sofortigen Bau zusätzlicher Start- und Taxibahnen gedrängt, sondern auch auf den Erwerb von zusätzlichem Gelände am Flughafen für den langfristigen Ausbau. Es war zu vielen Diskussionen und mitunter heftigen Auseinandersetzungen gekommen. Nur wenige Mitglieder des Verwaltungsrates und des Stadtrates sahen das ein; andere vertraten scharf einen entgegengesetzten Standpunkt. Es war schwer, Leute davon zu überzeugen, daß ein moderner, Ende der fünfziger Jahre für Düsenflugzeuge gebauter Flughafen so schnell bis an die Grenze der Gefährdung untauglich geworden sein sollte. Es spielte keine Rolle, daß das gleiche für andere Zentren auch zutraf – New York, San Francisco, Chicago und andere; gewisse Dinge wollten Politiker einfach nicht sehen.

Vielleicht hat Keith recht, dachte Mel. Vielleicht war eine weitere große Katastrophe erforderlich, um die Öffentlichkeit aufzuwecken, so wie die Katastrophe am Grand Canyon 1956 Präsident Eisenhower und den 84. Kongreß angestachelt hatte, die Luftstraßen neu festzulegen. Ironischerweise gab es aber selten die geringsten Schwierigkeiten, wenn es darum ging, Geld für Verbesserungen zu bekommen, die nicht den technischen Betrieb betrafen. Ein Vorschlag, alle Parkplätze dreistöckig auszubauen, hatte ohne Gegenstimme die Billigung der Stadt gefunden. Aber das war etwas, das die Öffentlichkeit – einschließlich jener, die Wählerstimmen hatte – sehen und anfassen konnte.

Mit Start- und Taxibahnen war das anders. Eine einzige neue Startbahn kostete mehrere Millionen Dollar, und es dauerte zwei Jahre, sie zu bauen, aber nur wenige Menschen, außer den Piloten, Kontrollern und den Leitern von Flughäfen wußten jemals, wie gut oder wie schlecht ein System von Startbahnen war.

Jedoch auf Lincoln International stand eine Klärung bald bevor. Sie mußte kommen. In den vergangenen Wochen hatte Mel die Vorzeichen erkannt, und wenn es dazu kam, war die Wahl klar – zwischen der Weiterentwicklung auf dem Boden, die dem jüngst Erreichten in der Luft entsprach, oder ohnmächtigem Zurückbleiben. In der Luftfahrt gab es niemals einen Status quo.

Noch ein weiterer Faktor spielte mit.

Ebensosehr wie die Zukunft des Flughafens stand Mels persönliche Zukunft auf dem Spiel. In welche Richtung die Politik des Flughafens auch gesteuert wurde, durch sie würde sein eigenes Ansehen bei den Stellen, auf die es am meisten ankam, gefördert oder gemindert werden.

Vor kurzem noch war Mel ein im ganzen Land anerkannter Sprecher für die Bodenlogistik der Luftfahrt gewesen, war als das aufsteigende junge Genie in der Organisation der Luftfahrt gepriesen worden. Dann hatte unvermittelt ein einziges schmerzliches Ereignis die Änderung herbeigeführt. Heute, fünf Jahre später, lag die Zukunft nicht mehr klar vor ihm, und andere zweifelten und stellten Fragen nach Mel Bakersfeld, ebenso wie er selbst.

Das Ereignis, das die Änderung herbeigeführt hatte, war die Ermordung von John F. Kennedy gewesen.

»Wir sind am Ende der Startbahn, Mr. Bakersfeld. Fahren Sie mit uns zurück, oder was machen Sie?« Die Stimme des Fahrers der Schneeschleuder störte Mel aus seinen Träumereien auf.

»Wie?«

Der Mann wiederholte seine Frage. Vor ihnen blitzten wieder Warnleuchten auf, und die Conga-Kette verlangsamte ihr Tempo. Die halbe Breite der Startbahn war auf der einen Seite geräumt worden, und auf dem Weg zurück kam die andere

Hälfte dran. Einschließlich der Verzögerungen durch Aufenthalte und Anfahren dauerte es fünfundvierzig Minuten bis eine Stunde, eine einzige Startbahn zu fegen und zu streuen.

»Nein«, antwortete Mel. »Ich steige hier wieder aus.«

»In Ordnung, Sir.« Der Fahrer richtete eine Signallampe auf den Wagen des stellvertretenden Vormanns, der sich sofort aus der Formation löste. Wenige Augenblicke später, als Mel ausstieg, wartete sein Wagen schon auf ihn. Von den anderen Pflügen und Lastwagen stiegen die Männer aus und eilten zum Kaffeewagen.

Während Mel zum Flughafengebäude zurückfuhr, rief er über Sprechfunk die Schneekontrolle an und bestätigte Danny Farrow, daß Startbahn Eins-Sieben links in Kürze betriebsbereit sei. Dann schaltete er sich in die Bodenkontrolle ein und stellte die Lautstärke so weit zurück, daß die gedämpften eintönigen Stimmen nur noch eine Begleitmusik zu seinen Gedanken waren.

Im Führerhaus der Schneeschleuder war ihm das Ereignis ins Gedächtnis zurückgerufen worden, das ihn von allen, an die er sich erinnerte, mit der größten Härte getroffen hatte.

Es war vor fünf Jahren gewesen.

Aufgestört fragte er sich, ob es tatsächlich schon so lange her sei? Waren fünf Jahre seit dem grauen Novembertag vergangen, als er benommen das Mikrofon der Lautsprecheranlage über den Schreibtisch an sich gezogen hatte – das Mikrofon, das er so selten benutzte, das alle anderen ausschaltete – und die Ankündigung einer eintreffenden Maschine unterbrochen hatte, um auf den Wandelgängen, über die sich sofort eine beklommene Stille legte, die niederschmetternde Nachricht zu verkünden, die er Sekunden vorher als Blitzmeldung aus Dallas erhalten hatte.

Während er damals sprach, waren seine Augen auf die Fotografie an der gegenüberliegenden Wand gerichtet, die Fotografie mit der Widmung: *Meinem Freund Mel Bakersfeld in der gemeinsamen Sorge um die Flugsicherheit – John F. Kennedy.* Die Fotografie war erhalten geblieben, ebenso viele Erinnerungen.

Die Erinnerungen begannen für Mel mit einem Vortrag, den er in Washington gehalten hatte.

Damals war er nicht nur Generaldirektor des Flughafens gewesen, sondern auch Präsident des Airport Operator Council – der jüngste Führer, den diese kleine, aber einflußreiche Körperschaft, die die wichtigsten Flughäfen der Welt verband, je gehabt hatte.

Den Vortrag hatte er vor einem nationalen Kongreß für Planung gehalten.

Die Luftfahrt, hatte Mel Bakersfeld dargelegt, sei das einzig wirklich erfolgreiche internationale Unternehmen. Sie überschreite ideologische Grenzen ebenso wie die rein geographischen. Da sie ein Mittel sei, die verschiedensten Völker bei ständig sinkenden Kosten zusammenzubringen, biete sie das praktischste Mittel, eine Verständigung der Welt herbeizuführen, das die Menschen je ersonnen hätten.

Noch seltsamer sei der Lufthandel. Der Frachttransport durch die Luft, der schon ungeheuer angewachsen sei, würde sich weiterentwickeln. Die neuen Düsenriesen, die Anfang der siebziger Jahre in Dienst gestellt werden sollten, würden die schnellsten und billigsten Transportmittel in der Geschichte der Menschheit sein. Innerhalb eines Jahrzehnts mochten Ozeandampfer reine Museumsstücke werden, ihrer Aufgabe beraubt, so wie die Passagierflugzeuge die *Queen Mary* und *Queen Elizabeth* verdrängt hatten. Daraus konnte eine neue, große, weltumspannende Handelsflotte entstehen, die jetzt notleidenden Völkern Wohlstand brachte. Vom derzeitigen Stand der technischen Entwicklung her gesehen, hielt Mel seinen Zuhörern vor Augen, bot die Luftfahrt diese Möglichkeiten den Menschen an, und mehr noch, bereits zu Lebzeiten der heute Vierzigjährigen konnten sie verwirklicht werden.

Doch während die Flugzeugkonstrukteure aus dem Stoff, aus dem Träume gemacht sind, reale Gewebe wirkten, so hatte er fortgefahren, blieben die Bodenanlagen und Einrichtungen zum größten Teil Ergebnisse der Kurzsichtigkeit oder fehlgeleiteter Hast. Flughäfen, die Systeme von Start- und Landebahnen, Empfangsgebäude, blieben dem Gestern verhaftet mit nur geringer – falls überhaupt irgendwelcher – Vorsorge für das Morgen. Was nicht erkannt oder einfach ignoriert wurde, war die ungeheuerliche Geschwindigkeit, mit der die Fliegerei weiterentwickelt wurde. Flughäfen wurden stückweise angelegt, so individuell wie Rathäuser und oft mit ebenso geringer Phantasie. Im allgemeinen wurde zuviel für eindrucksvolle Empfangsgebäude und zuwenig für den Betriebsbereich aufgewendet. Koordination, Planung auf höchster Ebene – weder bei einzelnen Staaten noch international – waren nicht vorhanden.

Auf der lokalen Ebene, wo die Politiker den Problemen der Zufahrt zu den Flughäfen apathisch gegenüberstanden, sei die Situation ebenso mißlich oder noch schlimmer.

»Die Schallmauer haben wir durchbrochen«, erklärte Mel, »die Bodenmauer aber nicht.«

Er führte verschiedene Gebiete an, die untersucht werden müßten, und drängte auf internationale Planung – geführt von den USA und im Auftrag des Präsidenten – für die Probleme der Luftfahrt auf dem Boden.

Der Vortrag fand nachhaltigen Beifall und weitverbreitete Beachtung. So verschiedenartige Organe wie die *Times* in London, die *Prawda* in Moskau und *The Wallstreet Journal* stimmten ihm zu.

Am Tag nach dem Vortrag wurde Mel ins Weiße Haus eingeladen. Die Begegnung mit dem Präsidenten verlief gut. Es war ein entspanntes, gutgelauntes Gespräch in der Privatbibliothek im ersten Stock des Weißen Hauses. Wie Mel feststellte, teilte J. F. K. viele seiner Ansichten.

Später folgten weitere Gespräche, auch »Brain-Trust«-Sitzungen, in Anwesenheit von Kennedys Beratern, im allgemeinen dann, wenn sich die Regierung mit Luftfahrtfragen befaßte. Nach einer Reihe von Besprechungen dieser Art mit formlosen Nachspielen, fühlte Mel sich im Weißen Haus zu Hause und war davon weniger überrascht als darüber, daß er dort überhaupt Zugang gefunden hatte. Mit der Zeit entwickelte sich eines jener unbefangenen Verhältnisse zum Präsidenten, die J. F. K. bei Leuten, die ihm fachkundigen Rat zu bieten hatten, förderte.

Etwa ein Jahr nach der ersten Begegnung fühlte der Präsident bei Mel vor, ob er geneigt sei, die Leitung der Federal Aviation Agency – die damals noch eine Kommission war und erst später eine Behörde wurde – zu übernehmen. Zu irgendeinem Zeitpunkt während Kennedys zweiter Amtsperiode, die, wie jeder annahm, automatisch folgen würde, sollte der jetzige Leiter der FAA, Halaby, mit anderen Aufgaben betraut werden. Was Mel wohl davon halte, einige der Maßnahmen, die er als Außenstehender empfohlen hatte, im Rahmen der Regierung durchzuführen. Mel hatte erwidert, daß ihn das sehr interessiere, und deutlich zu verstehen gegeben, er werde annehmen, wenn man ihm ein Angebot machte.

Das sprach sich herum, zwar nicht durch Mel, aber durch andere, die es von ganz oben her wußten. Damit gehörte Mel »dazu« – war ein entsprechend honoriertes Mitglied des inneren Kreises. Sein schon früher hohes Ansehen stieg noch höher. Der Airport Operators Council wählte ihn wieder zu seinem Präsidenten. Der Verwaltungsrat seines eigenen Flughafens bewilligte ihm eine beträchtliche Gehaltserhöhung. Gerade erst Ende Dreißig, wurde er als der aufsteigende junge Stern im Luftfahrt-Management angesehen.

Sechs Monate später unternahm John F. Kennedy seinen schicksalsschweren Besuch in Texas.

Wie andere war Mel zuerst benommen. Später weinte er. Und viel später erst erkannte er, daß die Kugel des Meuchelmörders zurückgeprallt war und auch das Leben anderer getroffen hatte, darunter sein eigenes. Er entdeckte, daß er in Washington nicht länger »dazu« gehörte. Najeeb Halaby dagegen wohl, er stieg sogar auf, von der FAA auf einen wichtigen Posten als Vizepräsident bei der Pan American – aber Mel wurde nicht sein Nachfolger. Inzwischen hatte sich die Macht verschoben, waren Einflüsse geschwunden. Mels Name stand, wie er später erfuhr, nicht einmal auf Präsident Johnsons kurzer Kandidatenliste für die Leitung der FAA.

Mels zweite Amtsperiode als Präsident der AOC verlief ereignislos, und ein anderer fähiger junger Mann wurde sein Nachfolger. Er reiste nicht mehr nach Washington. Sein öffentliches

Auftreten beschränkte sich auf lokale Veranstaltungen, und in gewisser Weise empfand er Erleichterung über die Veränderung. Seine Verantwortung auf Lincoln International Airport war angewachsen, da sich der Luftverkehr weit über die Erwartungen der meisten hinaus entwickelte. Planungen nahmen ihn stark in Anspruch sowie die Versuche, den Verwaltungsrat des Flughafens zu seinen Ansichten zu bekehren. Er hatte über sehr vieles nachzudenken, unter anderem auch über seine häuslichen Schwierigkeiten. Seine Tage, Wochen und Monate waren ausgefüllt.

Und trotzdem nagte an ihm das Gefühl, daß die Zeit über ihn hinweggegangen und seine Chance verpaßt sei. Andere hatten das erkannt. Wenn sich nicht etwas Dramatisches ereignete, argwöhnte Mel, dann würde seine Karriere wohl weiterlaufen und genau dort enden, wo er jetzt war.

»Kontrollturm an Mobil eins – geben Sie Ihre Position bekannt.« Der Anruf über Sprechfunk unterbrach Mels Gedanken und zog ihn unvermittelt in die Gegenwart zurück. Er drehte den Ton lauter und meldete sich. Inzwischen näherte er sich wieder dem Hauptempfangsgebäude, dessen Lichter deutlicher wurden, obwohl es nach wie vor stark schneite. Er bemerkte, daß der Abstellbereich für die Maschinen ebenso dicht besetzt war wie bei seiner Abfahrt, und noch eine Reihe gelandeter Flugzeuge darauf wartete, daß Plätze an den Verladepositionen frei wurden.

»Mobil eins! Anhalten, bis die Maschine der Lake Central North vor Ihnen vorbeirollt, dann der Maschine folgen.«

»Hier Mobil eins. Verstanden.«

Wenige Minuten später lenkte Mel seinen Wagen vorsichtig in die Garage im Keller des Flughafengebäudes. Dicht bei seinem Parkplatz war ein Kasten mit einem Diensttelefon. Er öffnete den Kasten mit seinem Hauptschlüssel und wählte die Nummer der Schneekontrolle. Danny Farrow meldete sich.

»Gibt's was Neues mit der festgefahrenen Maschine der Aéreo Mexican«, fragte er.

»Nein«, berichtete Danny. »Und vom Dienstleiter im Kontrollturm soll ich Ihnen sagen, daß der Verkehr noch immer um fünfzig Prozent verzögert ist, weil er Startbahn Drei-Null nicht einsetzen kann. Außerdem bekommt er jedesmal neue Beschwerden aus Meadowood, wenn eine Maschine über den Ort startet.«

»Meadowood muß das aushalten«, erwiderte Mel grimmig. Ob die Gemeindeversammlung stattfand oder nicht, gegenwärtig konnte nichts geschehen, um den Lärm über dem Wohnort zu verhindern. Im Augenblick war es das Wichtigste, die eingetretenen Verzögerungen im Flugbetrieb wieder aufzuholen. »Wo ist Joe Patroni jetzt?«

»Immer noch an der gleichen Stelle von der Verkehrsstauung aufgehalten.«

»Wird er es auch bestimmt schaffen herzukommen?«

»TWA behauptet es. Er hat ein Telefon in seinem Auto, und sie stehen mit ihm in Verbindung.«

»Sobald Joe hier ist, möchte ich benachrichtigt werden«, ordnete Mel an. »Egal, wo ich gerade bin.«

»Das wird vermutlich in der Stadt sein.«

Mel zögerte. Eigentlich bestand kein Anlaß dazu, heute abend noch länger auf dem Flughafen zu bleiben. Doch wieder hatte er dieses unerklärliche Gefühl einer Vorahnung, das ihn schon auf dem Flugfeld draußen beunruhigt hatte. Er erinnerte sich an das Gespräch, das er vorher mit dem Dienstleiter des Kontrollturms geführt hatte, an die Reihe der draußen auf der Rampe wartenden Flugzeuge. Er traf eine spontane Entscheidung.

»Nein, ich werde nicht in der Stadt sein. Wir brauchen die Startbahn dringend, und ich fahre nicht, bevor ich ganz sicher weiß, daß Patroni draußen auf dem Flugfeld ist und die Leitung der Bergung übernommen hat.«

»In diesem Fall«, sagte Danny, »würde ich empfehlen, daß Sie sofort Ihre Frau anrufen. Sie ist unter folgender Nummer zu erreichen.«

Mel notierte die Nummer, drückte dann auf die Telefongabel und wählte anschließend die angegebene Nummer. Er verlangte Cindy zu sprechen, und nach kurzer Wartezeit hörte er ihre Stimme scharf fragen: »Mel, warum bist du noch nicht hier?«

»Es tut mir leid, ich wurde aufgehalten. Wir haben auf dem Flughafen Schwierigkeiten. Es herrscht ein ziemlich starker Sturm...«

»Verdammt noch mal, komm sofort her!«

Aus der Tatsache, daß seine Frau die Stimme dämpfte, schloß Mel, daß andere Personen in Hörweite waren. Trotzdem gelang es ihr, in überraschendem Maß giftig zu klingen.

Manchmal versuchte Mel, die Stimme der Cindy von heute mit jener Cindy in Verbindung zu bringen, an die er sich aus der Zeit vor seiner Ehe, vor fünfzehn Jahren, erinnerte. Ihm schien es, als sei sie damals ein sanfterer Mensch gewesen. Tatsächlich war ihre Sanftheit eine der Eigenschaften gewesen, die Mel zu ihr hingezogen hatten, als er sie auf Urlaub von der Navy und von Korea in San Francisco kennenlernte. Damals war Cindy Schauspielerin, allerdings eine unbedeutende, denn zu der Karriere, die sie sich erhofft hatte, war es noch nicht und würde es auch ganz eindeutig nie kommen. Sie hatte eine Reihe ständig kleiner werdender Rollen bei Sommerbühnen und im Fernsehen gespielt und später in einem ehrlichen Augenblick bekannt, daß sie in der Ehe eine willkommene Befreiung von der ganzen Geschichte sah.

Jahre später stellte sie die Sache etwas anders dar, und es war ein beliebter Eröffnungszug von Cindy geworden, zu erklären, daß sie ihre Karriere, und wahrscheinlich den Aufstieg zum Star Mel zuliebe geopfert habe. In jüngster Zeit allerdings hörte Cindy es nicht mehr gern, daß ihre Vergangenheit als Schauspielerin überhaupt erwähnt wurde, und zwar deshalb, weil sie in *Town and Country* gelesen hatte, Schauspielerinnen würden selten, wenn überhaupt, in das *Social Register* aufgenommen; und die Aufnahme ihres Namens in dieses Register war etwas, das sich Cindy sehnlichst wünschte.

»Ich komme zu dir in die Stadt, sobald ich es schaffen kann«, antwortete Mel.

»Das genügt mir nicht«, erwiderte Cindy scharf. »Du hättest schon längst hier sein müssen. Du weißt ganz genau, daß der heutige Abend für mich wichtig ist, und schon vor einer Woche hast du es mir fest versprochen.«

»Vor einer Woche wußte ich noch nicht, daß wir heute den stärksten Schneesturm seit sechs Jahren haben würden. Im Augenblick ist eine unserer Startbahnen blockiert, und es geht um die Sicherheit des Flughafens...«

»Du hast doch Leute, die für dich arbeiten, oder nicht? Oder sind die Leute, die du dir ausgesucht hast, so unfähig, daß man sie nicht allein lassen kann?«

Gereizt erwiderte Mel: »Sie sind sehr tüchtig und zuverlässig. Aber ich werde dafür bezahlt, daß ich auch einen Teil der Verantwortung übernehme.«

»Ein Jammer, daß du mir gegenüber keine Verantwortung zeigst. Immer wieder treffe ich wichtige gesellschaftliche Verabredungen, und du machst dir ein Vergnügen daraus, sie zunichte zu machen.«

Während Mel dem Wortschwall zuhörte, spürte er, daß Cindy dicht vor dem Siedepunkt stand. Jetzt konnte er sie sich ohne jede Mühe vorstellen, ein Meter fünfundsechzig herrschsüchtige Energie auf ihren höchsten Absätzen, mit funkelnden hellblauen Augen, den blonden, sorgfältig frisierten Kopf etwas in den Nacken geworfen, und das in dieser verflucht anziehenden Weise, die sie immer hatte, wenn sie wütend war. Das war einer der Gründe, nahm Mel an, weshalb die Temperamentsausbrüche seiner Frau ihn in den ersten Jahren ihrer Ehe nur selten gestört hatten. Je hitziger sie wurde, schien es immer, desto begehrenswerter war sie. In solchen Augenblicken hatte er seinen Blick unweigerlich an ihr heraufwandern lassen, bei den Knöcheln beginnend – nicht überhastet, denn Cindy besaß außergewöhnlich hübsche Knöchel und Beine, wirklich hübschere als die meisten anderen Frauen, die Mel kannte –, dann über alles andere an ihr, was ebenso wohlproportioniert und physisch anziehend war.

Wenn seine Augen diese wohlgefällige Bestandsaufnahme machten, war früher ein gegenseitiger physischer Kontakt geschlossen worden, der sie beide veranlaßte, die Hände auszustrecken und impulsiv und begierig nacheinander zu greifen. Das Ergebnis war vorauszusehen. Unweigerlich wurde der Grund für Cindys Ärger unter einer Woge von Sinnlichkeit, die sie beide überschwemmte, vergessen. Cindy war von einer erregenden, gierigen Wildheit, und wenn sie sich liebten, verlangte sie: »Tu mir weh, verdammt noch mal, tu mir doch weh!« Am Ende waren sie erschöpft und ausgelaugt, so daß keiner von beiden den Wunsch oder die Kraft besaß, den Streit von neuem aufzugreifen.

Selbstverständlich war das eher eine Methode, Differenzen, die – wie Mel schon frühzeitig erkannte – grundsätzlicher Natur waren, vor sich herzuschieben, statt sie zu bereinigen. Im Lauf der Jahre und bei schwindender Leidenschaft begannen sich die angesammelten Differenzen schärfer abzuzeichnen. Schließlich unterließen sie es völlig, Sex als Allheilmittel zu benutzen, und im letzten Jahr waren körperliche Intimitäten jeder Art mehr und mehr sporadisch geworden. Tatsächlich schien Cindy, deren physischer Appetit immer der Befriedigung bedurfte, in welcher Gemütsverfassung sie sich auch befand, in den letzten Monaten völlig gleichgültig geworden zu sein. Mel hatte darüber nachgedacht. Hatte seine Frau sich einen Liebhaber genommen? Es war nicht unmöglich, und Mel dachte, darüber sollte er eigentlich beunruhigt sein. Das Traurige bei der Geschichte aber war, daß es einfacher zu sein schien, sich keine Sorgen darüber zu machen.

Doch noch gab es Augenblicke, in denen der Anblick oder das Hören von Cindys Wutanfällen ihn physisch erregte, alte Begierden weckte. Diese Empfindung überkam ihn jetzt, als er auf ihren verletzenden Ton am Telefon lauschte.

Als er sie schließlich unterbrechen konnte, sagte er: »Es ist nicht wahr, daß es mir Vergnügen macht, deine Verabredungen zu boykottieren. Meistens füge ich mich allem, was du willst, obwohl ich die Veranstaltungen, zu denen wir gehen, nicht für so wichtig halte. Was mir Spaß machen würde, wäre öfter abends mit den Kindern zu Hause zu sein.« Cindy erwiderte: »Das ist dummes Zeug, das weißt du selbst.«

Er spürte, wie sich alles in ihm spannte, und er umfaßte den Hörer fester. Dann gestand er sich selbst ein: Vielleicht ist ihre letzte Bemerkung in gewissem Sinn wahr. Vor ein paar Stunden hatte er sich an die Abende erinnert, an denen er auf dem

Flughafen geblieben war, obwohl er hätte nach Hause gehen können – nur weil er einem neuen Streit mit Cindy aus dem Weg gehen wollte. Roberta und Libby hatte er aus seinen Überlegungen ausgeschaltet, wie man es vermutlich mit Kindern immer tat, wenn eine Ehe gespannt wurde. Er hätte die beiden nicht erwähnen sollen.

Doch von dem allem abgesehen: Heute abend war die Situation anders. Er mußte auf dem Flughafen bleiben, wenigstens bis Gewißheit darüber bestand, was aus der blockierten Startbahn wurde.

»Hör mal«, sagte Mel. »Eines wollen wir doch klarstellen: Ich habe dir noch nichts davon gesagt, aber ich habe mir im vergangenen Jahr ein paar Notizen gemacht. Du hast von mir verlangt, daß ich mit dir auf siebenundfünfzig deiner Wohltätigkeitszirkusse gehe. Bei fünfundvierzig ist mir das gelungen; das sind erheblich mehr, als ich freiwillig mitgemacht hätte, aber als Tabellenstand ist das nicht schlecht.«

»Du Schuft! Ich bin keine Fußballiga, bei der man Tabellen führt. Ich bin deine Frau.«

Mel erwiderte scharf: »Nimm dich zusammen!« Er wurde selbst wütend. »Falls du es nicht gemerkt hast: Du bist laut geworden. Willst du, daß alle diese netten Leute in deiner Umgebung erfahren, was für einen Schuft du zum Mann hast?«

»Das ist mir verflucht gleichgültig!« Aber das sagte sie doch leiser.

»Ich weiß, daß du meine Frau bist, und deshalb beabsichtige ich, in die Stadt zu kommen, sobald ich es schaffen kann.« Was würde geschehen, wenn er jetzt die Hand ausstrecken und Cindy berühren könnte, fragte sich Mel. Würde der alte Zauber wirken? Er war überzeugt, daß er nicht mehr wirkte. »Reserviere mir also einen Platz, und sage dem Kellner, er soll mir die Suppe warm stellen. Entschuldige mich auch bei den anderen, und erkläre ihnen, warum ich zu spät komme. Ich möchte annehmen, daß ein paar dieser Leute davon gehört haben, daß es hier einen Flughafen gibt.« Dann kam ihm plötzlich ein Gedanke. »Was ist übrigens heute abend der Anlaß des Festes?«

»Das habe ich dir vorige Woche erklärt.«

»Sag es mir noch einmal.«

»Es ist eine vorbereitende Party – Cocktails und Abendessen –, um für einen Kostümball zu werben, der nächsten Monat für den Unterstützungsfonds für die Kinder von Archidona gegeben wird. Die Presse ist da, und es wird fotografiert.«

Jetzt wußte Mel, warum Cindy von ihm verlangte, daß er sich beeile. Wenn er anwesend war, hatte sie größere Aussichten, fotografiert zu werden und auf den Gesellschaftsseiten der morgigen Zeitung zu erscheinen.

»Die Männer der meisten anderen Damen des Festausschusses sind bereits hier.«

»Aber alle noch nicht.«

»Ich habe gesagt: die meisten.«

»Und du hast gesagt, für den Unterstützungsfonds für die Kinder von Archidona?«

»Ja.«

»Welches Archidona? Es gibt zwei. Das eine ist in Ekuador, das andere in Spanien.« Auf dem College hatten Landkarten und Geographie Mel fasziniert, und er besaß ein gutes Gedächtnis.

Zum erstenmal zögerte Cindy. Dann antwortete sie unwillig: »Was spielt das für eine Rolle? Ich habe jetzt keine Zeit für alberne Fragen.«

Mel lachte beinahe laut heraus. Cindy wußte es nicht. Wie üblich hatte sie sich entschlossen, für eine Wohltätigkeitsveranstaltung zu arbeiten, weil ihr wichtig war, wer sich daran beteiligte, nicht das, worum es ging.

Boshaft fragte er: »Wie viele Briefe gedenkst du denn diesmal herauszuschlagen?«

»Ich weiß nicht, was du meinst.«

»O doch, das weißt du genau.«

Für die Aufnahme in das *Social Register* brauchte eine neue Aspirantin acht Empfehlungsschreiben von Personen, die bereits darin aufgenommen waren. Nach der letzten Zählung hatte Cindy vier zusammengebracht, wie Mel wußte.

»Bei Gott, Mel, wenn du je etwas sagst – heute abend oder bei anderer Gelegenheit . . .«

»Bekommst du die Briefe umsonst, oder mußt du dafür bezahlen, wie für die beiden letzten?« Er war sich bewußt, daß er jetzt im Vorteil war. Das geschah sehr selten.

Empört erwiderte Cindy: »Das ist eine schmutzige Unterstellung. Es ist unmöglich sich einzukaufen...«

»Unsinn«, unterbrach Mel. »Ich habe den Bankauszug von den Schecks auf unser gemeinsames Konto bekommen. Vergiß das nicht.«

Es folgte eine Pause. Dann versicherte Cindy mit leiser wütender Stimme: »Hör mir gut zu! Es ist besser, wenn du heute abend hierherkommst, und zwar schnell. Wenn du nicht kommst oder wenn du kommst und irgend etwas sagst, das mich in Verlegenheit bringt wie eben, dann ist Schluß. Hast du mich verstanden?«

»Nicht ganz«, antwortete Mel ruhig. Sein Instinkt warnte ihn, daß dieser Augenblick für sie beide bedeutsam war. »Vielleicht sagst du besser genau, was du damit meinst.«

»Rechne es dir selbst aus«, konterte Cindy.

Sie hängte ein.

Während Mel von der Garage zu seinem Büro hinauffuhr, erreichte sein Ärger den Siedepunkt. Er war nie so schnell wütend geworden wie Cindy. Er geriet nur langsam in Hitze. Aber jetzt kochte er.

Er war sich nicht ganz sicher, was im Brennpunkt seines Ärgers stand. Ein großer Teil richtete sich auf Cindy, aber auch andere Faktoren spielten mit. Da war sein berufliches Versagen, wie er es sah, bei der Wegbereitung eines neuen Zeitalters der Luftfahrt erfolgreich mitzuwirken; daß er anscheinend unfähig geworden war, andere noch für seine Überzeugungen zu gewinnen: lauter große, unerfüllte Hoffnungen. Irgendwie war ihm in seinem persönlichen wie in seinem beruflichen Leben seine Unzulänglichkeit zwiefach bezeugt worden, dachte Mel. Seine Ehe war gescheitert oder stand offensichtlich dicht davor zu scheitern; wenn es dazu kam, hatte er auch gegenüber seinen Kindern versagt. Zur gleichen Zeit hatten auf dem Flughafen, wo er Treuhänder für Tausende war, die täglich dort in gutem Glauben durchkamen, seine Mühen und seine Überzeugungskraft versagt, um den Verfall aufzuhalten. Dort verfielen die hohen Normen, an deren Errichtung er gearbeitet hatte, stetig.

Auf dem Weg zum Zwischenstock der Verwaltung begegnete er niemandem, den er kannte. Das war nur gut. Wenn er angesprochen worden wäre, hätte er auf jede Frage eine wütende Antwort geknurrt. In seinem Büro löste er sich aus dem schweren Mantel und ließ ihn, wo er hinfiel, auf dem Boden liegen. Er zündete sich eine Zigarette an. Sie hatte einen beißenden Geschmack, und er drückte sie wieder aus. Als er zu seinem Schreibtisch ging, spürte er den Schmerz in seinem Fuß, der jetzt heftiger auftrat.

Es hatte eine Zeit gegeben – sie schien weit zurückzuliegen –, in der er an einem solchen Abend, wenn sein verwundeter Fuß schmerzte, nach Hause gegangen war, wo Cindy drauf bestand, daß er sich ausruhte. Als erstes hatte er ein heißes Bad genommen, danach hatte sie ihm mit kühlen festen Fingern Rücken und Nacken massiert, während er mit dem Gesicht nach unten auf seinem Bett lag, bis der Schmerz in ihm verklungen war. Selbstverständlich war es unvorstellbar, daß Cindy das je wieder tun würde; doch selbst wenn sie es täte, bezweifelte er, daß es wirkte. Man konnte auch auf andere Weise, als durch gesprochene Worte, den Kontakt miteinander verlieren.

Mel setzte sich an seinen Schreibtisch und stützte den Kopf in die Hände.

Wie bereits draußen auf dem Flugfeld schauderte er plötzlich. Dann klingelte in dem stillen Büro unvermittelt ein Telefon. Als es wieder klingelte, erkannte er, daß es der an das rote Alarmsystem angeschlossene Apparat auf einem Ständer neben dem Schreibtisch war. Mit zwei schnellen Schritten hatte er ihn erreicht.

»Hier Bakersfeld.«

Er hörte Knacken und weitere Meldungen in der Leitung, als andere ihren Hörer abnahmen.

»Hier Flugsicherung«, verkündete die Stimme des Dienstleiters vom Kontrollturm. »Wir haben eine anfliegende Maschine in Alarmstufe drei.«

IX

Keith Bakersfeld, Mels Bruder, hatte ein Drittel seiner Schicht auf der Radarstation der Flugsicherung hinter sich gebracht.

Bei der Radarkontrolle hatte der heutige Sturm eine tiefe, wenn auch nicht unmittelbare physische Wirkung gehabt. Für einen Zuschauer, dachte Keith, dem es an Einsicht für die komplexe Geschichte, die die Ansammlung der Radarschirme vor ihm erzählte, mangelte, hätte es so ausgesehen, als ob der Sturm, der hier draußen raste, an die tausend Meilen weit weg wäre.

Die Radarstation befand sich im Kontrollturm, ein Stockwerk tiefer als der glasumgebene Horst – die Turmkabine –, von der aus die Flugsicherung die Maschinen auf dem Boden und im umliegenden Luftraum dirigierte. Die Jurisdiktion der Radarabteilung reichte über den Flughafen weit hinaus, und die Radarkontrolle überbrückte die Lücke zwischen lokaler Kontrolle und dem nächsten Flugsicherungszentrum. Die Gebietszentren – in der Regel Meilen entfernt von jedem Flughafen – kontrollierten die Hauptflugrouten und den durch ihren Bereich führenden Verkehr.

Im Gegensatz zum oberen Teil des Turms hatte der Radarraum keine Fenster. Tag und Nacht arbeiteten auf Lincoln International zehn Radarkontroller und Inspektoren in ständigem Halbdunkel unter verschleierten milchigen Lichtern. Um sie her, an allen vier Wänden, dicht gepackt: Arbeitsmaterial, Radarschirme, Schalttafeln, Funkgeräte. In der Regel arbeiteten die Kontroller in Hemdsärmeln, da die Temperatur im Winter wie im Sommer konstant auf 21 Grad gehalten wurde, um die empfindlichen elektronischen Geräte zu schützen.

Der im Radarraum vorherrschende Ton war ruhig. Hinter dieser Ruhe verbarg sich aber zu jeder Zeit eine nervöse Spannung. Heute abend war die Spannung durch den Sturm stärker als sonst und wurde in den eben verstrichenen Minuten noch weiter gesteigert. Die Wirkung glich der weiteren Dehnung einer bereits gespannten Feder.

Ursache der zusätzlichen Steigerung war ein Signal auf einem Radarschirm, das seinerseits ein aufblitzendes Rotlicht und

eine Alarmglocke im Kontrollraum ausgelöst hatte. Die Alarmglocke war nun abgestellt worden, doch das besondere Radar-
signal blieb. Bekannt als Doppelblüte, war es auf dem halbdunklen Schirm wie eine kolossale grüne Nelke aufgeblüht und
hatte ein Flugzeug in Not angezeigt. In diesem Falle war das
Flugzeug eine KC-135 der US Air Force hoch oben über dem
Flughafen im Sturm, die um Notlandung ersuchte. Keith Bakersfeld hatte vor dem flachen Schirm Dienst, und ein Inspektor
war inzwischen zu ihm getreten. Beide übermittelten jetzt
dringende, eilige Entscheidungen – über direkte Telefonverbin-
dungen an die Kontroller in angrenzenden Positionen und über
Sprechfunk an andere Flugzeuge in der Nähe.

Der Dienstleiter im Kontrollturm, ein Stockwerk über ihnen,
war über das Notsignal sofort informiert worden. Er seinerseits
hatte einen Notstand dritten Grades erklärt und die Flughafen-
Bodeneinrichtungen alarmiert.

Das flache Radargerät – im Augenblick der Mittelpunkt der
Aufmerksamkeit – war eine horizontale, kreisrunde Glasscheibe
in der Größe eines Fahrradreifens und ruhte auf einer Tisch-
plattenkonsole. Seine Oberfläche war dunkelgrün mit leuchtend
grünen Lichtpünktchen, die alle Flugzeuge in der Luft innerhalb eines Umkreises von vierzig Meilen anzeigen. Ganz wie
sich die Flugzeuge bewegten, verschoben sich auch die Lichtpunkte. Neben jedem Lichtpunkt stand ein kleines Kunststoffschild, um das Flugzeug zu identifizieren. Diese Markierungen
hießen in der Umgangssprache »Garnelenboote«. Sie wurden
von den Kontrollern bewegt, je nachdem wie sich die Flugzeuge
bewegten und ihre Positionen auf dem Schirm veränderten.
Erschienen weitere Flugzeuge, wurden sie durch Sprechfunk
identifiziert und gleichermaßen etikettiert. Neuere Radar-
systeme verzichteten auf diese »Garnelenboote«; statt dessen
erschienen kennzeichnende Buchstaben-Zahlengruppen, die
auch die Flughöhe angaben, unmittelbar auf dem Radarschirm.
Aber die neuere Methode war noch nicht allgemein in Gebrauch
und wies, wie alle neuen Systeme, Mängel auf, die noch aus-
gemerzt werden mußten.

Heute abend war eine außergewöhnlich große Zahl von Flugzeugen in der Luft, und irgendwer hatte vorher schon die Bemerkung gemacht, die grünen Nadelpunkte vermehrten sich so rasch wie Ameisen.

Keith saß dicht vor der flachen Scheibe auf einem grauen Stahlstuhl, die hagere, spindeldürre Gestalt vorgeneigt. Sein Körper war gespannt; die unter dem Stuhl übereinandergeschlagenen Beine waren starr wie der Stuhl selbst. Er war konzentriert, sein Gesicht ausgemergelt und angespannt wie schon seit Monaten. Der grüne Widerschein des Geräts betonte unheimlich die tiefen Höhlungen unter seinen Augen. Jeder, der Keith gut kannte, ihn aber, sagen wir einmal, seit einem Jahr nicht gesehen hatte, wäre über seine Erscheinung und sein verändertes Wesen entsetzt gewesen. Früher hatte er eine gelockerte und natürliche Liebenswürdigkeit gezeigt; alle Anzeichen davon waren nun dahin. Keith war sechs Jahre jünger als sein Bruder Mel, wirkte aber erheblich älter.

Die Veränderung von Keith Bakersfeld war von seinen Kollegen bemerkt worden, von denen einige heute abend an anderen Plätzen im Radarraum arbeiteten. Sie kannten auch die Ursache dieser Veränderung, eine Ursache, die echtes Mitgefühl erregt hatte. Aber sie waren praktische Menschen mit einer sehr exakten Aufgabe, und gerade das bewog den Inspektor Wayne Tevis, Keith insgeheim zu beobachten und die Zeichen sich steigender Anspannung zu registrieren, die sich seit einiger Zeit zeigte. Tevis, ein schlaksiger nölender Texaner, saß in der Mitte des Radarraums auf einem erhöhten Stuhl, von dem aus er über die Schultern der Arbeitenden die verschiedenen Radargeräte mit ihren besonderen Funktionen beobachten konnte. Tevis persönlich hatte den Stuhl mit Gleitrollen versehen; er ritt ihn zeitweise wie ein Pferd und schob sich mittels Tritten seiner handgearbeiteten Cowboystiefel dorthin, wo er im Augenblick gerade gebraucht wurde.

Während der vergangenen Stunde hatte Tevis sich keinen Moment weit von Keith entfernt. Der Grund war, daß Tevis bereit war, wenn nötig Keith von der Radarwache abzulösen, was, wie ihm sein Instinkt sagte, jederzeit nötig werden konnte.

Der Radarinspektor war ein freundlicher Mann, trotz seines

Getues. Er scheute vor dem zurück, wozu er vielleicht gezwungen war. Er war sich im klaren darüber, wie weitreichend die Folgen für Keith sein würden. Doch das war gleichgültig: Wenn es sein mußte, würde er handeln.

Die Augen auf den flachen Radarschirm vor Keith gerichtet, nölte er: »Na Keith, alter Junge, der Braniff-Flug ist scharf am Eastern. Wenn Sie Braniff nach rechts abdrehen, dann können Sie Eastern auf demselben Kurs halten.« Das hätte Keith selber sehen müssen, hatte es aber nicht bemerkt.

Das Problem, an dem die meisten der Besatzung des Radarraumes fieberhaft arbeiteten, war, für die KC-135 der Air Force, die bereits zum Abstieg für eine Blindlandung aus zehntausend Fuß angesetzt hatte, freie Bahn zu schaffen. Die Schwierigkeit lag darin, daß unterhalb der großen Düsenmaschine der Air Force fünf Fluglinien-Flüge warteten, gestaffelt in Zwischenräumen von tausend Fuß, die in einem begrenzten Luftraum kreisten. Alle warteten darauf, mit dem Landen an die Reihe zu kommen. Wenige Meilen auf jeder Seite waren vielbenutzte Anflugschneisen mit weiteren Kolonnen von Flugzeugen, gleichfalls gestaffelt, und noch tiefer befanden sich drei weitere Verkehrsmaschinen bereits beim Landungsmanöver. Irgendwie mußte der Militärflug zwischen den gestaffelten Zivilflugzeugen hindurch nach unten eingefädelt werden, ohne daß es eine Kollision gab. Unter normalen Umständen würde diese Aufgabe die stärksten Nerven auf die Probe stellen. So aber wurde die Situation infolge des Ausfalls der Funkanlage bei der KC-135 noch komplizierter, denn dadurch war die Sprechverbindung mit dem Piloten der Air Force abgerissen.

Keith Bakersfeld schaltete sein Mikrofon ein. »Braniff Acht-Zwo-Neun, sofortige Wendung nach rechts, Kurs Null-Neun-Null.« In solchen Augenblicken, selbst wenn die Spannung fieberhaft gestiegen war, mußte die Stimme ruhig bleiben. Keiths Stimme war schrill und verriet seine Nervosität. Er sah, daß Wayne Tevis scharf zu ihm herüberblickte. Aber die Lichtpunkte auf dem Radarschirm, die verdammt dicht beieinander waren, begannen sich zu trennen, so wie der Kapitän der Braniff instruiert worden war. Es gab Momente – und dies war so einer –, in denen die Kontroller Gott, oder an was immer sie glaubten für die prompte, wachsame Reaktion der Fluglinienpiloten dankten. Die Piloten mochten wohl darüber fluchen – und taten es später auch –, wenn ihnen unerwartet Kursänderungen angegeben wurden, die knappe und plötzliche Wendungen erforderten, wodurch die Passagiere erschreckt wurden. Aber wenn ein Kontroller den Befehl gab »sofort«, gehorchten sie unverzüglich und maulten erst hinterher.

In ein oder in zwei Minuten würde der Braniff-Flug wieder gewendet werden, und das galt auch für Eastern, der auf gleicher Höhe stand. Vorher brauchte man noch neue Kurse für die beiden TWAs – der eine höher, der andere niedriger –, dazu noch eine Lake Central Convair, eine Air Canada Vanguard und eine Swissair, die gerade auf den Schirm kamen. Bis die KC-135 durchgeschleust war, mußten diesen und anderen Maschinen Zickzackkurse gegeben werden, wenn auch nur für kurze Strecken, da keine in angrenzende Lufträume abirren durfte. In gewisser Weise war es wie ein verzwicktes Schachspiel, nur daß alle Figuren auf verschiedenen Niveaus waren und sich mit mehreren hundert Stundenmeilen fortbewegten. Außerdem mußten bei diesem Spiel die Figuren, während sie sich ständig vorwärtsbewegten, höher oder niedriger gebracht werden, auch durften sie einander nie über drei Meilen seitlich und tausend Fuß in der Höhe näher kommen. Und während all das vor sich ging, mußten Tausende von Passagieren, die sich nach dem Ende ihrer Reise sehnten, auf ihren fliegenden Sesseln sitzen bleiben – und warten.

In Augenblicken der Entspannung fragte Keith sich, wie der Pilot der Air Force in seinen Schwierigkeiten und bei seinem Abstieg durch Sturm und einen von Flugzeugen wimmelnden Luftraum sich wohl fühlte. Sehr einsam wahrscheinlich; der Pilot hatte zwar seinen Kopiloten und seine Besatzung, ebenso wie Keith seine Kollegen hatte, die in diesem Augenblick beinahe in Tuchfühlung neben ihm saßen. Doch eine Nähe, die wirklich zählte, war das nicht. Nicht – wenn man allein war in der innersten Kammer seines Gemüts, die kein anderer betreten konnte und in der man lebte – allein und einsam – mit Erkenntnis, Erinnerung, Gewissen und Angst. Allein, vom Augenblick der Geburt an, bis man starb. Immer und für ewig allein. Keith Bakersfeld wußte, wie sehr allein ein Mensch sein konnte.

Der Reihe nach gab Keith neue Kurse durch: der Swissair, einer der beiden TWAs, der Lake Central und der Eastern. Er konnte hören, wie hinter ihm Wayne Tevis versuchte, mit der KC-135 der Air Force wieder in Funkverbindung zu kommen. Immer noch keine Antwort, außer daß das vom Piloten der KC-135 ausgegebene Not-Radar-Signal immer noch auf dem Schirm blühte. Die Stellung der Blüte zeigte aber an, daß der Pilot das Richtige tat und genau die Instruktionen befolgte, die ihm gegeben worden waren, ehe die Funkverständigung ausfiel. Da er so handelte, dürfte er gewußt haben, daß die Flugsicherung seine Bewegungen vorausgeahnt hatte. Er mußte auch wissen, daß seine Position auf dem Radarschirm am Boden beobachtet werden konnte, und verließ sich darauf, daß anderer Verkehr ihm aus dem Weg gehalten würde.

Keith wußte, daß die Air-Force-Maschine in Hawaii gestartet war, über der Westküste in der Luft aufgetankt hatte und sich auf einem Non-Stop-Flug mit dem Ziel Andrews Air Force Base bei Washington befand. Doch westlich der kontinentalen Wasserscheide hatte es einen Maschinenschaden gegeben und später Störungen in der elektrischen Anlage, was den Kommandanten des Flugzeugs veranlaßte, eine unplanmäßige Landung in Smoky Hill, Kansas, zu wählen. In Smoky Hill war aber die Schneeräumung der Landebahn noch nicht beendet gewesen, und die KC-135 wurde nach Lincoln International umgeleitet. Die Routenkontrolle gängelte den Militärflug nordostwärts über Missouri und Illinois. In dreißig Meilen Entfernung übernahm dann die Anflugkontrolle West, in Person von Keith Bakersfeld, die Maschine. Bald danach war dann zusätzlich zu den anderen Schwierigkeiten für den Piloten die Funkverbindung ausgefallen. Waren die Flugbedingungen normal, vermieden Militärflugzeuge meistens zivile Flughäfen. Doch bei einem derartigen Sturm wurde ohne weiteres um Hilfe gebeten und Hilfe gewährt.

In dem verdunkelten, dichtbesetzten Raum kamen, ebenso wie Keith, auch andere Kontroller ins Schwitzen. Aber keine Spur von Hochdruck oder Spannung darf durch die Stimme des Kontrollers verraten werden, wenn er mit Piloten in der Luft spricht. Die Piloten hatten ja stets und ständig sich um genug anderes zu kümmern. Heute abend jedoch, bei Sturm und dauerndem Blindflug mangels jeder Sicht, vervielfältigten sich die Anforderungen an ihre Tüchtigkeit und ihre Geschicklichkeit. Die meisten der Piloten hatten bereits, infolge der durch den starken Verkehr verursachten Verspätungen, Überstunden geflogen; jetzt würden sie noch länger in der Luft bleiben müssen. Von jeder Radarkontrollstelle ging ein schneller ruhiger Strom von Weisungen aus, weitere Flüge dem Gefahrengebiet fernzuhalten. Die Maschinen warteten darauf, daß sie an die Reihe kämen zum Landen, und alle paar Minuten stießen neue Anflüge zu ihnen, die aus den Luftkorridoren kamen. Ein Kontroller rief leise, aber dringend über die Schulter: »Verdammt, der hat mir noch gefehlt! Kannst du mir Delta Sieben-Drei abnehmen?« Das war die Art der Kontroller, wenn sie in Schwierigkeiten kamen und mehr hatten, als sie bewältigen konnten. Eine andere Stimme: »Himmel! – hab' selbst gerade genug... Warte mal!... Wahrhaftig, ich hab' ihn.« Eine Sekunde Pause. »Delta Sieben-Drei von Lincoln Anflugkontrolle. Links abbiegen; Kurs Eins-Zwei-Null. Höhe beibehalten, viertausend!« Kontroller halfen sich untereinander, wenn sie konnten. Ein paar Minuten später mochte der zweite vielleicht selber Hilfe brauchen. »He! Paß auf den Northwest auf, der kommt durch von der anderen Seite. Mein Gott! Das wird ja jetzt wie auf der Hauptstraße bei Büroschluß.« – »American Vier-Vier, gegenwärtigen Kurs halten. Geben Sie Ihre Höhe an... Abfliegende Lufthansa vom Kurs abgekommen. Bringt ihn doch zum Kuckuck aus dem Anflugsgebiet!«... Abfliegende Maschinen wurden weit um die Gefahrenzone herumgeleitet, aber Anflüge mußten aufgehalten werden, und kostbare Landezeit ging verloren. Selbst später, wenn die Gefahr vorüber war, würde es, das wußte jeder, eine Stunde oder mehr dauern, das Verkehrsdurcheinander aufzulösen.

Keith Bakersfeld gab sich große Mühe, seine Konzentration nicht zu verlieren und eine klare Vorstellung von seinem Sektor und jedem Flugzeug in ihm zu behalten. Das erforderte ständiges Auswendiglernen – Identifikation, Position, Flugzeugtyp, Geschwindigkeit, Höhe, Reihenfolge der Landungen – ein detailliertes dreidimensionales Diagramm mit dauernden Änderungen – ein Bild, das niemals gleichblieb. Selbst in ruhigeren Zeiten ließ die geistige Spannung nicht nach; heute abend verlangte der Sturm das Äußerste an Konzentration. Der Albtraum jedes Kontrollers war, »das Bild zu verlieren«, ein Augenblick, in dem ein überanstrengtes Gehirn rebellierte und alles leer wurde. Das kam gelegentlich vor, selbst bei den Besten.

Keith war einer der Besten gewesen. Bis vor einem Jahr war er es, an den sich die Kollegen wandten, wenn die Konzentration unter dem Hochdruck nachließ. »Keith, mir wird mulmig! Kannst du ein paar übernehmen?« Und das tat er immer.

Doch in letzter Zeit waren die Rollen vertauscht. Nun deckten ihn die Kollegen, soweit sie nur konnten, aber es gab eine Grenze dafür, wieweit ein Mensch einem anderen helfen und gleichzeitig die eigene Arbeit verrichten konnte.

Weitere Instruktionen über Funk wurden nötig. Keith war allein; Tevis, der Inspektor, hatte sich und seinen Hochsitz durch den Raum katapultiert, um einen anderen Kontroller zu überprüfen. Keiths Gedanken trafen Entscheidungen: Schick Braniff nach links, Air Canada nach rechts. Eastern um hundertachtzig Grad. Das geschah; auf dem Schirm änderten die Punkte die Richtung. Die langsamer fliegende Lake Central Convair konnte noch eine Minute in Ruhe gelassen werden. Die schnelle Düsenmaschine der Swissair aber nicht; sie konvergierte mit Eastern. Swissair muß sofort neuen Kurs kriegen, aber welchen? Denk schnell nach! Fünfundvierzig Grad, aber nur für eine Minute, dann wieder rechts. Behalte TWA und Northwest im Auge. Ein neuer Flug kommt aus Westen in hohem Tempo – identifiziere und finde mehr Luftraum. Konzentrieren, konzentrieren! Keith beschloß erbittert: Er würde das Bild nicht verlieren; heute abend nicht, jetzt nicht.

Dafür gab es einen Grund; ein Geheimnis, das er mit keinem

Menschen geteilt hatte, nicht einmal mit Natalie, seiner Frau.
Nur Keith allein wußte, daß er heute zum letztenmal vor einem
Radarschirm saß und eine Wache durchstand. Heute war sein
letzter Tag bei der Flugsicherung. Bald würde es vorüber sein.
Es war auch der letzte Tag seines Lebens.

»Machen Sie eine Pause, Keith.« Es war die Stimme des Dienstleiters. Keith hatte ihn nicht hereinkommen sehen. Es war unbemerkt geschehen, und nun stand er neben dem Inspektor.

Vor einem Augenblick noch hatte Tevis dem Dienstleiter in
aller Ruhe gesagt: »Keith ist ganz in Ordnung, glaube ich. Vor
ein paar Minuten war ich besorgt, aber er scheint sich zusam-
mengerissen zu haben.« Tevis war froh, daß er den drastischen
Schritt, an den er vorher gedacht hatte, nicht anzuwenden
brauchte, doch der Dienstleiter flüsterte: »Wir wollen ihn aber
auf jeden Fall eine Weile ablösen.« Und als Nachsatz: »Ich
übernehme das.«

Als Keith flüchtig die beiden Männer zusammenstehen sah,
wußte er sofort, weshalb er abgelöst wurde. Die Krise war ja
immer noch da, und sie trauten ihm nicht. Die Pause war ja
nur ein Vorwand; sie war für ihn erst in einer halben Stunde
fällig. Sollte er dagegen protestieren? Für einen Kontroller
seines Dienstalters war das eine Schande, die von den anderen
bemerkt wurde. Dann dachte er aber: Warum jetzt einen
Streitfall daraus machen? Es lohnte sich nicht. Außerdem würden ihm zehn Minuten Pause guttun. Hinterher, wenn die
schlimmste Gefahr vorüber war, konnte er ja für den Rest der
Schicht wieder an die Arbeit zurückkehren.

Wayne Tevis beugte sich vor. »Lee wird Sie ablösen, Keith.«
Er ging zu einem anderen Kontroller, der gerade von seiner
Pause zurückgekommen war – einer planmäßigen.

Keith nickte ohne Kommentar, obgleich er an seinem Platz
blieb und weitere Weisungen an Flugzeuge gab, während der
neue Mann sich ins Bild setzte.

In der Regel brauchte ein Kontroller mehrere Minuten, um an
einen anderen zu übergeben. Der Ablösende mußte das Radarbild studieren, eine Übersicht von der Gesamtlage gewinnen.
Er mußte sich völlig darauf einstellen.

Diese innere Vorbereitung gehörte zur Arbeit. Die Kontroller nannten es »das Messer wetzen«, und Keith hatte es in seinen fünfzehn Jahren bei der Flugsicherung regelmäßig beobachtet, bei anderen und bei sich selbst. Man tat das, weil man es tun mußte, wenn man einen Dienst übernahm. Zu anderen Zeiten wurde es eine Reflexhandlung, so zum Beispiel, wenn Kontroller gemeinsam zur Arbeit fuhren, wie es manche taten. Bei der Abfahrt von zu Hause war die Unterhaltung entspannt und normal. An diesem Punkt der Fahrt erfolgte auf eine belanglose Frage wie: »Gehst du am Samstag zum Ballspiel?« eine ebenso belanglose Antwort – »Klar«, oder »Schaff es diese Woche wohl nicht«. Aber je näher man dem Arbeitsplatz kam, desto knapper wurde die Unterhaltung, so daß die gleiche Frage – eine viertel Meile vor dem Flughafen – ein knappes »Ja« oder »Nein« auslösen würde.

Zur Konzentration kam noch ein anderes Erfordernis – eine beherrschte, angelernte Ruhe während des ganzen Dienstes. Diese beiden Erfordernisse – widersprüchlich in Begriffen der menschlichen Natur – waren geistig erschöpfend und wurden auf die Dauer zur Plage. Viele Kontroller bekamen Magengeschwüre, die sie verheimlichten, aus Angst, die Stellung zu verlieren. Folge dieser Verheimlichung war, daß sie lieber für ärztliche Behandlung bezahlten, als die freie ärztliche Betreuung in Anspruch zu nehmen, zu der sie ihre Anstellung berechtigte. Im Dienst verbargen sie ihre Pillenschachteln – »Zur Behebung gastrischer Hyperacidität« – in ihren Spinden und benutzten sie dann eifrig in den Pausen.

Es gab aber noch andere Auswirkungen. Manche Kollegen – Keith Bakersfeld kannte verschiedene – waren zu Hause unfreundlich und reizbar oder neigten als Reaktion auf die Unterdrückung jedes Gefühls im Dienst zu Wutausbrüchen. Bedenkt man dazu noch die Unregelmäßigkeit der Dienst- und Ruhestunden, die jede Haushaltsführung erschwerte, dann war die Wirkung vorauszusehen. Bei Kontrollern war die Liste der Familienschwierigkeiten sehr lang und die Scheidungsrate hoch.

»In Ordnung«, sagte der Neue. »Ich bin im Bild.«

Keith schob sich von seinem Sitz und legte seinen Kopfhörer ab, als der ablösende Kollege seinen Platz einnahm.

Der Dienstleiter sprach Keith an: »Ihr Bruder sagte, er käme später vielleicht auf einen Sprung herein.«

Keith nickte, als er den Raum verließ. Dem Dienstleiter trug er nichts nach, denn der hatte ja schließlich seine eigene Verantwortung zu verteidigen, und Keith war froh darüber, daß er keinen Protest gegen seine vorzeitige Ablösung eingelegt hatte. Nach nichts verlangte es Keith im Augenblick mehr als nach einer Zigarette, einem Kaffee und Alleinsein. Er war auch froh – da nun die Entscheidung über ihn gefallen war –, aus der Notstandssituation heraus zu sein. In letzter Zeit war er in zu viele verwickelt worden, um es nun zu bedauern, daß er den Höhepunkt einer weiteren versäumte.

Luftverkehrsnotstände der einen oder anderen Art kamen auf Lincoln International täglich mehrere Male vor – wie auf jedem großen Flughafen. Bei jedem Wetter konnten sie eintreten – am klarsten Tag ebensogut wie in einer Sturmnacht wie der heutigen. Im allgemeinen merkten nur wenige Menschen etwas von solchen Vorkommnissen, weil fast alle glücklich gelöst wurden, und selbst Piloten in der Luft wurde selten der Grund für Verzögerungen oder plötzliche Weisungen, dahin oder dorthin abzubiegen, genannt. Einmal brauchten sie es nicht zu wissen, und dann war auch gar keine Zeit für Schwätzereien über Funk. Rettungsmannschaften, Feuerwehr, Unfallwagen und Polizei wurden ebenso wie die oberste Flughafenverwaltung stets alarmiert, und die Verfügungen, die sie trafen, hingen von der erklärten Alarmstufe ab. Stufe eins war die ernsteste, wurde aber selten ausgegeben, denn sie signalisierte einen tatsächlichen Absturz. Stufe zwei war die Warnung von drohender Lebensgefahr oder schwerer Beschädigung. Stufe drei, wie jetzt, war eine allgemeine Alarmierung aller Einrichtungen des Flughafens bereitzustehen, ob sie nun gebraucht wurden oder nicht. Für Kontroller bedeutete jede Alarmstufe zusätzliche Anspannung und Nachwirkungen.

Keith betrat den Garderobenraum, der an den Radarkontrollraum angrenzte. Jetzt, da er ein paar Minuten hatte, um ruhiger nachzudenken, hoffte er im Interesse aller, daß der Pilot der Air Force KC-135 und alle anderen, die in der Luft waren, sicher durch den Sturm herunterkamen.

Der Garderobenraum war eine kleine Zelle mit einem einzigen Fenster. Drei Wände bedeckten Metallspinde, und eine Holzbank stand in der Mitte. Ein Anschlagbrett neben dem Fenster trug eine wahllose Sammlung von Berichten und Mitteilungen der geselligen Vereinigungen des Flughafens. Eine nackte Birne an der Decke blendete nach dem Halbdunkel im Radarraum. Niemand war sonst in der Garderobe, und Keith griff nach dem Schalter und knipste das Licht aus. Von den Flutlichtern außen am Kontrollturm drang genug Licht herein, um zu sehen. Keith zündete sich eine Zigarette an. Dann öffnete er seinen Spind und holte die Frühstückstasche heraus, die Natalie vor seiner Abfahrt von zu Hause heute nachmittag gepackt hatte. Als er den Kaffee aus der Thermosflasche goß, fragte er sich, ob Natalie wohl ein Zettelchen neben seine Sandwichs gesteckt habe, oder wenn nicht das, dann irgendeinen kleinen Artikel, den sie aus einer Zeitung oder einer Illustrierten ausgeschnitten hatte. Das tat sie oft und hoffte ihn damit, wie er annahm, aufzuheitern. Gleich von Beginn seiner Schwierigkeiten an hatte sie sich sehr darum bemüht. Zuerst hatte sie es mit ganz augenfälligen Mitteln versucht, und als das nichts half, hatte sie zu weniger auffälligen gegriffen, obwohl er stets genau merkte – in einer distanzierten, unpersönlichen Weise –, was Natalie tat und beabsichtigte. In letzter Zeit waren ihre Zettelchen und die Ausschnitte seltener geworden.

Vielleicht hatte Natalie schließlich auch den Mut verloren. Sie sprach wenig in letzter Zeit, und er sah an ihren roten Augen, daß sie manchmal geweint hatte.

Keith hätte ihr gern geholfen, als er das merkte. Aber wie konnte er das – er, der sich ja selbst nicht helfen konnte?

Ein Foto von Natalie war auf der Innenseite seiner Spindtür angeklebt – ein farbiger Schnappschuß, den Keith einmal gemacht hatte. Schon vor langem hatte er das Bild mitgebracht. Jetzt beleuchtete das Licht von draußen das Foto nur schwach, aber er kannte es so gut, daß er deutlich sehen konnte, was darauf war, ob es nun hell beleuchtet war oder nicht.

Das Foto zeigte Natalie im Bikini. Sie saß auf einem Felsen, lachte und schützte mit einer ihrer schlanken Hände die Augen vor der Sonne. Ihr lichtbraunes Haar flatterte nach hinten. Ihr schmales, keckes Gesicht zeigte die Sommersprossen, die jedes Jahr wieder erschienen. In Natalie Bakersfeld steckte etwas von einem frechen, mutwilligen Kobold, aber auch eine große Willensstärke, und die Kamera hatte beides eingefangen. Im Hintergrund des Bildes waren ein See mit blauem Wasser, hohe Weißtannen und eine Felsenschlucht. Sie hatten mit dem Wagen eine Fahrt nach Kanada gemacht, an den Haliburton-Seen gezeltet und die Kinder, Brian und Theo, diesmal in Illinois bei Mel und Cindy zurückgelassen. Dieser Urlaub erwies sich als eine der schönsten Zeiten, die Keith und Natalie je erlebt hatten.

Vielleicht war es gar nicht so schlecht, dachte Keith, sich heute abend daran zu erinnern.

Hinter dem Bild steckte ein zusammengefaltetes Stück Papier. Das war einer dieser Zettel, an die er gedacht hatte und die Natalie ab und zu in seine Frühstückstasche steckte. Dieser war schon einige Monate alt, und Keith hatte ihn aus irgendeinem Grund aufgehoben. Obwohl er wußte, was darauf stand, zog er ihn heraus und trat damit ans Fenster, um ihn zu lesen. Es war ein Ausschnitt aus einer der Illustrierten, und darunter standen ein paar Zeilen in der Handschrift seiner Frau.

Natalie hatte alle möglichen ausgefallenen Interessen, manchmal sehr weit reichende, für die sie Keith und die Jungen zu gewinnen suchte. Dieser Ausschnitt handelte von laufenden Experimenten einiger Genetiker in den Staaten. Wie es da hieß, sei es nun möglich, menschliches Sperma schnell einzufrieren. Das Sperma, tiefgekühlt gelagert, blieb so unbegrenzt lange haltbar. Sobald es wieder aufgetaut wurde, konnte es jederzeit für die Befruchtung von Frauen verwendet werden – sei es bald oder Generationen später. Natalie hatte dazu geschrieben:

»Noah hätte seine Arche um die Hälfte kleiner machen können, hätte er gewußt, was die Spermatozoen alles mit sich machen lassen. Um Babys dutzendweise zu kriegen, braucht man heute also nur noch die Tür zum Kühlschrank zu öffnen. Nun, ich bin froh darüber, daß wir unseren Anteil noch mit Liebe und Leidenschaft bekommen haben.«

Sie hatte es damals versucht und versuchte immer noch verzweifelt, ihrem Leben wieder eine Wendung zu geben – ihrer beider Leben und dem ihrer Familie –, es auf die Bahn zurückzuführen, die es früher einmal hatte. Mit Liebe und Leidenschaft.

Mel war ihr zu Hilfe gekommen und hatte mit Natalie versucht, seinen Bruder zu bewegen, gegen die Flut der Selbstquälereien und Depressionen anzukämpfen, die ihn völlig überwältigten.

Zu dieser Zeit hatte ein Teil von Keith noch selbst den Wunsch gehabt, darauf einzugehen, hatte versucht, irgendwo im Unterbewußtsein einen Geistesfunken anzufachen, war bemüht gewesen, sich ihrer Kraft dadurch anzupassen, daß er seine eigene stärkte und auf erwiesene Liebe selbst mit Liebe reagierte. Doch die Bemühung mißlang. Sie mißlang – wie er es vorher gewußt hatte –, weil in ihm nichts von Weichheit, nichts von Gefühl übriggeblieben war. Weder Wärme noch Liebe, nicht einmal Ärger darüber, angetrieben zu werden. Nur noch Öde, Gewissensangst und grenzenlose Verzweiflung.

Natalie hatte nun ihren Fehlschlag erkannt, dessen war er sicher. Das war der Grund, vermutete er, weswegen sie weinte, irgendwo, ungesehen.

Und Mel? Auch Mel hatte es vielleicht aufgegeben. Obwohl nicht so ganz und gar – Keith erinnerte sich an das, was ihm der Dienstleiter gesagt hatte. »Ihr Bruder sagte, er würde vielleicht mal hereinschauen ...«

Es wäre einfacher, wenn Mel es nicht täte. Keith fühlte sich einer Auseinandersetzung nicht gewachsen, gerade weil sie sich ihr ganzes Leben über so nahe gestanden hatten, wie Brüder es nur tun können. Mels Gegenwart mochte zu Verwicklungen führen. Keith fühlte sich zu ausgelaugt, zu schwach für irgendwelche weiteren Komplikationen.

Er fragte sich erneut, ob Natalie heute wohl wieder einmal einen

Zettel zu seinen Broten gesteckt hatte. Er packte seine Vorräte mit aller Vorsicht aus, in der Hoffnung, daß sie es getan hätte.

Er fand Brote mit Schinken und Wasserkresse, eine Dose mit Quark, eine Birne und Einwickelpapier. Sonst nichts.

Jetzt, als er wußte, daß sonst nichts da war, wünschte er verzweifelt, es wäre eine Mitteilung dabeigewesen, irgendeine Nachricht, selbst die allerunwichtigste. Dann fiel ihm ein – es war ja seine eigene Schuld; sie hatte ja keine Zeit dazu gehabt. Heute war er wegen der Vorbereitungen, die er treffen mußte, früher als sonst von zu Hause aufgebrochen. Natalie, der er es nicht vorher angesagt hatte, war in Eile gewesen. Zwar hatte er ihr vorgeschlagen, heute nichts mitzunehmen, sondern in einer der Kaffeestuben auf dem Flughafen schnell einen Happen zu essen. Aber Natalie, die wußte, daß die Kaffeestuben überlaufen und laut sein würden, was Keith nicht ausstehen konnte, hatte ihm widersprochen und so schnell wie möglich alles zurechtgemacht. Sie hatte nicht gefragt, warum er so früh aufbrechen wolle, obwohl sie, wie er wußte, neugierig war. Keith war erleichtert, daß es keine Fragen gegeben hatte. Wenn sie gefragt hätte, dann hätte er irgendwas erfinden müssen, und er hätte es ungern gesehen, wenn die letzten Worte zwischen ihnen eine Lüge gewesen wären.

So aber war ausreichend Zeit geblieben. Er war in das Geschäftsviertel des Flughafens gefahren und hatte sich in der O'Hagan Inn eingetragen, wo er schon früher am Tage telefonisch ein Zimmer bestellt hatte. Er hatte alles sorgfältig überlegt und folgte einem bereits vor einigen Wochen ausgearbeiteten Plan – aber er hatte mit dessen Ausführung gewartet, sich Zeit gelassen, um darüber nachzudenken und seiner selbst sicher zu sein, ehe er ihn in die Tat umsetzte. Er hatte sich sein Zimmer angesehen und dann das Hotel verlassen und war noch rechtzeitig zum Beginn seines Dienstes auf dem Flughafen angekommen. Die O'Hagan Inn war nur ein paar Minuten Wagenfahrt vom Lincoln International Airport entfernt. In einigen Stunden, sobald seine Schicht beendet war, würde er schnell hinfahren. Den Zimmerschlüssel hatte er in der Tasche. Um sich dessen zu vergewissern, zog er ihn heraus.

X

Die Mitteilung über eine Versammlung der Bürgerschaft von
Meadowood, die der Dienstleiter Mel vor kurzem durchgegeben
hatte, stimmte genau.

Diese Versammlung im Gemeindesaal der Kirche von Meadowood – fünfzehn Düsenflugsekunden vom Ende der Startbahn
Zwei-Fünf entfernt, tagte bereits seit einer halben Stunde. Sie
hatte später als vorgesehen begonnen, da die meisten der Anwesenden sich ihren Weg zu Fuß oder im Wagen durch tiefen
Schnee hatten bahnen müssen. Doch irgendwie waren sie gekommen.

Es war eine gemischte Gesellschaft, wie man sie in jeder durchschnittlich wohlhabenden Trabantenstadt findet. Von den Männern waren einige mittlere Beamte, andere Handwerker, mit
einem Einsprengsel von lokalen Geschäftsleuten. Der Zahl nach
waren Männer und Frauen annähernd gleich. Da es Freitag
abend war, also Wochenendanfang, waren die meisten nachläs-
sig gekleidet; darin machten ein halbes Dutzend Besucher von
außerhalb und verschiedene Pressereporter eine Ausnahme.

Der Saal war unangenehm überfüllt, die Luft stickig und ver-
räuchert. Alle vorhandenen Stühle waren besetzt, und mindestens hundert Personen mußten stehen.

Daß überhaupt so viele an einem solchen Abend ihre warmen
Wohnungen verlassen hatten und erschienen waren, war ein
Beweis für ihren Unmut und ihre Sorge.

Im Augenblick waren auch alle gleich wütend.

Diese Wut lag in der Luft, spürbar wie der Tabaksqualm, und
hatte zwei Ursachen. Die erste war die seit langem herrschende
Erbitterung über ein Nebenprodukt des Flughafens – den donnernden, ohrenbetäubenden Lärm der Düsenmaschinen, der
Tag und Nacht über die Häuser Meadowoods herfiel, und sowohl im Wachen wie im Schlafen Frieden und Privatsphäre zerrüttete. Die zweite war die gegenwärtig herrschende Behinderung: Während eines großen Teils der Zusammenkunft
waren die Teilnehmer bisher nicht in der Lage gewesen, sich
einander verständlich zu machen.

Mit gewissen akustischen Schwierigkeiten hatte man ja gerechnet. Schließlich war es der Lärm, um den es bei der Versammlung ging, und deshalb war eine transportable Lautsprecheranlage von der Kirche ausgeborgt worden. Nicht gefaßt war man aber darauf, daß heute abend Düsenmaschinen unmittelbar über dem Dach aufsteigen und menschliche Ohren und technische Sprechanlagen außer Gefecht setzen würden. Der Grund dafür, den die Versammlung nicht kannte und der sie auch nicht interessierte, war, daß eine festgefahrene Boeing 707 der Aéreo Mexican Startbahn Drei-Null blockierte und die anderen Flugzeuge angewiesen wurden, statt dessen Startbahn Zwei-Fünf zu benutzen. Und diese Startbahn zielte wie ein Pfeil direkt auf Meadowood. Startbahn Drei-Null dagegen lenkt die Abflüge wenigstens leicht seitwärts.

In einen Augenblick der Stille hinein brüllte der Versammlungsleiter mit gerötetem Gesicht: »Meine Damen und Herren, seit Jahren haben wir mit der Flughafenleitung und den Fluggesellschaften zu verhandeln versucht. Wir haben auf die Beeinträchtigung unseres häuslichen Friedens hingewiesen. Wir haben dargetan, mit unabhängigen Gutachten dargetan, daß ein normales Leben unter diesem Trommelfeuer von Lärm, das wir über uns ergehen lassen müssen, unmöglich ist. Wir haben vorgebracht, daß unsere Gesundheit unmittelbar gefährdet ist, daß unser Leben und das unserer Frauen und Kinder von Nervenzusammenbrüchen bedroht wird, die einige unter uns bereits erlitten haben.«

Der Versammlungsleiter war ein feister, kahlköpfiger Mann in den Sechzigern. Er hieß Floyd Zanetta, war Geschäftsführer einer Druckerei, Hausbesitzer in Meadowood und bekannt dafür, daß er sich der Gemeindeangelegenheiten annahm. An seinem sportlichen Sakko trug er das Abzeichen seiner langjährigen Zugehörigkeit zu den Kiwanis. Neben ihm nahm ein makellos gekleideter jüngerer Mann das kleine Podium am Kopfende des Saales ein. Der jüngere Mann saß; er hieß Elliott Freemantle und war Rechtsanwalt. Eine Aktenmappe aus schwarzem Leder stand geöffnet neben ihm.

Floyd Zanetta hieb mit der Hand auf das Pult, hinter dem er

stand. »Was tun der Flughafen und die Fluggesellschaften? Ich will Ihnen sagen, was sie tun: Sie tun so, als ob; als ob sie zuhörten. Und während sie so tun, machen sie Versprechungen und wieder Versprechungen, die sie gar nicht zu halten die Absicht haben. Die Flughafenverwaltung, die F.A.A. und die Fluggesellschaften sind Lügner und Betrüger . . .«

Das Wort Betrüger war untergegangen.

Es war von einem unglaublichen Lärmkrescendo verschluckt worden, von einem gewaltigen Aufbrüllen, das das Gebäude zu packen und zu erschüttern schien. Abwehrend hielten sich viele im Saal die Ohren zu. Manche blickten nervös nach oben. Andere, mit wütenden Blicken, redeten hitzig auf neben ihnen Sitzende ein, obgleich höchstens ein Kenner der Taubstummensprache sie hätte verstehen können; Worte waren nicht zu vernehmen. Eine Wasserkaraffe auf dem Rednerpult fing zu tanzen an, und wenn Zanetta sie nicht schnell ergriffen hätte, wäre sie zu Boden gefallen und zerbrochen.

So schnell wie das Brüllen angefangen und sich gesteigert hatte, ließ es auch wieder nach und verklang. Bereits meilenweit fort und Hunderte Fuß hoch, stieg Flug 58 der Pan American durch Sturm und Dunkelheit, strebte größeren, klaren Höhen zu, bog auf den Kurs nach Frankfurt, Deutschland, ein. Nun rollte Continental Airlines 23, Bestimmungsort Denver, Colorado, dem Anfang der Startbahn Zwei-Fünf zu, klar zum Abflug – über Meadowood. Eine lange Reihe weiterer Flugzeuge warteten bereits startklar auf den angrenzenden Taxibahnen darauf, daß sie an die Reihe kämen.

So war es schon den ganzen Abend über gewesen, bereits ehe die Meadowood-Versammlung begonnen hatte. Und als sie begann, mußte über die Angelegenheit in den kurzen Intervallen zwischen dem überwältigenden Lärm der Abflüge verhandelt werden.

Zanetta fuhr hastig fort: »Ich sagte, sie sind Lügner und Betrüger. Was jetzt und hier vor sich geht, ist ein schlüssiger Beweis dafür. Schließlich und endlich haben wir doch einen Anspruch auf Maßnahmen zur Lärmbekämpfung, aber heute abend ist selbst das . . .«

»Herr Vorsitzender«, warf hier eine Frauenstimme aus dem Hintergrund des Saales ein, »das alles haben wir ja früher bereits gehört. Wir wissen es alle, und es wieder und wieder durchzukauen ändert nichts.« Alle Augen wendeten sich der Frau zu, die jetzt stand. Sie hatte ein strenges, intelligentes Gesicht, und das schulterlange braune Haar war ihr ins Gesicht gefallen, so daß sie es ungeduldig zurückwarf. »Was ich gern wissen möchte, und andere auch, ist: Was können wir tatsächlich unternehmen, und was soll unser nächster Schritt sein?«

Spontanes Händeklatschen und Beifallsrufe waren die Antwort.

Gereizt sagte Zanetta: »Wenn Sie mich bitte zu Ende...«

Er kam nie zu Ende.

Wieder einmal beherrschte das alles übertönende Dröhnen den Gemeindesaal.

Das zeitliche Zusammenfallen mit der letzten Bemerkung sorgte für das einzige Gelächter an diesem Abend. Selbst der Versammlungsleiter grinste kläglich, als er seine Hand zu einer verzweiflungsvollen Geste hob. Eine Männerstimme rief mürrisch: »Machen Sie endlich weiter!«

Zanetta nickte zustimmend. Er fuhr fort, sich vorsichtig seinen Weg, wie ein Kletterer in den Felsen, zwischen den ständig wiederkehrenden Lärmspitzen über ihnen zu suchen. Was die Gemeinde tun müsse, erklärte er, sei, alle Höflichkeit und alle maßvollen Vorstellungen bei der Flughafenverwaltung und anderen Stellen aufzugeben und statt dessen den Rechtsweg zu beschreiten. Die Einwohner von Meadowood seien doch Bürger mit verfassungsmäßigen Rechten, die jetzt verletzt würden. Daher müßten sie bereit sein, vor Gericht zäh und wenn nötig unbarmherzig zu kämpfen. Was die Form angehe, die ein rechtliches Vorgehen annehmen sollte, so habe zufällig ein namhafter Rechtsanwalt, Mr. Elliott Freemantle, der in der City sein Büro habe, sich bereit erklärt, an der Versammlung teilzunehmen. Mr. Freemantle habe die Gesetze zum Schutz der Privatsphäre gegen Lärmbelästigung durch den Flugverkehr studiert, und gleich würden alle, die dem Sturm getrotzt hät-

114

ten, um anwesend zu sein, das Vergnügen haben, diesen ausgezeichneten Gentleman zu hören. Er werde in der Tat einen Vorschlag unterbreiten ...

Als die Gemeinplätze so weiterrollten, wurde Elliott Freemantle nervös. Er fuhr sich mit der Hand über sein gepflegtes, angegrautes Haar, fingerte über die Glätte seines Kinns und seiner Wange – er hatte sich eine Stunde vor der Versammlung frisch rasiert –, und sein scharfer Geruchsinn bestätigte ihm, daß das exklusive Gesichtswasser, das er nach dem Rasieren und den Rotlichtbestrahlungen stets gebrauchte, immer noch vorhielt. Er schlug seine Beine wieder übereinander, bemerkte, daß seine Zweihundert - Dollar - Krokodilleder - Schuhe noch spiegelblank waren, und bemühte sich, die Bügelfalten seines Maßanzugs nicht zu zerknittern. Elliott Freemantle hatte bereits vor langer Zeit die Entdeckung gemacht, daß die Leute es lieber hatten, wenn ihre Rechtsanwälte – im Gegensatz zu ihren Ärzten – wohlhabend aussahen. Wohlhabenheit vermittelte bei einem Anwalt eine Aura von Erfolg vor Gericht, von Erfolg, den Leute, die einen Prozeß führen wollen, sich wünschen.

Elliott Freemantle hoffte, daß die meisten der im Saal Anwesenden seine Klienten werden würden und er ihr Rechtsberater. Indessen wünschte er auch, der alte Quasseler Zanetta würde, zum Teufel noch mal, sich endlich hinsetzen, damit er selbst an die Reihe kam. Denn es gab keinen sicheren Weg, das Vertrauen einer Zuhörerschaft oder einer Geschworenenbank zu verlieren, als sie schneller denken zu lassen, als man es selbst tat, so daß sie im voraus wußten, was man sagen würde, noch ehe man es ausgesprochen hatte. Freemantles hochentwickelte Intuition sagte ihm, daß dies gerade jetzt der Fall war. Das bedeutete, daß er, wenn jetzt die Reihe an ihn kam, sich um so mehr anstrengen mußte, seine Kompetenz und seine höhere Intelligenz zu dokumentieren.

Einige unter seinen juristischen Kollegen hätten vielleicht in Frage gestellt, ob Freemantles Intelligenz tatsächlich überlegen war. Ja, vielleicht hätten sie sogar gegen die Definition des Versammlungsleiters, er sei ein Gentleman, etwas einzuwenden gehabt. Kollegen betrachteten Freemantle als einen Exhibitionisten, der hohe Honorare forderte, hauptsächlich aus Reklamegründen, wie ein Showman. Zugegeben wurde aber auch, daß er ein beneidenswertes Geschick hatte, rechtzeitig in Prozesse einzusteigen, die sich später als sensationell und einträglich erwiesen.

Für Elliott Freemantle schien die Situation im Fall Meadowood wie geschaffen.

Er hatte von dem Problem der Gemeinde gelesen und sorgte durch Beziehungen prompt dafür, daß einigen Hausbesitzern sein Name als der des einzigen Anwalts vorgeschlagen wurde, der hier helfen konnte. Das Ergebnis war, daß ein Komitee der Hausbesitzer schließlich mit ihm in Verbindung trat, und die Tatsache, daß sie es waren, die sich an ihn wandten, und nicht umgekehrt, gab ihm ein psychologisches Übergewicht, das er von Anfang an eingeplant hatte. Inzwischen hatte er sich über das Gesetz und die neueste Rechtsprechung in Sachen Lärmbelästigung und Privatsphäre orientiert – ein Gebiet, das für ihn gänzlich neu war. Und als das Komitee nun erschien, trat er ihm mit der Sicherheit eines langjährigen Experten gegenüber.

Später machte er dem Komitee einen entsprechenden Vorschlag, der ihm die heutige Versammlung und seine eigene Anwesenheit eingebracht hatte.

Na, Gott sei Dank. Es sah so aus, als ob Zanetta mit seiner windigen Vorrede endlich fertig wäre. Phrasenhaft bis zum letzten Satz, leierte er: »... und somit habe ich die Ehre und das Vergnügen, Ihnen hier ...«

Freemantle wartete kaum, bis sein Name gefallen war, als er schon von seinem Stuhl aufstand. Er fing zu reden an, noch ehe Zanettas Hinterteil Kontakt mit dem Stuhl gefunden hatte. Wie üblich verzichtete er auf alle Präliminarien.

»Wenn Sie von mir Mitgefühl erwarten, dann sind Sie hier an der falschen Adresse, denn das kann ich Ihnen nicht bieten. Das finden Sie in dieser Versammlung nicht und in anderen auch nicht, die wir vielleicht später abhalten werden. Ich bin kein Lieferant für Taschentücher. Wenn Sie die also zum Tränentrocknen brauchen, schlage ich vor, Sie nehmen Ihre eigenen oder helfen sich gegenseitig aus. Mein Geschäft ist das Recht. Nur das Recht und sonst nichts.«

Er hatte bewußt barsch gesprochen, und er wußte, er hatte sie angerempelt, wie er es beabsichtigt hatte.

Er hatte auch gesehen, daß die Zeitungsreporter aufblickten und aufmerksam wurden. Es waren drei, am Pressetisch nahe beim Eingang – zwei junge Männer von den großen Tageszeitungen der Stadt und eine ältere Frau von einer lokalen Wochenzeitung. Alle waren für seine Pläne von Bedeutung, und er hatte sich die Mühe gemacht, ihre Namen zu erfahren und vor Beginn der Versammlung kurz mit ihnen zu sprechen. Jetzt flogen ihre Stifte nur so. Gut! Zusammenarbeit mit der Presse spielte bei Freemantles Vorhaben stets eine große Rolle, und er wußte aus Erfahrung, daß dies am besten zu erreichen war, wenn man für eine zündende Geschichte mit einer guten Pointe sorgte. In der Regel gelang ihm das. Zeitungsleute mochten das viel lieber als Gratis-Drinks oder -Essen – und je lebhafter und farbiger die Geschichte, desto freundlicher würden ihre Berichte werden.

Er schenkte seine Aufmerksamkeit wieder den Zuhörern.

Um eine Nuance weniger aggressiv fuhr er fort: »Wenn Sie beschließen, daß ich Sie vertreten soll, dann werde ich Ihnen Fragen über die Wirkung des Flughafenlärms auf Ihre Wohnung, auf Ihre Familie, auf Ihre eigene körperliche und geistige Gesundheit stellen. Denken Sie aber nicht, daß ich persönlich an diesen Dingen oder an Ihnen als Individuen interessiert wäre. Offen gestanden, das bin ich nicht. Sie sollen ruhig wissen, daß ich ein bodenloser Egoist bin. Ich stelle diese Fragen nur, weil ich herausbekommen will, in welchem Umfang Ihnen Schaden zugefügt worden ist, der juristisch relevant ist. Ich bin bereits jetzt davon überzeugt, daß Ihnen in gewissem Umfang Schaden zugefügt wurde – vielleicht beträchtlicher Schaden – und Sie in diesem Fall Anspruch auf Entschädigung haben. Aber Sie mögen gleichfalls wissen, daß ich, was immer ich erfahre und wie tief ich vielleicht berührt werde, nicht bereit bin, für die Wohlfahrt meiner Klienten meine Nächte zu opfern, wenn ich außerhalb meines Büros oder des Gerichtsgebäudes bin. Aber...« Hier machte Freemantle eine dramatische Pause und stach mit seinem Finger in die Luft, um die Worte zu unterstreichen. »Aber in meinem Büro und vor Gericht werden Sie als meine Klienten in Rechtsfragen über meine äußerste Aufmerksamkeit und volle Arbeitskraft verfügen. Und bei den Gelegenheiten werden Sie, das verspreche ich Ihnen, wenn wir zusammenarbeiten, froh sein, daß ich auf Ihrer Seite und nicht auf der gegnerischen stehe.«

Jetzt hatte er die Aufmerksamkeit jedes einzelnen im Saal gefunden. Einige, sowohl Männer als auch Frauen, saßen vorgebeugt auf ihren Stühlen und waren bemüht, keines seiner Worte zu verlieren, wenn er Pausen machte – so kurze wie nur möglich, denn der Flugzeuglärm in der Luft ging weiter. Einige Gesichter waren bei seinen Worten feindlich geworden, wenn auch nicht viele. Aber jetzt war es an der Zeit, die Spannung ein wenig zu lockern. Er zeigte ein flüchtiges, leichtes Lächeln, ehe er ernsthaft fortfuhr.

»Ich informiere Sie über diese Dinge gleich, damit wir einander verstehen. Manche Leute finden, ich sei ein bösartiger, unangenehmer Mensch. Vielleicht haben sie recht. Doch wenn ich persönlich je einen Anwalt brauchen sollte, würde ich mir bestimmt einen aussuchen, der wirklich bösartig und unangenehm ist; also hart – in meinem Interesse nämlich.« Einige nickten mit dem Kopf und zeigten ein zustimmendes Lächeln.

»Aber natürlich, wenn Sie lieber einen netteren Kerl haben wollen, der Ihnen mehr Mitgefühl zeigt, wenn auch vielleicht etwas weniger Rechtskenntnis...« Elliott Freemantle hob die Schultern. »Bitte, das ist Ihr gutes Recht.«

Er hatte seine Zuhörer scharf beobachtet und sah, wie ein verantwortungsbewußt aussehender Mann mit dickrandiger Brille sich zu einer Frau beugte und flüsterte. Aus dem Ausdruck der beiden erriet Freemantle, daß der Mann sagte: »Das gefällt mir schon besser. – Das wollten wir hören.« Die Frau, wahrscheinlich die Ehefrau des Flüsterers, nickte beifällig. Ringsum im Saal vermittelten andere Gesichter den gleichen Eindruck.

Wie stets bei derartigen Gelegenheiten, hatte Elliott Freemantle die Stimmung der Versammlung schlau berechnet und seinen eigenen Vorstoß darauf eingestellt. Er spürte bald, daß diese Leute der Banalitäten und des Mitgefühls – gut gemeint, aber nicht am Platze – müde waren. Seine eigenen Worte, grob und brutal, waren wie eine erfrischende kalte Dusche. Jetzt, bevor die Gemüter sich entspannten und die Aufmerksamkeit sich lockerte, mußte er einen neuen Kurs einschlagen. Nun war der Augenblick gekommen, dieser Gesellschaft einen Vortrag über die Gesetze betreffend Lärmbelästigung zu halten. Ein Trick, um die Aufmerksamkeit wachzuhalten, in dem Elliott Freemantle groß war, bestand darin, immer einen halben geistigen Schritt vorauszubleiben; gerade so viel und nicht mehr, daß die Zuhörer dem, was gesagt wurde, noch folgen konnten, dazu aber auch munter genug bleiben mußten.

»Ich bitte um Aufmerksamkeit«, gebot er, »weil ich nunmehr auf Ihr spezielles Problem zu sprechen komme.«

Die Frage der Lärmbelästigung beschäftigte die Gerichte in zunehmendem Maße. Neuere Entscheidungen setzten fest, daß übertriebener Lärm sowohl ein Eingriff in die Privatsphäre als auch eine Verletzung der Eigentumsrechte sein könne. Überdies seien die Gerichte geneigt, Auflagen oder Verbote zu erlassen, sowie Entschädigungen zuzusprechen, sobald Beeinträchtigungen – einschließlich solcher durch Flugzeuglärm – nachgewiesen werden könnten.

Am Pressetisch machten alle drei Reporter ihre Notizen.

Der Oberste Gerichtshof der Vereinigten Staaten, fuhr Freemantle fort, habe bereits einen Präzedenzfall geschaffen. In dem Fall *US gegen Causby* habe das Gericht befunden, der Besitzer einer Geflügelfarm in Greensboro, Northcarolina, habe wegen der Beeinträchtigung durch Militärflugzeuge, wenn diese zu tief über sein Haus flogen, Anspruch auf Entschädigung. Bei Verkündung der Causby-Entscheidung hatte der Richter William O'Douglas dargelegt: ... wenn der Grundbesitzer volle Nutznießung seines Landes haben soll, muß er auch die ausschließliche Kontrolle über die unmittelbaren Bereiche der umgebenden Atmosphäre haben. Bei anderer Gelegenheit, in einem Wiederaufnahmeverfahren beim Obersten Gericht,

Griggs gegen County of Allegheny, sei dasselbe Prinzip ver-
fochten worden. Auch bei den Staatsgerichtshöfen von Oregon
und Washington seien in den Fällen *Thornburg gegen Por of
Portland* und *Martin gegen Port of Seattle* Entschädigungen für
übermäßigen Flugzeuglärm zugebilligt worden, obwohl der
Luftraum unmittelbar über den Klägern nicht verletzt worden
war. Andere Gemeinden hatten ähnliche rechtliche Schritte unternommen oder planten sie, und einige hätten Tonwagen und
Filmkameras zu Hilfe gezogen, um ihren Fall zu beweisen. Die
Tonwagen nähmen Lärmmessungen vor, die Kameras hielten
Flughöhen fest. Der Lärm zeige sich häufig stärker, die Flughöhen niedriger, als Fluggesellschaften und Flughafenleitungen
angaben. In Los Angeles habe ein Hausbesitzer Klage gegen
L. A. International Flughafen eingereicht, mit der Begründung,
der Flughafen habe dadurch, daß er Landungen auf einer vor
kurzem verlängerten Startbahn unmittelbar auf sein Haus zu
erlaube, ein Wegerecht auf sein Haus genommen ohne gehöri-
ges Rechtsverfahren. Der Hausbesitzer beanspruche zehntausend Dollar, die er als Gegenwert für die Wertminderung seines Hauses ansieht. Gleichartige Fälle würden immer häufiger
vor den Gerichten verhandelt.

Der Vortrag war knapp und bündig und machte Eindruck. Die
Erwähnung einer festen Summe – zehntausend Dollar – erregte unmittelbares Interesse, wie es Freemantle beabsichtigt
hatte. Die ganze Darstellung klang sachverständig, auf Tatsachen beruhend und wie das Ergebnis jahrelangen Studiums.
Allein Freemantle selbst wußte, daß seine »Tatsachen« nicht
das Ergebnis langwierigen Büffelns über Sammlungen von Ge-
richtsurteilen, sondern lediglich die zweistündige Auswertung
des Redaktionsarchivs einer Zeitung am vorigen Nachmittag
war.

Da waren auch ein paar Fakten, die er zu erwähnen vergessen
hatte. Das Verfahren des Geflügelfarmers vor dem Obersten
Gericht hatte vor mehr als zwanzig Jahren stattgefunden, und
der gesamte zugebilligte Schadenersatz betrug lumpige drei-
hundertsiebenundfünfzig Dollar – der tatsächliche Wert von ein
paar toten Hühnern. Der Prozeß in Los Angeles war lediglich

eine Klage, die noch gar nicht zur Verhandlung gekommen war und womöglich nie kommen würde. Ein auf die Situation zutreffender Fall, *Batten gegen US*, in dem das Oberste Gericht erst 1963 sein Urteil gesprochen hatte, war Freemantle zwar bekannt, er ließ ihn aber sicherheitshalber unerwähnt. In diesem Verfahren hatte das Gericht befunden, daß lediglich eine »physische Beeinträchtigung« Haftpflicht auslösen könne, aber nicht eine solche, die durch Lärm entstehe. Da es ja nun in Meadowood eine solche physische Beeinträchtigung nicht gab, bedeutete dieser Präzedenzfall, daß ein juristisches Verfahren, falls es in Gang gesetzt würde, schon verloren war, ehe es noch angefangen hatte.

Aber der Anwalt Freemantle hatte nicht den geringsten Wunsch, daß dies bekannt würde, wenigstens noch nicht; auch kümmerte es ihn nicht gar zu sehr, ob ein Fall, wenn er vor Gericht kam, eventuell verloren oder gewonnen wurde. Was er wollte? Er wollte diese Gruppe von Hausbesitzern in Meadowood als Klienten haben – gegen ein Riesenhonorar.

Apropos Honorar, er hatte schon die Teilnehmer gezählt und in Gedanken etwas Arithmetik getrieben. Das Ergebnis befriedigte ihn.

Von den sechshundert Menschen im Saal waren, wie er taxierte, fünfhundert, vielleicht mehr, Hauseigentümer in Meadowood. Die Anwesenheit von Ehepaaren eingerechnet, bedeutete das ein Minimum von zweihundertundfünfzig voraussichtlichen Klienten. Wenn jeder der zweihundertfünfzig so weit gebracht wurde, eine Verpflichtung über einen Vorschuß von einhundert Dollar zu unterschreiben – was sie, wie Freemantle hoffte, tun würden, noch ehe der Abend vorüber war –, mußte ein Gesamthonorar von über fünfundzwanzigtausend Dollar in Reichweite liegen.

Bei anderen Gelegenheiten hatte er genau dieselbe Sache gedeichselt. Es war erstaunlich, was man mit Frechheit alles fertigbrachte, besonders wenn die Leute bei der Verfolgung ihrer eigenen Interessen in Weißglut gerieten. Ein ausreichender Vorrat an Vorschußformularen war in seiner Mappe bereit.

Vereinbarung zwischen... künftig als Kläger(in) bezeichnet

und Freemantle und Sye, Rechtsanwälten ... die des Klägers/
der Klägerin gesetzliche Vertretung übernehmen bei Einbrin-
gung einer Klage auf Ersatz für Schädigungen, erlitten durch
Verwendung von Flugzeugen auf dem Gelände des Lincoln
International Airport ... Kläger ist bereit, an besagte Free-
mantle und Sye einhundert Dollar in vier Raten von je fünf-
undzwanzig Dollar zu zahlen, wovon die erste Rate sofort, der
Rest vierteljährlich nach Anforderung zu zahlen ist ... Ferner:
Wenn der Prozeß erfolgreich ist, erhalten Freemantle und Sye
zehn Prozent von der Gesamtsumme aller zugesprochenen Ent-
schädigungen ...

Das mit den zehn Prozent war ein Weitschuß, weil es höchst
unwahrscheinlich war, daß je Entschädigungen einkassiert würden. Aber trotzdem – bei Gericht passierten manchmal die
komischsten Sachen, und Freemantle war dafür, sich auf alle
Eventualitäten einzurichten.

»Ich habe Sie über den juristischen Hintergrund informiert«,
behauptete er. »Nun möchte ich Ihnen einen Rat geben.« Er
setzte eines seiner seltenen, flüchtigen Lächeln auf. »Dieser Rat
soll eine Gratisprobe sein, aber – wie bei der Zahnpasta – alle
folgenden Tuben müssen bezahlt werden.«

Das Lachen, das hierauf erfolgte, schnitt er mit einer Geste
brüsk ab. »Mein Rat ist, keine Zeit mehr zu verlieren und zu
handeln. Sofort zu handeln.« Diese Bemerkung löste Händeklatschen und Beifallsnicken aus.

Es herrschte die Meinung, fuhr er fort, daß gerichtliche Schritte
automatisch zeitraubend und umständlich seien. Häufig stimme
das, doch gelegentlich könne, wenn Entschiedenheit und juristisches Geschick benutzt würden, dem Gericht Beine gemacht
werden. Im vorliegenden Fall solle juristisches Handeln sofort
beginnen, ehe Fluggesellschaften und Flughafen durch jahre-
lange Fortsetzung des Lärms sich auf Sitte und Gewohnheit
berufen könnten. Als wollte es diesen Punkt betonen, dröhnte
wieder ein Flugzeug darüber weg. Ehe sein Lärm abklingen
konnte, brüllte Freemantle: »Also wiederhole ich – mein Rat
an Sie ist, nicht länger zu warten! Handeln Sie noch heute
abend. Jetzt!«

In einer der vorderen Reihen sprang ein jüngerer Mann in einer weiten Strickjacke und einer Freizeithose auf. »Bei Gott! – Sagen Sie uns, wie wir's anfangen sollen.«

»Sie fangen damit an, daß Sie – wenn Sie wollen – mich zu Ihrem Restvertreter bestellen.«

Darauf erwiderte sofort ein Chor von einigen hundert Stimmen: »Ja, das wollen wir!«

Der Versammlungsleiter Floyd Zanetta war nun wieder auf den Beinen und wartete darauf, daß das Rufen abklingen würde. Er schien erfreut zu sein. Zwei der drei Reporter hatten die Hälse gereckt und die offensichtliche Begeisterung im ganzen Saal beobachtet. Der dritte, die ältere Frau vom Lokalblatt, sah mit freundlichem Lächeln zum Podium hinauf.

Es hatte geklappt, wie Freemantle es vorausgesehen hatte. Das übrige, sagte er sich, war nur noch eine Frage der Routine. Innerhalb einer Stunde würde ein gut Teil der Vollmachten in seiner Mappe unterzeichnet sein, während andere nach Hause mitgenommen, besprochen und wahrscheinlich morgen mit der Post geschickt würden. Diese Leute hatten keine Angst davor, Papiere zu unterschreiben oder Gerichtsverfahren zu riskieren; an das alles hatten sie sich bei ihrem Hauserwerb gewöhnt. Auch würden ihnen hundert Dollar nicht als besonders hohe Summe erscheinen. Einige würden sogar überrascht sein, daß der Betrag so niedrig war. Nur eine Handvoll dürfte sich die Mühe einer Kopfrechnung machen, wie Elliott Freemantle sie selbst angestellt hatte; und selbst wenn sie etwas gegen die Höhe der Gesamtsumme haben sollten, könnte er einwenden, daß das Honorar durch die Verantwortung für die große Anzahl der Beteiligten gerechtfertigt sei. Überdies würde er ihnen ja auch den Gegenwert für ihr Geld bieten: eine gute Show mit Feuerwerk, vor Gericht und anderswo. Er blickte auf die Uhr: lieber weitermachen. Nachdem nun seine eigene Beteiligung gesichert war, wollte er die Beziehung fester zusammenschmieden, indem er den ersten Akt eines Dramas inszenierte. Wie alles andere, so war auch das schon von ihm geplant, und es würde in den morgigen Zeitungen Aufmerksamkeit erregen – viel mehr als diese Versammlung. Es würde diesen Leuten auch bestätigen, daß es ihm Ernst damit war, als er sagte, es dürfe keine Zeit mehr verloren werden.

Die Schauspieler in diesem Drama würden die hier versammelten Einwohner von Meadowood sein, und er hoffte, daß jeder Anwesende darauf gefaßt war, diesen Saal zu verlassen und bis spät in die Nacht draußen zu bleiben.

Die Bühne würde der Flughafen sein.

Die Zeit: heute abend.

XI

Etwa um die gleiche Zeit, da Elliott Freemantle sich an seinem
Erfolg weidete, fand sich der verkrachte ehemalige Bauunternehmer D. O. Guerrero damit ab, daß er endgültig gescheitert
war.

Guerrero hielt sich ungefähr fünfzehn Meilen vom Flughafen
entfernt auf, eingeschlossen in einem Zimmer seiner schäbigen
Wohnung im Südteil der Stadt. Die Wohnung lag über einem
geräuschvollen billigen Selbstbedienungsrestaurant in der 51.
Straße, in der Nähe der Docks.

D. O. Guerrero war ein hagerer, spindeldürrer Mann mit leicht
hängenden Schultern, gelblicher Gesichtsfarbe und einem
schmalen, vorspringenden Kinn. Er hatte tiefliegende Augen,
blasse schmale Lippen und einen dünnen sandfarbenen Schnurrbart. Sein Hals war ausgemergelt und zeigte einen vorspringenden Adamsapfel. Sein Haaransatz war zurückgewichen. Er
hatte nervöse Hände und hielt seine Finger selten still. Er
rauchte ständig und steckte sich im allgemeinen eine frische
Zigarette am Stummel der alten an. Im Augenblick hätten ihm
eine Rasur und ein frisches Hemd gutgetan. Er schwitzte, obwohl es in dem Zimmer, in das er sich eingeschlossen hatte,
kalt war. Er war fünfzig Jahre alt, sah aber um einige Jahre
älter aus.

Guerrero war verheiratet; schon seit achtzehn Jahren. Die Ehe
war, wenn man will, nicht schlecht, wenn auch nicht gerade
hervorragend. D. O. – den größten Teil seines Lebens war er
unter diesen Initialen bekanntgewesen – und Inez Guerrero
nahmen einander als gegeben hin, und der Gedanke, nach
einem anderen Partner zu verlangen, schien ihnen nie gekommen zu sein. D. O. Guerrero auf jeden Fall hatte sich für andere
Frauen nie besonders interessiert; Geschäft und Finanztransak-
tionen fesselten seine Aufmerksamkeit weit stärker. Doch in
den letzten Jahren hatte sich zwischen den Guerreros eine seelische Kluft aufgetan, die Inez nicht zu überbrücken vermochte,
obwohl sie sich darum bemüht hatte. Diese Kluft war die Folge
einer Reihe schwerer geschäftlicher Rückschläge, die sie aus

verhältnismäßigem Wohlstand an den Rand der Armut gebracht und schließlich zu verschiedenen Umzügen gezwungen
hatten – zuerst aus ihrem behaglichen und geräumigen, wenn
auch hoch belasteten Haus in einer Vorstadt in eine weniger
anspruchsvolle Unterkunft und später dann in ihre gegenwärtige heruntergekommene, zugige, von Ungeziefer verseuchte
Zweizimmerwohnung.

Doch wenn Inez Guerrero an ihrer gegenwärtigen Situation
auch keine Freude hatte, so hätte sie doch noch das Beste daraus
gemacht, wenn ihr Mann nicht ständig mürrischer und im
höchsten Maße mißgelaunter geworden wäre, so daß man
mitunter nicht einmal mit ihm sprechen konnte. Vor einigen
Wochen hatte er in der Wut auf Inez losgeschlagen und ihr
das Gesicht böse zerschunden, und obwohl sie ihm das verziehen hätte, entschuldigte er sich weder für den Vorfall, noch
wollte er überhaupt darüber reden. Sie fürchtete sich vor weiteren Gewalttätigkeiten und schickte bald danach ihre beiden
Kinder im Teenageralter – einen Jungen und ein Mädchen – zu
ihrer verheirateten Schwester nach Cleveland. Inez selbst blieb
bei der Stange, nahm eine Sellung als Kellnerin in einem Kaffeehaus an, und wenn die Arbeit auch anstrengend und die Bezahlung gering war, so verdiente sie doch wenigstens das Geld
fürs Essen. Ihr Mann schien die Abwesenheit der Kinder kaum
zu bemerken und ihre auch nicht. Seine Stimmung war in letzter Zeit eine tiefe, in sich selbst versunkene Mutlosigkeit.

Inez befand sich gegenwärtig bei ihrer Arbeit. D. O. Guerrero
war allein in der Wohnung. Er hätte die Tür zu dem kleinen
Schlafzimmer, in dem er sich befand, nicht abzuschließen brauchen, es aber als zusätzliche Sicherung, um nicht gestört zu
werden, getan, auch wenn er sich dort nicht lange aufhalten
wollte.

Wie andere an diesem Abend wollte D. O. Guerrero bald zum
Flughafen fahren. Er besaß eine bestätigte Reservation sowie
einen gültigen Flugschein für heute abend, für Flug Zwei der
Trans America nach Rom. Im Augenblick stak der Flugschein
in der Tasche seines Mantels, der ebenfalls in dem abgeschlossenen Zimmer über einem wackligen Stuhl hing.

Inez Guerrero hatte von dem Flugschein nach Rom keine Ahnung, noch hatte sie die geringste Vorstellung davon, aus welchen Motiven ihr Mann ihn gekauft hatte.

Der Flugschein der Trans America galt für den Hin- und Rückflug und kostete normalerweise 474 Dollar; durch Lügen hatte D. O. Guerrero sich aber einen Kredit verschafft. Er hatte 47 Dollar anbezahlt, die er sich besorgt hatte, indem er den letzten Wertgegenstand seiner Frau – den Ring ihrer Mutter, den Inez noch nicht vermißt hatte – verpfändete – und versprochen, die Differenz zuzüglich Zinsen in monatlichen Raten während der nächsten beiden Jahre abzustottern.

Es war im höchsten Maß unwahrscheinlich, daß er dies Versprechen je einlösen würde.

Kein respektables Kreditinstitut und keine Bank würde D. O. Guerrero auch nur den Preis für ein Busbillett nach Peoria geliehen haben, geschweige denn den Flugpreis nach Rom. Sie hätten gründlich seinen Verhältnissen nachgeforscht und entdeckt, daß er seit langem in Zahlungsschwierigkeiten steckte, ein Paket längst fälliger persönlicher Schulden hatte und daß sein Bauunternehmen, die Guerrero Contracting Inc., bereits vor einem Jahr den Konkurs hatte anmelden müssen.

Eine noch gründlichere Überprüfung von Guerreros undurchsichtigen Finanzen hätte ergeben, daß er während der vergangenen acht Monate – unter Verwendung des Namens seiner Frau – versucht hatte, das Kapital für eine Grundstücksspekulation aufzubringen, was ihm aber mißlungen war. Dieser Fehlschlag hatte ihn noch tiefer in Schulden gebracht. Jetzt mußte eine Aufdeckung, die unmittelbar bevorzustehen schien, wegen gewisser betrügerischer Behauptungen, aber auch wegen des nicht abgewickelten Konkurses eine strafrechtliche Verfolgung und so gut wie sicher eine Freiheitsstrafe nach sich ziehen. Nicht ganz so bedrohlich, aber ebenso bedrückend war die Tatsache, daß die Miete für die gegenwärtige Wohnung, so miserabel sie auch war, seit drei Wochen überfällig war und der Wirt für morgen mit der Ausweisung gedroht hatte. Wenn sie aus der Wohnung rausgesetzt wurden, wußte er nicht, wohin sie sich wenden sollten.

D. O. Guerrero war verzweifelt. Sein finanzieller Status lag weit unter Null.

Fluggesellschaften allerdings waren bemerkenswert entgegenkommend bei der Gewährung von Krediten. Sie waren auch bei der Eintreibung fälliger Zahlungen im allgemeinen weniger scharf als andere Institutionen. Das war eine wohlüberlegte Geschäftspolitik. Sie beruhte auf der Tatsache, daß die zahlenden Flugreisenden sich im Lauf der Jahre als ein ungewöhnlich ehrlicher Durchschnitt der menschlichen Gesellschaft erwiesen hatten, und die Verluste der Gesellschaften durch dubiose Guthaben waren bemerkenswert gering. »Nassauer« wie D. O. Guerrero belästigten sie selten. Deshalb waren sie nicht darauf eingestellt, weil es sich nicht lohnte, Schliche, wie er sie benutzt hatte, aufzudecken.

Durch zwei einfache Mittel vermied er eine mehr als flüchtige Überprüfung seiner Kreditwürdigkeit. Erstens legte er eine »Arbeitgeberempfehlung« vor, die er selbst auf den Geschäftsbogen einer eingegangenen Firma tippte, die er einmal geführt hatte – aber nicht jener, die in Konkurs gegangen war – und deren Geschäftsadresse sein eigenes Postfach war. Zweitens schrieb er seinen Namen vorsätzlich falsch, als er den Brief tippte, und vertauschte den Anfangsbuchstaben »G« mit »B«, so daß eine Routineüberprüfung der Kreditwürdigkeit eines »Buerrero« keinerlei Informationen ergeben hätte, etwa die belastenden Angaben, die unter seinem richtigen Namen verzeichnet waren. Als weitere Ausweise hatte er seine Sozialversicherungskarte und seinen Führerschein vorgelegt und auf beiden vorher den Anfangsbuchstaben sorgfältig verändert, eine Veränderung, die er inzwischen wieder rückgängig gemacht hatte. Ein anderer Punkt, den er nicht vergaß, war, darauf zu achten, daß seine Unterschrift auf dem Kreditvertrag unleserlich und nicht klar zu erkennen war, ob er seinen Namen mit »G« oder mit »B« geschrieben hatte.

Diese falsche Schreibweise war gestern von dem Angestellten der Fluggesellschaft übernommen worden, der den Flugschein für »D. O. Buerrero« ausstellte, und das hatte D. O. Guerrero im Licht seiner unmittelbaren Pläne sorgfältig erwogen. Falls später jemals Nachforschungen angestellt werden sollten, würde die Verwechslung eines einzigen Buchstabens sowohl auf dem »Empfehlungsschreiben« als auch auf dem Flugschein als echtes Versehen erscheinen. Durch nichts konnte bewiesen werden, daß er die Verwechslung vorsätzlich herbeigeführt hatte. Auf jeden Fall wollte er, wenn er nachher auf dem Flughafen ankam, den Fehler berichtigen lassen – sowohl auf der Passagierliste der Trans America als auch auf seinem Flugschein. Wichtig war, daß es keine Unklarheit über seine korrekte Identität gab, wenn er erst an Bord des Flugzeugs war. Auch das war ein Teil seines Plans.

Ein weiterer Teil des Plans von D. O. Guerrero bestand darin, die Maschine auf dem Flug Zwei nach Rom in die Luft zu sprengen. Er wollte sich mit ihr zusammen vernichten, ein Faktor, der ihn nicht von seiner Absicht abhalten konnte, da sein Leben, wie er meinte, weder für ihn selbst noch für andere mehr einen Wert hatte. Aber sein Tod konnte von Wert sein, und dafür wollte er sorgen.

Vor dem Abflug der Maschine der Trans America würde er eine Flugversicherung über 75 000 Dollar zugunsten seiner Frau und seiner Kinder abschließen. Er war sich bewußt, daß er bisher in seinem Leben wenig für sie getan hatte, aber seine letzte Handlung sollte eine einzige außergewöhnliche Geste zu ihren Gunsten sein. Er hielt das, was er beabsichtigte, für eine Tat der Liebe und ein Opfer.

In seiner verschrobenen, perversen, von der Verzweiflung getriebenen Gemütsverfassung hatte er keinen Gedanken an die anderen Passagiere verschwendet, die sich an Bord der Maschine befinden würden, ebensowenig an die Besatzung, deren Tod den seinen begleiten mußte. Mit der völligen Gewissenlosigkeit des Psychopathen hatte er andere nur insoweit berücksichtigt, als sie seine Absichten durchkreuzen konnten.

Er glaubte, daß er alle denkbaren Schwierigkeiten vorausberechnet hätte.

Die Frage seines Flugscheins würde keine Rolle mehr spielen, wenn die Maschine erst unterwegs war. Niemand würde beweisen können, daß er nicht beabsichtigte, die Ratenzahlungen einzuhalten, zu denen er sich verpflichtet hatte. Und selbst wenn der gefälschte »Empfehlungsbrief« entlarvt würde – wie wahrscheinlich zu erwarten war –, konnte nichts anderes bewiesen werden, als daß er sich unter falschen Voraussetzungen einen Kredit verschafft hatte. Das allein konnte keinen Einfluß auf die Ansprüche gegenüber der Versicherung haben.

Ferner kam dazu, daß er absichtlich einen Flugschein für Hin- und Rückflug gebucht hatte, um den Anschein zu erwecken, daß er nicht nur beabsichtigte, nach Rom zu fliegen, sondern auch zurückzukommen. Der Grund, weshalb er Rom als Ziel wählte, war der, daß er einen Vetter zweiten Grades in Italien hatte, dem er zwar nie begegnet war, aber gelegentlich die Absicht geäußert hatte, ihn zu besuchen – eine Tatsache, die Inez bestätigen konnte. So würde seine Wahl zumindest den Anschein einer gewissen Logik erhalten.

D. O. Guerrero hatte diesen Plan schon seit Monaten erwogen, die ganze Zeit, während ihn das Unglück verfolgte. In dieser Zeit hatte er Fälle von Flugzeugunglücken studiert, bei denen einzelne Personen Flugzeuge in der Absicht zerstört hatten, sich durch Versicherungen zu bereichern. Die Zahl der Fälle war überraschend groß. In allen verzeichneten Fällen war das Motiv durch die Untersuchungen nach dem Unfall aufgeklärt und die Täter, sofern sie überlebt hatten, des Mordes angeklagt worden. Die Versicherungspolicen der Betroffenen waren für ungültig erklärt worden.

Selbstverständlich konnte niemand wissen, wie viele Katastrophen, deren Ursachen unaufgeklärt blieben, die Folge von Sabotage gewesen waren. Der entscheidende Faktor war das Vorhandensein oder das Fehlen von Wrackteilen. Immer, wenn Wrackteile sichergestellt werden konnten, setzten geschulte Ermittler sie zusammen und versuchten dem Geheimnis auf die Spur zu kommen. Im allgemeinen hatten sie dabei Erfolg. Wenn eine Explosion in der Luft erfolgt war und Überreste erhalten blieben, ließ sich die Ursache der Explosion bestimmen. Deshalb war die Schlußfolgerung von D. O. Guerrero, daß sein eigener Plan die Sicherstellung von Wrackteilen ausschließen müsse.

Aus diesem Grund hatte er sich für seinen Plan den Non-Stop-Flug der Trans America nach Rom ausgesucht.

Zu einem großen Teil führte die Route des Flugs Zwei – *The Golden Argosy* – über den Ozean, wo Wrackteile eines zerstörten Flugzeugs niemals gefunden werden konnten.

Mit Hilfe einer Broschüre der Fluggesellschaft für ihre Passagiere, die anschaulich Flugrouten und Fluggeschwindigkeiten angab und sogar einen Aufsatz mit dem Titel *Wie man die Position selbst bestimmen kann* enthielt, hatte Guerrero berechnet, daß die Maschine nach vier Flugstunden – unter Berücksichtigung durchschnittlicher Windstärken – mitten über dem Atlantik sein würde. Er beabsichtigte, diese Berechnung während des Fluges zu überprüfen und, falls notwendig, zu berichtigen. Dazu würde er zunächst die genaue Abflugzeit beobachten und dann genau die Angaben verfolgen, die Flugkapitäne unterwegs über den Verlauf der Reise durch die Sprechanlage bekanntgaben. Mit diesen Informationen war es einfach, festzustellen, ob der Flug hinter dem Flugplan zurückgeblieben oder ihm vorausgeeilt war und um wieviel. Schließlich würde er an einem Punkt, den er bereits festgelegt hatte – achthundert Meilen ostwärts von Neufundland –, eine Explosion auslösen. Sie würde das Flugzeug oder das, was danach noch davon übrig war, ins Meer abstürzen lassen.

Kein Wrack würde je gefunden werden.

Die Überbleibsel der Maschine von Flug Zwei würden für immer als Geheimnis auf dem Grund des Ozeans verborgen bleiben. Sie würden nicht untersucht werden, die Ursache für den Verlust der Maschine würde nicht enthüllt werden. Die Zurückgebliebenen konnten sich wundern, fragen, vermuten; sie konnten vielleicht sogar die Wahrheit erraten, aber sie würden sie niemals mit Gewißheit erkennen.

Ansprüche aus Flugversicherungen würden in Ermangelung jeglichen Beweises für Sabotage in voller Höhe ausbezahlt werden.

Der einzige Punkt, von dem alles andere noch abhing, war die Explosion. Selbstverständlich mußte sie ausreichen, um die Maschine zu vernichten, aber ebenso wichtig war, daß sie zum richtigen Zeitpunkt erfolgte. Aus diesem Grund hatte D. O. Guerrero beschlossen, den Sprengkörper selbst an Bord und dort zur Zündung zu bringen. Jetzt baute er ihn in dem abgeschlossenen Schlafzimmer zusammen, und obwohl er als Bauunternehmer mit Sprengstoffen vertraut war, schwitzte er dabei schon seit einer Viertelstunde, als er damit begonnen hatte.

Der Sprengkörper bestand aus fünf Hauptbestandteilen: drei Dynamitpatronen, einer winzigen Zündkapsel mit daran befestigten Drähten und einer einzelligen Batterie für ein Transistorradio. Die Dynamitpatronen waren Du Pont Red Cross Extra – klein, aber von außerordentlicher Sprengkraft –, und enthielten vierzig Prozent Nitroglyzerin. Jede maß einundeinviertel Zoll im Durchmesser und war acht Zoll lang. Sie waren mit schwarzem Isolierband zusammengewickelt und zur Tarnung in einer Schachtel für Cornflakes verpackt, die an der einen Seite offenstand.

Außerdem hatte Guerrero auf der zerschlissenen Überdecke des Betts, vor dem er arbeitete, noch einige andere Gegenstände bereitgelegt: eine hölzerne Wäscheklammer, zwei Reißbrettstifte, ein kleines quadratisches Stück aus durchsichtigem Kunststoff und ein kurzes Stück Schnur. Der gesamte Wert dieser Ausrüstung, die ein Flugzeug im Wert von sechs und einer halben Million Dollar vernichten sollte, betrug weniger als fünf Dollar. Alles, einschließlich des Dynamits – einem »Überbleibsel« aus D. O. Guerreros Zeit als Bauunternehmer – war in Eisenwarengeschäften gekauft worden.

Auf dem Bett lag ferner ein kleiner flacher Aktenkoffer, wie ihn Geschäftsleute für ihre Papiere und Akten auf Flugreisen verwenden. In diesen Aktenkoffer baute Guerrero jetzt den Sprengkörper ein. Den Koffer wollte er bei dem Flug nicht aus der Hand geben.

Es war alles unglaublich einfach. Sogar so einfach, dachte Guerrero bei sich, daß die meisten Leute, die nichts von Sprengstoffen verstanden, einfach nicht glauben würden, daß es funktionierte. Aber es würde funktionieren, mit einer zerschmetternden, verheerenden Tödlichkeit.

In das Ende einer der Dynamitpatronen drückte er mit einem

Bleistift ein anderthalb Zoll tiefes Loch. In diese Höhlung paßte er die Zündkapsel ein, die den gleichen Durchmesser wie der Bleistift hatte. An der Zündkapsel waren zwei isolierte Drähte befestigt. Jetzt war nur noch erforderlich, elektrischen Strom durch die Drähte zu leiten, um die Zündkapsel und damit die drei Dynamitpatronen zur Explosion zu bringen.

Mit Klebestreifen befestigte er die Cornflakesschachtel mit dem Dynamit sicher im Koffer, daneben die Wäscheklammer und die Batterie. Die Batterie sollte die Ladung zünden. Die Wäscheklammer war der Schalter, der den Stromkreis von der Batterie im richtigen Augenblick schloß.

Er befestigte einen der Drähte von der Zündkapsel am Boden der Batterie.

Seine Hände zitterten dabei. Er spürte, wie ihm der Schweiß in Strömen unter dem Hemd herunterlief. Nachdem die Zündkapsel eingesetzt war, konnte er durch den geringsten Fehler, durch das kleinste Versehen, sich selbst, dieses Zimmer und den größten Teil des Hauses auf der Stelle in die Luft jagen.

Er konzentrierte sich auf die Wäscheklammer.

Auf jeder ihrer beiden Backen befestigte er, innen an den oberen Enden, einen der beiden Reißbrettstifte. Wenn die beiden Reißbrettstifte durch den Druck der Feder der Wäscheklammer zusammengebracht wurden, schlossen sie den Stromkreis. Um das vorläufig zu verhindern, legte er einen Isolator dazwischen – das kleine Stück durchsichtigen Kunststoff.

Mit angehaltenem Atem verband er den zweiten Draht von der Zündkapsel und der Dynamitladung mit dem einen Reißbrettstift an der Wäscheklammer. Beide Leitungen zu den Dynamitpatronen waren jetzt angeschlossen.

Er wartete, bemerkte, wie sein Herz klopfte, wischte sich mit dem Taschentuch die feuchten Handflächen ab. Seine Nerven, sämtliche Sinne, waren aufs höchste angespannt. Er ließ sich auf den Bettrand sinken und spürte unter sich die dünne klumpige Matratze. Die wacklige eiserne Bettstelle quietschte protestierend, als er sich bewegte.

Er nahm seine Arbeit wieder auf. Mit äußerster Vorsicht verband er ein kurzes Stück Draht erst mit dem zweiten Reißbrettstift an der Wäscheklammer, dann das andere Ende mit dem zweiten Pol der Batterie. Jetzt verhinderte nur das kleine Stück Kunststoff, das die beiden Reißbrettstifte voneinander trenne, daß der Stromkreis geschlossen und damit die Explosion ausgelöst wurde.

Das Stück Kunststoff, weniger als ein sechzehntel Zoll stark, hatte am Rand ein kleines Loch. D. O. Guerrero nahm den letzten Gegenstand vom Bett – die Schnur – und führte ihr eines Ende durch das Loch in dem Kunststoff und machte einen festen Knoten, sorgfältig darauf bedacht, den Kunststoff dabei nicht zu verschieben. Das andere Ende der Schnur schob er durch ein unauffällig unter dem Griff des Aktenkoffers bereits gebohrtes Loch. Die Schnur lag in dem Koffer verhältnismäßig locker. Außen knüpfte er einen Knoten in die Schnur, der dick genug war, daß sie nicht wieder in den Koffer hineinrutschen konnte. Schließlich band er ebenfalls außen eine fingerweite Schlaufe – die Miniatur einer Henkerschlinge – und schnitt die überschüssige Schnur ab.

Damit war es geschafft.

Einen Finger durch die Schlinge, ein Ruck an der Schnur! Im Koffer würde dadurch das Stück Kunststoff aus den Backen der Wäscheklammer herausgezogen und die beiden Reißbrettstifte den Kontakt schließen. Der Strom würde fließen und sofort die Explosion auslösen, vernichtend und endgültig für alles und jeden, der in unmittelbarer Nähe war.

Nachdem alles fertig war, entspannte Guerrero sich und steckte sich eine Zigarette an. Er lächelte düster, als er wieder daran dachte, um wieviel schwieriger und komplizierter man sich allgemein – und das galt auch für die Verfasser von Kriminalromanen – die Anfertigung einer Bombe vorstellte. In Geschichten hatte er immer gelesen, daß komplizierte Mechanismen dazu gehörten, mit Uhrwerken und Zündern, die tickten oder zischten oder sprühten und die unschädlich gemacht werden konnten, wenn man sie in Wasser tauchte. In Wirklichkeit waren gar keine komplizierten Vorrichtungen notwendig – nur die einfachen, wohlbekannten Bestandteile, die er gerade zusammengebaut hatte. Die Explosion dieser Bombe konnte nicht verhindert werden – weder durch Wasser noch Kugeln, noch Tapferkeit –, sobald die Schnur einmal abgezogen war.

Mit der Zigarette zwischen den Lippen, blinzelte D. O. Guerrero durch den Rauch, während er vorsichtig einige Papiere in den Aktenkoffer legte und damit das Dynamit, die Wäscheklammer, die Drähte, die Batterie und die Schnur verdeckte. Er vergewisserte sich, daß die Papiere nicht verrutschen konnten, die Schnur aber freien Lauf unter ihnen hatte. Selbst wenn er den Koffer aus irgendeinem Grund öffnete, würde sein Inhalt harmlos erscheinen. Er klappte ihn zu und schloß ihn ab.

Er sah auf den billigen Wecker neben dem Bett. Seine eigene Uhr war schon seit langem bei einem Pfandleiher verschwunden. Es war fünf Minuten nach acht. In nicht ganz zwei Stunden sollte die Maschine fliegen. Es war Zeit, sich auf den Weg zu machen. Mit der Untergrundbahn wollte er in die Stadt fahren, dann den Bus zum Flughafen nehmen. Dafür hatte er gerade noch genug Geld übrig, und um eine Flugversicherung abzuschließen. Dies erinnerte ihn daran, daß er auf dem Flughafen dazu noch genügend Zeit haben mußte. Er zog schnell seinen Mantel an und vergewisserte sich noch einmal, daß der Flugschein in der Innentasche steckte.

Er schloß die Schlafzimmertür auf und trat in das dürftige, schäbige Wohnzimmer. Den Aktenkoffer trug er dabei vorsichtig in der Hand.

Noch ein Letztes blieb zu tun! Eine Nachricht an Inez. Er fand ein Stück Papier und einen Bleistift und schrieb nach kurzem Überlegen:

»Ich komme für ein paar Tage nicht nach Hause. Ich fahre fort. Ich hoffe, daß ich bald gute Nachrichten habe, die Dich überraschen werden.«

Er unterschrieb mit D. O.

Einen Augenblick zögerte er unter einer weichen Regung. Als das Ende einer achtzehnjährigen Ehe war dieser Zettel nicht sehr viel. Aber er entschloß sich, es dabei bewenden zu lassen. Es wäre ein Fehler, wenn er zuviel sagte. Später, auch wenn die Untersuchungskommission keine Wrackteile der Maschine von Flug Zwei nach Rom fand, würden sie die Passagierliste scharf unter die Lupe nehmen. Dieser Zettel würde so gut wie jedes andere Papier, das er hinterließ, genau und sorgfältig überprüft werden.

Er legte den Zettel auf den Tisch, wo Inez ihn finden mußte.

Als D. O. Guerrero die Treppe hinunterging, hörte er aus dem Selbstbedienungsrestaurant Stimmen und die Musikbox spielen. Er schlug seinen Mantelkragen hoch und umklammerte mit der anderen Hand fest den Griff des Aktenkoffers. Die Schlaufe an der Schnur, die der Schlinge eines Henkerstricks glich, befand sich dicht unter seinen gekrümmten Fingern.

Als er das Haus durch den Ausgang nach Süden verließ, schneite es draußen immer noch.

20 Uhr 30
bis
23 Uhr 00

I

Noch einmal kehrte Joe Patroni in die Wärme seines Wagens zurück und rief den Flughafen an. Der Wartungschef der TWA berichtete, daß die Straße zwischen ihm und dem Flughafen immer noch durch den Verkehrsunfall blockiert war, aber die Aussichten, bald durchzukommen, ständen günstig. Er erkundigte sich, ob die 707 der Aéreo Mexican immer noch im Schlamm auf dem Flugfeld feststak. Ja, lautete die Antwort. Darüber hinaus riefe jeder, der betroffen sei, alle paar Minuten bei TWA an, um zu fragen, wie lange er noch brauche, da seine Hilfe dringend benötigt werde.

Ohne zu warten, bis er sich richtig aufgewärmt hatte, verließ Patroni wieder seinen Wagen und eilte über die Straße durch den dicht fallenden Schnee und den tiefen Matsch zum Schauplatz des Unfalls zurück.

Im Augenblick sah die Szene um den beschädigten Lastzug wie die aufgebaute Dekoration für einen Breitwandfilm aus. Das gigantische Fahrzeug lag nach wie vor auf der Seite und versperrte alle vier Fahrbahnen. Inzwischen war es völlig eingeschneit, und da keines seiner Räder den Boden berührte, erinnerte es an einen toten, auf die Seite gewälzten Saurier. Scheinwerfer und Fackeln beleuchteten die Szene dank der Weiße des Schnees taghell. Die Scheinwerfer gehörten zu den drei Abschleppwagen, die auf Patronis Drängen angefordert worden und jetzt alle eingetroffen waren. Die leuchtend roten Warnfackeln waren von den Polizisten aufgestellt worden, die inzwischen auch Verstärkung erhalten hatten, und wenn einer der Beamten im Augenblick nichts anderes zu tun hatte, zündete er eine weitere Fackel an. Das Ergebnis war ein pyrotechnischer Aufwand, der einer Feier zum 4. Juli würdig gewesen wäre.

Die Ankunft eines Fernsehteams vor einigen Minuten hatte den theatralischen Effekt noch verstärkt. Mit gellendem Hupen und vorschriftswidrigem, unerlaubtem Blinklicht war das Team selbstbewußt in einem braunroten Kombiwagen mit der ins Auge springenden Aufschrift WSHT über die Böschung neben der Straße heruntergefahren. Die vier jungen Leute hatten in der für Fernsehreporter typischen Art das Kommando an sich gerissen, als ob der ganze Unfall nur ihnen zu Gefallen arrangiert worden wäre und sich nun alles Weitere nach ihrem Belieben zu richten habe. Mehrere der Polizisten, die das vorschriftswidrige Blinklicht an dem Kombiwagen ignoriert hatten, waren damit beschäftigt, die Abschleppwagen aus ihren jetzigen Positionen, nach den Anweisungen der Fernsehleute, in neue zu dirigieren.

Ehe Joe Patroni zu seinem Wagen zurückgegangen war, um zu telefonieren, hatte er diese Abschleppwagen sorgfältig in Stellen bereitgestellt, die ihnen die größtmögliche Hebelwirkung gaben, um den beschädigten Lastzug gemeinsam fortzubewegen. Als er ging, waren die Fahrer und ihre Helfer dabei, schwere Ketten an dem Lastzug zu befestigen, und er wußte, daß das mehrere Minuten in Anspruch nehmen würde. Die Polizei war über seine Hilfe froh gewesen, und ein stämmiger Polizeileutnant, der inzwischen das Kommando am Unfallort übernommen hatte, befahl den Fahrern der Abschleppwagen, Patronis Anweisungen zu befolgen. Unglaublicherweise waren die Ketten jetzt aber wieder abgenommen worden, bis auf eine, die ein grienender Fahrer handhabe, während Scheinwerfer und eine Fernsehhandkamera auf ihn gerichtet waren.

Hinter der Kamera und den Lampen hatte sich eine jetzt noch größer gewordene Zuschauermenge aus den steckengebliebenen Autos angesammelt. Die meisten beobachteten interessiert die Fernsehaufnahme. Ihre frühere Ungeduld und die Unbilden der eisigen, windigen Nacht hatten sie offensichtlich vergessen.

Ein plötzlicher Windstoß fegte Joe Patroni eine Ladung eiskalten Schnees ins Gesicht. Zu spät hob er die Hand an den Kragen seines Anoraks. Er spürte, wie ihm der Schnee in den Halsausschnitt glitt und sein Hemd völlig durchnäßte. Er ignorierte das Unbehagen und ging auf den Polizeioffizier los. »Wer, zum Teufel, hat die Wagen umdirigiert?« herrschte er ihn an. »So, wie sie jetzt stehen, kriegen die keinen Krümel von der Stelle. So behindern sie sich nur gegenseitig.«

»Das weiß ich auch, Mister.« Der große, breitschultrige Leutnant, der den kleinen, gedrungenen Patroni weit überragte, schien einen Augenblick lang verlegen zu sein. »Aber die Fernsehleute wollten eine bessere Einstellung haben. Sie sind von einem lokalen Sender, und es ist für die Nachrichten heute abend, in denen der Schneesturm gezeigt werden soll. Entschuldigen Sie mich jetzt.«

Einer der Fernsehleute – der sich fest in seinen dicken Mantel hüllte –, winkte den Leutnant jetzt ins Bildfeld. Ohne auf den fallenden Schnee zu achten, schritt der Leutnant, seiner Autorität bewußt, mit erhobenem Kopf auf den Abschleppwagen zu, auf den die Kamera gerichtet war. Zwei Polizisten folgten ihm. Der Leutnant, sorgsam darauf bedacht, daß er das Gesicht der Kamera zuwendete, begann mit weiten Gesten beider Arme dem Fahrer des Abschleppwagens Befehle zu geben, die zum größten Teil sinnlos waren, sich auf dem Bildschirm aber eindrucksvoll ausnehmen würden.

Joe Patroni hatte nur vor Augen, daß er so schnell wie möglich zum Flugplatz mußte, und spürte, wie der Ärger in ihm aufwallte. Er nahm sich zusammen, um nicht vorzustürzen und die Fernsehkamera und die Scheinwerfer zu packen und zu zerschmettern. Das war ihm zuzutrauen; instinktiv spannten sich seine Muskeln, ging sein Atem schneller. Nur mühsam beherrschte er sich.

Einer der Charakterzüge Joe Patronis war sein leicht entflammbares gewalttätiges Temperament. Glücklicherweise war er nicht leicht aus der Fassung zu bringen, wenn es aber dazu kam, verließen ihn Vernunft und Logik völlig. Während seiner Mannesjahre hatte er gelernt, sein ungezügeltes Temperament zu beherrschen. Es war ihm nicht immer gelungen, wenn ihm heutzutage auch ein unvergeßliches Erlebnis dabei half. Einmal hatte seine Selbstbeherrschung versagt. Die Erinnerung daran verfolgte ihn seither.

Während des zweiten Weltkrieges in der amerikanischen Luftwaffe war Joe Patroni ein gefürchteter Amateurboxer gewesen. Er kämpfte als Mittelgewichtler und stand damals unmittelbar davor, in seinem Abschnitt auf dem europäischen Kriegsschauplatz Meister seiner Klasse in der Luftwaffe zu werden.

Bei einem Turnier, das, kurz vor der Invasion in der Normandie, in England veranstaltet wurde, mußte er gegen einen brutalen, harten Burschen namens Terry O'Hale aus Boston antreten, einen Mann, der den Ruf der Hinterhältigkeit sowohl innerhalb wie außerhalb des Rings hatte. Joe Patroni, damals als junger Gefreiter Mechaniker in der Luftwaffe, kannte O'Hale und konnte ihn nicht ausstehen. Diese Abneigung hätte keine Rolle gespielt, wenn O'Hale nicht als wohlberechneten Teil seiner Kampfweise ständig geflüstert hätte: »*Du schmieriger Itaker ... Warum kämpfst du nicht auf der anderen Seite, du Hurensohn? ... Du jubelst doch, wenn sie unsere Schiffe versenken, kleiner Itaker?*« Und ähnliche Freundlichkeiten. Patroni hatte diesen Trick als das durchschaut, was er war – einen Versuch, ihn aus der Ruhe zu bringen –, und ignorierte ihn, bis O'Hale schnell hintereinander bei ihm zwei Treffer in der Leistengegend landete, was der Schiedsrichter, der hinter ihm stand, nicht bemerkte.

Die Verbindung von Beleidigung, Fouls und quälenden Schmerzen versetzten Patroni in Wut, womit sein Gegner gerechnet hatte. Worauf er nicht gefaßt war, das war ein so schneller, wilder und völlig unbarmherziger Angriff, unter dem O'Hale zusammenbrach und, nachdem er ausgezählt worden war, für tot erklärt wurde.

Patroni wurde von aller Schuld freigesprochen. Zwar hatte der Schiedsrichter die Tiefschläge nicht bemerkt, dafür aber andere am Ring. Und davon abgesehen, hatte Patroni nichts anderes getan als das, was von ihm erwartet wurde: bis an die Grenzen seines Könnens und seiner Kraft gekämpft. Nur ihm selbst war bewußt, daß er sekundenlang zum Berserker, wahnsinnig geworden war. Für sich allein gewann er später die Einsicht, daß er sich auch dann nicht hätte beherrschen können, wenn er gewußt hätte, daß O'Hale sterben würde.

Am Ende verzichtete er auf die leere Geste, »die Handschuhe endgültig an den Nagel zu hängen«, wie es in Romanen im allgemeinen heißt. Er hatte weiter geboxt, im Ring seine vollen Kräfte eingesetzt, sich nicht zurückgehalten, aber Selbstbeherrschung geübt, um die haarscharfe Grenze zwischen Vernunft und berserkerhafter Wildheit nicht zu überschreiten. Er hatte dabei Erfolg, das wußte er, denn er wurde auf Proben gestellt, bei denen Vernunft mit der wilden Bestie in ihm kämpfen mußte – und die Vernunft siegte. Dann, und erst dann, gab Joe Patroni das Boxen für den Rest seines Lebens auf.

Aber daß er seine Wut beherrschen konnte, bedeutete nicht, daß er keiner Anfechtung ausgesetzt war. Als der Leutnant aus dem Bildfeld der Fernsehkamera zurückkam, stellte Patroni ihn hitzig zur Rede. »Damit haben Sie die Straße um zwanzig Minuten länger blockiert. Es hat zehn Minuten gedauert, die Abschleppwagen an die Stellen zu bringen, an denen sie stehen müssen. Es wird noch einmal zehn Minuten dauern, um sie wieder dorthin zu bringen.«

Während er sprach, dröhnte ein Düsenflugzeug über sie hinweg – eine Ermahnung zur Eile für Joe Patroni.

»Jetzt hören Sie mal zu, Mister.« Das Gesicht des Leutnants nahm ein noch dunkleres Rot an, als Kälte und Wind bereits verursacht hatten. »Machen Sie sich klar, daß ich hier das Kommando führe. Wir sind froh, wenn wir Hilfe finden, einschließlich Ihrer, aber ich bin es, der hier Entscheidungen trifft.«

»Dann treffen Sie jetzt Ihre Entscheidung!«

»Ich werde tun, was ich . . .«

»Nein! Jetzt hören Sie mir mal zu!« Joe Patroni sah den Leutnant mit funkelnden Augen an, ohne sich durch die ihn überragende Gestalt beeindrucken zu lassen. Der beherrschte Zorn und die spürbare Autorität Patronis ließen den Leutnant zögern.

»Auf dem Flughafen herrscht ein Notstand. Das habe ich Ihnen schon auseinandergesetzt. Und auch, weshalb ich dort gebraucht werde.« Patroni fuchtelte mit seiner glühenden Zigarre in der Luft herum, um seinen Worten Nachdruck zu verleihen. »Vielleicht haben auch noch andere, die hier aufgehalten werden, allen Grund, schnell weiterzukommen, aber mir genügt im Augenblick meiner völlig. Ich habe in meinem Wagen Telefon. Ich kann meine Chefs anrufen, und die rufen dann Ihre an, und ehe Sie es ahnen, wird jemand Sie über Ihr Funkgerät fragen, wie Sie dazu kommen, Ihr Fernseh-Image aufzupolieren, statt die Aufgabe zu erfüllen, für die Sie hier sind. Treffen Sie also

Ihre Entscheidung, wie Sie gesagt haben, oder muß ich erst anrufen?«

Der Leutnant funkelte Joe Patroni ebenfalls wütend an. Für einen Augenblick schien es, als ob er seinem Ärger nachgeben würde, besann sich dann aber eines Besseren. Er wandte seine große Gestalt dem Fernsehteam zu. »Schafft diesen ganzen Krempel jetzt hier weg. Ihr Kerle habt lange genug Zeit gehabt.« Einer von den Fernsehleuten rief: »Wir brauchen noch ein paar Minuten, Chef.«

Mit zwei Schritten war der Leutnant neben ihm. »Haben Sie nicht verstanden? Auf der Stelle brechen Sie ab.«

Der Polizist beugte sich herab, sein Gesicht war noch wütend von dem Zusammenstoß mit Joe Patroni, und der Fernsehmann zuckte merklich zurück. »Schon gut, schon gut.« Er winkte den anderen hastig zu, und die Scheinwerfer um die Handkamera erloschen.

»Die beiden Abschleppwagen an die Plätze zurück, wo sie gestanden haben!« Der Leutnant begann, mit Befehlen um sich zu werfen, und seine Untergebenen befolgten sie eilig. Er kam zu Joe Patroni zurück und deutete auf den umgestürzten Lastzug. Sichtlich war er zu der Überzeugung gekommen, daß Patroni als Verbündeter nützlicher war denn als Gegner. »Sind Sie immer noch der Meinung, daß Sie den Klotz da beiseite schleppen können, Mister? Glauben Sie nicht, daß wir ihn doch aufrichten sollten?«

»Nur, wenn Sie die Straße gesperrt lassen, bis es hell wird. Sie müßten zuerst den Anhänger ausladen, wenn Sie das tun...«

»Ich weiß, ich weiß. Lassen wir's also! Wir ziehen und schieben jetzt, und wenn dabei was kaputtgeht, zerbrechen wir uns den Kopf später darüber.« Der Leutnant deutete auf die wartenden Autoschlangen. »Wenn Sie nachher gleich weiter wollen, holen Sie lieber Ihren Wagen hier nach vorn. Wollen Sie ein Geleit bis zum Flughafen?« Patroni nickte zustimmend. »Ja... danke.«

Zehn Minuten später schnappte der Haken des letzten Abschleppseils ein. Schwere Ketten von einem der Abschleppwagen waren an der Achse des Sattelschleppers befestigt worden; ein kräftiges Drahtseil verband die Kette mit der Winde des Abschleppfahrzeugs. Der zweite Abschleppwagen war an dem umgestürzten Anhänger befestigt, das dritte Schleppfahrzeug stand hinter dem Anhänger bereit.

Der Fahrer des großen Lastzugs, welcher trotz des Umstürzens nur geringfügig beschädigt war, stöhnte, als er beobachtete, was vor sich ging. »Das wird meinem Chef wenig gefallen! Der Lastzug ist fast neu. Sie zerreißen ihn so doch in Stücke.«

»Wenn schon«, erwiderte ein junger Polizist. »Wir vollenden dann nur, was Sie angefangen haben.«

»Ihnen kann's ja gleichgültig sein«, antwortete der Fahrer mürrisch. »Stört Sie ja nicht, wenn ich einen guten Job verliere. Das nächste Mal suche ich mir dann was Leichteres – werde auch ein fauler Polizist.«

Der Beamte grinste. »Warum nicht? Ein miserabler Fahrer sind Sie ja schon.«

»Sind wir soweit?« fragte der Leutnant Patroni.

Joe Patroni nickte. Er hatte sich geduckt und kontrollierte die Spannung der Ketten und Drahtseile. Er warnte: »Jetzt schön langsam und vorsichtig. Bringt erst den Sattelschlepper ins Rutschen.«

An dem ersten Abschleppwagen begann die Winde zu laufen. Seine Räder rutschten auf dem Schnee. Der Fahrer steigerte das Tempo und hielt die Schleppkette straff gespannt. Der auf der Seite liegende Sattelschlepper knarrte und glitt mit einem protestierenden Kreischen des Metalls ein oder zwei Fuß weit und hielt dann wieder an. Patroni winkte: »Weiter, weiter! Und fangt mit dem Anhänger an!«

Die Ketten und Drahtseile zwischen dem zweiten Abschleppwagen und dem Anhänger strafften sich. Der dritte Abschlepper drückte gegen das Dach des Anhängers. Die Räder aller drei Fahrzeuge drehten durch, da sie in dem nassen hohen Schnee kaum Halt fanden. Sattelschlepper und Anhänger, noch aneinandergekoppelt, wie sie umgestürzt waren, bewegten sich, von dünnen Beifallsrufen der Zuschauer begleitet, seitlich über die Fahrbahn. Die Fernsehkamera war wieder in Betrieb, ihre Scheinwerfer gaben dem Schauplatz zusätzliches Licht.

Eine breite tiefe Lücke im hohen Schnee zeigte die Stelle an, wo der große Lastzug gelegen hatte. Der Sattelschlepper und der Anhänger erlitten starke zusätzliche Schäden. Das Dach des Anhängers verschob sich, während das Fahrzeug über die Fahrbahn geschleift wurde. Der Preis, der für die Räumung der Straße bezahlt werden mußte – zweifellos von einer Versicherung –, stieg steil an.

Vor und hinter der Straßensperre versuchten zwei Schneepflüge – die wie angriffsbereite Kampfwagen zu beiden Seiten bereitstanden – so gut wie möglich den Schnee zu räumen, der sich seit dem Augenblick des Unfalls angehäuft hatte. Alles und jeder waren inzwischen von Schnee bedeckt, auch Patroni, der Leutnant, die Polizisten und alles, was im Freien war.

Die Motoren der Abschleppfahrzeuge dröhnten wieder auf. Von den Reifen, die in dem nassen, festgefahrenen Schnee durchdrehten, stieg Rauch auf. Langsam und schwerfällig bewegte sich der umgestürzte Lastzug um ein paar Zoll, einige Fuß, und glitt dann über die Fahrbahn zur anderen Straßenseite. Sekunden später war an Stelle der vier Fahrbahnen nur noch eine versperrt. Für die Abschleppwagen war es jetzt einfach, den Lastzug völlig von der Straße herunter und auf die abschüssige Böschung zu schieben.

Polizisten winkten bereits mit Fackeln und machten sich daran, die ungeheuerliche Verkehrsstauung aufzulösen, die voraussichtlich noch mehrere Stunden anhalten würde. Wieder erinnerte das Dröhnen einer Düsenmaschine in der Luft Joe Patroni daran, daß die Hauptaufgabe für diese Nacht noch woanders auf ihn wartete. Der Polizeileutnant nahm seine Mütze ab und schüttelte den Schnee herunter. Er nickte Patroni zu. »Jetzt sind Sie an der Reihe, Mister.«

Ein Streifenwagen, der auf dem Bankett parkte, rollte behutsam auf die Fahrbahn. Der Leutnant zeigte darauf. »Halten Sie sich dicht hinter diesem Wagen. Ich habe den Leuten gesagt, daß Sie ihnen folgen, und sie haben Befehl, Sie schnell zum Flughafen zu bringen.«

Joe Patroni nickte. Als er in seinen Buick Wildcat kletterte, rief der Leutnant ihm nach: »Und noch eins, Mister ... Danke!«

II

Kapitän Vernon Demerest trat einen Schritt von der geöffneten Schranktür zurück und stieß einen leisen Pfiff aus.

Er war immer noch in der Küche von Gwen Meighens Apartment in der Stewardeß Row. Gwen war nach ihrer Dusche noch nicht erschienen, und während des Wartens hatte er, wie von ihr vorgeschlagen, Tee gemacht. Auf der Suche nach Tassen und Untertassen hatte er den Küchenschrank geöffnet.

Vor sich hatte er vier dicht mit Flaschen gefüllte Fächer. Es waren alles Portionsflaschen, die gerade jene Menge Schnaps enthielten – anderthalb Unzen –, die die Fluglinien ihren Gästen unterwegs servierten. Die meisten Flaschen trugen über den Firmennamen kleine Etiketts der Fluggesellschaft, und alle waren ungeöffnet. Nach einem schnellen Überschlag schätzte Demerest, daß es an die dreihundert waren.

Schnäpse von Fluggesellschaften hatte er schon früher in Stewardessenwohnungen gesehen, doch noch nie so viele auf einmal.

»Im Schlafzimmer haben wir noch mehr versteckt«, sagte Gwen vergnügt hinter ihm. »Wir sparen ihn für eine Party. Ich denke, das reicht, meinst du nicht?«

Sie war unhörbar in die Küche gekommen, und er drehte sich zu ihr um. Wie stets, seit Beginn ihrer Affäre, war er von ihrem Anblick wieder bezaubert. Obwohl er ein Mann war, dem es nie an Umgang mit Frauen gefehlt hatte, wunderte er sich in solchen Augenblicken immer wieder von neuem, daß er Gwen überhaupt je besessen hatte. Sie trug den vorgeschriebenen Uniformrock mit Bluse, worin sie jünger aussah, als sie war. Ihr offenes Gesicht mit den hohen Backenknochen hielt sie ihm entgegen, und ihr volles schwarzes Haar glänzte unter der Küchenlampe. Gwens tiefdunkle Augen sahen ihn lächelnd und bewundernd an. »Du kannst mich richtig küssen«, sagte sie. »Ich habe mich noch nicht geschminkt.«

Er lächelte, denn ihr klares klangvolles Englisch entzückte ihn wieder einmal. Wie vielen Mädchen auf englischen Mittelklasse-Internaten war es auch Gwen gelungen, alles was an der eng-

lischen Aussprache gut ist, zu erwerben und das Schlechte ab-
zulegen. Zuweilen animierte Vernon Demerest Gwen geradezu
zum Reden, nur des Vergnügens wegen, ihr zuzuhören.

Jetzt hielten sie sich, ohne zu sprechen, umarmt, und ihre Lippen antworteten den seinen leidenschaftlich.

Etwa nach einer Minute riß Gwen sich los. »Nein!« sagte sie
energisch. »Nein, Vernon, Lieber. Jetzt nicht.«

»Warum denn nicht? Wir haben doch noch Zeit.« In Demerests Stimme lag etwas Dumpfes, eine rauhe Ungeduld.

»Weil ich dir gesagt habe, daß ich mit dir reden will und wir
nicht für beides Zeit haben.« Gwen zog ihre Bluse zurecht, die
aus dem Rock gerutscht war.

»Herrgott«, brummte er. »Erst versetzt du mich in Glut und
dann... Na schön, ich werde bis Neapel warten.« Er küßte sie
zarter. »Auf dem ganzen Weg nach Europa kannst du an mich
denken, wie ich im Cockpit sitze und auf ›schmoren‹ geschaltet
bin.«

»Ich werde dich schon wieder in Hitze bringen, das verspreche
ich dir.« Sie lachte und lehnte sich dicht an ihn, fuhr ihm mit
ihren langen, schlanken Fingern durch das Haar und über das
Gesicht.

Er stöhnte. »Mein Gott – das tust du ja jetzt schon!«

»Dann ist es jetzt genug.« Gwen nahm seine Hände, die um
ihre Taille lagen, und schob sie entschlossen fort.

Sie wandte sich von ihm ab, um die Schranktür zu schließen, die
er geöffnet hatte.

»Halt, warte mal einen Augenblick. Was hat es mit dem ganzen
Zeug da auf sich?« Demerest wies auf die Portionsflaschen mit
ihren Fluglinienetiketts.

»Die da?« Gwen überflog die vier engbepackten Fächer, zog die
Augenbrauen hoch und setzte den Ausdruck der beleidigten
Unschuld auf. »Das sind doch nur ein paar alte Reste, die die
Passagiere nicht haben wollten. Na, Herr Kapitän, Sie werden
mich doch wohl nicht melden, weil ich die paar Reste mitge-
nommen habe.«

Er meinte skeptisch: »So viel?«

»Natürlich.« Gwen ergriff ein Gläschen Gin, stellte es wieder zurück und untersuchte einen Canadien Club Whisky. »Es ist nett von den Fluglinien, daß sie immer die besten Marken einkaufen. Hättest du jetzt Appetit auf einen?«

Er schüttelte den Kopf. »Das weißt du doch genau.«

»Ja, das weiß ich; aber du brauchst nicht einen so mißbilligenden Ton anzuschlagen.«

»Ich will einfach nicht, daß du bei so etwas erwischt wirst.«

»Keine wird erwischt, und beinahe alle tun es. Sieh doch mal: Jeder Passagier Erster Klasse hat Anspruch auf zwei dieser kleinen Flaschen, aber manche trinken nur eine, und andere wollen überhaupt keine.«

»Die Vorschriften bestimmen, daß der Überschuß abgeliefert werden muß.«

»Ach, du lieber Gott! Das tun wir ja – ein paar liefern wir ab, der Form halber, die übrigen teilen die Mädchen untereinander auf. Genauso ist es mit dem übriggebliebenen Wein.« Gwen kicherte. »Wir freuen uns immer, wenn ein Passagier so kurz vor Ende einer Reise noch Wein verlangt. Dann können wir offiziell eine neue Flasche aufmachen und ein Glas daraus einschenken...«

»Verstehe. Und den Rest mitnehmen.«

»Willst du's mal sehen?« Gwen öffnete einen anderen Schrank. Darin standen ein Dutzend volle Weinflaschen.

Demerest grinste. »Verdammt noch mal.«

»Das gehört nicht alles mir. Meine Mitbewohnerin und eins der Mädchen von nebenan haben auch für die Party gespart.« Sie ergriff seinen Arm. »Du kommst doch auch, nicht wahr?«

»Wenn ich eingeladen werde, warum nicht?«

Gwen schloß die beiden Schranktüren. »Du wirst schon noch eingeladen.«

Sie setzten sich in der Küche hin, und sie goß den Tee ein, den er zubereitet hatte. Er sah ihr dabei bewundernd zu. Gwen besaß die Gabe, aus einem zufälligen Beisammensein wie diesem etwas Besonderes zu machen.

Amüsiert sah er zu, wie sie aus einem anderen Schrank Tassen von einem hohen Stapel nahm, die alle die Insignien der Trans America trugen. Es war die Sorte, die die Gesellschaft an Bord verwendete. Er sagte sich, daß er wegen der Portionsflaschen nicht so spießig hätte sein sollen; schließlich war es doch nichts Neues, daß Stewardessen »Schmu« machten. Es war nur der Umfang des Hortes, der ihn wunderte.

Die Stewardessen aller Fluglinien, das war ihm bekannt, kamen in ihrer Laufbahn bald dahinter, daß sie ihre Unterhaltskosten verringern konnten, wenn sie in der Galley des Flugzeugs ein bißchen haushälterisch waren. Stewardessen lernten, ihre Flüge mit persönlichem Handgepäck anzutreten, das teilweise leer war, und füllten es mit überschüssigen Lebensmitteln – immer erster Qualität, da ja die Gesellschaften nur das Allerbeste einkaufen. Eine leer mitgebrachte Thermosflasche war geeignet, gesparte Getränke – Sahne oder sogar Champagner – aufzunehmen. Eine Stewardeß, die wirklich tüchtig war, das wurde Demerest einmal versichert, konnte ihre wöchentliche Lebensmittelrechnung um die Hälfte senken. Lediglich bei internationalen Flügen, bei denen nach gesetzlicher Vorschrift alle Eßwaren – berührt oder nicht – sogleich nach der Landung verbrannt werden, waren die Mädchen vorsichtiger. Diese ganze Praxis war nach den Betriebsordnungen aller Linien streng verboten – ließ sich aber nicht unterbinden.

Noch etwas anderes merkten die Stewardessen: Und zwar die Tatsache, daß von der beweglichen Ausstattung der Kabinen am Ankunftsort nie eine Inventarprüfung vorgenommen wurde. Ein Grund war, daß die Gesellschaften dazu einfach keine Zeit hatten; ein weiterer, daß es billiger war, ein paar Verluste zu übersehen, als ein großes Theater deswegen zu machen. So gelang es manchen Stewardessen, in überraschenden Mengen allerlei Hausrat zu bekommen: Decken, Kissen, Handtücher, Servietten, Gläser, Eßbestecke. Vernon Demerest war in Stewardessennestern gewesen, in denen fast alle Dinge des täglichen Gebrauchs aus Beständen der Fluggesellschaften zu stammen schienen.

Gwen überrumpelte ihn in seinen Gedanken. »Was ich dir sagen wollte, Vernon: Ich bin schwanger.«

Das wurde so nebenbei gesagt, daß er es zuerst gar nicht aufnahm. Er reagierte verwirrt.

»Du bist was?«

»Schwanger – S-C-H-W . . .«

Er unterbrach sie gereizt: »Buchstabieren kann ich das auch.« Seine Gedanken tasteten sich zurecht. »Bist du auch sicher?«

Gwen lachte – ihr attraktives silbernes Lachen – und nippte an ihrem Tee. Er dachte, sie zöge ihn auf. Nie hatte sie liebenswerter und begehrenswerter ausgesehen als gerade jetzt.

»Dieser Spruch, Liebling, den du da gerade aufgesagt hast, ist eine alte Masche. In jedem Buch, das ich gelesen habe, kam so eine Szene vor; der Mann fragte: ›Bist du auch sicher?‹«

»Na, verdammt noch mal, Gwen!« Er wurde lauter. »Bist du's?«

»Natürlich. Sonst würde ich es dir doch nicht sagen.« Sie beugte sich über seine Tasse. »Noch eine Tasse Tee?«

»Nein!«

»Mir ist ganz klar«, sagte Gwen ruhig, »wie es passiert ist. Bei diesem Zwischenaufenthalt, den wir in San Francisco hatten – erinnerst du dich? –, wir wohnten in dem großartigen Hotel auf dem Nob Hill, das mit dem schönen Ausblick. Wie heißt es doch noch?«

»Das ›Fairmont‹. Ja, ich erinnere mich. Weiter.«

»Also, ich fürchte, ich war leichtsinnig. Ich gab das Pillenschlukken auf, weil ich dadurch zu dick wurde. Damals meinte ich, ich bräuchte an dem Tag keine anderen Vorsichtsmaßnahmen, aber es hat sich gezeigt, daß ich mich geirrt habe. Na, jedenfalls habe ich jetzt, weil ich unvorsichtig war, einen winzig kleinen Vernon Demerest in mir, der immer größer und größer wird.«

Es gab eine Pause. Dann sagte er verlegen: »Wahrscheinlich steht mir die Frage nicht zu, ob . . .«

Sie unterbrach ihn. »Doch, das darfst du fragen. Dazu hast du das Recht.« Gwens tiefdunkle Augen sahen ihn mit offener Ehrlichkeit an. »Was du wissen möchtest, ist, ob da irgend jemand anderes war und ob ich sicher bin, daß es von dir ist. Habe ich recht?«

»Sieh mal, Gwen . . .«

Sie streckte ihre Hand nach seiner aus. »Es braucht dir doch nicht peinlich zu sein, danach zu fragen. Ich täte es auch, wenn ich an deiner Stelle wäre.«

Er machte ein paar unglückliche Bewegungen. »Reden wir nicht mehr davon. Es tut mir leid.«

»Aber ich will es dir doch sagen.« Sie sprach nun schneller, eine Spur weniger zuversichtlich.

»Da ist kein anderer gewesen – konnte gar keiner sein. Siehst du – zufällig liebe ich dich nun einmal.« Zum ersten Male hatte sie die Augen gesenkt. Sie fuhr fort: »Ich dachte, ich – ich wußte, ich – liebe dich, ich meine – sogar schon vor dem Erlebnis in San Francisco. Als ich darüber nachdachte, war ich glücklich darüber, weil man doch jemanden lieben sollte, wenn man ein Kind von ihm erwartet – findest du nicht?«

»Hör mal zu, Gwen.« Er legte seine Hand auf ihre. Vernon Demerests Hand war kräftig und feinfühlig, an Verantwortung und Beherrschung gewöhnt, doch auch zu Genauigkeit und Güte fähig. Jetzt waren es zärtliche Hände. Frauen, an denen ihm gelegen war, hatten stets diese Wirkung gespürt, im Gegensatz zu der rauhen, barschen Art, in der er mit Männern umging. »Wir müssen ernsthaft miteinander reden und überlegen.« Nachdem die erste Überraschung vorbei war, kamen seine Gedanken in Ordnung. Es war völlig klar, was zunächst geschehen mußte.

»Du brauchst überhaupt nichts zu tun.« Gwens Kopf richtete sich auf, ihre Stimme war beherrscht. »Und du kannst beruhigt aufhören, dich zu fragen, ob ich dir Schwierigkeiten oder Unannehmlichkeiten machen werde. Das werde ich nicht. Ich habe gewußt, auf was ich mich einließ; daß dies womöglich passieren könnte. Ich habe es nicht direkt erwartet, aber es ist nun einmal geschehen. Ich mußte es dir heute abend sagen, weil das Kind doch von dir ist; ein Teil von dir ist; deshalb mußt du es wissen. Da du es nun weißt, sage ich dir auch, daß du dir keine Sorgen zu machen brauchst. Ich habe mir vorgenommen, die Sache allein auszubaden.«

»Sei doch nicht lächerlich. Ich werde dir selbstverständlich helfen. Du denkst doch nicht, ich würde kneifen und von der ganzen Geschichte nichts wissen wollen?« Die Hauptsache, machte er sich klar, war Eile; der Trick bei unerwünschten Fötussen war, die kleinen Dinger frühzeitig zu erwischen. Er fragte sich, ob

Gwen religiöse Bedenken gegen Abtreibung habe. Sie hatte nie über Religion gesprochen, doch manchmal waren plötzlich die unwahrscheinlichsten Menschen fromm. Er fragte sie: »Bist du katholisch?« – »Nein.«

Na, dachte er, dann war es schon leichter. Vielleicht war ein kurzer Flug nach Schweden das richtige; ein paar Tage dort waren alles, was Gwen brauchte. Die Trans America würde mithelfen, wie es alle Linien taten, vorausgesetzt, sie waren nicht offiziell verwickelt – »Abtreibung« konnte angedeutet, das Wort durfte aber nicht ausgesprochen werden. Gwen könnte kostenlos mit einem Trans-America-Flug nach Paris und dann mit einem Freiflugschein, den die Luftlinien für ihre Angestellten untereinander austauschten, durch die Air France nach Stockholm gelangen. Wenn sie allerdings nach Schweden flog, würden die Arztkosten verdammt hoch werden. Beim Personal der Fluggesellschaften kursierte der Witz, daß die Schweden ihre überseeischen Abtreibungspatienten gleichzeitig von unerwünschtem Nachwuchs und von ihrem Geld befreiten. In Japan würde die ganze Sache natürlich viel billiger. Stewardessen flogen nach Tokio und hatten Abtreibungen für fünfzig Dollar. Die Abtreibungen galten als medizinisch einwandfrei, aber Demerest mißtraute ihnen; Schweden – oder die Schweiz – waren zuverlässiger. Er hatte einmal erklärt: Wenn von ihm eine Stewardeß schwanger würde, dann nur erster Klasse.

Von seinem Gesichtspunkt aus war es verdammt lästig, daß Gwen ausgerechnet jetzt ein Brot im Backofen hatte, wo er einen Anbau an seinem Haus ausführen ließ und, wie er sich erinnerte, sein Budget bereits überschritten hatte. Na schön, dann mußten eben ein paar Aktien verkauft werden – General Dynamics wahrscheinlich; da hatte er einen netten Kapitalgewinn erzielt, und es war allmählich an der Zeit, diesen Gewinn flüssig zu machen. Er würde seinen Makler gleich nach seiner Rückkehr von Rom – und Neapel – anrufen. Er fragte: »Kommst du trotzdem noch mit mir nach Neapel?«

»Selbstverständlich. Ich habe mich so darauf gefreut. Außerdem habe ich mir ein neues Negligé gekauft. Du wirst es morgen nacht sehen.«

Er stand auf und grinste. »Du bist ein schamloses Frauenzimmer.«

»Ein schamloses schwangeres Frauenzimmer, das dich schamlos liebt. Liebst du mich?«

Sie kam zu ihm, und er küßte sie auf den Mund, auf das Gesicht und auf ein Ohr. Er strich mit der Zunge durch ihre Ohrmuschel und spürte, wie sich ihre Arme daraufhin fester um ihn schlossen, und flüsterte: »Ja, ich liebe dich.« In diesem Augenblick, ging es ihm durch den Kopf, stimmte es.

»Vernon, Liebster.«

»Ja?« Ihre Wange war an die seine geschmiegt. Ihre Stimme wurde durch seine Schulter gedämpft. »Das war mein Ernst, wie ich sagte. Du mußt mir nicht helfen. Wenn du es wirklich willst, ist es etwas anderes.«

»Ich will es.« Er beschloß, auf dem Weg zum Flughafen aus ihr herauszubringen, wie sie sich zu einer Abtreibung stellte.

Gwen löste sich und sah auf ihre Uhr; es war 8.20 Uhr. »Es ist Zeit, Herr Kapitän. Wir müssen wohl gehen.«

»Ich hoffe, du weißt, daß du dir wirklich keine Sorgen zu machen brauchst«, sagte Vernon Demerest zu Gwen, als sie unterwegs waren. »Fluggesellschaften sind es gewohnt, daß ihre unverheirateten Stewardessen schwanger werden. Das kommt alle Tage vor. Nach dem letzten Bericht, den ich sah, waren es bei den amerikanischen Gesellschaften im Durchschnitt zehn Prozent jährlich.«

Ihre Unterhaltung wurde, wie er zufrieden feststellte, immer sachlicher. Gut so! Es war wichtig, Gwen von der Gefühlsduselei wegen dieses Kindes abzulenken. Wenn sie gefühlvoll wurde, wußte Demerest, konnten alle möglichen Dummheiten passieren und dem gesunden Menschenverstand in die Quere kommen.

Er fuhr den Mercedes vorsichtig, mit dem zarten, aber festen Griff, der seine zweite Natur war, wenn er irgendeine Maschine, ob Auto oder Flugzeug, unter den Händen hatte. Die Vorstadtstraßen, die frisch geräumt waren, als er vom Flughafen zu Gwens Apartment fuhr, waren wieder von hohem Schnee bedeckt. Es schneite ununterbrochen weiter, und an windigen, von Gebäuden nicht geschützten Stellen gab es Verwehungen. Kapitän Demerest umfuhr vorsichtig die höheren Verwehungen. Er hatte keine Lust steckenzubleiben oder auszusteigen, ehe der Schutz des überdachten Parkplatzes der Trans America erreicht war.

Gwen, die in den Ledersitz gekuschelt neben ihm saß, sagte ungläubig: »Stimmt es wirklich, daß jedes Jahr zehn von hundert Stewardessen schwanger werden?«

Er versicherte ihr: »Es schwankt natürlich etwas mit den Jahren, aber in der Regel bleibt es ziemlich gleich. Na ja, die Pille hat die Dinge etwas geändert, aber, wie ich hörte, nicht in dem Maß, wie zu erwarten war. Als Funktionär meiner Berufsorganisation habe ich ja Zugang zu derlei Informationen.«

Er wartete auf Gwens Antwort. Als sie ausblieb, fuhr er fort: »Was du nicht vergessen darfst, ist, daß Stewardessen meistens junge Mädchen vom Lande oder aus kleineren Städten oder aus bescheidenen städtischen Verhältnissen sind. Sie hatten eine ruhige Erziehung und ein durchschnittliches Leben. Plötzlich haben sie einen glanzvollen Beruf, sie reisen, lernen interessante Menschen kennen, steigen in den erstklassigen Hotels ab. Es ist ihre erste Kostprobe von *la dolce vita*.« Er grinste. »Gelegentlich hinterläßt diese erste Probe einen Bodensatz im Glas.«

»Ich finde es einfach geschmacklos von dir, so zu reden!« Zum erstenmal, seit er sie kannte, zeigte sich Gwen gekränkt. Empört fuhr sie fort: »Du hast einen so herablassenden Ton – eben typisch Mann. Wenn ich einen Bodensatz in meinem Glas oder in mir habe, dann laß dich daran erinnern, daß er von dir stammt, und wenn wir es wirklich nicht dabei belassen wollen, würde ich wenigstens eine bessere Bezeichnung dafür finden. Auch daß du mich mit all diesen Mädchen vom Land und aus bescheidenen Verhältnissen, von denen du gesprochen hast, in einen Topf wirfst, paßt mir, verdammt noch mal, gar nicht!«

Gwens Wangen hatten sich gerötet. Ihre Augen funkelten wütend.

»Hoppla«, sagte er. »Dein Feuer gefällt mir.«

»Mach nur so weiter, dann kannst du noch ganz was anderes erleben.«

»War es denn so schlimm?«

»Du warst unerträglich.«

»Das tut mir leid.« Demerest verlangsamte das Tempo und hielt vor einer Verkehrsampel an, die mit unzähligen Reflexen durch den fallenden Schnee schimmerte. Sie warteten schweigend, bis die Ampel mit Weihnachtskarteneffekt auf Grün wechselte. Als sie wieder fuhren, sagte er behutsam: »Ich wollte dich mit niemand in einen Topf werfen, weil du doch eine Ausnahme bist. Du bist ein aufgeklärtes Mädchen, das unvorsichtig war. Das hast du selbst zugegeben. Wahrscheinlich waren wir beide unvorsichtig.«

»Also gut.« Gwens Ärger verflog. »Aber wirf mich nie mehr mit anderen in einen Topf. Ich bin ich und niemand anderes.«

Sie schwiegen ein paar Minuten lang, dann sagte Gwen nachdenklich: »Ich glaube, so könnten wir es nennen.«

»Wie was nennen?«

»Du hast mich wieder auf das gebracht, was ich vorhin gesagt habe – über den kleinen Vernon Demerest in mir. Wenn es ein Junge wird, könnten wir ihn Vernon Demerest den Zweiten nennen, wie das die Amerikaner tun.«

Sein Name hatte ihm nie besonders zugesagt. Zögernd begann er: »Ich möchte nicht, daß mein Sohn...« Dann hielt er inne. Dies war ein gefährlicher Boden.

»Was ich vorhin sagen wollte, Gwen: Die Gesellschaften sind solche Sachen ja gewohnt. Du hast doch schon von dem ›Drei-Punkte-Schwangerschaftsprogramm‹ gehört?«

Einsilbig antwortete sie: »Ja.«

Ihre Einsilbigkeit war nur natürlich. Den meisten Stewardessen war bekannt, was die Gesellschaften für sie tun würden, sollten sie schwanger werden, vorausgesetzt, die Stewardessen waren mit gewissen Bedingungen einverstanden. Innerhalb der Trans America wurde von dem System vertraulich als »3-PPP« gesprochen. Andere Gesellschaften gebrauchten andere Namen, doch die Vorkehrungen unterschieden sich nur geringfügig, waren aber im Prinzip gleich.

»Ich habe Mädchen gekannt, die das ›3-PPP‹ benutzt haben«, sagte Gwen. »Ich habe nie gedacht, daß ich es auch einmal nötig haben würde.«

»Die meisten anderen wohl auch nicht, nehme ich an.« Er fügte hinzu: »Aber du brauchst dir keine Sorgen zu machen. Die Gesellschaften hängen das nicht an die große Glocke, und alles geht ganz diskret vor sich. Wie steht es mit unserer Zeit?«

Gwen hielt ihre Armbanduhr unter das Licht des Armaturenbretts. »Wir sind zeitig dran.«

Er lenkte seinen Wagen vorsichtig auf die mittlere Fahrbahn, achtete auf die Bodenhaftung auf der feuchten, schneebedeckten Straßendecke und überholte einen rumpelnden Müllwagen. Mehrere Männer auf den Trittbrettern des fahrenden Lkws, wahrscheinlich eine Räummannschaft, hielten sich an den Seiten fest. Sie sahen müde, naß und erbärmlich aus. Demerest fragte sich, wie es auf die Männer wirken würde, wenn sie erführen, daß er und Gwen in ein paar Stunden unter der warmen Sonne von Neapel sein würden.

»Ich weiß nicht«, sagte Gwen, »ich weiß nicht, ob ich das je tun könnte.«

Wie Demerest, kannte Gwen die Überlegungen der Verwaltung, die hinter dem Schwangerschaftsprogramm der Fluggesellschaft steckten. Keine Linie verlor gern, aus welchem Grund auch immer, Stewardessen. Deren Ausbildung war teuer; eine qualifizierte Stewardeß stellte eine hohe Investition dar. Und noch etwas kam hinzu. Die richtige Art Mädchen – sie mußten gut aussehen, elegant sein und Persönlichkeit besitzen – war schwer zu finden.

Die Abwicklung des Programms war praktisch und einfach. Wenn eine Stewardeß schwanger wurde und nicht zu heiraten beabsichtigte, konnte sie natürlich ihre Arbeit wieder antreten, sobald ihre Schwangerschaft vorüber war, und gewöhnlich war ihre Gesellschaft froh, sie zurückzubekommen. So erhielt sie dem Programm entsprechend offiziell Urlaub, bei dem ihr Dienstalter berücksichtigt wurde. Für ihr persönliches Wohlergehen unterhielten die Personalabteilungen der Gesellschaften besondere Ressorts, die unter anderem dabei behilflich waren,

Abmachungen mit Ärzten oder Entbindungsheimen zu treffen, entweder am Wohnort der Stewardeß oder in einem entfernten Ort, ganz wie sie es wünschte. Die Gesellschaft half auch psychologisch, indem sie den Mädchen zeigte, daß sich jemand um sie kümmerte und ihre Interessen wahrnahm. Ein Darlehen konnte ebenfalls vereinbart werden. War es einer Stewardeß, die ein Kind gehabt hatte, peinlich, an ihren ursprünglichen Standort zurückzukehren, wurde sie stillschweigend zu einem anderen ihrer Wahl versetzt.

Als Gegenleistung für all dies verlangte die Gesellschaft von den Stewardessen drei Zusicherungen – daher das »Drei-Punkte-Schwangerschaftsprogramm«.

Erstens: Die Stewardeß mußte die Personalabteilung der Gesellschaft während der ganzen Zeit der Schwangerschaft über ihren Aufenthalt auf dem laufenden halten.

Zweitens: Sie mußte damit einverstanden sein, daß ihr Kind unmittelbar nach der Geburt adoptiert wurde, und darauf verzichten, den Namen der Adoptiveltern jemals zu erfahren. Damit verschwand das Kind völlig aus dem Leben der Mutter. Auf jeden Fall bürgte die Gesellschaft dafür, daß ein korrektes Adoptionsverfahren erfolgte und das Kind in einem guten Heim untergebracht wurde.

Drittens: Zu Beginn des Programms mußte die Stewardeß der Gesellschaft den Namen des Kindesvaters mitteilen. Danach suchte ein in solchen Fällen erfahrener Vertreter der Personalabteilung den Vater auf, um bei ihm eine finanzielle Unterstützung für die Mutter durchzusetzen. Was der Vertreter zu erreichen versuchte, war eine schriftliche Verpflichtung, die Kosten für die ärztliche Betreuung und die Auslagen für ein Pflegeheim und, wenn möglich, einen Teil oder das ganze eingebüßte Gehalt der Stewardeß zu übernehmen. Die Gesellschaften sahen es gern, wenn solche Vereinbarungen freundschaftlich und diskret erfolgten. Mußte es sein, konnten sie aber auch unangenehm werden und ihren beträchtlichen wirtschaftlichen Einfluß dazu benutzen, sich sträubende Individuen unter Druck zu setzen.

Es war selten nötig, unangenehm zu werden, wenn der Vater

des Kindes dem Flugpersonal angehörte – Kapitän, Erster oder Zweiter Offizier war. In solchen Fällen genügte meistens sanfte Überredung von seiten der Gesellschaft und der Wunsch des Vaters, die ganze Sache verschwiegen abzuwickeln. Was die Verschwiegenheit anging, so war die Gesellschaft entgegenkommend. Zeitweise Unterstützungszahlungen konnten auf jede vernünftige Weise geleistet werden, und falls gewünscht, zog die Gesellschaft regelmäßig den Betrag vom Gehalt des Angestellten ab. Aus dieser Rücksichtnahme erschienen, um unbequemen Fragen zu Hause zu entgehen, solche Abzüge unter der Rubrik »Verschiedene Auslagen«.

Alle auf diese Weise erhaltenen Beträge wurden in voller Höhe der schwangeren Stewardeß überwiesen. Die Gesellschaft zog nichts für ihre Unkosten ab.

»Der springende Punkt bei dem Programm ist«, sagte Demerest, »daß man nicht allein ist und es jede nur mögliche Hilfe bietet.«

Vor einem hatte er sich bisher gehütet – das Wort Abtreibung auch nur zu erwähnen. Das war ein Fall für sich, denn keine Gesellschaft konnte oder wollte sich in eine Abtreibung verwickeln lassen. Rat wurde inoffiziell häufig denen gegeben, die wußten, wie solche Arrangements zu treffen waren. Sie bemühten sich, Mädchen, die zur Abtreibung entschlossen waren, zu helfen, daß der Eingriff unter sicheren medizinischen Bedingungen stattfand und auf jeden Fall die gefährlichen und berüchtigten Praktiker vermieden wurden, zu denen verzweifelte Menschen manchmal ihre Zuflucht nahmen.

Gwen sah ihren Gefährten neugierig an. »Jetzt sag mir bloß eins: Woher weißt du über all das so genau Bescheid?«

»Ich sagte dir doch, daß ich Funktionär in meinem Berufsverband bin...«

»Für Angelegenheiten der Piloten. Aber du hast doch nichts mit Stewardessen zu tun – nicht in dieser Beziehung jedenfalls.«

»Vielleicht nicht direkt.«

»Vernon, das ist dir früher schon einmal passiert – daß eine Stewardeß ein Kind von dir bekam – stimmt's, Vernon?«

Er nickte zögernd. »Ja.«

»Es muß dir sehr leicht fallen, Stewardessen umzulegen – diese leichtgläubigen Mädchen vom Land, von denen du gesprochen hast. Oder waren sie meistens aus ›bescheidenen städtischen Verhältnissen‹?« In Gwens Stimme lag Bitterkeit. »Wie viele waren es denn alles in allem? Zwei Dutzend, ein Dutzend? Gib mir nur so einen Begriff in runden Zahlen.« Er seufzte: »Eine, nur eine.«

Er hatte natürlich unglaubliches Glück gehabt. Es hätten viel mehr sein können, aber seine Antwort stimmte. Na – stimmte fast; da war noch der andere Fall, die Fehlgeburt, aber das dürfte nicht zählen.

Draußen wurde der Verkehr immer dichter, je näher sie dem Flughafen kamen, der jetzt nur noch eine viertel Meile weit entfernt war. Die hellen Lichter des Hauptgebäudes, wenn heute abend auch durch Schnee gedämpft, erhellten dennoch den Himmel.

Gwen sagte: »Das andere Mädchen, das schwanger wurde, ihren Namen will ich nicht wissen . . .«

»Ich würde ihn dir auch nicht sagen.«

»Hat sie diese Gummibestimmungen . . . das Dreipunkteprogramm benutzt?«

»Ja.«

»Hast du ihr geholfen?«

Ungeduldig antwortete er: »Ich habe vorhin schon gesagt – wofür hältst du mich eigentlich? Selbstverständlich habe ich ihr geholfen. Wenn du es wissen willst – die Gesellschaft hat es von meinem Gehalt abgezogen. Daher weiß ich, wie das vor sich geht.«

Gwen lächelte. »Verschiedene Auslagen?«

»Ja.«

»Hat deine Frau es je erfahren?«

Er zögerte, ehe er antwortete. »Nein.«

»Und was ist aus dem Kind geworden?«

»Adoptiert worden.«

»Was war es denn?«

»Halt ein Baby.«

»Du weißt genau, was ich meine, Vernon. War es ein Mädchen oder ein Junge?«

»Ich glaube, ein Mädchen.«

»Du glaubst!«

»Ich weiß es. Ein Mädchen.«

Bei Gwens Fragerei wurde ihm etwas unbehaglich. Das weckte Erinnerungen, die er lieber vergessen wollte.

Sie schwiegen, als Vernon Demerest den Mercedes mit einem Schwung in die imposante Haupteinfahrt brachte. Hoch über dem Eingang erhoben sich, von Scheinwerfern angestrahlt, die parabolischen Bögen – mit Beifall begrüßtes Ergebnis eines weltweiten künstlerischen Wettbewerbs – und symbolisierten, wie es hieß, die hohen Ziele der Luftfahrt. Dann kam ein imposanter Serpentinenkomplex von Wegen, Überbrückungen, Unterführungen und Tunnels, die dazu bestimmt waren, den ununterbrochenen Autoverkehr des Flughafens in Fluß zu halten, obwohl die Wirkungen des dreitägigen Sturms das Vorwärtskommen im Vergleich zu anderen Tagen stark verlangsamten. Große Schneehügel versperrten normalerweise verfügbaren Straßenraum. Schneepflüge und Lastwagen, die das übrige Gebiet offenzuhalten versuchten, erhöhten durch ihre Anwesenheit die Konfusion noch.

Nach verschiedenen kurzen Aufenthalten bog Demerest in den Dienstweg ein, der sie in das Haupthangarviertel der Trans America bringen würde, wo sie ihren Wagen verlassen und einen Personalbus zum Hauptgebäude nehmen würden.

Gwen rührte sich neben ihm. »Vernon.«

»Ja?«

»Ich danke dir, daß du mir gegenüber so ehrlich warst.« Sie tastete nach seiner auf dem Steuer liegenden Hand. »Ich komme schon klar. Vermutlich ist es eben ein bißchen viel, so alles zusammen. Und ich will wirklich mit dir nach Neapel.«

Er nickte und nahm lächelnd seine Hand vom Steuer und drückte ihre fest. »Wir haben eine schöne Zeit vor uns, und ich verspreche dir, daß wir sie beide in Erinnerung behalten werden.«

Er würde alles tun, was er konnte, gelobte er sich, damit sein Versprechen sich bewahrheitete. Für ihn selbst würde es nicht schwer sein. Von Gwen war er stärker angezogen, in ihrer Gegenwart empfand er mehr Liebe und fühlte sich ihr geistig näher als bei irgend jemand anderem, an den er sich erinnerte. Wenn da nicht seine Ehe wäre ... Er fragte sich, und nicht zum erstenmal, ob er mit Sarah brechen und Gwen heiraten solle. Dann verwarf er den Gedanken wieder. Er hatte zu viele andere in seinem Beruf erlebt, die unter Umwälzungen gelitten hatten – Piloten, die junger Mädchen wegen ihre Frauen nach langen Ehejahren verlassen hatten. In den meisten Fällen war all diesen Männern nichts geblieben als gescheiterte Hoffnungen und drückende Unterhaltsverpflichtungen. Irgendwann auf ihrer Reise, entweder in Rom oder in Neapel, mußte er doch noch einmal ein ernstes Gespräch mit Gwen führen. Ihre Unterhaltung war bis jetzt nicht so verlaufen, wie er es gern gesehen hätte, und auch die Frage einer Abtreibung war noch nicht aufgeworfen worden.

Inzwischen – der Gedanke an Rom erinnerte ihn daran – stand er vor der unmittelbaren Aufgabe, Flug Zwei der Trans America zu leiten.

Der Schlüssel gehört zu Zimmer 224 der O'Hagan Inn.

In dem halbdunklen Umkleideraum neben der Radarstation der Flugsicherung wurde Keith Bakersfeld sich plötzlich bewußt, daß er den Schlüssel mit dem ihn kennzeichnenden Kunststoffschild minutenlang angestarrt hatte. Oder waren es nur Sekunden gewesen? Wie so vieles andere Merkwürdige in letzter Zeit schien auch der Ablauf der Zeit ungleichmäßig und regellos zu erfolgen. Natalie hatte ihn letzthin manchmal zu Hause dabei überrascht, daß er völlig bewegungslos dastand und ins Nichts starrte. Und erst, wenn sie ihn besorgt fragte: »Was hast du denn?«, war er aus seiner Lethargie erwacht, hatte sich wieder bewegt und war wieder zum Bewußtsein gekommen.

Er vermutete, daß in diesen Augenblicken sein erschöpftes, verbrauchtes Gehirn sich selbst abschaltete. Irgendwo in der komplizierten Struktur des Gehirns mit seinen Blutgefäßen, Windungen, aufgespeicherten Gedanken und Empfindungen war ein winziger Schalter vorhanden, ein Selbstschutzmechanismus, wie ein Wärmethermostat in einem Elektromotor, der sich betätigte, wenn der Motor heißlief und davor bewahrt werden mußte, durchzubrennen. Der Unterschied zwischen einem Motor und dem menschlichen Gehirn bestand darin, daß der Motor außer Betrieb bleiben konnte. Bei einem Gehirn ging das nicht.

Durch das einzige Fenster des Umkleideraums fiel genug Licht von den Scheinwerfern des Kontrollturms herein, daß Keith sehen konnte. Eigentlich brauchte er nichts zu sehen. Er saß auf einer der Holzbänke, die Sandwiches, die Natalie für ihn gemacht hatte, unangetastet neben sich. Er hielt nur den Schlüssel der O'Hagan Inn in der Hand und grübelte, sann über die Unfaßbarkeit des menschlichen Verstandes nach.

Der menschliche Verstand konnte ungeahnte Höhen erreichen, Dichtungen schaffen und Radargeräte, die Sixtinische Kapelle und die überschallschnelle Concorde. Aber das Gehirn – das Erinnerungen und Gewissensbisse speicherte – konnte auch terrorisieren, foltern, unermüdlich sein; und erst der Tod konnte seinen Verfolgungen ein Ende setzen.

Der Tod . . . im Nichts aufgehen, vergessen, endgültige Ruhe.

Aus diesem Grund hatte Keith Bakersfeld beschlossen, in dieser Nacht Selbstmord zu begehen.

Er mußte bald auf die Radarstation zurück. Noch hatte er einige Stunden Dienst vor sich, und er hatte mit sich selbst einen Pakt geschlossen, seine Schicht bei der Flugsicherung heute nacht bis zum Ende durchzuhalten. Er wußte nicht, warum, nur, daß er es für richtig hielt, und er hatte immer gewissenhaft versucht, das Richtige zu tun. Vielleicht war Gewissenhaftigkeit ein Charaktermerkmal der Familie. Jedenfalls schienen er und sein Bruder Mel diese Eigenschaft zu teilen.

Wie dem auch sei, wenn der Dienst beendet, die letzte Pflicht erfüllt war, würde er frei sein, zur O'Hagan Inn zu gehen, wo er sich heute am späten Nachmittag angemeldet hatte. Sobald er dort war, würde er keine Zeit mehr verlieren und die vierzig Kapseln Nembutal einnehmen – im ganzen drei Gramm –, die er in einer Medikamentenschachtel in der Tasche trug. Sie waren ihm verschrieben worden, damit er schlafen konnte, und von jeder Packung, die Natalie in der Apotheke besorgte, hatte er heimlich die Hälfte beiseite geschafft und gehortet. Vor wenigen Tagen erst war er in eine Bibliothek gegangen und hatte dort in einem Handbuch der klinischen Toxikologie nachgeschlagen, daß sein Vorrat an »Nembutal« weit über der tödlichen Dosis lag.

Seine gegenwärtige Schicht endete zwei Stunden nach Mitternacht. Bald darauf, nachdem er die Kapseln eingenommen hatte, würde schnell der Schlaf und mit ihm das unwiderrufliche Ende kommen.

Er sah auf seine Uhr, hielt ihr Zifferblatt in das von draußen hereinfallende Licht. Es war beinahe schon neun. Sollte er jetzt schon in den Radarraum zurückkehren? Nein – besser noch ein paar Minuten warten. Wenn er zurückging, wollte er ruhig und gefaßt sein, damit seine Nerven allem, was die letzten Dienststunden noch mit sich bringen konnten, gewachsen waren.

Keith Bakersfeld bewegte den Schlüssel wieder zwischen den Fingern: Zimmer 224.

Dieses Zusammentreffen der Zahlen war merkwürdig; daß

seine Zimmernummer, die ihm zufällig für heute nacht zuge-
wiesen worden war, eine »24« enthielt. Es gab Leute, die an
solche Dinge glaubten: Numerologie, die okkulte Bedeutung
von Zahlen. Keith hielt nichts davon, aber trotzdem konnte man
die Zahl so deuten, daß die zweite und die dritte Ziffer mit der
vorangehenden »2« bedeutete: zum zweitenmal 24.

Die erste 24 war ein Datum gewesen – vor anderthalb Jahren.
Keiths Augen verschleierten sich, wie schon so oft, wenn er
daran dachte. Dieses Datum war mit Selbstvorwürfen und
Qualen in sein Gedächtnis eingebrannt. Es war der Ursprung
seiner düsteren seelischen Verfassung, seiner äußersten Verzweiflung. Es war der Grund, weshalb er seinem Leben heute
nacht ein Ende machen wollte.

Es war ein Sommermorgen gewesen: Donnerstag, der 24. Juni.
Es war ein Tag für Dichter, für Liebende und für Farbfotogra-
fen; ein Tag, den man für ewig im Gedächtnis behielt, um ihn
wie ein Album aufzuschlagen, wenn man sich Jahre später an
die besten Stunden und die schönsten Orte erinnern wollte. In
Leesburg in Virginia, nicht weit von dem historischen Harpers
Ferry entfernt, war der Himmel bei Tagesanbruch klar – CAVU
hieß es im Wetterbericht, in der Fliegersprache eine Kurzformel
für »Wolkenhöhe und Sicht unbegrenzt«. Und diese Wetterverhältnisse blieben bestehen, abgesehen von einigen verstreuten Kumuluswölkchen am Nachmittag, die wie Wattebäusche
am Himmel hingen. Eine sanfte Brise von den Blue Ridge
Mountains trug den Duft des Geißblatts herüber.

Keith Bakersfeld hatte an diesem Morgen, als er zu seiner Arbeit im Washington Air Route Traffic Control Center in Leesburg fuhr, wilde Rosen blühen sehen. Eine Zeile von Keats,
die er auf der Schule gelernt hatte, ging ihm durch den Kopf:
»For Summer has o'erbrimmed...« Sie schien auf einen solchen
Tag zu passen.

Wie üblich hatte er die Grenze nach Virginia von Adamstown
in Maryland, wo er mit Natalie und ihren beiden Jungen ein
behagliches Haus bewohnte, überschritten. Das Verdeck seines
VW-Kabrioletts war heruntergeklappt. Er fuhr ohne Eile, genoß die Wohltaten von Luft und Sonne, und als die vertrauten

flachen modernen Gebäude des Air Route Center in Sicht kamen, hatte er weniger Spannung empfunden als sonst. Später hatte er sich gefragt, ob das an sich schon die Ursache für die Ereignisse gewesen sei, die sich dann begaben.

Selbst in dem Arbeitsflügel – durch dessen dicke fensterlose Mauern nie ein Strahl des Tageslichts drang – hatte Keith den Eindruck, daß der Glanz des Sommertags draußen irgendwie hineingesickert sei. Unter den siebzig oder mehr Kontrollern im Dienst schien eine Heiterkeit zu herrschen, die im Gegensatz zu dem pflichtbewußten Ernst stand, mit dem die Arbeit an den meisten Tagen im Jahr verrichtet wurde. Vielleicht war die Tatsache, daß die Verkehrsbelastung infolge des außergewöhnlich klaren Wetters geringer war als üblich, ein Grund dafür. Viele nichtkommerzielle Flüge – Privatmaschinen, Militärflugzeuge, sogar einige Passagiermaschinen – flogen nach VFR, der Methode des Sehens und Gesehenwerdens, mit deren Hilfe die Piloten ihren Weg durch die Luft selbst beobachteten und verfolgten, ohne daß sie sich über Funk bei der Luftstraßen-Kontrolle der ATC melden mußten.

Das Washington Air Route Center in Leesburg war ein Hauptkontrollpunkt. Von seiner Zentrale aus wurde der gesamte Flugverkehr auf den Luftstraßen über den sechs östlichen Küstenstaaten beobachtet und gesteuert. Insgesamt umfaßte das Kontrollgebiet mehr als zehntausend Quadratmeilen. Jedes Flugzeug, das in diesem Gebiet von einem Flugplatz aufstieg und einen Instrumentenflugplan eingereicht hatte, kam unter die Beobachtung und Kontrolle von Leesburg. Unter dieser Kontrolle blieb es, bis es seine Reise beendet hatte oder das Kontrollgebiet verließ. Maschinen, die in das Gebiet einflogen, wurden von anderen Kontrollzentren übergeben. In den Vereinigten Staaten bestanden insgesamt zwanzig dieser Zentren. Das in Leesburg gehörte zu den verkehrsreichsten und umfaßte das südliche Ende des »Nordostkorridors«, auf dem täglich der dichteste Flugverkehr der Welt herrscht.

Merkwürdigerweise lag Leesburg in weitem Abstand von jedem Flughafen und war von Washington, das dem Air Route Center seinen Namen gegeben hatte, vierzig Meilen entfernt.

Das Zentrum selbst befand sich in Virginia – eine Ansammlung flacher moderner Gebäude mit einem Parkplatz – und war auf drei Seiten von wogenden Feldern umgeben. In der Nähe floß der kleine Fluß Bull Run vorbei, dessen Name durch den Ruhm zweier Schlachten aus dem Bürgerkrieg verewigt war. Nach seinem Dienst war Keith Bakersfeld einmal an den Bull Run gegangen und hatte über den merkwürdigen Gegensatz zwischen Leesburgs Vergangenheit und seiner Gegenwart nachgedacht.

An diesem Morgen verlief, ungeachtet des strahlenden Sommertages draußen, der Dienstbetrieb in dem geräumigen kathedralartigen Hauptkontrollraum wie üblich. Das gesamte Kontrollfeld, größer als ein Fußballplatz, war wie immer gedämpft beleuchtet, damit die mehreren Dutzend Radarschirme unbeeinträchtigt beobachtet werden konnten. Die Radargeräte waren in übereinanderstehenden Reihen angeordnet und wurden von Schutzschirmen überdacht. Das eintönige Geräusch war das erste, was jedem auffiel, der den Kontrollraum zum erstenmal betrat. Aus dem Bereich der Flugdatenverarbeitung mit langen Reihen von Computern, den verschiedensten elektronischen Geräten und automatischen Fernschreibern stieg ein ununterbrochenes Summen und Maschinengeklapper auf. Von den mehreren Dutzend Arbeitsplätzen der Kontroller, die den Flugverkehr dirigierten, drang unaufhörlich das Summen der Stimmen, die auf zahllosen Frequenzen Funksprüche wechselten. Maschinenlärm und Menschenstimmen verschmolzen zu einem Geräusch, das mit gleichbleibender Lautstärke alles andere übertönte, aber durch schallschluckende Wände und Decken merkwürdig gedämpft klang.

Über den Arbeitsplätzen zog sich durch die ganze Länge des Kontrollraums eine Beobachtungsbrücke, über die gelegentlich Besucher bei Besichtigungen geführt wurden. Von diesem luftigen Platz aus erschien die Tätigkeit in dem Kontrollraum nicht unähnlich dem Treiben an einer Börse. Die Kontroller sahen nur selten zu der Brücke hinauf, da sie geschult waren, alles zu ignorieren, was die Konzentration auf ihre Tätigkeit beeinträchtigen konnte, und da nur wenige bevorzugte Besucher jemals in den Kontrollraum selbst eingelassen wurden, begegneten sich Kontroller und Außenstehende nur selten. Die Tätigkeit war also nicht nur in hohem Maß anstrengend, sondern wurde auch in einer geradezu mönchischen Umgebung verrichtet – ein Umstand, der durch die völlige Abwesenheit von Frauen noch verstärkt wurde.

In einem Anbau des Kontrollraums zog Keith seine Jacke aus und betrat in einem gestärkten weißen Hemd, das für die Flugsicherungskontroller fast schon zur Uniform geworden war, den Raum. Niemand wußte, warum die Kontroller im Dienst weiße Hemden trugen; es war keine Vorschrift, aber die meisten taten es. Als er auf dem Weg zu seinem Arbeitsplatz an anderen vorbeiging, begrüßten ihn verschiedene Kollegen mit einem freundlichen »Guten Morgen«, und auch das war ungewöhnlich. Im allgemeinen hatte es die unmittelbar nach dem Eintreten beginnende Spannung zur Sitte werden lassen, hastig mit dem Kopf zu nicken oder ein knappes »Hallo« zu sagen – manchmal nicht einmal das.

Der Kontrollabschnitt, den Keith regelmäßig bearbeitete, umfaßte einen Abschnitt des Gebiets Pittsburgh-Baltimore. Der Abschnitt wurde von einem Team von drei Mann überwacht. Keith war Radarkontroller. Seine Aufgabe bestand darin, mit den Flugzeugen Kontakt zu halten und über Funk Anweisungen zu geben. Zwei Assistenten bearbeiteten die Flugdaten und hielten die Verbindung zu den Flughäfen. Ein Inspektor koordinierte die Arbeit der drei. Heute gehörte zu dem Team noch ein Kontroller in Ausbildung, den Keith während der vergangenen Wochen regelmäßig geschult hatte.

Andere Kollegen dieser Schicht kamen zur gleichen Zeit wie Keith und stellten sich hinter den Männern auf, die sie ablösen sollten, und ließen sich ein paar Minuten Zeit, um das »Bild« in sich aufzunehmen. An allen Plätzen des Kontrollturms spielte sich das gleiche ab.

Während Keith in seinem Abschnitt hinter dem Radarkontroller stand, der seine Schicht beendete, spürte er bereits, wie sich seine geistige Aufnahmebereitschaft schärfte, und er beschleunigte bewußt sein Denken. Von zwei kurzen Pausen abgesehen, mußte sein Verstand für die nächsten acht Stunden in diesem Tempo weiterarbeiten.

Es herrschte der für diese Tageszeit übliche Verkehr, wenn man das weitverbreitete gute Wetter berücksichtigte, stellte er fest. Auf der dunklen Fläche des Radarschirms bezeichneten etwa fünfzehn hellgrüne Lichtpunkte – oder »Ziele«, wie die Radarleute sie nannten – Flugzeuge in der Luft. Allegheny hatte eine Concair 440 in achttausend Fuß Höhe, die sich Pittsburgh näherte. Hinter der Allegheny-Maschine befanden sich auf verschiedener Höhe eine stattliche DC-8, eine American Airlines 727, zwei Privatmaschinen – ein Jet-Lear und eine Fairchild F-27 – und eine weitere stattliche Maschine, diesmal eine Turbo-Prop Electra. Verschiedene andere Maschinen, bemerkte Keith, mußten jeden Augenblick auf dem Schirm erscheinen, teils aus anderen Abschnitten, teils durch startende Maschinen von Friendship Airport bei Baltimore. In entgegengesetzter Richtung flog eine Delta DC-9 auf Baltimore zu und würde bald von der Anflugkontrolle Friendship übernommen werden. Hinter dieser Maschine folgten eine TWA, eine Piedmont Airlines Martin, eine weitere Privatmaschine, zwei United und eine Mohawk. Die Abstände aller Maschinen nach Höhe und Entfernung voneinander waren zufriedenstellend, bemerkte Keith, außer den beiden Uniteds in Richtung Baltimore, die etwas dicht beieinander waren. Als ob der Kontroller am Radarschirm Keiths Gedanken gelesen hätte, gab er der zweiten United eine verzögernde Kursänderung an.

»Ich bin im Bild«, sagte Keith ruhig. Der andere Kontroller nickte und räumte seinen Platz.

Keiths Inspektor, Perry Yount, schloß über Keiths Schulter hinweg seinen Kopfhörer an, beugte sich vor und bildete sich sein eigenes Urteil über die Verkehrslage. Perry war ein großer schlanker Neger und einige Jahre jünger als Keith. Er besaß ein schnell auffassendes, zuverlässiges Gedächtnis, das eine Menge Flugdaten aufnehmen und mit der Genauigkeit eines Computers wiedergeben konnte, alle zusammen oder auch einzelne Teile. Wenn Schwierigkeiten auftauchten, war es beruhigend, Perry in der Nähe zu wissen.

Keith hatte bereits mehrere neue Flüge übernommen und andere weitergegeben, als der Inspektor ihn an der Schulter berührte. »Keith, ich muß in dieser Schicht zwei Stationen bedienen – diese und die nächste. Uns fehlt ein Mann. Schaffen Sie es für eine Weile auch so?«

Keith nickte. »Klar.« Er gab eine Kursberichtigung an eine Eastern 727 durch, deutete dann auf den Kontroller in Ausbildung, George Wallace, der auf dem Sitz neben ihm Platz genommen hatte. »George ist ja da, um ein Auge auf mich zu haben.«

»Okay.« Perry Yount schaltete seine Kopfhörer wieder ab und trat an das nächste Kontrollpult. So etwas war gelegentlich schon früher vorgekommen und ohne Schwierigkeiten abgelaufen. Perry Yount und Keith arbeiteten schon seit einigen Jahren zusammen, und beide wußten, daß sie sich aufeinander verlassen konnten.

Keith sagte zu dem Kontroller in Ausbildung an seiner Seite: »George, machen Sie sich mit dem Bild vertraut.«

George Wallace nickte und rückte näher an den Radarschirm heran. Er war Mitte Zwanzig und befand sich seit annähernd zwei Jahren in Ausbildung. Vorher hatte er in der US Air Force gedient. Wallace hatte sich bereits als ein Mann mit wachem, raschem Verstand erwiesen, der auch die Fähigkeit besaß, bei Nervenanspannung nicht die Fassung zu verlieren. In einer Woche würde er als fertig ausgebildeter Kontroller gelten, obwohl seine Ausbildung praktisch schon jetzt abgeschlossen war.

Absichtlich ließ Keith es zu, daß der Abstand zwischen einer American Airlines BAC-400 und einer stattlichen 727 geringer wurde, als er sein sollte. Er war bereit, eine kurze Anweisung durchzugeben, falls die Annäherung kritisch würde. George Wallace bemerkte den Mangel sofort und machte Keith darauf aufmerksam, der ihn gleich berichtigte.

Die praktische Übung war die einzig zuverlässige Methode, mit der die Fähigkeiten eines neuen Kontrollers beurteilt werden konnten. Ebenso wichtig war auch, daß einem in Ausbildung befindlichen Mann, der am Radarschirm saß und in eine schwierige Situation geriet, die Möglichkeit geboten wurde, seine

Wendigkeit zu zeigen und die Lage ohne Hilfe zu bereinigen. In solchen Augenblicken war der Lehrer verpflichtet sich zurückzuhalten, mit geballten Fäusten abzuwarten und zu schwitzen. Einer hatte es einmal so formuliert: »Man hängt nur mit den Fingernägeln an der Ritze einer Ziegelmauer.« Es war eine kritische Entscheidung, wann man sich einmischen und den Befehl an sich reißen sollte. Sie durfte weder zu früh noch zu spät getroffen werden. Wenn der Lehrer eingriff, konnte das Selbstvertrauen des Schülers für immer untergraben werden und damit ein seinen Anlagen nach guter künftiger Kontroller verlorengehen. Andererseits, wenn ein Lehrer versäumte einzugreifen, als er hätte eingreifen müssen, konnte ein schrecklicher Zusammenstoß in der Luft die Folge sein.

Die mit dem Unterrichten verbundenen Risiken und die zusätzliche psychische Belastung waren so groß, daß viele Kontroller sich weigerten, sie auf sich zu nehmen. Sie wiesen darauf hin, daß dieser Unterricht ihnen weder offizielle Anerkennung noch zusätzliche Bezahlung einbrachte. Außerdem war der unterrichtende Kontroller voll verantwortlich, wenn irgend etwas schiefging. Warum diese Belastung und Verantwortung für nichts und wieder nichts auf sich nehmen?

Keith jedoch hatte sowohl Begabung als Lehrer als auch die Geduld gezeigt, seine Schüler voranzubringen. Und obwohl auch er manchmal Qualen litt und schwitzte, übernahm er diese Aufgabe, weil er sich dazu verpflichtet fühlte. In diesem Augenblick war er stolz darauf, wie gut George Wallace sich entwickelt hatte.

Wallace sagte ruhig: »Ich würde United 284 nach rechts abdrehen, bis der Höhenunterschied zu der Mohawk groß genug ist.«

Keith nickte zustimmend, während er auf den Schaltknopf an seinem Mikrofon drückte. »An United 284 von Washington Center. Nach rechts abdrehen, Kurs Null-Sechs-Null.«

Sofort kam knisternd die Antwort: »An Washington Center von United 284. Kurs Null-Sechs-Null. Verstanden.«

Meilen entfernt und hoch oben im strahlend hellen Sonnenlicht bog die mächtige, schnittige Düsenmaschine in eine glatte elegante Kurve, während die Passagiere dösten oder lasen. Der hellgrüne halbzollgroße Punkt auf dem Radarschirm, der die United 284 anzeigte, bewegte sich in eine andere Richtung.

In einem großen Raum unter der Radarstation standen in Regalen Tonbandgerät neben Tonbandgerät, die die Gespräche zwischen Boden und Luft aufnahmen, damit sie später abgespielt werden konnten, falls sich die Notwendigkeit ergab. Jedes dieser Gespräche, von jedem Arbeitsplatz im Kontrollraum, wurde aufgezeichnet und aufbewahrt. In regelmäßigen Abständen wurden einige Bänder von Inspektoren kritisch abgehört. Wenn etwas falsch gemacht worden war, bekam der betreffende Kontroller das zu wissen; aber kein Kontroller erfuhr jemals, wann eines seiner Bänder zur Überprüfung ausgesucht wurde. Die Tür zu dem Raum mit den Tonbandgeräten trug ein improvisiertes Schild, das mit Galgenhumor mahnte: »Der große Bruder hört dich.«

Der Vormittag verstrich.

In regelmäßigen Abständen erschien Perry Yount. Er überwachte nach wie vor zwei Positionen und blieb jedesmal lange genug, um die gegenwärtige Verkehrslage einzuschätzen. Was er sah, schien ihn zufriedenzustellen, und er verbrachte weniger Zeit hinter dem Platz von Keith als bei der anderen Station, wo sich verschiedene Probleme zu ergeben schienen. Um die Mitte des Vormittags ließ der Verkehr etwas nach; bis zum Mittag würde er wieder anwachsen. Kurz nach 10.30 Uhr wechselten Keith Bakersfeld und George Wallace die Plätze. Jetzt saß der in Ausbildung befindliche Kontroller am Radarschirm und Keith neben ihm zur Überwachung. Keith fand keinen Anlaß einzugreifen; der junge Wallace zeigte sich fähig und aufmerksam. Soweit es die Umstände erlaubten, entspannte Keith sich.

Um zehn vor elf mußte Keith auf die Toilette. In den letzten Monaten hatte er verschiedentlich unter Anfällen von Darmgrippe gelitten, und er befürchtete, daß ihm wieder eine bevorstand. Er winkte Perry Yount heran und unterrichtete ihn.

Der Inspektor nickte. »Wie macht sich George?«

»Wie ein alter Hase«, antwortete Keith so laut, daß George es hören konnte.

»Ich behalte alles im Auge«, sagte Perry. »Sie können eine Pause machen, Keith.«

Keith trug sich im Dienstbuch ein und vermerkte den Zeitpunkt der Unterbrechung seines Dienstes. Perry kritzelte seine Initialen auf die nächste Zeile des Dienstbuchs und übernahm damit die Verantwortung über Wallace. In wenigen Minuten, sobald Keith zurückgekommen war, würde sich der Vorgang wiederholen.

Als Keith den Radarraum verließ, studierte der Inspektor den Radarschirm, die Hand leicht auf die Schulter von George Wallace gelegt.

Die Toilette, die Keith aufsuchte, lag in einem höheren Stockwerk. Ein Milchglasfenster ließ etwas von der Tageshelligkeit draußen herein. Als Keith fertig war und sich zur Erfrischung das Gesicht gewaschen hatte, trat er ans Fenster und öffnete es. Er fragte sich, ob das Wetter noch so herrlich sei wie zu der Stunde, als er gekommen war. Es hatte sich nicht geändert.

Von der Rückseite des Gebäudes, in der sich das Fenster befand, konnte er hinter einem Hof grüne Wiesen, Bäume und wilde Blumen sehen. Es war jetzt wärmer geworden. Ringsumher erklang das einschläfernde Summen von Insekten.

Keith stand da und blickte hinaus. Er verspürte eine Abneigung, sich vom Anblick des heiteren Sonnenglanzes loszureißen und in das Halbdunkel des Kontrollraums zurückzukehren. Plötzlich wurde ihm bewußt, daß er in letzter Zeit auch schon aus anderen Anlässen ähnliches empfunden hatte – zu oft vielleicht. Und er dachte: Wenn er ehrlich war, dann war es nicht das Halbdunkel, gegen das er Abneigung empfand, sondern der psychische Druck. Es hatte einmal eine Zeit gegeben, als die Anspannung und der Druck seiner Arbeit, so unbarmherzig sie waren, ihn nicht gestört hatten. Neuerdings war das anders geworden, und gelegentlich mußte er sich dazu zwingen, sie auf sich zu nehmen.

Während Keith Bakersfeld am Fenster stand und nachdachte, näherte sich eine Northwest Orient 727 auf dem Weg von Minneapolis–St. Paul Washington. In der Kabine beugte sich

eine Stewardeß über einen älteren Passagier. Sein Gesicht war
aschgrau; er schien unfähig zu sein, zu sprechen. Die Stewar-
deß glaubte, daß er einen Herzanfall gehabt hätte oder gerade
einen erlitt. Sie eilte nach vorn zur Pilotenkanzel, um den Kapi-
tän zu informieren. Sekunden später ersuchte der Erste Offizier
der Northwest auf Befehl des Kapitäns das Washington Air
Route Center darum, die Höhe zu vermindern und die Maschine
bevorzugt zum Washington National Airport durchzuschleu-
sen.

Keith fragte sich manchmal in solchen Augenblicken, für wie
viele Jahre noch er seinen gelegentlich erschöpften Kopf zwingen könne durchzuhalten. Er war jetzt seit anderthalb Jahrzehnten Kontroller. Er war achtunddreißig Jahre alt.
Das Deprimierende war: In seinem Beruf konnte man im Alter
von fünfundvierzig oder fünfzig Jahren psychisch ausgelaugt,
ein alter Mann sein, aber eine ehrenvolle Pensionierung war
erst in zehn oder fünfzehn Jahren zu erwarten. Für viele Kontroller erwiesen sich diese letzten Jahre als eine allzu grausame
Wegstrecke, deren Ende sie nicht erreichten.
Keith wußte wie die meisten Kontroller, daß die physische Belastung des Organismus der Leute, die bei der Flugsicherung
arbeiteten, seit langem erkannt war. Die Krankengeschichten
der amtlichen Luftfahrtärzte lieferten dafür Beweise in Hülle
und Fülle. Diese Krankengeschichten von Fällen, die sich unmittelbar auf die Arbeit als Kontroller zurückführen ließen,
umfaßten überhöhten Blutdruck, Herzanfälle, Magengeschwüre,
Tachykardie, psychische Zusammenbrüche sowie zahllose kleinere Leiden. Angesehene unabhängige Mediziner hatten diese
Ergebnisse in wissenschaftlichen Untersuchungen bestätigt. Ein
namhafter Forscher faßte das Ergebnis in folgenden Worten
zusammen: »Ein Kontroller verbringt aus Nervosität jede Nacht
schlaflose Stunden, in denen er sich fragt, wie es ihm, um Gottes
willen, gelungen ist, alle diese Flugzeuge vor Zusammenstößen
zu bewahren. Heute ist es ihm gelungen, eine Katastrophe zu
verhindern, aber wird er morgen das gleiche Glück haben? Nach
einer gewissen Zeit bricht in ihm unvermeidlich etwas zusam-

men – sei es physisch oder psychisch –, und oft genug beides.« Mit diesen Kenntnissen und weiteren bewaffnet, drängte die Federal Aviation Agency den Kongreß, Flugsicherungskontrollern ein Pensionsalter von fünfzig Jahren oder nach zwanzigjährigem Dienst zuzugestehen. Diese zwanzig Jahre, erklärten die Ärzte, seien vierzig Jahre in den meisten anderen Berufen gleichzusetzen. Die FAA warnte die Gesetzgeber, daß es dabei um die öffentliche Sicherheit gehe; nach zwanzig Jahren Dienst können die Kontroller nicht mehr als zuverlässig gelten. Der Kongreß hatte, wie Keith wußte, diese Warnung ignoriert und jede Maßnahme abgelehnt.

Auch ein vom Präsidenten eingesetzter Ausschuß wies die Forderung auf eine vorzeitige Pensionierung der Kontroller zurück, und die FAA – damals eine Dienststelle im Amt des Präsidenten – erhielt Anweisung, zu schweigen und von weiteren Schritten abzusehen. Offiziell hatte sie diese Anweisung befolgt, privat aber waren die Vertreter der FAA in Washington in ihrer Überzeugung nicht wankend geworden. Sie prophezeiten, diese Frage würde wieder aufgeworfen werden, wenn vielleicht auch erst nach einer einzelnen oder einer ganzen Reihe von Luftkatastrophen, in die auch überarbeitete und erschöpfte Kontroller verwickelt waren und die bei Presse und Öffentlichkeit wütende Kritik auslösen würden.

Keiths Gedanken richteten sich wieder auf die Landschaft draußen. Es war ein herrlicher Tag. Die Felder lockten, auch wenn man sie nur durch das Fenster eines Waschraums betrachtete. Er wünschte sich, er könne hinausgehen und in der Sonne schlafen. Nun, das ging nicht, und damit mußte er sich abfinden. Es war wohl besser, wenn er in den Kontrollraum zurückkehrte. Nur einen kurzen Augenblick noch, dann würde er gehen.

Die Northwest Orient 727 hatte bereits mit Genehmigung von Washington Center mit dem Abstieg begonnen. In niedrigeren Höhen wurden andere Flüge eilig auseinandergezogen oder bekamen Befehl, höher zu steigen, so daß sie in sicheren Abständen waren. Eine schräge Schneise, durch die die Northwest weiter absteigen konnte, wurde in dem anwachsenden Mittags-

*verkehr freigehalten. Die Anflugkontrolle auf Washington Na-
tional Airport war alarmiert worden; ihre Aufgabe würde bald
beginnen, sobald sie die Düsenmaschine der Northwest von
Washington Center übernahm. In diesem Augenblick lag die
Verantwortung für den Flug der Northwest und die in ihrer
Nähe befindlichen Maschinen bei dem Abschnittsteam neben
dem von Keith − dem zusätzlichen Abschnitt, den der junge
Neger Perry Yount zu überwachen hatte.*

*Fünfzehn Minuten, deren Geschwindigkeit zusammenaddiert
siebentausendfünfhundert Meilen in der Stunde betrug, wurden in einem wenige Meilen breiten Luftraum hin und her
dirigiert. Kein Flugzeug durfte einem anderen zu nahe kommen.
Die Maschine der Northwest mußte durch sie alle hindurch
sicher heruntergebracht werden.*

*Ähnliche Situationen entstanden jeden Tag mehrmals; bei
schlechtem Wetter konnten es mehrere stündlich sein. Manchmal traten Notstände zur gleichen Zeit auf, so daß die Kontroller sie numerierten: Notstand eins, Notstand zwei, Notstand
drei.*

*In der gegenwärtigen Situation reagierte Perry Yount wie im-
mer − mit gedämpfter Stimme, kühl und sicher −: mit der
Erfahrung des Könners. In Zusammenarbeit mit dem Abschnittsteam koordinierte er die Notmaßnahmen − gefaßt, mit
gleichbleibender Stimme, so daß kein außenstehender Zuhörer
seinem Ton entnehmen konnte, daß ein Notstand eingetreten
war. Andere Maschinen konnten die Funksprüche, die mit der
Northwest gewechselt wurden, nicht mithören, weil die Maschine angewiesen worden war, eine besondere Funkfrequenz
einzuschalten.*

*Alles verlief glatt. Die Northwest befand sich auf einem stetig
absteigenden Kurs. In wenigen Minuten würde die Notsituation
behoben sein.*

*Perry Yount fand mitten in dieser bedrängten Lage − die unter
normalen Umständen seine ungeteilte Aufmerksamkeit erfor-
dert hätte − noch die Zeit, kurz zu dem angrenzenden Abschnitt
hinüberzuschauen, um George Wallace bei seiner Arbeit zu
überwachen. Alles sah gut aus, aber Perry Yount wäre wohler*

gewesen, wenn Keith Bakersfeld zurückgekommen wäre. Er
sah sich nach der Tür des Kontrollraums um. Von Keith war
noch nichts zu sehen.

Keith stand noch am offenen Fenster und blickte auf die Landschaft Virginias hinaus und dachte an Natalie. Er seufzte. In
letzter Zeit war es zu Meinungsverschiedenheiten zwischen
ihnen gekommen, die durch seine Arbeit ausgelöst wurden. Er
vertrat Ansichten, die seine Frau nicht verstehen konnte oder
wollte. Natalie machte sich wegen Keiths Gesundheit Sorgen.
Sie wollte, er solle die Flugsicherung aufgeben und sich einen
anderen Beruf suchen, solange er noch jung genug dazu war und
sich seine Gesundheit weitgehend erhalten hatte. Es war ein
Fehler gewesen, das erkannte er jetzt, Natalie seine Zweifel
anzuvertrauen, ihr zu schildern, was er bei anderen Kontrollern beobachtet hatte, die durch ihre Arbeit vorzeitig gealtert
und leidend geworden waren. Aber es mußte überlegt werden,
ehe man einen Beruf aufgab, auf Jahre der Ausbildung und Erfahrung verzichtete. Das waren Überlegungen, die Natalie – wie
vermutlich jede andere Frau auch, nur schwer begreifen konnte.

Über Martinsburg in West Virginia – etwa dreißig Meilen
nordwestlich von Washington Air Route Center – verließ eine
private viersitzige Beech Bonanza in siebentausend Fuß Höhe
Flugschneise V 166 und flog in Flugschneise V 44 ein. Die kleine
Beech Bonanza, äußerlich an ihrem Schmetterlingsschwanz er-
kennbar, flog mit einer Geschwindigkeit von 175 Stundenmei-
len; ihr Ziel war Baltimore. In ihr befand sich die Familie Red-
fern: Irving Redfern, Berater für Rationalisierung, seine Frau
Merry und ihre beiden Kinder Jeremy, zehn Jahre alt und Va-
lerie, neun.
Irving Redfern war ein vorsichtiger, gründlicher Mann. Heute
hätte er auf Grund des herrschenden Wetters einen Sichtflug
wagen können, hatte es aber für klüger gehalten, einen Instru-
mentenflugplan einzureichen, und war, nachdem er seinen Hei-
matflughafen Charleston in West Virginia verlassen hatte, den
Flugschneisen gefolgt und in Verbindung mit der Flugsicherung

177

geblieben. Vor wenigen Augenblicken hatte er vom Washington Air Route Center einen neuen Kurs auf Flugschneise V 44 erhalten. Er war schon in ihn eingeschwenkt, und sein Magnetkompaß, der etwas ins Schwingen geraten war, hatte sich wieder beruhigt.

Die Redferns flogen nach Baltimore, zum Teil, weil Irving Redfern dort geschäftlich zu tun hatte, zum Teil aber auch zum Vergnügen, zu dem auch ein abendlicher Theaterbesuch der Familie vorgesehen war. Während der Vater sich auf das Fliegen konzentrierte, plauderten die Kinder mit Merry darüber, was sie auf Friendship Airport zu Mittag essen wollten.

Der Kontroller auf Washington Center, der Irving Redfern die letzte Anweisung gegeben hatte, war George Wallace, der nahezu fertig ausgebildete Kontroller, der an Keith Bakersfelds Platz saß. George hatte Redferns Maschine auf dem Radarschirm richtig identifiziert, wo sie als hellgrüner Fleck zu sehen war, wenn auch kleiner und sich langsamer bewegend als die meisten anderen Flugzeuge – im Augenblick vorwiegend Düsenmaschinen der Fluggesellschaften. Doch keine kam in die Nähe der Beech Bonanza, die nach allen Richtungen reichlich Luftraum zu haben schien. Perry Yount, der Abschnittsinspektor, war inzwischen zu dem angrenzenden Abschnitt zurückgekehrt. Er half mit, das zurückgebliebene Durcheinander zu bereinigen, nachdem die kritische Northwest Orient 727 sicher an die Anflugkontrolle von Washington National Airport weitergegeben worden war. In regelmäßigen Abständen sah Perry zu George hinüber und rief ihn einmal an: »Ist alles in Ordnung?« George nickte, obwohl er etwas zu schwitzen anfing. Der starke Mittagsverkehr schien heute früher einzusetzen als üblich.

Was weder George Wallace noch Perry Yount noch Irving Redfern wußten, war, daß ein Schulflugzeug der Air National Guard, eine Düsenmaschine T-33, unterwegs war und im Augenblick wenige Meilen nördlich der Flugschneise gelassen ihre Kreise zog. Die T-33 war auf Martin Airport bei Baltimore stationiert, und der Pilot der National Guard war ein Autoverkäufer namens Hank Neel.

Leutnant Neel, der eine seiner vorgeschriebenen Ausbildungsübungen absolvierte, war zur Steigerung seiner Flugerfahrung auf einen Alleinflug geschickt worden. Da er ausdrücklich angewiesen worden war, nur in der nächsten Umgebung, in einem freigegebenen Bereich nordwestlich von Baltimore, zu bleiben, war kein Flugplan vorgelegt worden. Infolgedessen wußte das Washington Air Route Center nichts davon, daß die T-33 in der Luft war. Das hätte keine Rolle gespielt, wenn Neel sich nicht bei seinem Auftrag gelangweilt hätte und überdies ein unvorsichtiger Pilot gewesen wäre. Als er bei seinem trägen Kreisen mit der Düsenschulmaschine beiläufig hinausblickte, erkannte er, daß er während seiner Übungsmanöver nach Süden abgekommen war, in Wirklichkeit aber sehr viel weiter, als er annahm. Er war so weit im Süden, daß die Düsenmaschine der National Guard vor einigen Minuten schon George Wallaces Kontrollgebiet erreicht hatte und jetzt auf dessen Radarschirm in Leesburg als grüner Fleck erschien, geringfügig größer als die Beech Bonanza der Familie Redfern. Ein Kontroller mit größerer Erfahrung hätte den Fleck augenblicklich als das erkannt, was er war. George jedoch wurde von dem anderen Verkehr in Anspruch genommen und hatte das zusätzliche, nicht identifizierte Signal noch nicht bemerkt.

Leutnant Neel, in fünfzehntausend Fuß Höhe, beschloß, seine Flugübungen mit ein paar Kunstfiguren – zwei Loopings und zwei langsamen Rollen – abzuschließen und dann zu seinem Standort zurückzukehren. Er schwang die T-33 in eine scharfe Kurve und kreiste wieder, während er die vorgeschriebene Vorsichtsmaßnahme befolgte und nach anderen Maschinen über und unter sich Ausschau hielt. Er war jetzt noch näher an Flugschneise V 44 als vorher.

Was seine Frau nicht erkannte, überlegte Keith Bakersfeld, war, daß ein Mann nicht einfach verantwortungslos, aus einer Laune heraus, eine Stellung aufgeben konnte. Besonders dann nicht, wenn er eine Familie zu unterhalten und Kinder aufzuziehen hatte. Besonders nicht, wenn die Stellung, die man besaß, und die Fähigkeiten, die man geduldig erworben hatte, einen zu nichts anderem befähigten. In manchen Zweigen des

Öffentlichen Dienstes konnte man eine Stellung aufgeben und seine Fähigkeiten woanders nutzbringend verwerten. Flugsicherungskontroller konnten das nicht. Für ihre Arbeit gab es in der Privatwirtschaft kein Gegenstück, niemand wünschte sie sich oder brauchte sie.

Auf diese Weise in einer Falle zu sitzen – und darauf lief es hinaus, wie Keith erkannt hatte – war eine Enttäuschung, die zu anderen Enttäuschungen noch hinzukam. Eine davon war das Geld. Wenn man jung und begeistert war und an der Luftfahrt beteiligt sein wollte, erschien der Gehaltstarif für Beamte bei der Flugsicherung angemessen oder gar hoch. Erst später wurde einem klar, wie unzureichend die Bezahlung, gemessen an der erschreckend hohen Verantwortung, die die Arbeit mit sich brachte, war. Die beiden Spezialisten mit den größten Anforderungen im heutigen Luftverkehr sind der Pilot und der Kontroller. Piloten verdienten aber dreißigtausend Dollar im Jahr, während ein alter, erfahrener Kontroller mit zehntausend die oberste Grenze erreichte. Niemand war der Meinung, daß Piloten weniger verdienen sollten, aber selbst Piloten, die mit notorischer Selbstsucht ihre Interessen wahrnahmen, waren der Ansicht, Flugsicherungskontroller sollten besser bezahlt werden. Auch Aufstigsmöglichkeiten waren etwas, womit Kontroller – im Gegensatz zu den meisten anderen Berufen – nicht rechnen konnten. Es gab nur wenige gehobene Inspektorenposten; nur eine Handvoll vom Glück Begünstigter erhielten sie.

Und dennoch – es sei denn, man war verwegen oder rücksichtslos, was Kontroller nach der Art ihrer Tätigkeit nicht sein konnten –, hier gab es keinen Ausweg. Deshalb würde er nicht aufgeben können, erkannte Keith. Er mußte noch einmal mit Natalie darüber sprechen; es war Zeit, daß sie sich so oder so damit abfand. Es war zu spät für einen Wechsel. Er hatte im gegenwärtigen Stadium nicht die Absicht, sich auf irgendeine andere Weise kümmerlich durchs Leben zu schlagen.

Aber er mußte zurück. Bei einem Blick auf die Uhr erkannte er schuldbewußt, daß er den Kontrollraum schon vor fast fünfzehn Minuten verlassen hatte. Während eines Teils dieser Zeit hatte er mit offenen Augen geträumt, etwas, das er selten tat, und es war offenkundig die einschläfernde Wirkung des Sommertags. Keith schloß das Fenster des Waschraums. Draußen eilte er den Korridor entlang zum Kontrollraum hinunter.

Hoch oben über Frederick County, Maryland, zog Leutnant Neel seine Schulmaschine empor und machte sich zum Sturzflug bereit. Er hatte seine reichlich flüchtige Inspektion des Luftraums abgeschlossen und kein anderes Flugzeug gesehen. Dann setzte er zu seinem ersten Looping und einer langsamen Rolle an und steuerte die Maschine in einen steilen Sturzflug.

Sobald Keith Bakersfeld den Kontrollraum betrat, erkannte er den verstärkten Betrieb. Das Stimmengesumm war jetzt lauter als zu dem Zeitpunkt, als er den Raum verlassen hatte. Andere Kontroller waren zu beschäftigt, um aufzublicken – wie sie es am frühen Morgen getan hatten –, als er auf dem Weg zu seinem Arbeitsplatz an ihnen vorbeiging. Keith kritzelte seine Unterschrift in das Dienstbuch und notierte die Zeit, trat dann hinter George Wallace, um sich ins Bild zu setzen und seine Augen an das Halbdunkel des Kontrollraums zu gewöhnen, das in scharfem Gegensatz zu dem strahlenden Sonnenlicht draußen stand. George hatte »Hallo« gemurmelt, als Keith zurückkam, und dann weiter über Funk Anweisungen an die fliegenden Maschinen gegeben. Nach wenigen Augenblicken, sobald er das Bild in sich aufgenommen hatte, wollte er George ablösen und seinen Platz wieder einnehmen. Wahrscheinlich war es für George gut gewesen, eine Weile auf sich selbst angewiesen zu sein, überlegte Keith. Das würde sein Selbstvertrauen stärken. Perry Yount, vor dem Pult des benachbarten Radarschirms, hatte Keiths Rückkehr bemerkt.
Keith studierte den Radarschirm mit den sich bewegenden Lichtpunkten – die »Ziele«, die George identifiziert und dann mit kleinen Markierungen bezeichnet hatte. Ein hellgrüner Fleck ohne Markierung fiel Keith ins Auge. Scharf fragte er George: »Was ist das für eine andere Maschine bei der Beech Bonanza 403?«

Leutnant Neel hatte das erste Looping und die erste langsame Rolle beendet. Er war wieder auf fünfzehntausend Fuß Höhe aufgestiegen, befand sich noch über Frederick County, wenn auch wieder etwas weiter südlich. Er richtete die T-33 aus, drückte dann die Nase scharf nach unten und begann den Sturzflug für das zweite Looping.

»Welche andere Maschine...?« Georges Augen folgten Keiths Blick über den Radarschirm. Er hielt den Atem an, dann sagte er mit gepreßter Stimme: »Mein Gott!«

Mit einer schnellen Bewegung riß Keith George die Kopfhörer ab und drängte ihn beiseite. Er knipste einen Frequenzschalter an und drückte auf den Schaltknopf des Mikrofons: »Beech Bonanza NC-403. Hier Washington Center. Links von Ihnen ist eine unidentifizierte Maschine. Drehen Sie sofort nach rechts ab!«

Die National Guard T-33 hatte den tiefsten Punkt ihres Sturzfluges erreicht. Leutnant Neel zog die Steuersäule zurück und setzte mit voller Kraft zu einem schnellen steilen Aufstieg an. Unmittelbar vor ihm befand sich die winzige Beech Bonanza mit Irving Redfern und seiner Familie an Bord auf ihrem gleichmäßigen Flug in Flugschneise V 44.

Im Kontrollraum – beobachteten sie – atemlos – stumm – verzweifelt betend – wie die beiden grünen Punkte sich einander näherten.

Im Funkgerät knatterte ein Ausbruch statischer Elektrizität. »Washington Center. Hier Beech...« Abrupt brach der Funkspruch ab.

Irving Redfern war Berater für Rationalisierung. Er war ein fähiger Amateurflieger, aber er war kein Verkehrspilot.
Ein Verkehrspilot, der die Anweisung von Washington Center erhalten hätte, würde seine Maschine sofort in eine scharfe Rechtskurve gesteuert haben. Er hätte den drängenden Ton in Keiths Stimme erkannt, hätte gehandelt, ohne die Maschine

erst zu trimmen oder den Funkspruch zu bestätigen, und erst später nach einer Begründung gefragt. Ein Verkehrspilot hätte alle geringfügigen Folgen ignoriert gegenüber der alles andere beiseite schiebenden Notwendigkeit, der nahenden Gefahr zu entrinnen, die das Air Route Center unverkennbar ankündigte. In der Passagierkabine hinter ihm konnte siedendheißer Kaffee verschüttet, Tabletts mit Speisen umgeworfen, selbst kleinere Verletzungen verursacht werden. Später würden Beschwerden und Entschuldigungen, Anklagen und vielleicht sogar eine Untersuchung durch das Civil Aeronautics Board erfolgen, aber – mit etwas Glück – hätte man überlebt. Schnelles Handeln hätte das gewährleistet. Auch für die Familie Redfern hätte es das gewährleistet.

Verkehrspiloten waren durch Training und Übung geschult, schnell und sicher zu reagieren. Das war Irving Redfern nicht. Er war ein genauer, gewissenhafter Mann, gewohnt, erst nachzudenken, ehe er handelte, und dann korrekte Prozeduren zu befolgen. Sein erster Gedanke war, die Nachricht des Washington Center zu bestätigen. Damit verbrauchte er zwei oder drei Sekunden – und das war die ganze Zeit, die ihm noch zur Verfügung stand. Die T-33 der National Guard, die vom Tiefpunkt ihrer Schleife her aufwärts raste, traf die Beech Bonanza an der linken Seite und schnitt ihr mit einem einzigen Aufkreischen reißenden Metalls die linke Tragfläche ab. Die T-33, selbst tödlich verletzt, flog noch ein kurzes Stück weiter nach oben, während ihr Vorderteil auseinanderbrach. Leutnant Neel hatte kaum mitbekommen, was geschehen war – das andere Flugzeug hatte er nur ganz flüchtig wahrgenommen. Er betätigte seinen Schleudersitz und wartete darauf, daß sein Fallschirm sich öffnete. Weit unter ihm, steuerlos und wie wild trudelnd, stürzte die Beechcraft Bonanza mit der Familie Redfern an Bord wie ein Stein zur Erde.

Mit zitternden Händen versuchte Keith es noch einmal. »Beech Bonanza NC-403. Hier Washington Center. Hören Sie mich?«
Neben Keith bewegte George Wallace lautlos die Lippen. Sein Gesicht hatte jede Farbe verloren.

Vor ihren entsetzten Augen stießen die beiden Punkte auf dem Radarschirm zusammen, blühten plötzlich auf und verschwanden dann.

Perry Yount, der beobachtet hatte, daß etwas nicht stimmte, war herübergekommen. »Was gibt es?« fragte er.

Keiths Mund war ausgetrocknet: »Ich fürchte, wir hatten einen Zusammenstoß.«

Und dann geschah es: das Geräusch, wie aus einem Alptraum, von dem alle, die es vernahmen, wünschten, daß sie es nie gehört hätten, das sie aber nicht mehr aus ihrem Gedächtnis löschen konnten.

Irving Redfern, auf dem Pilotensitz der dem Untergang geweihten abtrudelnden Beech Bonanza, drückte – vielleicht unwillkürlich, vielleicht als eine letzte verzweifelte Tat – auf den Schaltknopf seines Mikrofons und hielt ihn fest. Das Funkgerät arbeitete noch.

Im Washington Center wurde die Durchgabe über einen Lautsprecher am Pult gehört, den Keith eingeschaltet hatte, als er seine Notstandsanweisung begann. Zuerst kam das Knattern statischer Elektrizität, gleich darauf eine Folge durchdringender, verzweifelter, durch Mark und Bein gehender Schreie. Überall im Kontrollraum drehten sich die Köpfe. Gesichter in der Nähe wurden blaß. Vorgesetzte Inspektoren kamen von anderen Abschnitten herübergeeilt.

Plötzlich erklang über dem Schreien deutlich eine einzelne Stimme – entsetzt, verloren, flehend. Zunächst war nicht jedes Wort hörbar. Erst später, als die Bandaufnahme der letzten Durchgabe abgespielt und viele Male wieder und wieder abgespielt wurde, konnten die Worte vollständig zusammengesetzt und die Stimme als die der neunjährigen Valerie Redfern identifiziert werden.

»Mummy, Daddy! . . . Tut doch etwas! Ich will nicht sterben . . . Oh, lieber, guter Jesus, ich war immer gut . . . Bitte, bitte, ich will nicht . . .«

Barmherzigerweise brach die Übertragung ab.

Die Beech Bonanza schlug auf und verbrannte nahe dem Dorf Lisbon in Maryland. Was von den vier Leichen übrigblieb, war nicht zu identifizieren und wurde in einem gemeinsamen Grab beigesetzt.

Leutnant Neel landete fünf Meilen entfernt sicher mit dem Fallschirm.

Alle drei in die Tragödie verwickelten Kontroller – George Wallace, Keith Bakersfeld, Perry Yount – wurden auf der Stelle vom Dienst beurlaubt, bis die Untersuchung abgeschlossen war.

Der in Ausbildung befindliche Kontroller George Wallace wurde aus formalen Gründen nicht belangt, da er zum Zeitpunkt des Unfalls noch kein fertig ausgebildeter Kontroller gewesen war. Er wurde jedoch aus dem Regierungsdienst entlassen und für alle Zeiten von einer Beschäftigung in der Flugsicherung ausgeschlossen.

Der junge Neger-Inspektor, Perry Yount, wurde für voll verantwortlich erklärt. Der Untersuchungsausschuß nahm sich Tage und Wochen Zeit, die Bänder wieder und wieder abzuspielen, Aussagen zu überprüfen und sich die Entscheidungen vorzunehmen, für die Yount selbst, unter Druck, Sekunden zur Verfügung gehabt hatte, und entschied, er hätte weniger Zeit für den Notstand der Northwest Orient 727 aufwenden sollen, dafür aber mehr für die Beaufsichtigung von George Wallace während der Abwesenheit von Keith Bakersfeld. Die Tatsache, daß Perry Yount doppelten Dienst tat – was er hätte ablehnen können, wenn er weniger einsatzwillig gewesen wäre –, wurde als unerheblich zurückgewiesen. Yount wurde öffentlich getadelt und in seinem Dienstrang zurückgesetzt.

Keith Bakersfeld wurde völlig freigesprochen. Der Untersuchungsausschuß betonte ausdrücklich, daß Keith darum ersucht hatte, vorübergehend vom Dienst befreit zu werden, daß dieses Ersuchen berechtigt war und er die Vorschriften befolgt hatte, da er sich schriftlich ab- und anmeldete. Außerdem hatte er sofort nach seiner Rückkehr die Gefahr eines Zusammenstoßes in der Luft erkannt und versucht, ihn zu verhindern. Für sein schnelles Denken und Handeln wurde er von dem Ausschuß belobigt, obwohl sein Versuch vergeblich gewesen war.

Die Frage nach der Länge von Keiths Abwesenheit wurde ursprünglich gar nicht aufgeworfen. Gegen Ende der Untersuchung, als Keith erkannte, welche Wendung die Dinge für Perry nehmen würden, versuchte er selbst, sie vorzubringen und den Hauptanteil der Schuld auf sich zu nehmen. Dieser Versuch wurde freundlich aufgenommen, es war aber klar, daß der Untersuchungsausschuß darin eine ritterliche Geste sah, und sonst nichts. Keiths Zeugenaussage wurde, sobald deutlich war, in welche Richtung sie zielte, völlig gestrichen. Der Versuch seiner Intervention wurde im Abschlußbericht des Ausschusses nicht erwähnt.

Eine unabhängige Untersuchung der Air National Guard erbrachte den Nachweis, daß Leutnant Hank Neel den Unfall durch Fahrlässigkeit mitverschuldet hatte, da er nicht in der Umgebung der Middletown Air Base geblieben war, sondern zugelassen hatte, daß seine T-33 bis in die Luftschneise V 44 abgetrieben war. Doch da sein tatsächlicher Standort nicht schlüssig nachgewiesen werden konnte, wurde auf eine Anklage verzichtet. Der Leutnant verkaufte weiter Autos und flog an Wochenenden.

Als Inspektor Perry Yount die Entscheidung des Untersuchungsausschusses erfuhr, erlitt er einen Nervenzusammenbruch. Er wurde zur psychiatrischen Behandlung in ein Krankenhaus eingeliefert. Er schien seiner Genesung nahe zu sein, als er mit der Post von einem anonymen Absender ein gedrucktes Rundschreiben einer politischen Rechtsgruppe in Kalifornien erhielt, die unter anderem auch gegen die Bürgerrechte der Neger kämpfte. Das Rundschreiben enthielt eine bösartig entstellte Schilderung der Redfern-Tragödie. Es bezeichnete Perry Yount als unfähigen, eingebildeten Dummkopf ohne Verantwortungsbewußtsein, dem der Tod der Familie Redfern gleichgültig sei. Der ganze Vorfall, behauptete das Rundschreiben, sei eine Warnung für »Liberale mit blutenden Herzen«, die Negern zu verantwortlichen Positionen verhalfen, denen sie geistig nicht gewachsen seien. Es wurde ein »großes Reinemachen« unter den anderen Negern, die bei der Flugsicherung arbeiteten, verlangt, »ehe das gleiche noch einmal passiert«.

Zu jeder anderen Zeit hätte ein Mensch mit der Intelligenz von Perry Yount das Rundschreiben als das angesehen, was es war: die Verleumdung Verrückter. Doch infolge seines Zustands erlitt er einen Rückfall, nachdem er es gelesen hatte, und hätte für unabsehbare Zeit in Behandlung bleiben müssen, wenn eine Aufsichtsbehörde der Regierung sich nicht unter der Behauptung, seine Krankheit sei nicht durch seine Tätigkeit im Dienst der Regierung verursacht worden, geweigert hätte, die Krankenhauskosten für seine Behandlung zu bezahlen. Yount wurde aus dem Krankenhaus entlassen, kehrte aber nicht zur Flugsicherung zurück. Das letzte, was Keith Bakersfeld von ihm hörte, war, daß er in einer Bar im Hafen von Baltimore arbeitete und viel trank.

George Wallace verschwand von der Bildfläche. Gerüchte wollten wissen, daß er zum Militär zurückgegangen sei – zur Infanterie diesmal, nicht zur Luftwaffe – und jetzt ernste Schwierigkeiten mit der Militärpolizei habe. Gerüchten zufolge hatte Wallace wiederholt Schlägereien und Streitigkeiten vom Zaun gebrochen, bei denen er es darauf anzulegen schien, selbst körperlichen Schaden zu erleiden. Die Gerüchte wurden nicht bestätigt.

Für Keith Bakersfeld schien es so, als ob das Leben weiter seinen üblichen Gang nehmen würde. Als die Untersuchung abgeschlossen war, wurde seine vorläufige Suspension aufgehoben; sein Status und sein Rang im Regierungsdienst blieben unangetastet. Er nahm seine Arbeit in Leesburg wieder auf. Die Kollegen, die genau wußten, daß ihnen das gleiche widerfahren könnte, waren freundlich und mitfühlend. Und seine Arbeit verlief zunächst ohne jede Schwierigkeit.

Nach seinem gescheiterten Versuch, die Frage nach seinem überflüssigen Verweilen im Waschraum an jenem schicksalsvollen Tag vor dem Untersuchungsausschuß zur Sprache zu bringen, vertraute Keith sich niemandem mehr an – nicht einmal Natalie. Aber er konnte das Geheimnis nur selten aus seinem Bewußtsein verdrängen.

Zu Hause zeigte sich Natalie voller Verständnis und liebevoll wie immer. Sie spürte, daß Keith einen traumatischen Schock erlitten hatte und Zeit brauchte, sich davon zu erholen. Sie versuchte seinen Stimmungen gerecht zu werden – zu sprechen und lebhaft zu sein, wenn ihm danach zumute war, still zu sein und zu schweigen, wenn nicht. Den Jungen, Brian und Theo, erklärte sie in ruhigen, vertraulichen Gesprächen, warum auch sie Rücksicht auf ihren Vater nehmen sollten.

Dunkel begriff er, was Natalie beabsichtigte, und war ihr dankbar dafür. Ihre Methode hätte schließlich vielleicht auch Erfolg gehabt, wenn eines nicht gewesen wäre: ein Flugsicherungskontroller braucht Schlaf, und Keith fand wenig Schlaf, in manchen Nächten keinen.

In den Stunden, in denen er schlief, hatte er einen hartnäckigen Traum, in dem sich die Szene im Kontrollraum, die Augenblicke vor dem Zusammenstoß in der Luft wiederholten – die zusammenwachsenden Lichtpunkte auf dem Radarschirm – Keiths letzte verzweifelte Durchsage – die Schreie, die Stimme der kleinen Valerie Redfern...

Manchmal hatte der Traum Abweichungen. Wenn Keith versuchte, an den Radarschirm heranzukommen und George Wallace den Kopfhörer wegzunehmen, um eine Warnung durchzugeben, versagten Keith seine Gliedmaßen den Dienst, und er konnte sich nur mit quälender Langsamkeit von der Stelle bewegen, als ob die ihn umgebende Luft zäher Schlamm wäre. Sein Verstand trieb ihn unerbittlich an: Wenn er sich nur frei bewegen könnte, wäre die Tragödie abzuwenden – und sosehr er sich körperlich anstrengte und mühte, immer erreichte er sein Ziel zu spät. Bei anderen Gelegenheiten bekam er den Kopfhörer zu fassen, aber dann versagte ihm die Stimme. Er wußte, wenn er nur Worte bilden könnte, würde eine Warnung genügen, seine Brust und sein Kehlkopf blähten sich, aber er brachte keinen Ton heraus.

Doch trotz dieser Abweichungen endete der Traum stets auf die gleiche Weise: mit der letzten Durchgabe der Beech Bonanza über Funk, die er während der Untersuchung so oft von dem abgespielten Tonband gehört hatte. Und nachher lag er wach, während Natalie neben ihm schlief, dachte nach, erinnerte sich und sehnte sich nach dem Unmöglichen – den Ablauf der Vergangenheit zu ändern. Noch später wehrte er sich gegen den Schlaf, kämpfte darum, wachzubleiben, damit er die Folter des Traumes nicht noch einmal ertragen mußte.

Und in der Einsamkeit der Nacht gemahnte ihn sein Gewissen an die gestohlenen, vergeudeten Minuten im Waschraum über dem Kontrollraum; entscheidende Minuten, in denen er seinen Dienst hätte wieder übernehmen können und müssen, das aber aus Trägheit und Eigensucht versäumt hatte. Keith wußte im Gegensatz zu anderen, daß die wirkliche Verantwortung für die Redfern-Tragödie bei ihm lag, nicht bei Perry Yount. Perry war ein Opfer der Umstände, ein technisches Opfer. Perry war Keiths Freund gewesen, hatte Keith an diesem Tag vertraut, daß er gewissenhaft sein werde, so schnell in den Kontrollraum zurückzukehren wie möglich. Aber Keith, obwohl er wußte, daß sein Freund einen doppelten Dienst übernommen hatte, die zusätzliche Belastung für ihn kannte, war zweimal so lange wie nötig geblieben und hatte Perry verraten – so daß am Ende Perry Yount an der Stelle von Keith stand und angeschuldigt und verurteilt wurde. Perry für Keith – als Opferlamm.

Aber Perry lebte noch, obwohl ihm schweres Unrecht geschehen war. Die Familie Redfern war tot. Tot, weil Keith mit seinen Gedanken die Zeit vertan, im Sonnenschein gefaulenzt, einem nur halberfahrenen Mann in Ausbildung zu lange die Verantwortung überlassen hatte, die von Rechts wegen Keith zukam und für die Keith besser qualifiziert war. Es stand außer Frage: Wenn er früher zurückgegangen wäre, hätte er die eindringende T-33 entdeckt, lange ehe sie in die Nähe von Redferns Maschine gekommen wäre. Der Beweis dafür lag darin, daß er sie entdeckte, als er zurückkam – zu spät, um noch irgend etwas zu nützen.

Herum und herum – wieder und wieder in jeder Nacht – als ob er zur Tretmühle verdammt wäre – arbeitete Keiths Verstand weiter, quälte er sich, krank vor Kummer und Selbstvorwürfen. Schließlich schlief er aus reiner Erschöpfung ein, gewöhnlich, um zu träumen und wieder aufzuwachen.

Tagsüber verließ ihn der Gedanke an die Redferns ebensowenig wie nachts. Irving Redfern, dessen Frau, ihre Kinder, verfolgten Keith, obwohl er sie nie kennengelernt hatte. Die Existenz seiner eigenen Kinder, Brian und Theo – lebendig und gesund –, schien ihm ein persönlicher Vorwurf zu sein. Das eigene Leben, daß er atmetete, kam Keith wie eine Anklage vor.

Die Auswirkung der schlaflosen Nächte, der seelischen Erregung zeigte sich schnell in seiner Arbeit. Seine Reaktionen kamen langsam, seine Entscheidungen traf er zögernd. Ein paarmal verlor Keith, als er unter Druck stand, das »Bild« und mußte sich helfen lassen. Nachher erkannte er, daß er unter scharfer Beobachtung gestanden hatte. Seine Vorgesetzten wußten aus Erfahrung, was geschehen könne, und hatten derartige Anzeichen der Überlastung halb und halb erwartet.

Ungezwungen freundschaftliche Gespräche mit seinen Vorgesetzten folgten, führten aber zu nichts. Später wurde er auf einen Vorschlag aus Washington, und mit Keiths Zustimmung, von der Ostküste in den Mittelwesten versetzt – zum Dienst im Kontrollturm von Lincoln International. Ein Ortswechsel, so glaubte man, würde sich als heilsam erweisen. Behördengeist mit einem Hauch von Menschlichkeit kalkulierte auch ein, daß Keiths älterer Bruder Mel Generaldirektor auf Lincoln International Airport war. Vielleicht konnte Mel Bakersfeld einen festigenden Einfluß auf Keith ausüben. Natalie, die Maryland liebte, nahm die Umsiedlung ohne ein Wort der Klage auf sich.

Die Rechnung war nicht aufgegangen.

Keiths Schuldgefühle hielten sich hartnäckig; seine Alpträume auch; sie wuchsen sich aus und nahmen andere Formen an, obwohl die Grundform bestehenblieb. Er schlief nur mit Schlafmitteln, die ihm ein mit Mel befreundeter Arzt verschrieb.

Mel verstand das Problem seines Bruders zum Teil, aber nicht ganz. Keith behielt sein träges Verweilen im Waschraum in Leesburg noch immer als Geheimnis für sich. Mel, der beobachtete, wie Keiths Zustand sich verschlimmerte, drängte ihn, Hilfe bei einem Psychiater zu suchen, aber Keith weigerte sich. Seine

Überlegung war einfach. Warum sollte er irgendein Allheilmittel suchen, irgendeinen rituellen Hokuspokus, um seine
Schuld zu isolieren, während die Schuld eindeutig klar war und
nichts im Himmel oder auf Erden oder in der Psychiatrie etwas
daran ändern konnte?

Keiths Depression verschärfte sich, bis schließlich sogar Nata-
lies unerschütterliche Natur gegen seine Stimmungen rebellierte. Natalie hatte zwar bemerkt, daß er schlecht schlief, sie
wußte aber nichts von seinen Träumen. Eines Tages fragte sie
ihn wütend und aufgebracht: »Sollen wir für den Rest unseres
Lebens in Sack und Asche gehen? Sollen wir nie wieder eine
Freude haben und so lachen, wie wir früher gelacht haben?
Wenn du so weitermachen willst, mußt du dir aber über eins
im klaren sein: Ich will es nicht, und ich werde auch nicht zulassen, daß Brian und Theo in diesem Elend aufwachsen.«

Als Keith ihr nicht antwortete, fuhr Natalie fort: »Ich habe es
dir schon früher gesagt: Unser Leben, unsere Ehe und die Kinder sind wichtiger als deine Arbeit. Wenn du diese Arbeit nicht
mehr ertragen kannst – und warum solltest du es, wenn sie derartig anstrengend ist? –, dann gib sie jetzt auf. Suche dir etwas
anderes. Ich weiß, was du mir immer gesagt hast: Wir werden
weniger Geld haben, und du wirfst deine Pension fort. Aber
das bedeutet mir nicht alles in der Welt. Wir werden irgendwie
durchkommen. Ich will alle Plagen auf mich nehmen, die du mir
zumutest, Keith Bakersfeld; vielleicht werde ich mich gelegentlich beklagen, aber nicht oft, denn alles andere ist besser, als so
weiterzuleben.« Sie war den Tränen nahe gewesen, aber es
gelang ihr weiterzusprechen. »Ich warne dich. Ich kann es nicht
mehr lange aushalten. Wenn du so weitermachen willst, mußt
du es bald allein tun.«

Es war das einzige Mal, daß Natalie die Möglichkeit eines
Scheiterns ihrer Ehe angedeutet hatte. Es war auch das erste
Mal, daß Keith an Selbstmord dachte.

Später reifte dieser Gedanke zum festen Entschluß.

Die Tür des dunkelliegenden Umkleideraums wurde geöffnet.
Ein Schalter wurde angeknipst. Keith war wieder im Kontroll-

turm des Lincoln International Airport. Er blinzelte in dem grellen Licht.

Ein anderer Kontroller, der seine reguläre Pause hatte, kam herein. Keith packte seine unberührten Sandwiches zusammen, verschloß seinen Spind und ging zum Radarraum zurück. Der andere sah ihm neugierig nach. Keiner von beiden hatte ein Wort gesagt.

Keith fragte sich, ob die kritische Situation der KC-135 der Air Force, bei der das Funkgerät ausgefallen war, schon behoben sei. Die Aussichten sprachen dafür, daß das Flugzeug und seine Besatzung inzwischen sicher den Boden erreicht hatten. Er hoffte es. Er hoffte, daß etwas Gutes – für irgend jemand – diese Nacht geschehen würde.

Als er in den Kontrollraum trat, griff er noch einmal in die Tasche nach dem Schlüssel der O'Hagan Inn, um sich zu vergewissern, daß er noch da war. Er würde ihn bald brauchen.

IV

Es war fast eine halbe Stunde her, seit Tanya Livingston Mel Bakersfeld in der Mittelhalle des Hauptgebäudes verlassen hatte. Noch jetzt, nachdem inzwischen allerlei anderes vorgegangen war, erinnerte sie sich an die Art, wie ihre Hände sich vor dem Fahrstuhl berührt hatten, an den Ton, in dem er sagte: »Das gibt mir einen Grund, Sie heute abend noch einmal zu sehen.«

Tanya hoffte sehr, daß Mel sich ebenfalls erinnern würde, und daß er, obwohl ihr bekannt war, wie dringend er in die Stadt mußte, die Zeit finden würde, vorher noch einmal vorbeizukommen.

Der Grund, den Mel erwähnte – als ob er überhaupt einen brauchte! –, war seine Neugier auf die Mitteilung, die Tanya bekommen hatte, als sie in der Kaffeestube waren. »Flug 80 hat einen blinden Passagier an Bord«, hatte ihr Kollege von der Trans America gesagt. »Man sucht Sie, und wie ich höre, ist dieser etwas bescheuert.«

Inzwischen hatte sich erwiesen, daß der Angestellte recht gehabt hatte.

Tanya war wieder in den kleinen Empfangsraum hinter dem Buchungsschalter der Trans America gegangen, in dem sie früher am Abend die verstörte Patsy Smith getröstet hatte. Aber nun sah sie an Stelle von Patsy eine kleine alte Dame aus San Diego vor sich.

»Sie haben das wohl früher schon einmal gemacht«, begann Tanya. »Oder etwa nicht?«

»Aber ja, meine Liebe. Schon mehrmals.«

Die kleine alte Dame saß entspannt und seelenruhig da, die Hände, zierlich im Schoß gefaltet, ließen den Zipfel eines Spitzentaschentuchs sehen. Sie war korrekt schwarz gekleidet, mit einer altmodischen hochgeschlossenen Bluse, und hätte jedermanns ehrenwerte Urgroßmutter auf dem Kirchgang sein können. Statt dessen war sie erwischt worden, wie sie illegal, ohne Flugschein, zwischen Los Angeles und New York unterwegs war.

Blinde Passagiere hatte es, wie sich Tanya irgendwo gelesen zu haben erinnerte, bereits seit dem Jahre 700 vor unserer Zeitrechnung gegeben, und zwar auf Schiffen der Phönizier, die das östliche Mittelmeer befuhren. Damals war die Strafe für die, die erwischt wurden, qualvoller Tod – durch Bauchaufschlitzen für Erwachsene, Kinder dagegen wurden auf Opfersteinen lebendig verbrannt.

Seitdem sind die Strafen zwar milder, die blinden Passagiere aber nicht weniger geworden.

Tanya fragte sich, ob irgendwer, abgesehen von einem beschränkten Kreis Angestellter bei den Fluggesellschaften, sich klarmachte, daß die Zahl der blinden Passagiere in Flugzeugen epidemische Ausmaße angenommen hatte, seit Düsenmaschinen Tempo und Andrang im Passagier-Flugverkehr steigerten. Wahrscheinlich niemand. Die Fluglinien gaben sich alle Mühe, die ganze Sache unter einem Schleier zu halten, weil sie befürchteten, wenn diese Tatsachen bekannt würden, könnte ihr Kontingent an nichtzahlenden Gästen noch größer werden. Es gab aber Leute, die dahinterkamen, wie einfach sich das alles machen ließ, unter ihnen auch die kleine alte Dame aus San Diego.

Sie hieß Mrs. Ada Quonsett; das hatte Tanya in ihrer Sozialversicherungskarte festgestellt; und Mrs. Quonsett wäre zweifellos unentdeckt nach New York gekommen, hätte sie nicht einen Fehler begangen, nämlich den, ihre Reiseumstände ihrem Sitznachbarn anzuvertrauen, der alles einer Stewardeß weitererzählte. Die Stewardeß meldete es dem Kapitän, der es durch Funkspruch weitergab, und auf Lincoln International warteten ein Flugscheinkontrolleur und ein Sicherheitsinspektor darauf, die kleine alte Dame aus der Maschine herauszuholen. Sie war zu Tanya gebracht worden, deren Aufgabe unter anderem auch darin bestand, sich mit blinden Passagieren zu befassen, die zu erwischen die Gesellschaft das Glück gehabt hatte.

Tanya glättete ihren engen, gutsitzenden Uniformrock mit einer Bewegung, die ihr zur Gewohnheit geworden war. »Na schön«, sagte sie. »Ich glaube, Sie sollten mir nun lieber alles beichten.«

Die Hände der alten Dame lösten sich, und das Taschentuch veränderte etwas seine Lage. »Ja, sehen Sie, ich bin Witwe, und ich habe eine verheiratete Tochter in New York. Manchmal, da fühle ich mich so einsam, und dann möchte ich sie besuchen. Da fahre ich eben nach Los Angeles und steige in ein Flugzeug, das nach New York fliegt.«

»Einfach nur so? Ohne Flugschein?«

Mrs. Quonsett schien entsetzt zu sein. »Aber, meine Liebe, das kann ich mir doch unmöglich leisten. Ich habe ja nur meine Sozialversicherung und die kleine Pénsion, die mir mein verstorbener Mann hinterlassen hat. Ich kann gerade das Fahrgeld für den Bus von San Diego nach Los Angeles aufbringen.«

»Für den Bus bezahlen Sie jedenfalls?«

»Aber ja. Die Busleute sind sehr streng. Ich habe einmal versucht, einen Fahrschein nur bis zur ersten Haltestelle zu kaufen und einfach sitzen zu bleiben. Aber die kontrollieren in jeder Stadt, und der Fahrer merkte, daß mein Fahrschein ungültig war. Sie waren ziemlich unangenehm deswegen. Gar nicht so wie die Fluggesellschaften.«

»Ich würde aber zu gern wissen«, sagte Tanya, »warum Sie nicht den Flughafen in San Diego benutzen.«

»Ja, meine Liebe, da kennen die Leute mich leider schon.«

»Soll das heißen, daß Sie in San Diego schon einmal erwischt worden sind?«

Die kleine alte Dame neigte den Kopf. »Ja.«

»Sind Sie auch schon mit anderen Linien schwarzgeflogen, außer mit unserer?«

»O ja. Aber die Trans America ist mir am liebsten.«

Tanya gab sich Mühe, ernst zu bleiben, obgleich es ihr schwerfiel, weil das Gespräch so klang, als ginge es um einen Bummel zum Laden an der nächsten Ecke. Aber ihr Gesicht blieb ausdruckslos, als sie fragte: »Warum haben Sie die Trans America denn so gern, Mrs. Quonsett?«

»Na ja, die sind in New York immer so vernünftig. Wenn ich zwei Wochen oder so bei meiner Tochter war und wieder nach Hause möchte, dann gehe ich in ihr Flugbüro und sage es denen.«

»Sie sagen ihnen die Wahrheit? Daß Sie als blinder Passagier nach New York gekommen sind?«

»Jawohl, meine Liebe. Dann fragen die mich nach dem Datum und der Flugnummer – das schreib ich mir auf, damit ich es nicht vergesse. Dann sehen sie in irgendwelchen Papieren nach.«

»Den Passagierlisten«, sagte Tanya. Sie fragte sich: Findet diese Unterhaltung wirklich statt, oder ist sie nur Einbildung?

»Ja, meine Liebe, so heißt es, glaube ich.«

»Bitte fahren Sie fort.«

Die kleine alte Dame sah verwundert aus. »Sonst ist da weiter nichts. Danach schicken sie mich einfach nach Hause. Gewöhnlich noch am selben Tag, mit einem ihrer Flugzeuge.«

»Und das ist alles? Sonst wird gar nichts gesagt?«

Mrs. Quonsett zeigte ein freundliches Lächeln, so als sei sie beim Nachmittagstee in einem Pfarrhaus. »Nun ja, ich kriege manchmal ein bißchen Schelte. Es wird mir gesagt, ich sei ungezogen und sollte es nicht wieder tun. Aber das ist doch wirklich nicht schlimm, nicht wahr?«

»Nein, das ist es gewiß nicht«, bestätigte Tanya.

Das Unglaubliche war, daß alles so offenkundig stimmte. Die Fluggesellschaften wußten, daß dies häufig passierte. Ein blinder Passagier in spe stieg einfach in ein Flugzeug – dazu boten sich viele Gelegenheiten –, setzte sich ruhig hin und wartete auf den Abflug. Sofern der blinde Passagier die 1. Klasse vermied, in der Fluggäste leicht zu identifizieren sind, es sei denn, die Maschine war voll besetzt, war eine Entdeckung unwahrscheinlich. Richtig war, daß Stewardessen die Personen zählen und vergleichen konnten, ob ihre Zahl mit der Passagierliste des Angestellten an der Sperre übereinstimmte. In diesem Fall war der blinde Passagier zwar in Gefahr entdeckt zu werden, aber der Kontrolleur an der Sperre stand dann vor zwei Möglichkeiten. Entweder konnte er das Flugzeug abgehen lassen und auf der Passagierliste notieren, daß Personen- und Fahrscheinzahl nicht übereinstimmten, oder er konnte eine nochmalige Kontrolle der Flugscheine aller Passagiere an Bord verlangen.

Eine zweite Flugscheinkontrolle dauerte bis zu einer halben Stunde; während dieser Wartezeit wuchsen die Kosten, die es verursacht, ein Flugzeug im Werte von sechs Millionen Dollar auf dem Boden zu halten. Die Zeitpläne, sowohl im Heimatflughafen wie auf der Strecke, würden ins Wanken geraten. Passagiere, die Anschlüsse erreichen mußten oder Termine hatten, würden erbost sein und ungeduldig werden, während der Kapitän, im Gedanken an seinen Ruf bedingungsloser Pünktlichkeit, vor Wut auf den Kontrolleur schäumte. Der Kontrolleur selbst mußte auf jeden Fall zugeben, daß er irgendwo einen Fehler begangen hatte, und würde später zweifellos, wenn er keine guten Gründe für die Verspätung nachweisen konnte, vom Bezirkstransportleiter seine Abreibung bekommen. Am Ende, selbst wenn ein blinder Passagier entdeckt wurde, würde der Verlust an Geld und Goodwill die Kosten für den Freiflug eines einzelnen Individuums weit übersteigen.

So blieb für die Gesellschaft also nichts anderes übrig, als das einzig Vernünftige zu tun – sie schloß die Türen und schickte das Flugzeug auf die Reise.

Das war in der Regel das Ende. War die Maschine erst einmal unterwegs, dann waren die Stewardessen zu beschäftigt, um noch einmal die Flugscheine zu kontrollieren, und die Passagiere würden die Verzögerung und die Belästigung durch eine Kontrolle am Ende der Reise sicher nicht hinnehmen. Deshalb kam der blinde Passagier ungefragt und unbehindert davon.

Was die kleine alte Dame über den Rückflug erzählt hatte, stimmte ebenfalls. Fluggesellschaften waren der Ansicht, blinde Passagiere gäbe es einfach nicht, und falls doch einmal einer auftauchte, dann sei das ihre eigene Schuld, weil es ihnen nicht gelänge, derlei zu verhindern. Auf derselben Ebene lag, daß die Gesellschaften sich dafür verantwortlich fühlten, blinde Passagiere zu ihren Ausgangspunkten zurückzuschaffen, und da es keinen anderen Weg für ihre Beförderung gab, flogen die Täter mit regulären Flugscheinen und normalem Service, einschließlich der Verpflegung, zurück.

»Sie sind aber auch nett«, sagte Mrs. Quonsett. »Nette Menschen erkenne ich immer gleich, wenn ich ihnen begegne. Sie sind aber viel jünger als die anderen von der Gesellschaft – ich meine von denen, die ich kennenlernte.«

»Sie meinen jene, die mit Betrügern und blinden Passagieren zu tun haben.«

»Ganz richtig.« Die kleine alte Dame schien gar nicht beschämt zu sein. Ihre Augen wanderten abschätzend über Tanya. »Ich würde sagen, Sie sind achtundzwanzig.« Tanya antwortete knapp: »Siebenunddreißig.«

»Schön, Sie sehen jung und gereift aus. Das kommt vielleicht daher, daß Sie verheiratet sind.«

»Lassen wir das«, sagte Tanya. »Das wird Ihnen auch nichts helfen.«

»Sie sind aber doch verheiratet?«

»Ich war es. Jetzt nicht mehr.«

»Was für ein Jammer. Sie müßten hübsche Kinder haben. Mit roten Haaren, wie Sie selbst.«

Rotes Haar vielleicht, aber nicht mit dem Anflug von Grau darin, dachte Tanya – dem Grau, das sie heute morgen wieder festgestellt hatte. Und was die Kinder anging, da hätte sie erklären können, daß sie ein Kind habe, das zu Hause in ihrem Apartment war und hoffentlich jetzt schlief. Statt dessen sprach sie streng weiter:

»Was Sie da getan haben, ist verboten. Sie haben einen Betrug begangen. Sie haben das Gesetz übertreten. Ich nehme an, es ist Ihnen klar, daß Sie angezeigt werden können.«

Zum ersten Male flog ein Schimmer von Triumph über das arglose Gesicht der alten Frau. »Ich werde aber nicht angezeigt, nicht wahr? Sie zeigen nie jemanden an.«

Schließlich war es sinnlos, so fortzufahren, dachte Tanya. Sie wußte ja nur zu gut – und Mrs. Quonsett wahrscheinlich auch –, daß Fluggesellschaften blinde Passagiere nie anzeigten, weil sie befürchteten, daß sonst ihr Renommee und ihre Beliebtheit beim Publikum leiden würden.

Da war nur noch die eine Chance, daß weitere Fragen vielleicht für die Zukunft brauchbare Informationen herauslocken könnten.

»Mrs. Quonsett«, sagte Tanya, »da Sie nun einmal von Trans America so viele Freiflüge bekommen haben, könnten Sie uns doch wenigstens ein bißchen helfen.«

»Aber gern, wenn ich das kann.«

»Ich möchte wissen, wie Sie es anstellen, an Bord unserer Maschinen zu kommen.«

Die kleine alte Dame lächelte.

»Ja, meine Liebe, da gibt es verschiedene Wege. Ich versuche, so gut ich nur kann, immer neue zu benutzen.«

»Bitte erzählen Sie mir etwas darüber.«

»Nun, meistens bin ich früh genug am Flughafen, um mir eine Bordkarte zu beschaffen.«

»Ist das denn nicht schwierig?«

»Eine Bordkarte zu kriegen? Aber nein, das ist ganz leicht. Heutzutage benutzen die Gesellschaften ja die Schutzumschläge für die Flugscheine als Bordkarten. Also gehe ich an einen der Schalter und sage, ich hätte meinen Umschlag verloren und möchte gern einen neuen haben. Ich suche mir einen Schalter aus, an dem das Personal viel zu tun hat und vor dem viele Leute warten. Die geben mir immer einen.«

Selbstverständlich tun sie das, dachte Tanya. Es war ein ganz alltägliches Anliegen, das häufig vorkam, mit dem Unterschied, daß die meisten Leute – im Gegensatz zu Mrs. Quonsett – sich einen neuen Umschlag aus berechtigten Gründen holten.

»Aber das ist doch nur ein unausgefüllter Umschlag«, meinte Tanya. »Der ist doch nicht ausgeschrieben als Bordkarte.«

»Den fülle ich selbst aus – auf der Damentoilette. Ich habe immer ein paar alte Umschläge bei mir und weiß also, was ich zu schreiben habe. Und ich habe immer einen dicken schwarzen Stift in meiner Handtasche.« Sie legte das Taschentuch in den Schoß und öffnete ihre schwarze Perlenhandtasche. »Sehen Sie?«

»Ja, ich sehe«, sagte Tanya. Sie griff nach dem Stift und nahm ihn an sich. »Haben Sie etwas dagegen, wenn ich ihn behalte?«

Mrs. Quonsett schien das ein wenig übelzunehmen. »Der gehört wirklich mir. Aber wenn Sie ihn haben wollen, kann ich mir ja einen anderen besorgen.«

»Weiter«, drängte Tanya. »Sie haben also nun Ihre Bordkarte. Was geschieht dann?«

»Ich gehe dorthin, wo der Flug abgeht.«

»Durch die Abflugsperre?«

»Ja, richtig. Da warte ich, bis der junge Mann, der die Scheine prüft, beschäftigt ist – das ist er immer, wenn viele Menschen zu gleicher Zeit kommen. Dann gehe ich an ihm vorbei und zum Flugzeug.«

»Nun mal angenommen, es hält Sie jemand an.«

»Das tut keiner, ich habe ja eine Bordkarte.«

»Nicht einmal die Stewardessen?«

»Ach, meine Liebe, das sind ja so junge Dinger. Meistens schwatzen sie miteinander oder interessieren sich für die Männer. Das einzige, was sie sich anschauen, ist die Flugnummer, und die habe ich immer richtig.«

»Aber Sie sagten doch, Sie benutzten nicht immer eine Bordkarte.«

Mrs. Quonsett errötete. »Da muß ich Ihnen leider eine kleine Notlüge gestehen. Manchmal sage ich, ich ginge an Bord, um mich von meiner Tochter zu verabschieden – das lassen die meisten Gesellschaften zu, wissen Sie. Oder, wenn das Flugzeug von woanders herkommt, sage ich, ich ginge zu meinem Platz zurück, meinen Flugschein hätte ich im Flugzeug gelassen. Oder ich sage ihnen, mein Sohn wäre gerade an Bord gegangen, hätte aber seine Brieftasche liegenlassen, und die wollte ich ihm bringen. Dabei trage ich eine Brieftasche in der Hand und das zieht am allerbesten.«

»Ja«, bestätigte Tanya, »das kann ich mir vorstellen. Sie scheinen sich alles sehr sorgfältig ausgedacht zu haben.« Sie hatte jetzt Material genug für einen Tagesbericht an alle Abflugsperren und Stewardessen. Nur schien ihr fraglich, ob es viel nützen würde.

»Mein verstorbener Mann hat mich gelehrt, gründlich zu sein. Er war Lehrer – Geometrielehrer. Er sagte stets, man müsse alles immer von jedem Winkel aus betrachten.«

Tanya sah Mrs. Quonsett scharf an. Sollte sie vielleicht auf den Arm genommen werden?

Das Gesicht der kleinen alten Dame aus San Diego blieb ausdruckslos. »Da ist noch eine wichtige Sache, die ich noch nicht erwähnt habe.«

Auf der anderen Seite des Raums läutete ein Telefon. Tanya ging zu ihm hinüber.

»Ist diese alte Schachtel noch bei Ihnen?« Es war die Stimme des Bezirksverkehrsleiters. Der B.V.L. war für alle Vorgänge bei der Trans America auf Lincoln International verantwortlich. Im allgemeinen war er ein ruhiger, gutartiger Chef – heute war er sehr gereizt. Verständlicherweise: Drei Tage und Nächte voller Flugverspätungen, Umleitungen, verärgerter Fluggäste und unaufhörlicher Sticheleien aus dem Hauptbüro der Gesellschaft in New York taten ihre Wirkung.

»Ja«, sagte Tanya.

»Kriegen Sie was Brauchbares aus ihr heraus?«

»Eine ganze Menge. Schicke Ihnen einen Bericht.«

»Wenn Sie das tun, dann nehmen Sie aber, verflixt noch mal, Großbuchstaben, damit ich es lesen kann.«

»Jawohl, Sir.«

Das »Sir« brachte sie so spitz heraus, daß am anderen Ende einen Augenblick lang Stille eintrat. Dann brummte der B.V.L.: »Entschuldigung, Tanya. Ich glaube, ich gebe jetzt an Sie weiter, was ich von New York bekommen habe. So, wie wenn der Schiffsjunge der Schiffskatze einen Tritt versetzt, nur daß Sie keine Katze sind. Kann ich etwas für Sie tun?«

»Ich hätte gern einen einfachen Flug nach Los Angeles, noch heute abend, für Mrs. Ada Quonsett.«

»Ist das die alte Schachtel?«

»Selbige.«

Der B.V.L. fragte säuerlich: »Wohl zu Lasten der Gesellschaft?«

»Ja, leider.«

»Was mir gar nicht dabei gefällt, ist, daß die Alte ehrlichen, bezahlenden Passagieren, die schon stundenlang gewartet haben, vorgezogen werden soll. Aber ich glaube, Sie haben recht; wir sind besser dran, wenn wir sie uns vom Hals schaffen.«

»Das meine ich auch.«

»Ich werde eine Anforderung unterschreiben. Sie finden sie am Flugscheinschalter. Verständigen Sie aber ja Los Angeles, damit sie dort die alte Hexe durch die Polizei vom Flughafen schaffen lassen können.«

Tanya sagte sanft: »Sie könnte die Mutter von Whistler sein.«

Der B.V.L. brummte: »Dann soll Whistler ihr auch einen Flugschein kaufen.«

Tanya lächelte und hängte ein. Sie kehrte zu Mrs. Quonsett zurück. »Sie sagten, da wäre noch eine wichtige Sache – zur Frage, wie man an Bord von Flugzeugen kommt – die Sie mir noch nicht erzählt hätten.«

Die kleine alte Dame zögerte. Bei der Erwähnung eines Rückflugs nach Los Angeles während des Telefongesprächs war ihr Mund sichtlich schmaler geworden.

»Das meiste haben Sie mir ja schon erzählt«, drängte Tanya.

»Dann können Sie mir auch alles sagen. Wenn da noch irgendwas ist.«

»Sicher.« Mrs. Quonsett zeigte ein knappes, steifes Kopfnikken. »Ich wollte sagen, daß es am besten ist, nicht die großen Flüge zu benutzen – die wichtigen, ich meine die Non-Stop-Transkontinentalflüge. Diese Maschinen sind oft voll, und die Passagiere erhalten Platzkarten, sogar in der Touristenklasse. Das macht es ja schwerer, aber ich habe es doch einmal getan, weil ich beobachten konnte, daß nicht viele mitflogen.«

»Also, Sie nehmen Flüge, die nicht direkt durchgehen. Werden Sie da nicht bei den Zwischenlandungen erwischt?«

»Da tue ich so, als ob ich schliefe. Und gewöhnlich stört man mich nicht.«

»Diesmal aber wurden Sie gestört.«

Mrs. Quonsett preßte ihre Lippen zu einer schmalen, mißbilligenden Linie zusammen. »Das war nur die Schuld des Mannes, der neben mir saß. Der war sehr gemein. Ich hatte mich ihm anvertraut, und er verriet mich an die Stewardeß. Das hat man davon, wenn man den Menschen traut.«

»Mrs. Quonsett«, sagte Tanya. »Sie haben, glaube ich, gehört, daß wir Sie nach Los Angeles zurückschicken.«

Da zeigte sich ein kurzes Aufblitzen in den ältlichen grauen Augen. »Ja, meine Liebe. Ich hatte befürchtet, daß das passieren würde. Aber ich hätte gern eine Tasse Tee getrunken. Wenn ich jetzt also gehen kann, dann sagen Sie mir bitte, wann ich zurückkommen soll...«

»O nein!« Tanya schüttelte entschieden den Kopf. »Sie gehen nirgendwo allein hin. Sie sollen Ihre Tasse Tee haben, aber ein Angestellter wird Sie begleiten. Ich werde Ihnen einen bestellen, der bei Ihnen bleibt, bis Sie in die Maschine nach Los Angeles einsteigen. Wenn ich Sie auf diesem Flughafen hier sich selbst überlasse, weiß ich genau, was passiert: Sie säßen in einem Flugzeug nach New York, noch ehe es jemand gemerkt hätte.«

An dem für einen Augenblick feindseligen Blick, den Mrs. Quonsett ihr zuwarf, erkannte Tanya, daß sie recht hatte.

Zehn Minuten später waren alle Anstalten getroffen und ein Platz für Flug 103 nach Los Angeles reserviert, der in anderthalb Stunden startete. Es war ein Non-Stop-Flug; es sollte Mrs. Quonsett keine Möglichkeit bleiben, unterwegs auszusteigen und die umgekehrte Richtung einzuschlagen. Der B.V.L. von Los Angeles war durch Fernschreiben verständigt worden; an die Besatzung von Flug 103 erging eine Notiz.

Die kleine alte Dame war einem männlichen Angestellten der Trans America übergeben worden – einem kürzlich eingestellten jungen Mann, der ihr Enkel hätte sein können.

Tanyas Weisungen an den jungen Mann, Peter Coakley, waren präzise: »Sie haben bei Mrs. Quonsett bis zur Abflugzeit zu bleiben. Sie sagt, sie möchte Tee haben, also begleiten Sie sie in die Kaffeestube, und da soll sie Tee haben, auch etwas zu essen, wenn sie danach verlangt, doch auf dem Flug gibt es ja Abendessen. Aber gleichgültig, was sie wünscht. Sie bleiben bei ihr. Wenn sie zur Toilette muß, warten Sie draußen vor der Tür; sonst lassen Sie sie aber nicht aus den Augen. Zur Abflugzeit bringen Sie sie zur Sperre, gehen mit ihr an Bord und übergeben sie der dienstältesten Stewardeß. Erklären Sie der Stewardeß, daß Mrs. Quonsett, nachdem sie an Bord gebracht wurde, das Flugzeug aus keinerlei Gründen verlassen darf. Sie steckt voller Schliche, Tricks und glaubwürdigen Ausreden, also seien Sie vorsichtig.«

Ehe sie gingen, ergriff die kleine alte Dame den Arm des jungen Mannes. »Hoffentlich nehmen Sie es mir nicht übel, junger Mann, heutzutage braucht eine alte Dame Unterstützung, und

Sie erinnern mich so an meinen lieben Schwiegersohn. Der hat auch so gut ausgesehen, aber natürlich ist er nun ein ganz Teil älter als Sie. Ihre Fluggesellschaft scheint nette Leute zu beschäftigen.« Mrs. Quonsett blickte vorwurfsvoll zu Tanya hinüber. »Meistens wenigstens.«

»Denken Sie daran, was ich Ihnen gesagt habe«, warnte Tanya Peter Coakley. »Um Tricks ist sie nie verlegen.«

Mrs. Quonsett sagte streng: »Das ist aber nicht sehr nett. Ich bin sicher, der junge Mann wird sich sein eigenes Urteil bilden.«

Der Angestellte grinste verlegen. An der Tür drehte sich Mrs. Quonsett noch einmal um und sprach Tanya an. »Trotz der Art, wie Sie sich betragen haben, meine Liebe, sollen Sie doch wissen, daß ich Ihnen nichts nachtrage.«

Einige Minuten danach kehrte Tanya aus dem kleinen Salon, den sie für die beiden Gespräche am heutigen Abend benutzt hatte, in die Verwaltungsräume der Trans America im Zwischenstock des Hauptgebäudes zurück. Sie stellte fest, daß es Viertel vor neun war. An ihrem Schreibtisch in dem großen äußeren Büro überlegte sie sich, ob die Gesellschaft wohl zum letzten Male von Mrs. Ada Quonsett gehört habe. Tanya zweifelte daran. Auf ihrer Schreibmaschine ohne Großbuchstaben begann sie ein Memorandum an den Bezirksverkehrsleiter zu tippen:

an: bvl
von: tanya liv'stn
betr.: whistlers mami

Sie hielt ein und fragte sich, wo Mel Bakersfeld sein mochte, und ob er wohl noch kommen würde.

V

Er konnte heute abend einfach nicht in die Stadt fahren, sagte sich Mel Bakersfeld.

Er war in seinem Büro in der Verwaltungsabteilung, das im Zwischenstock lag. Mit den Fingern trommelte er nachdenklich auf seinen Schreibtisch, an dem er telefonisch die letzten Berichte über den Betriebszustand des Flughafens erhalten hatte.

Startbahn Drei-Null war noch immer unbenutzbar, noch immer durch die versackte Aéreo Mexican blockiert. Durch diesen Verlust an verfügbaren Startbahnen war nun die allgemeine Lage kritisch, und Verzögerungen im Verkehr – sowohl in der Luft wie am Boden – wurden immer schlimmer. Die Möglichkeit, den Flughafen in den nächsten paar Stunden für geschlossen erklären zu müssen, war nicht mehr von der Hand zu weisen.

Inzwischen gingen die Abflüge über Meadowood, das einem wahren Wespennest glich, weiter. Die Telefonzentrale des Flughafens wurde, ebenso wie die Flugsicherung, von empörten Anrufen von Hausbesitzern in Meadowood überschwemmt – von jenen, die zu Hause geblieben waren. Eine große Zahl war ja, wie man Mel mitgeteilt hatte, in einer Protestversammlung, und es ging das Gerücht um – der Dienstleiter des Kontrollturms hatte es vor einigen Minuten weitergegeben –, noch heute abend solle eine Art öffentlicher Demonstration auf dem Flughafen stattfinden.

Mel dachte verdrießlich: Einen Haufen Demonstranten zwischen die Füße zu bekommen, das hatte ihm gerade noch gefehlt.

Das einzig Gute war doch, daß der Notstand Alarmstufe drei gerade aufgehoben worden war, da die KC-135 der Air Force, die ihn ausgelöst hatte, sicher gelandet war. Aber die Aufhebung des einen Notstands garantierte noch nicht, daß nicht bald ein neuer Alarm gegeben werden mußte. Mel hatte das vage Unbehagen, diese Vorahnung einer Gefahr, die er vor einer Stunde draußen auf dem Flugfeld gespürt hatte, nicht vergessen. Dieses unmöglich zu definierende und zu rechtfertigende Gefühl arbeitete immer noch in ihm. Doch davon ganz abgesehen, die sonstigen Umstände genügten schon, um sein Hierbleiben zu rechtfertigen.

Cindy – die immer noch damit rechnete, daß er zu ihrem Wohltätigkeitszirkus erschiene – würde vor Wut platzen. Aber sie war ihm ja sowieso schon böse, weil er zu spät kam. Wenn er überhaupt nicht kam, mußte er sich auf einen besonders starken Wutausbruch gefaßt machen. Am besten war es, die erste Breitseite von Cindy gleich hinter sich zu bringen. Der Zettel mit der Telefonnummer, unter der er seine Frau vorhin im Stadtzentrum erreicht hatte, war noch in seiner Tasche. Er zog ihn heraus und wählte.

Wie vorher dauerte es mehrere Minuten, bis Cindy ans Telefon kam; aber überraschenderweise war nichts mehr von dem Feuer zu spüren, das sie bei dem früheren Gespräch gezeigt hatte, sondern nur eisige Kälte. Sie hörte sich Mels Erklärung schweigend an – warum es unerläßlich sei, daß er auf dem Flughafen bliebe. Weil er auf keinerlei Widerspruch stieß, womit er nicht gerechnet hatte, verfiel er darauf, sich mit umständlichen Entschuldigungen abzumühen, die für ihn selber nicht ganz überzeugend klangen. Unvermittelt brach er ab.

Es entstand eine Pause, ehe Cindy sich kühl erkundigte: »Bist du jetzt fertig?«

»Ja.«

Cindys Frage hatte sich angehört, als spräche sie mit jemand, der ihr zuwider sei und ihr nur ganz oberflächlich bekannt wäre. »Wundert mich nicht, denn ich hatte gar nicht damit gerechnet, daß du kämst. Als du sagtest, du würdest kommen, nahm ich an, es wäre, wie gewöhnlich, gelogen.«

Erregt erwiderte er: »Ich habe nicht gelogen, und es ist nicht wie gewöhnlich. Ich habe dir vorhin erklärt, wie oft ich . . .«

»Du sagtest doch, du wärst fertig.«

Mel hielt inne. Was hatte es denn für einen Sinn? Resignierend sagte er: »Rede weiter.«

»Was ich sagen wollte, als du mich unterbrachst – also wie gewöhnlich . . .«

»Cindy, um Gottes willen!«

»... wußte ich, daß du lügst, und das gab mir die Gelegenheit, nachzudenken.« Sie machte eine Pause. »Du sagst, du bist noch auf dem Flughafen.«

»Darum dreht sich diese ganze Unterhaltung...«

»Wie lange noch?«

»Bis Mitternacht, vielleicht die ganze Nacht über.«

»Dann komm ich hinaus. Du kannst mich erwarten.«

»Hör mal, Cindy, das hat keinen Zweck. Hier ist weder die Zeit noch der Ort dafür.«

»Dann nehmen wir uns die Zeit. Und für das, was ich dir zu sagen habe, ist jeder Ort gut genug.«

»Cindy, sei doch bitte vernünftig. Ich gebe ja zu, daß es Dinge gibt, die wir besprechen müssen, aber nicht...«

Mel brach ab, denn er merkte, daß er mit sich selbst sprach. Cindy hatte eingehängt. Er legte auch auf und saß nachdenklich in seinem stillen Büro da. Dann nahm er, ohne selbst zu wissen, warum, den Hörer wieder auf und wählte zum zweiten Male heute abend seine eigene Nummer zu Hause. Vorhin war Roberta am Apparat gewesen. Diesmal meldete sich Mrs. Sebastiani, ihr gewohnter Babysitter. »Ich wollte nur mal hören«, sagte Mel, »ob alles in Ordnung ist. Sind die Kinder im Bett?«

»Roberta schon, Mr. Bakersfeld. Libby ist gerade dabei.«

»Kann ich mal mit Libby sprechen?«

»Na ja – also für einen Augenblick, wenn Sie versprechen, sich kurz zu fassen.«

»Ich verspreche es.«

Mrs. Sebastiani, dachte Mel, war mal wieder die Pädagogik in Person. Wenn sie im Dienst war, verlangte sie Gehorsam, nicht bloß von den Kindern, sondern von der ganzen Familie. Er fragte sich manchmal, ob die Sebastianis – es gab da noch einen spitzmäusigen Mann – in ihrer Ehe je Gefühlsprobleme hätten. Er vermutete, daß dies wohl kaum der Fall wäre. Das würde Mrs. Sebastiani nie zulassen.

Er hörte Libbys Füße tappend näher kommen.

»Daddy«, fragte Libby, »geht das Blut in uns immer und ewig herum und herum?«

Libbys Fragen waren immer faszinierend und ausgefallen. Sie

fiel über neue Themen her, als wären es Geschenke unter dem Weihnachtsbaum.

»Nein, Liebling, nicht ewig; nichts ist ewig. Nur solange man lebt. Dein Blut ist seit sieben Jahren herumgegangen, seit dein Herz angefangen hat zu pumpen.«

»Ich kann mein Herz fühlen«, sagte Libby. »In meinen Knien.«

Er stand im Begriff zu erklären, daß Herzen nicht in den Knien säßen, und wollte von Arterien und Venen erzählen, unterließ es aber. Dafür war es ja immer noch Zeit. Daß man nur sein Herz fühlte – gleichgültig, wo es nun saß –, darauf kam es an. Libby hatte einen Instinkt für Wesentliches; zuzeiten hatte er den Eindruck, ihre kleinen Hände griffen nach den Sternen, den Sternen der Wahrheit.

»Gute Nacht, Daddy.«

»Gute Nacht, Liebling.«

Mel wußte immer noch nicht, weshalb er eigentlich angerufen hatte, aber nun war ihm wohler.

Seine Gedanken gingen zu Cindy zurück. Ja, wenn sie sich etwas vorgenommen hatte, dann führte sie es auch aus, und so war es auch höchst wahrscheinlich, daß sie später noch auf dem Flughafen erscheinen würde. Und vielleicht hatte sie recht. Es gab da grundlegende Dinge, die sie zu regeln hatten, besonders, ob die hohle Muschel ihrer Ehe den Kindern zuliebe fortdauern sollte oder nicht. Hier würden sie wenigstens ungestört und außer Hörweite der Kinder sein, die schon früher allzu viele ihrer Streitereien mit anhören mußten.

Im Augenblick gab es für Mel weiter nichts zu tun, als verfügbar zu sein. Er verließ sein Büro und trat auf die Galerie der Verwaltung hinaus, von wo das geschäftige Durcheinander des Menschenauflaufs in dem großen Flughafen zu überblicken war.

Viele Jahre würde es nicht mehr dauern, dachte Mel, bis sich die Zustände auf dem Flughafen dramatisch zuspitzen mußten. Irgend etwas mußte bald geschehen, um die unzulänglichen Methoden zu verbessern, mit der Passagiere von und an Bord der Flugzeuge kamen. Einfach einzeln ein- und auszusteigen war viel zu umständlich und langsam. Mit jedem Jahr kosteten die einzelnen Maschinen mehr und mehr Millionen: gleichzeitig wurden die Kosten für das Müßig-am-Boden-Stehenlassen größer und größer. Flugzeugkonstrukteure und Fluglinienplaner strebten danach, mehr Flugstunden, die Geld brachten, und weniger Bodenstunden, die gar keins brachten, zu erreichen.

Schon wurden Pläne für »Menschen-Container« erwogen – eine Art Riesenbehälter, die auf dem Prinzip des »Igloo« der American Airlines beruhten, wie es schon für vorgepacktes Luftfrachtgut benutzt wurde. Die meisten anderen Linien hatten ihre eigenen Varianten des Igloosystems.

Fracht-Igloos waren selbständige Behälter, die so konstruiert waren, daß sie in den Rumpf eines Düsenflugzeugs paßten. Jeder Igloo wurde im voraus mit Frachtgut von angepaßter Form und Größe beladen und konnte innerhalb von Minuten auf Rumpfhöhe gehoben und in der Maschine verstaut werden. Anders als bei den herkömmlichen Personenflugzeugen war das Innere eines Düsenfrachtflugzeugs gewöhnlich eine leere Schale. Wenn heutzutage ein reines Frachtflugzeug auf dem Flughafen landete, wurden die im Flugzeug befindlichen Igloos ausgeladen und neue eingeladen. Mit einem Minimum an Zeit und Arbeit konnte eine ganze Düsenmaschine im Nu entladen, neu beladen und für den Abflug wieder bereit sein.

»Menschen-Container«, würden eine Abwandlung der gleichen Idee sein, und Mel hatte Zeichnungen der jetzt bereits in Planung befindlichen Type gesehen. Sie sollten kleine komfortable, mit Sitzplätzen versehene Abteile enthalten, die die Passagiere an einer Kontrollstelle des Flughafens besteigen würden, und die sodann auf Zubringerbändern – ähnlich den heutigen Gepäcktransportbändern – auf eine Rampe hinaufgeschwungen wurden. Während die Insassen sitzen blieben, würden diese Container in eine Maschine geschoben, die erst einige Minuten vorher angekommen war, aber bereits andere Menschen-Container mit ankommenden Passagieren gelöscht hatte.

Und das alles würde kommen, dachte sich Mel Bakersfeld. Oder wenn nicht das, dann doch etwas Ähnliches, und zwar bald. Faszinierend war für alle, die in der Luftfahrt arbeiteten, das Tempo, mit dem phantastische Träume Wirklichkeit wurden.

Plötzlich unterbrach ein Ruf aus dem Menschengewühl unten seine Gedanken. »Hallo, Bakersfeld! Hallo, da oben!«

Mel suchte nach dem Ursprung der Stimme. Ihn festzustellen wurde aber durch die Tatsache erschwert, daß etwa fünfzig Köpfe, deren Besitzer neugierig waren, wer da gerufen wurde, gleichzeitig in die Höhe gingen. Einen Moment später identifizierte er den Rufer. Es war Egan Jeffers, ein langer, magerer Neger in hellbraunen Slaks und kurzärmeligem Hemd. Ein sehniger brauner Arm gestikulierte heftig.

»Kommen Sie mal runter, Bakersfeld. Hören Sie? Sie bekommen jetzt Ärger.«

Mel lächelte. Jeffers, der vom Flughafen die Konzession für den Schuhputzstand hatte, war eins der Originale des Flughafens. Mit einem entwaffnenden breiten Grinsen auf dem naiven Gesicht konnte er die empörendsten Behauptungen aufstellen und kam damit auch irgendwie durch.

»Ja, was ist, Egan Jeffers? Wie wäre es, wenn Sie statt dessen raufkämen?«

Das Grinsen wurde noch breiter. »Ach Quatsch. Ich habe meinen Pachtvertrag, vergessen Sie das nicht.«

»Wenn ich das tue, werden Sie mir wohl die Bürgerrechtsgesetze unter die Nase halten?«

»Genau das, Bakersfeld. Jetzt schleppen Sie Ihr Hinterteil mal hier runter.«

»Und nehmen Sie auf meinem Flughafen Ihre Zunge etwas in acht.« Immer noch amüsiert, verließ Mel die Brüstung der Galerie und ging zum Personalaufzug. Unten in der Haupthalle wartete Jeffers.

Jeffers betrieb die vier Schuhputzstände innerhalb des Flughafens. Unter den vielen Konzessionen war es nicht gerade eine der bedeutenden, denn die für Parkplätze, Restaurants und Zeitungsstände erzielten Einnahmen waren im Vergleich mit seinen astronomisch. Aber Egan Jeffers, ein ehemaliger Straßenschuhputzer, trat unverdrossen so auf, als ob er allein den Flughafen vor dem Konkurs bewahre.

»Wir haben einen Vertrag, ich und der Flughafen. Klar?«

»Klar.«

»Und in all dem verrückten Paragraphenkram heißt es, daß ich das ausschließliche Recht habe, in dieser Anlage Schuhe zu putzen. Aus-schließ-lich. Klar?«

»Klar.«

»Wie ich gesagt habe, Mann, Sie kriegen Ärger. Kommen Sie mit, Bakersfeld.«

Sie durchquerten das Menschengewimmel zu einer Rolltreppe, die zur unteren Etage führte. Jeffers nahm sie mit langen Schritten, immer zwei Stufen auf einmal. Im Vorübergehen winkte er verschiedenen Leuten freundlich zu. Weniger athletisch und auf seinen lädierten Fuß Rücksicht nehmend, folgte ihm Mel.

Am Ende der Rolltreppe, in der Nähe der Stände der Leihwagenfirmen Hertz, Avis und National, gestikulierte Egan Jeffers. »Da ist es, Bakersfeld. Sehen Sie, da! Schnappen mir die Schuhputzerei vor der Nase weg, mir und den Jungens, die für mich arbeiten.«

Mel inspizierte den Anlaß zur Klage. Auf dem Schaltertisch der Avis verkündete ein knalliges Reklameschild:

> »Einmal Schuhputzen
> während Sie warten
> Wir empfehlen uns
> Kundendienst ist alles«

Darunter befand sich auf Bodenhöhe eine rotierende Schuhputzmaschine, so aufgebaut, daß jeder, der vor dem Schalter stand, das tun konnte, was das Schild versprach.

Mel war amüsiert, mußte aber Egan Jeffers und seiner Beschwerde recht geben. Spaß beiseite: Jeffers war im Recht. Sein Vertrag besagte, daß niemand außer ihm im Flughafen Schuhe putzen durfte, ebensowenig, wie Jeffers Autos vermieten oder Zeitungen verkaufen durfte. Jeder Konzessionsinhaber genoß dieselben Rechte als Gegengabe für den erheblichen Anteil an seinen Einnahmen, den der Flughafen beanspruchte.

Während Jeffers ihn beobachtete, ging Mel zum Schalter des Autoverleihs hinüber. Er befragte seine Alarmliste – ein Büchlein mit den privaten Telefonnummern des gehobenen Flughafenpersonals. Ja, der Avisdirektor stand drin. Das Mädchen hinter dem Schalter setzte ein automatisches Lächeln auf, als er sich näherte. Mel sagte: »Lassen Sie mich mal telefonieren.«

Sie protestierte: »Sir, das ist kein öffentliches ...«

»Ich bin der Direktor des Flughafens.« Mel reichte hinüber, ergriff den Hörer und wählte. Daß er in seinem eigenen Flughafen nicht erkannt wurde, war eine häufig gemachte Erfahrung. Der größte Teil seiner Arbeit spielte sich hinter den Kulissen ab, fern von dem öffentlichen Teil, so daß viele, die dort arbeiteten, ihn nur selten zu Gesicht bekamen.

Während er auf das Rufzeichen lauschte, wünschte er sich, daß andere Probleme sich ebenso schnell und leicht lösen lassen würden wie das hier vorliegende.

Er mußte ein Dutzend Rufzeichen abwarten, und dann dauerte es noch ein paar Minuten, bis die Stimme des Direktors der Avis sich meldete: »Hier Ken Kingsley.«

»Wenn ich nun einen Wagen gebraucht hätte?« fragte Mel, nachdem er sich gemeldet hatte. »Wo stecken Sie denn nur?«

»Hab' mit der Eisenbahn meines Jungen gespielt. Das lenkt meine Gedanken von Autos ab – und von Leuten, die mich derentwegen anrufen.«

»Muß großartig sein, einen Jungen zu haben«, sagte Mel. »Ich hab' bloß Mädchen. Ist Ihr Junge technisch begabt?«

»Ein Genie von acht Jahren. Wenn Sie mal jemand brauchen, um Ihnen bei der Leitung Ihres Spielzeugflughafens zu helfen, lassen Sie es mich nur wissen.«

»Ja, das werde ich, Ken.« Mel winkte zu Egan Jeffers hinüber. »Da ist aber etwas, das er jetzt schon tun könnte: sich zu Hause eine Schuhputzmaschine aufbauen. Ich weiß zufällig, wo gerade eine überflüssig ist. Sie doch wohl auch?«

Es folgte eine Stille. Dann seufzte der Direktor der Avis auf. »Warum wollt Ihr Burschen immer eine kleine ehrliche Maßnahme zur Umsatzförderung abdrosseln?«

»In erster Linie, weil wir gemein und rachsüchtig sind. Erinnern

Sie sich an die Vertragsbestimmungen? Jede Veränderung in Ausstattung und Werbung muß vorher die Billigung der Flughafenleitung haben und dann die Klausel über Nichtschädigung der Geschäftsbetriebe anderer Pächter.«

»Ah, ich verstehe«, sagte Kingsley. »Egan Jeffers hat sich aufgeblasen.«

»Sagen wir mal, er ist nicht himmelhoch begeistert.«

»Okay, Sie haben recht. Werd' meinen Leuten sagen, sie sollen das verdammte Ding da wegtun. Hat's große Eile?«

»Nicht so schlimm. Irgendwann in der nächsten halben Stunde genügt es.«

»Sie Schuft.«

Aber Mel konnte den Avismann kichern hören, als er auflegte.

Egan Jeffers nickte beifällig, immer noch mit seinem breiten Grinsen auf dem Gesicht. Mel brütete: Ich bin der nette Flughafenclown, ich mache sie alle glücklich und zufrieden. Er wünschte nur, er könnte das gleiche für sich selber tun.

»Das haben Sie prima gemacht, Bakersfeld«, sagte Jeffers. »Bleiben Sie am Ball, damit's nicht wieder passiert.« Mit zielbewußten Schritten, immer noch grinsend, strebte er zur Rolltreppe nach oben.

Mel folgte langsamer. In der Haupthalle drängte sich vor den Ständen der Trans America eine Menschenmenge um zwei Schalter mit den Schildern:

»Sonderschalter
Flug Zwei – *The Golden Argosy*
Nonstop Rom«

In der Nähe sprach Tanya Livingston lebhaft mit einer Gruppe von Passagieren. Sie gab Mel ein Zeichen und kam einige Augenblicke später zu ihm.

»Ich darf nicht stehenbleiben. Das ist wie im Irrenhaus hier. Ich dachte, Sie wollten in die Stadt fahren?«

»Habe es mir anders überlegt«, antwortete Mel. »Aber ich dachte, Sie würden für heute Schluß machen.«

»Der Bezirksverkehrsleiter bat mich zu bleiben. Wir versuchen,

›*The Golden Argosy*‹ pünktlich wegzukriegen. Es wäre eine Prestigefrage, heißt es, aber ich habe den Verdacht, der wahre Grund ist, daß Demerest es nicht gern hat, wenn man ihn warten läßt.«

»Sie lassen sich von Vorurteilen verleiten.« Mel grinste. »Aber manchmal tue ich das auch.«

Tanya wies auf ein etwas erhöhtes Podium, das einige Meter entfernt stand und dessen Schaltertheke ringsherum lief. »Darum hat sich ja wohl alles bei dem großen Streit mit Ihrem Schwager gedreht, und deshalb ist Kapitän Demerest so böse auf Sie, nicht wahr?«

Tanya hatte auf den Flugreiseversicherungsstand gewiesen. Ein Dutzend oder mehr Leute standen vor dem runden Schalter. Die meisten von ihnen verlangten Antragsformulare für Flugreiseversicherungen. Hinter der Schaltertheke standen zwei attraktive Mädchen, von denen die eine auffallend blond und vollbusig war. Sie schrieben eifrig Policen aus.

»Ja«, gab Mel zu, »das war unsere größte Auseinandersetzung – wenigstens in letzter Zeit. Vernon und der Pilotenverband sind der Meinung, wir sollten Versicherungsschalter und Automaten für Versicherungspolicen auf Flughäfen abschaffen. Der Meinung bin ich nicht. Wir beide hatten deswegen vor dem Verwaltungsrat des Flughafens eine scharfe Auseinandersetzung. Was Vernon nicht gepaßt hat und was ihm immer noch nicht paßt, ist, daß ich gewonnen habe.«

»Das habe ich gehört.« Tanya sah Mel forschend an. »Manche von uns sind auch nicht Ihrer Meinung. In diesem Fall glauben wir, daß Kapitän Demerest recht hat.«

Mel schüttelte den Kopf. »Dann müssen wir eben verschiedener Meinung bleiben. Ich habe mich sehr viel mit der Frage beschäftigt. Vernons Argumente sind einfach unsinnig.«

Sie waren – nach Mels Ansicht – schon damals unsinnig gewesen, vor einem Monat, als Vernon Demerest auf einer Verwaltungsratssitzung des Lincoln International Airport erschien. Vernon war namens des Pilotenverbandes aufgetreten, der eine Kampagne dafür führte, den Verkauf von Versicherungen überall auf den Flughäfen zu verbieten.

214

Mel erinnerte sich deutlich an alle Einzelheiten der Sitzung.

Es war eine reguläre Versammlung des Verwaltungsrates des Flughafens an einem Mittwochmorgen im Sitzungssaal des Flughafens. Alle fünf Mitglieder des Rates waren anwesend: Mrs. Ackerman, eine attraktive dunkelhaarige Hausfrau, die dem Gerücht nach die Geliebte des Bürgermeisters war – daher ihre Ernennung –, und vier männliche Kollegen – ein Universitätsprofessor, der den Vorsitz hatte, zwei Geschäftsleute aus der Stadt und ein Gewerkschaftsfunktionär im Ruhestand.

Der Tagungsraum war ein mahagonigetäfeltes Zimmer im Verwaltungstrakt des Hauptgebäudes. Am einen Ende saßen auf einem Podium die Mitglieder des Verwaltungsrates auf bequemen Lederstühlen hinter einem schönen ovalen Tisch. Etwas tiefer stand ein bescheidener Tisch, an dem Mel Bakersfeld, umgeben von seinen Abteilungsleitern, präsidierte. Längsseits stand ein Pressetisch, und im Hintergrund befanden sich Plätze für das Publikum, da die Sitzungen nominell öffentlich waren. Der Teil für das Publikum war nur selten besetzt.

Der einzige Außenseiter bei der Sitzung war an diesem Tag Kapitän Vernon Demerest in seiner eleganten Trans-America-Uniform, deren vier goldene Ärmelstreifen, die seinen Rang bezeichneten, unter dem Oberlicht funkelten. Er saß abwartend in dem für das Publikum bestimmten Teil und hatte Bücher und Papiere auf zwei Stühlen neben sich ausgebreitet. In entgegenkommender Weise entschloß sich der Verwaltungsrat, vor der regulären Tagesordnung zuerst Kapitän Demerest anzuhören.

Demerest erhob sich. Er sprach vor dem Verwaltungsrat mit seiner gewohnten Selbstsicherheit und zog nur gelegentlich seine Notizen zu Hilfe. Er sei im Namen des Pilotenverbandes erschienen, erklärte er, bei dem er Vorsitzender der Ortsgruppe sei. Gleichwohl seien die Ansichten, die er erläutern werde, auch seine eigenen und würden von den meisten Piloten aller Linien geteilt.

Die Mitglieder des Verwaltungsrats lehnten sich in ihren bequemen Kippstühlen zurück, um ihn anzuhören.

Der Verkauf von Flugversicherungen, begann Demerest, sei

ein lächerliches, archaisches Überbleibsel aus früheren Tagen des Luftverkehrs. Allein schon die Anwesenheit von Versicherungsschaltern und -automaten und ihre auffällige Plazierung auf den Flughäfen sei für das kommerzielle Flugwesen eine Beleidigung, das im Verhältnis zu den zurückgelegten Strecken eine höhere Sicherheitsquote habe als irgendeine andere Form der Beförderung.

Würden einem Reisenden auf einem Bahnhof oder einem Busdepot, oder wenn er an Bord eines Schiffes ginge oder wenn er im eigenen Wagen aus einem Parkhaus abfuhr, spezielle Lebens- oder Unfallversicherungen mit sanftem Kaufzwang unter die Nase gehalten? Natürlich nicht.

Warum dann bei der Luftfahrt?

Demerest beantwortete seine Frage selbst. Der Grund sei, erklärte er, daß die Versicherungsgesellschaften eine Goldader erkannten, wenn sie eine vor sich sähen, und sich um die Folgen nicht kümmerten. Die Verkehrsfliegerei sei noch so neu, daß sie für viele Menschen als gefährlich gelte, trotz der nachweisbaren Tatsache, daß der Mensch in einem kommerziellen Flugzeug sicherer ist als bei sich zu Hause. Das angeborene Mißtrauen gegen das Fliegen werde durch die äußerst seltenen Flugzeugunglücke vergrößert. Der Schock wirke dramatisch und verdunkele die Tatsache, daß weit mehr Todesfälle und Verletzungen bei anderen, vertrauteren Verkehrsmitteln vorkämen.

Die Wahrheit über die Sicherheit des Fliegens, stellte Demerest fest, werde von den Versicherungsgesellschaften selbst bestätigt. Piloten, die dem Luftverkehr ja in viel höherem Grade ausgesetzt seien als Fluggäste, könnten normale Lebensversicherungen zu den üblichen Prämien abschließen und durch Sonderabmachungen mit ihrem Berufsverband sogar noch billiger als das sonstige Publikum.

Doch andere Versicherungsgesellschaften führen, durch geldgierige Flughafenleitungen gefördert und von fügsamen Fluggesellschaften geduldet, fort, Angst und Leichtgläubigkeit der Fluggäste auszubeuten.

Mel auf seinem Platz am Tisch der Flughafenleitung mußte

im stillen zugeben, daß sein Schwager eine einleuchtende Darstellung bot, wenn auch die Bezeichnung »geldgierige Flughafenleitungen« unklug war. Die Bemerkung hatte bei mehreren Mitgliedern des Verwaltungsrates, darunter bei Mrs. Ackerman, Stirnrunzeln hervorgerufen.

Vernon Demerest schien es nicht zu bemerken. »Und nun, meine Dame und meine Herren, zu dem bedeutendsten, dem entscheidenden Punkt.«

Dieser sei, erklärte er, die sehr reale Gefahr für jeden Passagier und das gesamte fliegende Personal, den das unverantwortliche, beiläufige Verkaufen von Versicherungspolicen an Schaltern im Flughafen und durch Automaten verursachte...

»Policen, die Riesensummen, Vermögen, als Rückzahlung für nur einige Dollar Prämie versprechen.«

Demerest fuhr hitzig fort: »Das System – wenn man soweit gehen will, einen schlechten Dienst an der Öffentlichkeit mit diesem Namen zu verherrlichen, und die wenigsten Piloten tun es – stellt eine in Gold gefaßte offene Aufforderung an Wahnsinnige und Verbrecher zur Sabotage und zum Massenmord dar. Sie können die primitivste Absicht haben: ihre persönliche Bereicherung oder die der von ihnen Begünstigten.«

»Herr Kapitän!« Mrs. Ackerman, die Frau unter den Mitgliedern im Verwaltungsrat, beugte sich in ihrem Stuhl vor. Ihrer Stimme und ihrem Ausdruck merkte Mel an, daß die Bemerkung »geldgierige Flughafenleitungen« sie gereizt hatte. »Herr Kapitän, wir hören so viel von Ihren Meinungen. Haben Sie auch irgendwelche Fakten, um das alles zu unterstützen?«

»Gewiß, gnädige Frau. Es gibt viele Fakten.«

Vernon Demerest hatte seine Sache gründlich vorbereitet. Mit Hilfe von Tabellen und Diagrammen legte er dar, daß Unfälle während des Flugs, durch Bomben oder andere Gewaltakte, durchschnittlich anderthalb pro Jahr betrugen. Die Motive variierten, aber eine stets vorherrschende Ursache sei finanzielle Bereicherung durch Flugversicherung. Darüber hinaus habe es Bombenanschläge gegeben, die entweder nicht gelangen oder verhindert wurden, und andere Unfälle, bei denen Sabotage vermutet, aber nicht nachgewiesen wurde.

Er nannte klassische Vorfälle: Canadian Pacific Airlines, 1949 und 1965; Western Airlines, 1957; National Airlines, 1960, und ein Verdacht auf Sabotage, 1959; zwei Mexican Airlines, 1952 und 1953; Venezuelan Airlines, 1960; Continental Airlines, 1962; Pacific Air Lines, 1964; United Air Lines, 1950 und 1955, und ein Verdacht auf Sabotage, 1965. Bei neun dieser dreizehn Vorfälle waren alle Passagiere und Besatzungsmitglieder ums Leben gekommen.

Es stimme selbstverständlich: Wenn Sabotage festgestellt worden sei, sei jede Versicherungspolice, die von den daran Beteiligten abgeschlossen worden war, automatisch für ungültig erklärt worden. Kurz: Sabotage mache sich nicht bezahlt, und normale, einsichtige Menschen wüßten das. Sie wüßten auch, daß selbst nach einem Unglück, bei dem es keine Überlebenden gab, das Wrack aber aufgefunden wurde, festgestellt werden konnte, ob eine Explosion stattgefunden hatte, und in der Regel, wodurch sie entstanden war.

Aber das seien ja keine normalen Menschen, erinnerte Demerest den Verwaltungsrat, die Bombenattentate oder brutale Gewaltakte begingen. Es seien Anomale, Psychopathen, verbrecherische Geisteskranke, gewissenlose Massenmörder. Menschen dieser Sorte seien selten einsichtig, und selbst wenn sie es wären, hätten Psychopathen die Eigenschaft, nur das wahrzunehmen, was ihnen genehm sei, und die Fakten dem anzupassen, was sie gern glauben wollten.

Mrs. Ackerman machte hier wieder eine Zwischenbemerkung; diesmal war ihre Feindseligkeit gegenüber Demerest unverkennbar: »Ich weiß nicht, ob einer von uns, selbst Sie, Herr Kapitän, qualifiziert ist, darüber zu diskutieren, was im Hirn von Psychopathen vor sich geht.«

»Ich habe doch nicht darüber diskutiert«, widersprach Demerest ungeduldig. »Auf jeden Fall ist das auch nicht der entscheidende Punkt.«

»Entschuldigen Sie, Sie haben darüber diskutiert. Und ich finde zufällig, daß es doch der entscheidende Punkt ist.«

Vernon Demerest stieg das Blut zu Kopf. Er war daran gewöhnt, zu befehlen, und nicht daran, verhört zu werden. Sein

Temperament, das ohnehin leicht reizbar war, ging mit ihm durch. »Madam, sind Sie von Haus aus so einfältig, oder geben Sie sich bewußt so beschränkt?«

Der Vorsitzende klopfte scharf mit seinem Hammer, und Mel mußte sich eisern das Lachen verbeißen.

Na, dachte Mel, jetzt könnten wir eigentlich damit Schluß machen. Vernon sollte sich ans Fliegen halten, davon versteht er was, und die Diplomatie meiden, in der er eben ausgerutscht ist. Die Aussichten, daß der Verwaltungsrat irgend etwas von dem tun würde, was Kapitän Demerest wollte, waren im Augenblick gleich Null – es sei denn, Mel half Demerest aus der Patsche. Einen Augenblick überlegte er, ob er das tun solle. Er vermutete, Demerest habe gemerkt, daß er zu weit gegangen sei. Jedenfalls war es nicht zu spät, dem, was eben passiert war, eine heitere Wendung zu geben, über die alle lachen konnten, einschließlich Mildred Ackerman. Mel hatte Geschick für derlei Sachen, verstand es, Differenzen auszugleichen und dabei beiden Seiten zu helfen, ihr Gesicht zu wahren. Er wußte auch, daß er bei Millie Ackerman einen Stein im Brett hatte; sie kamen gut miteinander aus, und stets hörte sie aufmerksam auf alles, was er sagte.

Dann sagte er sich: Ach, zum Teufel damit. Er bezweifelte, ob sein Schwager im umgekehrten Fall für ihn das gleiche tun würde. Sollte Vernon doch mit seinem verfahrenen Karren allein fertig werden. Jedenfalls würde Mel in wenigen Minuten auch das Seine zu sagen haben.

»Kapitän Demerest«, sagte der Vorsitzende kühl, »die letzte Bemerkung war nicht am Platze und ungehörig; Sie werden sie bitte zurücknehmen.«

Demerests Züge waren noch erregt. Einen Augenblick zögerte er, dann nickte er.

»Also gut, ich nehme es zurück.« Er blickte flüchtig zu Mrs. Ackerman hinüber. »Ich bitte die Dame um Entschuldigung. Vielleicht kann sie verstehen, daß dies ein Thema ist, das mir, ebenso wie dem größten Teil des Flugpersonals, sehr am Herzen liegt. Wenn es irgend etwas gibt, das mir so klar vorkommt...« Er ließ den Satz unvollendet.

Mrs. Ackermans Augen funkelten. Die Entschuldigung in dieser Form war schlecht angekommen, dachte Mel. Nun war es zu spät, Öl auf die Wogen zu gießen, selbst wenn er es gewollt hätte.

Ein anderes Mitglied des Verwaltungsrates fragte: »Kapitän Demerest, was wollen Sie nun wirklich von uns?«

Demerest trat einen Schritt vor. Seine Stimme bekam einen beschwörenden Ton. »Ich appelliere dringend an Sie, Versicherungsautomaten und den Abschluß von Versicherungen am Schalter auf diesem Flughafen abzuschaffen sowie für die Zukunft fest zuzusagen, daß Sie es ablehnen werden, je wieder Raum für besagten Zweck zu vermieten.«

»Sie möchten den Verkauf von Versicherungen völlig abschaffen?«

»Auf Flughäfen – jawohl. Ich darf mitteilen, meine Dame und meine Herren, daß der Pilotenverband andere Flughäfen drängt, dasselbe zu tun. Wir richten auch eine Eingabe an den Kongreß, Gesetze zu verabschieden, die den Verkauf von Versicherungen auf Flughäfen verbieten.«

»Aber was für einen Sinn hätte es, das für die Vereinigten Staaten zu tun, da doch der Flugverkehr international ist?«

Demerest lächelte ein wenig. »Diese Kampagne ist ebenfalls international.«

»Wieso international?«

»Wir haben die aktive Unterstützung der Pilotenvereinigungen in achtundvierzig anderen Ländern. Die Mehrzahl ist der Meinung, wenn in Nordamerika entweder die Vereinigten Staaten oder Kanada ein Beispiel gäben, würden andere folgen.«

Das gleiche Mitglied meinte skeptisch: »Ich finde, Sie alle versprechen sich ein bißchen viel.«

»Auf jeden Fall«, warf der Vorsitzende ein, »hat das Publikum doch das Recht, Flugreiseversicherungen abzuschließen, wenn es das will.«

Demerest nickte zustimmend. »Selbstverständlich. Dagegen hat auch niemand etwas.«

»Doch, Sie.« Das war wieder Mrs. Ackerman.

Um Demerests Mund spannten sich die Muskeln. »Gnädige

Frau, jeder kann jede Reiseversicherung abschließen, die er haben will. Er braucht sich nur rechtzeitig die Mühe zu machen, in eine Versicherungsagentur oder ein Reisebüro zu gehen.« Mit einem Blick streifte er die anderen Mitglieder des Verwaltungsrats. »Heutzutage haben sehr viele Leute eine allgemeine Reiseunfallversicherung. Damit können sie auf jede Reise gehen, die sie machen wollen, und sind ständig versichert. Dafür bieten sich zahlreiche Möglichkeiten. Zum Beispiel die großen Reisekreditunternehmen – Diners, American Express, Carte Blanche –, die allen ihren Kreditkarteninhabern Dauerreiseversicherungen anbieten. Sie können jedes Jahr automatisch verlängert und bezahlt werden.«

Die meisten reisenden Geschäftsleute, argumentierte Demerest, besäßen wenigstens eine der genannten Kreditkarten, und somit bedeute eine Abschaffung der Versicherungen auf den Flughäfen für die Geschäftsleute keine Härte oder Unbequemlichkeit.

»Und für alle diese Pauschalpolicen sind die Prämien niedrig. Das weiß ich, weil ich selbst eine solche Versicherung abgeschlossen habe.«

Nach einer kurzen Pause fuhr Vernon Demerest fort: »Das wichtigste bei all diesen Versicherungen ist aber, daß sie ordnungsgemäß bearbeitet werden. Die Anträge werden von erfahrenen Mitarbeitern entgegengenommen und geprüft. Zwischen Antrag und Aushändigung einer Versicherungspolice vergeht mindestens ein Tag. Aus diesem Grund sind die Chancen weit größer, einen Psychopathen, einen Geistesgestörten oder einen aus dem Gleichgewicht Geratenen festzustellen und nach seinen Absichten zu forschen. Und noch etwas ist zu bedenken: Ein Kranker oder psychisch Gestörter handelt impulsiv. Und gerade bei Flugversicherungen kommt die schnelle und vorbehaltlose Methode, durch Automaten oder an Schaltern Versicherungspolicen auszugeben, diesen Impulsen entgegen.«

»Ich glaube, wir haben inzwischen alle begriffen, worauf Sie hinauswollen«, wandte der Vorsitzende scharf ein. »Sie beginnen sich zu wiederholen, Kapitän Demerest.«

Mrs. Ackerman nickte. »Ganz meiner Meinung. Ich persönlich möchte aber auch gern hören, was Mr. Bakersfeld dazu zu sagen hat.« Die Augen der Mitglieder gingen zu Mel hinüber.

»Jawohl«, bestätigte er, »ich habe einige Bemerkungen zu machen. Aber ich möchte lieber warten, bis Kapitän Demerest völlig zu Ende gekommen ist.«

»Er ist zu Ende«, sagte Mildred Ackerman. »Das haben wir gerade festgestellt.«

Ein anderes Mitglied des Verwaltungsrates lachte, und der Vorsitzende klopfte mit dem Hammer. »Ja, ich glaube wirklich... Bitte, Mr. Bakersfeld.«

Mel erhob sich. Vernon Demerest kehrte wütend auf seinen Platz zurück.

»Ich möchte von vornherein klarstellen«, begann Mel, »daß ich in fast allem, was Kapitän Demerest vorgebracht hat, entgegengesetzter Meinung bin. Vielleicht könnte man das eine Art Familienstreitigkeit nennen.«

Die Anwesenden, die Mels Verwandtschaftsverhältnis mit Vernon Demerest kannten, lächelten, und schon lockerte sich, wie Mel wohl spürte, die gerade eben noch herrschende Spannung. Er war an solche Sitzungen gewöhnt und wußte, daß es immer das beste war, sich ungezwungen zu geben. Vernon hätte das auch herausfinden können – hätte er sich nur die Mühe gemacht, sich zu erkundigen.

»Da gibt es verschiedene Punkte, über die man nachdenken sollte«, fuhr Mel fort. »Als erstes wollen wir die Tatsache ins Auge fassen, daß die meisten Menschen eine angeborene Angst vor dem Fliegen haben, und ich bin überzeugt, daß es diese Angst immer geben wird, gleichgültig, wie große Fortschritte wir machen und wie sehr wir unsere Betriebssicherheit steigern. Der einzige Punkt, in dem ich zufällig mit Kapitän Demerest übereinstimme, ist der, daß unsere Betriebssicherheit schon jetzt ausgezeichnet ist.«

Wegen dieser angeborenen Angst, fuhr er fort, fühlen sich nun viele Passagiere durch Flugversicherungen beruhigt und sicherer. Die Leute wünschen sie. Sie wollen sie auch auf Flughäfen abschließen können, eine Tatsache, die durch den enormen Umsatz durch Automaten und Versicherungsschalter auf Flughäfen bewiesen werde. Es sei eine Frage der Freiheit, daß Fluggäste das Recht und die Möglichkeit hätten, Versicherungen abzuschließen oder nicht. Was einen vorherigen Abschluß von Versicherungen angehe, so sei es doch einfach eine Tatsache, daß Menschen dergleichen meistens vergäßen. Außerdem, fügte Mel hinzu, wenn Flugversicherungen auf diese Weise abgeschlossen würden, ginge ein Großteil der Einnahmen der Flughäfen — auch für Lincoln International — verloren. Bei der Bemerkung über Flughafeneinnahmen lächelte Mel. Die Verwaltungsräte lächelten ebenfalls.

Das war natürlich der kritische Punkt, dachte Mel: Einnahmen aus Versicherungskonzessionen waren zu wichtig, als daß man darauf verzichten konnte. Auf Lincoln International nahm der Flughafen eine halbe Million Dollar jährlich durch Provisionen aus Versicherungsabschlüssen ein, obwohl wenigen Versicherungsnehmern bekannt war, daß der Flughafen fünfundzwanzig Cent von jedem Prämiendollar beanspruchte. Doch die Versicherungen stellten nur die viertgrößte Einnahmequelle aus Konzessionen dar: Parkplätze, Restaurants und Autoverleiher brachten größere Summen in die Kassen des Flughafens. Auf anderen großen Flughäfen waren die Einnahmen aus den Versicherungen gleich hoch oder höher. Vernon Demerest, dachte Mel, kann leicht von geldgierigen Flughafenleitungen reden, aber Einnahmen dieser Größenordnung führten auch eine deutliche Sprache.

Mel hielt es für richtiger, diese Gedanken nicht auszusprechen. Sein einziger kurzer Hinweis auf die Einnahmen genügte. Der Verwaltungsrat, der mit den Finanzverhältnissen des Flughafens vertraut war, würde ihn schon verstehen.

Er zog seine Notizen zu Rate. Es waren Notizen, die ihm eine der Versicherungsgesellschaften, die auf Lincoln International arbeiteten, gestern zur Verfügung gestellt hatte. Mel hatte nicht darum gebeten und hatte auch gegenüber niemandem außerhalb seines eigenen Büros erwähnt, daß heute die Versicherungen zur Debatte standen. Aber die Versicherungsleute hatten es irgendwie in Erfahrung gebracht — es war unglaublich, wie sie das immer herausbekamen – und zum Schutz ihrer Interessen sofort gehandelt.

Mel hätte diese Notizen nicht benutzt, wenn sie seiner eigenen ehrlichen Überzeugung widersprochen hätten. Glücklicherweise war das nicht der Fall.

»Und nun«, sagte Mel, »zur Sabotage – zur potentiellen und zur anderen.« Er bemerkte, daß der Verwaltungsrat ihm interessiert zuhörte.

»Kapitän Demerest hat sich ja hierüber lang und breit ausgelassen – aber ich muß doch sagen, nachdem ich ihm aufmerksam zugehört habe, daß mir die meisten seiner Ausführungen übertrieben zu sein scheinen. Tatsächlich waren die Flugzeugunglücke, die nachweislich auf Bombenanschläge mit dem Ziel des Versicherungsbetrugs zurückgeführt werden konnten, ganz selten.«

Kapitän Demerest sprang von seinem Platz auf. »Mein Gott! – Wie viele Katastrophen brauchen wir denn?«

Der Vorsitzende klopfte scharf mit seinem Hammer. »Kapitän – ich muß sehr bitten!«

Mel wartete, bis Demerest sich wieder gesetzt hatte, und antwortete dann ruhig: »Da die Frage gestellt wurde, hier die Antwort: Keine. Angebrachter erscheint mir die Frage: Wäre es vielleicht nicht ebenfalls zu den Katastrophen gekommen, wenn auf Flughäfen keine Versicherungen abgeschlossen werden könnten?«

Mel machte eine Pause, um sein Argument wirken zu lassen, ehe er fortfuhr.

»Selbstverständlich kann eingewendet werden, daß es zu den Unglücksfällen, von denen wir sprechen, überhaupt nicht gekommen wäre, wenn auf Flughäfen keine Versicherungen abgeschlossen werden könnten. Oder mit anderen Worten, es wären Impulsivverbrechen, die durch die Leichtigkeit ausgelöst wurden, mit der man auf Flughäfen Versicherungen abschließen konnte. Gleicherweise kann behauptet werden, daß diese Verbrechen, auch wenn sie mit Vorbedacht geplant wurden, vielleicht nicht begangen worden wären, wenn Flugversicherungen weniger leicht abzuschließen wären. Das sind, wie ich glau-

be, Kapitän Demerests Argumente – und die des Pilotenverbandes.«

Mel blickte flüchtig zu seinem Schwager hinüber, der außer
einer finsteren Miene keine Reaktion zeigte.

»Die offenkundige Schwäche aller dieser Argumente liegt darin,
daß sie einzig auf Vermutungen beruhen. Mir erscheint es
ebenso wahrscheinlich, daß sich jemand, der ein solches Verbrechen plant, nicht dadurch davon abhalten läßt, daß er auf
dem Flughafen keine Versicherung abschließen kann, sondern
sich vielmehr die Versicherung anderswo besorgen muß, was
ja, wie Kapitän Demerest selbst gesagt hat, ganz einfach ist.«

Mit anderen Worten, erläuterte Mel, die Flugversicherung tau-
che bei den potentiellen Verbrechern erst als sekundärer Gedanke auf und sei kein Motiv für ihre Tat. Die wirklichen
Motive für Sabotageakte in der Luft beruhten auf uralten
menschlichen Schwächen: Dreiecksverhältnissen, Geldgier, geschäftlichen Mißerfolgen, Selbstmord.

Seit es Menschen gebe, sagte Mel, habe es sich als unmöglich erwiesen, diese Motive auszuschalten. Daher sollten jene, die sich
mit Flugsicherheit und Sabotageverhütung beschäftigten, danach trachten, nicht die Flughafenversicherung abzuschaffen,
sondern andere Abwehrmaßnahmen in der Luft und am Boden
zu verstärken. Eine dieser Maßnahmen sei eine schärfere Kontrolle des Handels mit Dynamit – des heute von Flugsaboteu-
ren am meisten benutzten Mittels. Ein anderer Vorschlag sei
die Entwicklung von »Suchschnüffelgeräten«, um Explosions-
stoffe in Gepäckstücken aufzuspüren. Ein solches Gerät sei,
wie Mel den aufmerkenden Verwaltungsratsmitgliedern dar-
legte, bereits versuchsweise in Gebrauch.

Ein dritter Gedanke, den die Flugversicherungsgesellschaften
nachhaltig verträten, sei, das Passagiergepäck vor dem Flug zu
kontrollieren, ebenso wie es beim Zoll geschehe. Jedoch, schloß
Mel, biete dieser letzte Vorschlag offensichtlich Schwierigkeiten.

Die bestehenden Gesetze gegen das Mitführen von Waffen in
Verkehrsflugzeugen müßten strenger angewendet werden, forderte er. Die Flugzeugkonstruktion solle im Hinblick auf Sabo-

tage überprüft werden, um die Maschinen gegen innere Explosionen widerstandsfähiger zu machen. In diese Richtung ziele ein Gedanke, der gleichfalls von den Versicherungsgesellschaften befürwortet werde, die Innenwände der Gepäckabteile zu verstärken und schwerer als bisher zu machen, selbst um den Preis einer Erhöhung des Gewichts und einer Verminderung der Einnahmen der Fluggesellschaften.

Der Verband der Flughafendirektoren, sagte Mel, habe die Frage der Flughafenversicherung studiert und sich danach gegen ein Verbot des Abschlusses von Versicherungen auf Flughäfen entschieden. Mel blickte zu Vernon hinüber, der finster dasaß. Beide wußten sie, daß diese Studie für die Piloten ein wunder Punkt war, denn sie stammte von dem Leiter einer Versicherungsgesellschaft – die selbst Flugversicherungen abschloß –, dessen Unparteilichkeit höchst zweifelhaft war.

Die Notizen der Versicherungsgesellschaft enthielten noch weitere Punkte, die Mel bisher noch nicht berührt hatte, aber er fand, er habe genug gesagt. Außerdem waren einige der verbliebenen Argumente wenig überzeugend. Nachdem er den Vorschlag zur Verstärkung der Gepäckräume angeführt hatte, kamen ihm ernsthafte Zweifel. Wem, fragte er sich, würde das Mehrgewicht zugute kommen: den Passagieren, den Fluggesellschaften oder vorwiegend den Versicherungen? Doch die anderen Argumente, meinte er, seien stichhaltig genug.

»Es steht also zur Entscheidung«, sagte er abschließend, »ob wir auf Grund von Annahmen und nichts weiter dem Publikum eine Dienstleistung vorenthalten sollen, die es offenbar wünscht.«

Als Mel sich wieder setzte, sagte Mildred Ackerman sofort und nachdrücklich: »Ich würde nein sagen.« Sie warf Vernon Demerest einen triumphierenden Blick zu.

Mit einem Minimum an Formalität stimmten die Herren des Verwaltungsrats zu. Darauf wurde die Sitzung und Behandlung der weiteren Tagesordnung auf den Nachmittag verschoben.

Draußen im Korridor wartete Vernon Demerest auf Mel.

»Na, Vernon!« Mel sprach schnell und bemühte sich um einen

Ausgleich, ehe sein Schwager sprechen konnte. »Du nimmst mir das doch hoffentlich nicht übel? Selbst Freunde und Verwandte müssen gelegentlich anderer Meinung sein.«

Das »Freunde« war natürlich eine Übertreibung. Mel Bakersfeld und Vernon Demerest hatten sich nie gemocht, obwohl Demerest Mels Schwester Sarah geheiratet hatte. Und beide waren sich dessen bewußt; außerdem hatte sich in letzter Zeit diese Abneigung zu einer offenen Gegnerschaft verschärft.

»Doch, verdammt noch mal, ich nehme es übel«, antwortete Demerest. Der Höhepunkt seines Ärgers war zwar überschritten, aber seine Augen waren hart.

Die Mitglieder des Verwaltungsrats kamen nacheinander aus dem Beratungszimmer und sahen die beiden neugierig an. Sie waren auf dem Weg zu ihrem Lunch. In wenigen Augenblicken würde Mel sich ihnen anschließen.

Verächtlich sagte Demerest: »Menschen wie du haben es ja leicht – bodenverhaftet, an den Schreibtisch gebunden, mit einem Spatzenhirn. Wenn du so viel in der Luft wärest wie ich, hättest du andere Ansichten.«

Mel sagte scharf: »Ich habe nicht immer an einem Schreibtisch gesessen.«

»Ach, komm, um Himmels willen, nicht mit dem ›Helden-der-Luft-Stuß‹. Jetzt bist du auf Höhe Null Komma Null. Das erkennt man daran, wie du jetzt denkst. Wenn du es nicht wärst, würdest du die Versicherungsgeschichte ebenso betrachten wie jeder Pilot mit etwas Selbstachtung.«

»Meinst du wirklich Selbstachtung und nicht Selbstanbetung?«

Wenn Vernon einen Wortstreit haben wollte, fand Mel, nur zu, das konnte er ihm bieten. Jetzt war niemand in Hörweite. »Das Schlimme bei den meisten von euch Piloten ist, daß ihr euch so daran gewöhnt habt, euch als Halbgötter und Herren der Wolken zu fühlen, daß ihr euch einredet, eure Gehirne seien gleichfalls etwas Wunderbares. Also, abgesehen von ein paar spezialisierten Gebieten sind sie es nicht. Manchmal denke ich, der Rest hat bei dir unter dem zu langen Sitzen in der verdünnten Luft oben gelitten, während die Selbststeuerung die Arbeit tut. Und wenn jemand mit einer ehrlichen Meinung auftaucht, die zufällig eurer entgegensteht, dann benehmt ihr euch wie verzogene Kinder.«

»Ich will diesen Unsinn überhören«, antwortete Demerest. »Wenn aber hier jemand kindisch ist, dann bist gerade du es. Mehr noch, du bist unehrlich.«

»Also, hör mal, Vernon . . .«

»Eine ehrliche Meinung, hast du gesagt.« Demerest schnaufte leicht angeekelt. »Ehrliche Meinung: Holzauge sei wachsam! Da drinnen hast du ein ›Merkblatt‹ einer Versicherungsgesellschaft benutzt. Daraus hast du abgelesen! Ich konnte es von meinem Platz aus sehen und habe es erkannt, weil ich das gleiche habe.« Er zeigte auf den Stoß von Papieren und Büchern, den er trug. »Du hast nicht mal den Anstand besessen, oder dir die Mühe gemacht, dir selbst deine Unterlagen auszuarbeiten.«

Mel errötete. Sein Schwager hatte ihn erwischt. Er hätte seine eigenen Unterlagen vorbereiten oder wenigstens die Notizen der Versicherungsgesellschaft überarbeiten und abtippen lassen sollen. Gewiß, er hatte in den letzten Tagen vor der Sitzung mehr als sonst zu tun gehabt, aber das war keine Entschuldigung.

»Eines Tages wird es dir vielleicht leid tun«, sagte Vernon. »Wenn das der Fall sein wird, und ich bin in der Nähe, werde ich dich daran erinnern. Bis dahin halt ich es sehr gut aus, ohne dich öfter zu sehen, als unbedingt nötig.«

Ehe Mel etwas entgegnen konnte, hatte sein Schwager sich umgedreht und entfernt.

Als Tanya in der Haupthalle des Flughafens neben ihm stand, fragte Mel sich – wie schon ein paarmal seither –, ob er sich bei dem Krach mit Vernon nicht doch hätte mehr zusammennehmen sollen. Er hatte das unbehagliche Gefühl, sich schlecht benommen zu haben. Das schloß nicht aus, daß es bei Meinungsverschiedenheiten mit seinem Schwager blieb; auch jetzt sah Mel keinen Anlaß, seine Einstellung zu ändern. Aber er hätte freundlicher sein und Taktlosigkeiten vermeiden können, die zwar zu Vernon Demerests Charakterkostüm, aber nicht zu seinem eigenen gehörten.

Seit jenem Tag hatte keine Begegnung zwischen den beiden mehr stattgefunden; bei der Fastbegegnung in der Kaffeestube heute abend hatte Mel seinen Schwager zum erstenmal wieder zu Gesicht bekommen. Mel hatte zu seiner älteren Schwester Sarah nie ein enges Verhältnis gehabt, und sie besuchten sich selten. Doch früher oder später würden die Schwäger sich begegnen müssen, wenn nicht, um ihre Differenzen zu bereinigen, so doch um sie zu applanieren. Und Mel meinte, nach den scharfen Worten im Bericht der Schneekommission zu urteilen – die fraglos durch Vernons Gegnerschaft inspiriert worden waren –, je eher, desto besser.

»Ich hätte den Versicherungskram nicht erwähnt«, sagte Tanya, »wenn ich gewußt hätte, daß er Sie so weit von mir wegtreibt.« Da diese Erinnerungen nur für ein paar Sekunden in ihm aufgestiegen waren, wunderte Mel sich wieder einmal über Tanyas Einfühlungsvermögen ihm gegenüber. Soweit er sich erinnern konnte, hatte noch nie jemand im gleichen Maß die Fähigkeit besessen, seine Gedanken zu erraten. Das sprach für eine instinktive Verbundenheit zwischen ihnen.

Er bemerkte, daß Tanya sein Gesicht beobachtete, bemerkte ihre zärtlichen, verständnisvollen Augen, doch auch die hinter der Zärtlichkeit liegende frauliche Kraft und Sinnlichkeit, die, wie er sich instinktiv sagte, zur Flamme auflodern konnte. Plötzlich wollte er, daß ihre Verbundenheit noch tiefer würde.

»Sie haben mich nicht weggetrieben«, antwortete Mel. »Sie haben mich näher zu sich gebracht. In diesem Augenblick brauche ich Sie sehr.« Als sich ihre Augen trafen, fügte er hinzu: »In jeder Weise.«

Tanya war offen wie immer. »Ich brauche Sie auch.« Sie lächelte ein wenig. »Das tue ich schon eine ganze Weile.«

Sein erster Gedanke war, aufzubrechen und zusammen einen stillen Ort zu suchen – Tanyas Apartment vielleicht – und auf alle Folgen zu pfeifen! Dann besann sich Mel aber wieder darauf, daß er ja gar nicht fort konnte. Noch nicht.

»Wir wollen uns später treffen«, versprach er ihr. »Heute abend. Ich weiß noch nicht, wie spät es werden wird, aber wir treffen uns auf jeden Fall. Gehen Sie nicht nach Hause ohne mich.«

Er wollte die Arme ausstrecken, sie umfassen, festhalten und an sich drücken, aber der Betrieb in der Haupthalle wogte um sie herum.

Sie streckte den Arm aus und legte ihre Fingerspitzen leicht auf seine Hand. Die Berührung war wie ein elektrischer Schlag. »Ich warte«, sagte Tanya, »werde warten, solange Sie wollen.« Einen Augenblick danach löste sie sich und war gleich darauf vom Gedränge der Passagiere vor den Schaltern der Trans America verschlungen.

VI

Trotz der Bestimmtheit, die Cindy Bakersfeld in dem Gespräch mit Mel vor einer Stunde gezeigt hatte, war sie unsicher, was sie als nächstes tun sollte. Wenn nur jemand dagewesen wäre, auf dessen Rat sie hätte vertrauen können. Sollte sie noch zum Flughafen fahren oder nicht?

Allein und einsam inmitten der Cocktailparty der Förderer des Hilfsfonds für die Kinder von Archidona brütete Cindy unentschlossen über die zwei Wege, die sie einschlagen konnte. Während des größten Teils des Abends war sie bisher von einer Gruppe zur anderen gewandert, hatte angeregt geplaudert und Menschen getroffen, die sie kannte oder kennenlernen wollte. Aber aus irgendeinem Grund störte es sie heute abend – mehr als sonst –, daß sie keine Begleitung hatte. Seit ein paar Minuten stand sie jetzt, tief in Gedanken versunken, allein da.

Sie überlegte wieder: Ohne Begleitung an dem Abendessen teilzunehmen, das bald beginnen würde, hatte sie keine Lust. Einerseits konnte sie also nach Hause fahren; andererseits konnte sie Mel aufsuchen und einen Streit vom Zaun brechen.

Bei dem Telefongespräch hatte sie darauf bestanden, hinauszufahren und ihn zu stellen. Wenn sie aber fuhr, sagte sich Cindy, bedeutete das wahrscheinlich eine unwiderrufliche und endgültige Auseinandersetzung zwischen ihnen beiden. Der gesunde Menschenverstand sagte ihr, früher oder später mußte diese Auseinandersetzung sowieso kommen, also je eher, desto besser; und im Zusammenhang damit gab es ja verschiedene Dinge, die geklärt werden mußten. Fünfzehn Ehejahre ließen sich nicht so einfach abschütteln wie eine entbehrliche Regenhaut. Ungeachtet vieler Mängel und Meinungsverschiedenheiten – und Cindy fielen eine Menge ein –, wenn zwei Menschen so lange miteinander lebten, gab es einige Bindungen, gefühlsmäßige und physische, die zu zerreißen schmerzlich war.

Selbst jetzt noch glaubte Cindy, ihre Ehe könne gerettet werden, wenn sie es beide ernsthaft versuchten. Die Frage war nur: Wollten sie das? Cindy war überzeugt, daß sie es wollte – wenn Mel sich einigen ihrer Bedingungen fügte, obwohl er sich bisher geweigert hatte, und sie bezweifelte sehr, daß er sich so ändern würde, wie sie es haben wollte. Doch ohne eine Änderung miteinander so weiterzuleben, wie sie es taten, war unerträglich. In letzter Zeit waren nicht einmal mehr die Tröstungen des Sex geblieben, die früher über mancherlei Mißhelligkeiten hinweggeholfen hatten. Auf diesem Gebiet war auch etwas falsch gelaufen, wenn Cindy sich auch nicht sicher war, was. Mel reizte sie körperlich immer noch; selbst jetzt noch genügte ein Gedanke an ihn in dieser Richtung, um sie zu entflammen, und im Augenblick spürte sie die Erregung im ganzen Körper. Wenn aber die Gelegenheit gegeben war, fühlten sie sich beide durch ihre psychische Kluft irgendwie gehemmt. Das Ergebnis – bei Cindy wenigstens – waren Enttäuschung, Wut und später eine solche sexuelle Gier, daß sie einfach einen Mann haben mußte. Irgendeinen Mann.

Sie stand immer noch allein in dem La-Salle-Salon der Lake Michigan Inn, wo heute abend der Presseempfang stattfand. Die Unterhaltung um sie her drehte sich meistens um den Schneesturm und die Schwierigkeiten für jeden, herzukommen; aber schließlich hatten sie es – im Gegensatz zu Mel, dachte Cindy – doch geschafft. Gelegentlich wurde auch Archidona erwähnt, was Cindy daran erinnerte, daß sie immer noch nicht herausbekommen hatte, welchem Archidona – dem in Ekuador oder dem in Spanien – *zum Teufel mit dir, Mel Bakersfeld! Also gut, ich bin nicht so gescheit wie du* – ihre Wohltätigkeit galt.

Ein Arm streifte den ihren, und eine Stimme fragte liebenswürdig: »Nichts zu trinken, Mrs. Bakersfeld? Darf ich Ihnen etwas holen?«

Cindy drehte sich um. Der Frager war ein Journalist namens Derek Eden, den sie flüchtig kannte. Sein Name erschien häufig über Artikeln in der *Sun-Times*. Wie viele seinesgleichen war er ungezwungen und selbstsicher und hatte einen Anflug von Nonchalance. Sie wußte, daß sie beide schon bei früheren Gelegenheiten voneinander Notiz genommen hatten.

»Ja, warum nicht?« antwortete Cindy. »Bourbon mit Wasser, aber seien Sie sparsam mit dem Wasser. Und bitte nennen Sie mich beim Vornamen, den wissen Sie ja wohl, denke ich.«

»Na klar, Cindy.« Die Augen des Journalisten waren voller Bewunderung und schätzten sie unverhohlen ab. Nun ja, dachte Cindy, warum nicht? Sie wußte, daß sie heute abend gut aussah; sie hatte sich gut angezogen und sorgfältig geschminkt.

»Ich bin gleich wieder da«, versicherte Derek Eden. »Laufen Sie mir also bitte nicht fort, nachdem ich Sie gerade erst gefunden habe.« Zielstrebig ging er in Richtung Bar.

Während sie wartete und die vielen Menschen im La-Salle-Salon überschaute, traf sich ihr Blick mit dem einer älteren Dame mit einem Blumenhut. Sofort lächelte Cindy herzlich, und die Dame nickte, aber ihr Blick ging weiter. Es war die Kolumnistin der Seite »Aus der Gesellschaft«. Neben ihr stand ein Fotograf, und sie bereiteten Aufnahmen vor, die wahrscheinlich morgen früh eine volle Seite in der Zeitung füllen würden. Die Frau im Blumenhut hatte mehrere der Wohltätigkeitslöwen samt deren Gäste zusammengetrommelt. Sie standen verbindlich lächelnd beieinander und versuchten, ganz ungezwungen auszusehen; in Wirklichkeit waren sie jedoch sehr geschmeichelt darüber, auserwählt worden zu sein. Cindy wußte, warum sie übergangen worden war: Allein war sie nicht wichtig genug, während sie es in Mels Begleitung gewesen wäre. Im gesellschaftlichen Leben der Stadt hatte Mel seinen Rang. Ärgerlich war nur, daß Mel auf das Gesellschaftliche pfiff.

Durch den Raum schossen die Blitzlichter des Fotografen; die Frau im Hut notierte sich Namen. Cindy hätte heulen mögen. An fast jeder Wohltätigkeitsveranstaltung beteiligte sie sich, arbeitete schwer, saß in den bescheidensten Komitees, leistete alltägliche Kleinarbeit, die gesellschaftlich prominentere Frauen ablehnten: und dann so übergangen zu werden!

Noch mal verflucht, Mel Bakersfeld! Verflucht der Sau-Schnee! Und zum Teufel mit dem anspruchsvollen, dreckigen, ehenzerstörenden Flughafen!

Der Journalist kam mit Cindys Drink und einem eigenen zurück. Während er sich seinen Weg durch den Raum bahnte, sah er, daß sie ihn beobachtete und lächelte. Er sah sehr selbstsicher aus. Wie Cindy die Männer kannte, rechnete dieser da sich jetzt wahrscheinlich aus, wie groß die Chancen wären, sie heute abend 'rumzukriegen. Reporter, nahm sie an, verstünden sich auf vernachlässigte, einsame Frauen.

Cindy stellte ihrerseits auch Überlegungen über Derek Eden an. Anfang Dreißig, dachte sie; alt genug, um etwas erlebt zu haben, jung genug, um noch das eine oder das andere dazuzulernen und in Fahrt zu kommen, so wie Cindy es gern hatte. Dem Aussehen nach körperlich gut in Form. Er würde rücksichtsvoll, vielleicht zärtlich sein; würde ebensowohl geben wie nehmen. Und er war verfügbar; schon bevor er die Drinks holen ging, hatte er das deutlich gemacht. Verständigung zwischen zwei etwas feinfühligen Menschen, die denselben Gedanken haben, dauert ja nicht lange.

Vor ein paar Minuten noch hatte sie die beiden Möglichkeiten, nach Hause oder zum Flughafen zu fahren, gegeneinander abgewogen. Jetzt schien es noch eine dritte zu geben.

»So, bitte schön.« Derek Eden reichte ihr den Drink. Sie besah ihn sich: Es war eine reichliche Menge Bourbon, und er hatte wohl dem Barmixer gesagt, nicht zu knausern. Wirklich – Männer waren doch zu plump!

»Danke schön.« Sie nippte und sah ihn über das Glas hin an.

Derek Eden setzte sein eigenes Glas an und lächelte. »Schrecklicher Lärm hier, nicht?«

Na, dachte Cindy, für einen Journalisten ist sein Dialog reichlich unoriginell. Sie nahm an, es würde nun von ihr die Antwort *Ja* erwartet, und als nächstes würde dann folgen: *Sollen wir nicht woanders hingehen, wo es ruhiger ist?* Was dann noch kommen würde, ließ sich gleichfalls vorhersagen.

Cindy schob ihre Antwort auf und trank wieder einen Schluck Bourbon.

Sie überlegte. Natürlich, wenn Lionel in der Stadt wäre, würde sie sich nicht mit diesem Mann aufhalten. Doch Lionel, der sonst ihr Sturmanker war und wünschte, sie solle sich von Mel scheiden lassen, damit er selbst sie heiraten könne – Lionel war in Cincinatti (oder war es Columbus?) mit dem beschäftigt, was Architekten so tun, wenn sie auf Reisen sind, und würde erst in zehn Tagen zurück sein. Vielleicht sogar später.

234

Mel wußte nichts von Cindy und Lionel, wenigstens nichts Genaues, obwohl Cindy vermutete, Mel hätte sie im Verdacht, sich irgendwo im Hinterhalt einen Liebhaber zu halten. Gleichzeitig hatte sie das Gefühl, daß es Mel ziemlich gleichgültig sei. Das gab ihm einen Vorwand, sich auf den Flughafen zu konzentrieren und sie selbst völlig auszuschließen; dieser verdammte Flughafen war für ihre Ehe hundertmal schlimmer als eine Geliebte.

Nicht immer war das so gewesen.

Zu Anfang ihrer Ehe, gleich nachdem Mel die Navy verlassen hatte, war Cindy stolz auf seinen Ehrgeiz gewesen. Als Mel dann später die unteren Ränge in der Flughafenverwaltung so schnell hinter sich brachte, hatte sie sich über seine Beförderungen und neuen Berufungen gefreut. Mit Mels Aufstieg war auch Cindys Stellung gewachsen – besonders gesellschaftlich, und damals hatten sie fast jeden Abend gesellschaftliche Verpflichtungen wahrgenommen. In ihrer beider Interesse nahm Cindy Einladungen zu Cocktailparties, Privatdiners, Premieren, Wohltätigkeitsabenden an – und wenn zwei Veranstaltungen auf einen Abend fielen, suchte Cindy sachkundig die wichtigere aus und sagte die andere ab. Diese Art des gesellschaftlichen Verkehrs, wobei man wichtige Leute kennenlernte, war für einen im Aufstieg begriffenen jungen Mann wichtig. Selbst Mel sah das ein. Er machte alles mit, was Cindy verabredete, ohne sich zu beklagen.

Das Unglück war nur, merkte Cindy jetzt, daß sie und Mel auf lange Sicht ganz verschiedene Ziele hatten.

Mel betrachtete ihr gesellschaftliches Leben als Mittel, seine ehrgeizigen Berufspläne zu verwirklichen; seine Karriere war für ihn die Hauptsache, der gesellschaftliche Verkehr nur ein Weg dazu, auf den er schließlich hatte verzichten können. Cindy dagegen betrachtete Mels Karriere als Sprungbrett zu einem noch umfassenderen – und gehobeneren – Gesellschaftsleben. Wenn Cindy zurückblickte, dachte sie manchmal, wenn jeder von ihnen von Anfang an den Standpunkt des anderen besser verstanden hätte, wären sie vielleicht zu einer Einigung gekommen. Leider hatten sie das versäumt.

Ihre Differenzen begannen um die Zeit, als Mel neben seiner Stellung als Generaldirektor von Lincoln International auch noch zum Vorsitzenden des Verbandes der Flughafendirektoren gewählt worden war.

Als Cindy erfuhr, daß die Tätigkeit ihres Mannes und sein Einfluß jetzt bis nach Washington reichten, war sie überglücklich. Die dann folgenden Aufforderungen, ins Weiße Haus zu kommen, und seine Beziehungen zu Präsident Kennedy ließen Cindy glauben, sie würden nunmehr in die Gesellschaft von Washington vordringen. In rosigen Tagträumen sah sie sich bereits mit Jackie oder Ethel oder Joan in Hyannis Port oder auf dem Rasen des Weißen Hauses wandeln – und fotografiert werden.

Dazu war es nicht gekommen, nicht im entferntesten. Mel und Cindy waren nicht in das Gesellschaftsleben Washingtons vorgedrungen, obwohl es ihnen ein leichtes gewesen wäre. Statt dessen begannen sie – auf Mels hartnäckige Forderung hin – manche Einladungen abzulehnen. Mel sagte sich, sein berufliches Ansehen sei nun so weit gefestigt, daß er sich nicht mehr darum zu sorgen brauche, gesellschaftlich »dazuzugehören«, einen Status zu erwerben, auf den er sowieso nie Wert gelegt hatte.

Als Cindy begriff, was vorging, explodierte sie, und es kam zu einem erstklassigen Krach. Auch das war ein Fehler. Mel fügte sich manchmal vernünftigen Überlegungen, doch Cindys Wut bewirkte gewöhnlich, daß er eigensinnig bis zur Dickköpfigkeit wurde. Ihre Auseinandersetzungen tobten eine ganze Woche lang, und je länger sie anhielten, desto zänkischer wurde Cindy und machte dadurch alles noch schlimmer. Zänkisch sein war eine von Cindys Schwächen, und sie wußte es. In der Regel gab sie sich Mühe, es nicht dazu kommen zu lassen, aber manchmal, wenn sie auf Mels Gleichgültigkeit stieß, ging ihr hitziges Temperament mit ihr durch – so wie bei dem Telefongespräch heute abend.

Nach dem eine Woche lang dauernden Streit, der nie wirklich endete, wurden ihre Kräche immer häufiger. Sie hörten auch auf, sie vor den Kindern zu verheimlichen, was sowieso nicht möglich war. Zu ihrer beider Beschämung kündigte Roberta eines Tages an, sie würde nach der Schule künftig erst einmal zu einer Freundin gehen, »weil ich hier zu Hause meine Schularbeiten nicht machen kann, wenn ihr euch zankt«.

Schließlich bildete sich ein Schema heraus. An manchen Abenden begleitete Mel Cindy zu Veranstaltungen, an anderen Abenden blieb er um Stunden länger auf dem Flughafen und kam sehr spät nach Hause. Cindy, die sich sehr allein fühlte, konzentrierte sich auf das, was Mel spöttisch »Nachwuchs-Wohltätigkeit« und »alberne gesellschaftliche Klettertouren« nannte.

Schön, dachte Cindy, vielleicht sah es für Mel manchmal albern aus. Aber sie hatte sonst nichts, und so kam es, daß ihr dieser Wettstreit um die gesellschaftliche Stellung – was er ja in Wirklichkeit war – Spaß machte. Für einen Mann war es schließlich leicht, das zu kritisieren; Männern standen viele Möglichkeiten offen, ihre Zeit auszufüllen. Bei Mel waren es seine Karriere, sein Flughafen, seine Verantwortung. Und was sollte Cindy tun? Den ganzen Tag zu Hause sitzen und Staub wischen?

Über ihre Geistesgaben machte Cindy sich selbst nichts vor. Sie besaß keine große Intelligenz und wußte, daß sie sich in dieser Hinsicht mit Mel geistig nicht messen konnte. Das war aber doch nichts Neues. In der Anfangszeit ihrer Ehe hatte Mel ihre kleinen Torheiten immer amüsant gefunden, was er heute, wenn er sie verspottete – wie er es sich in letzter Zeit angewöhnt hatte –, ganz vergessen zu haben schien. Cindy war auch realistisch gegenüber ihrer früheren Karriere als Schauspielerin. Sie wäre niemals ein Star geworden, bei weitem nicht. Es stimmte, in der Vergangenheit hatte sie manchmal angedeutet, sie hätte es wohl geschafft, wenn ihre Heirat nicht ihre Karriere abgebrochen hätte. Aber das war lediglich eine Form von Selbstschutz, eine Notwendigkeit, andere – darunter auch Mel – daran zu erinnern, daß sie auch ein Mensch für sich war, nicht nur die Frau des Flughafendirektors. Im Inneren kannte Cindy die Wahrheit, daß sie als Schauspielerin kaum jemals über kleine Rollen hinausgekommen wäre.

Das Aufgehen im Gesellschaftsleben – das Sich-in-Szene-Setzen in der lokalen Gesellschaft – war Cindys Element. Es gab ihr das Gefühl, eine Persönlichkeit zu sein und Format zu haben. Und wenn Mel auch spottete und nicht wahrhaben wollte, daß das, was Cindy erreicht hatte, eine Leistung war, so hatte sie es doch geschafft, aufzusteigen, von gesellschaftlich prominenten Leuten, mit denen sie sonst nicht zusammengetroffen wäre, für voll genommen zu werden und an Veranstaltungen, wie der heute abend, teilzunehmen ... mit der einen Einschränkung, daß sie Mels Begleitung gebraucht hätte, Mel aber, der wie immer zuerst an seinen verfluchten Flughafen dachte, sie im Stich gelassen hatte.

Mel, der in so hohem Maß Individualität und Prestige besaß, hatte nie Verständnis für Cindys Bedürfnis aufgebracht, auch für sich selbst Anerkennung als Persönlichkeit zu finden. Sie zweifelte, ob ihm das je gelingen würde.

Trotz alledem war Cindy ihren Weg gegangen. Auch für die Zukunft hatte sie ihre Pläne, von denen sie wußte, daß sie einen ungeheuren häuslichen Kampf auslösen würden, wenn sie und Mel verheiratet blieben. Es war Cindys Ehrgeiz, ihre Töchter, Roberta und später auch Libby, als Debütantinnen für den Passavant-Ball anzumelden, diesen glänzenden Höhepunkt der Debütanten-Saison von Illinois. Als Mutter der Töchter würde ihre eigene gesellschaftliche Stellung an Ansehen gewinnen.

Diesen Gedanken hatte sie bei Gelegenheit einmal Mel gegenüber erwähnt, der ärgerlich reagiert hatte: »Nur über meine Leiche!« Debütantinnen mit ihren törichten, stupide lächelnden Müttern, belehrte er Cindy, gehörten vergangenen Zeiten an. Debütantinnen-Bälle – Gott sei Dank gebe es die ja nur noch selten – seien eine anachronistische Fortsetzung eines Snobismus und einer Klassengesellschaft, die das Land glücklicherweise überwunden habe, wenn auch – da es immer noch Leute gab, die so dachten wie Cindy – nicht gründlich genug. Mel wollte, die Kinder sollten in der Erkenntnis aufwachsen, daß sie nichts anderes waren als die anderen, nicht aber in der dünkelhaften, irregeleiteten Vorstellung, sie wären gesellschaftlich etwas Besseres. Und so fort.

Im Gegensatz zu sonst hatte Mel, dessen Grundsatzerklärungen in der Regel kurz und präzis waren, sich noch eine ganze Weile über das Thema ereifert.

Lionel dagegen war der Meinung, das sei ein guter Gedanke.

Lionel war Lionel Urquhart. Im Augenblick geisterte er in Form eines Fragezeichens durch Cindys Leben.

Seltsamerweise war es Mel, der Cindy und Lionel zusammengebracht hatte. Mel machte sie bei einem Essen der Stadtverwaltung miteinander bekannt, an dem Lionel teilnahm, weil er irgend etwas als Architekt für die Stadt geleistet hatte, und Mel, weil er Direktor des Flughafens war. Die beiden kannten sich seit Jahren flüchtig.

Später rief Lionel Cindy dann an, und sie trafen sich ein paarmal zu einem Frühstück oder einem Essen, dann häufiger, und schließlich kam es auch zur letzten Intimität zwischen Mann und Frau.

Im Gegensatz zu vielen, für die das außereheliche Liebesleben nichts Ungewöhnliches ist, hatte Lionel die Affäre äußerst ernst genommen. Er lebte allein, nachdem er sich vor einigen Jahren von seiner Frau getrennt hatte, war aber nicht geschieden. Jetzt wollte er sich scheiden lassen und wünschte von Cindy das gleiche, damit sie heiraten konnten. Inzwischen hatte er auch erfahren, daß Cindys Ehe brüchig war.

Lionel und seine ihm entfremdete Frau hatten keine Kinder gehabt, was er, wie er Cindy anvertraute, aufs höchste bedauerte. Es sei noch nicht zu spät für Cindy und ihn selbst, ein Kind zu haben, wenn sie bald heirateten, erklärte er. Außerdem würde es ihn überglücklich machen, Roberta und Libby ein Heim zu bieten, und er würde sich die größte Mühe geben, ihnen den Vater zu ersetzen.

Cindy hatte aus verschiedenen Gründen eine Entscheidung hinausgeschoben. In erster Linie hoffte sie, die Beziehungen zwischen ihr und Mel würden sich wieder bessern, und ihre Ehe würde wieder der ähnlicher werden, die sie früher einmal geführt hatten. Mit Bestimmtheit konnte sie nicht sagen, ob sie Mel noch liebte. Liebe, fand Cindy, war etwas, dem gegenüber man mit den Jahren skeptischer wurde. Aber schließlich war sie an Mel gewöhnt. Er war nun einmal da; auch Roberta und Libby; und wie viele Frauen fürchtete Cindy sich vor einer großen Umwälzung in ihrem Leben.

Anfänglich befürchtete sie auch, eine Scheidung und eine Wiederverheiratung könnten ihr gesellschaftlich schaden. In diesem Punkt hatte sie jedenfalls ihre Meinung geändert. Viele Menschen waren geschieden worden, ohne aus der Gesellschaft zu verschwinden, und man konnte Frauen begegnen, die von der einen Woche zur nächsten ihren Mann gewechselt hatten. Manchmal hatte Cindy den Eindruck, es sei ein bißchen spießig, nicht wenigstens einmal geschieden zu sein.

Es war möglich, daß die Heirat mit Lionel Cindys gesellschaftlichen Status verbesserte. Lionel war für Empfänge und Geselligkeiten viel eher zu haben als Mel. Auch waren die Urquharts eine alte, geachtete Familie in der Stadt. Lionels Mutter residierte gleich einer Königinwitwe in einem alten verfallenen Haus nahe dem Drake-Hotel, wo ein altmodischer Butler die Gäste empfing und eine gichtgeplagte Zofe auf einem silbernen Tablett den Fünfuhrtee servierte. Lionel hatte Cindy eines Tages zum Tee mitgenommen. Hinterher hatte er berichtet, Cindy habe einen guten Eindruck gemacht, und er sei sicher, er könne seine Mutter überreden, die Patenschaft über Roberta und Libby als Debütantinnen zu übernehmen, wenn es soweit wäre.

Um diese Zeit hätte Cindy sich wegen der immer schärfer werdenden Differenzen mit Mel Hals über Kopf entschieden und sich Lionel ausliefern können, wenn da nicht noch etwas anderes gewesen wäre. Auf sexuellem Gebiet war Lionel eine Niete.

Er gab sich große Mühe, und gelegentlich schaffte er es auch, sie zu überraschen, doch meistens war er bei ihren Liebesstunden wie eine Uhr, deren Werk kurz vor dem Stehenbleiben war. Düster sagte er eines Abends nach einem ergebnislosen Beisammensein im Schlafzimmer seines Apartments, das für beide enttäuschend gewesen war: »Du hättest mich kennen sollen, als ich achtzehn war. Da war ich ein junger Draufgänger.« Bedauerlicherweise hatte Lionel die Achtzehn lange hinter sich; er war achtundvierzig.

Cindy war sich darüber klar, wenn sie Lionel heiratete und sie erst zusammen lebten, würde sich selbst ein so bescheidenes Liebesleben, wie sie es jetzt genossen, bald in nichts auflösen. Natürlich würde Lionel trachten, es auf andere Weise auszugleichen – er war freundlich, großzügig, rücksichtsvoll –, aber war das genug? Cindy war sexuell keineswegs auf absteigender Linie. Sie war stets sehr sinnlich gewesen, und in letzter Zeit hatten ihr Verlangen und ihr sexuelles Bedürfnis anscheinend zugenommen. Aber wenn Lionel auf diesem Gebiet versagte, so ging es ihr in dieser Hinsicht mit Mel im Augenblick keineswegs besser. Was spielte es also für eine Rolle? Im ganzen gesehen, würde sie mit Lionel besser fahren.

Vielleicht war es die Lösung, Lionel zu heiraten und Liebhaber anderswo zu finden. Letzteres mochte schwierig werden, besonders solange sie jung verheiratet war, aber wenn sie es vorsichtig anfing, mußte es gehen. Sie wußte von anderen – Männern wie Frauen, und manche in hohen Stellungen –, daß sie das auch taten, um ihre körperlichen Bedürfnisse zu befriedigen, ihre Ehen aber intakt zu halten. Schließlich war es ihr auch geglückt, Mel zu betrügen. Vielleicht hatte er ganz allgemein einen Verdacht, aber Cindy war überzeugt, daß Mel weder von Lionel noch einem anderen etwas Genaues wußte.

Nun, und heute abend? Sollte sie zum Flughafen zu einer endgültigen Abrechnung mit Mel fahren, wie sie vorhin beschlossen hatte? Oder sollte sie sich für den Abend mit diesem Journalisten Derek Eden einlassen, der neben ihr stand und auf Antwort auf seine Frage wartete.

Cindy kam die Idee, sie könne vielleicht beides schaffen.

Sie lächelte Derek Eden an. »Ach, bitte noch mal. Was haben Sie gesagt?«

»Es ist so laut hier.«

»Ja, das stimmt.«

»Wir sollten das Essen schießenlassen und wohin gehen, wo es ruhiger ist.«

Cindy hätte laut herausplatzen können. Statt dessen nickte sie. »Warum nicht.«

Sie überblickte die anderen Gäste auf dem Presseempfang des

Unterstützungsfonds für die Kinder von Archidona. Die Fotografen hatten ihre Aufnahmen gemacht. Für sie bestand also kein Grund mehr, länger zu bleiben. Sie konnte still und unauffällig verschwinden.

Derek Eden fragte: »Haben Sie Ihren Wagen da, Cindy?«

»Nein. Sie?« Des Wetters wegen war Cindy im Taxi gekommen. »Ja«, antwortete er.

»Also gut«, sagte sie. »Aber ich will nicht mit Ihnen zusammen rausgehen. Wenn Sie aber in Ihrem Wagen draußen warten, komme ich in fünfzehn Minuten durch den Haupteingang.«

»Sagen wir lieber in zwanzig Minuten. Ich habe noch ein paar Telefonate zu erledigen.«

»Gut.«

»Haben Sie einen besonderen Wunsch? Ich meine, wo wir hingehen sollen?«

»Das überlasse ich ganz Ihnen.«

Er zögerte, ehe er fragte: »Möchten Sie lieber erst essen?«

Amüsiert dachte sie: Das »erst« ist eine Ankündigung, um ihr vollkommen klarzumachen, auf was sie sich einließ.

»Nein«, antwortete Cindy. »Ich habe nicht viel Zeit. Ich muß später noch woanders hin.«

Sie sah, wie Derek Eden den Blick senkte und dann wieder zu ihrem Gesicht aufsah. Sie bemerkte, wie er Atem holte, und hatte den Eindruck, daß er an sein eigenes Glück nicht recht glauben könne. »Sie sind großartig«, sagte er. »Ich kann an mein Glück erst richtig glauben, wenn Sie aus der Tür herauskommen.«

Damit entfernte er sich und verließ unbemerkt den La-Salle-Salon. Eine viertel Stunde später folgte ihm Cindy unbeachtet.

Sie holte ihren Mantel, und als sie aus der Lake Michigan Inn trat, zog sie ihn fester um sich. Draußen fiel immer noch Schnee, und ein eisiger, heulender Wind fegte über die offene Fläche des Lakeshore und des Outer Drive. Das Wetter erinnerte Cindy wieder an den Flughafen. Vor ein paar Minuten hatte sie einen festen Entschluß gefaßt: sie würde noch hinausfahren, später am Abend; jetzt war es noch zu früh – nicht einmal halb zehn –, und es war noch reichlich Zeit – für alles.

Ein Portier verließ seinen geschützten Platz hinter der Tür und tippte an seine Mütze. »Taxi, Ma'am?«

»Nein, danke.«

In diesem Augenblick gingen an einem Wagen auf dem Parkplatz die Scheinwerfer an. Der Wagen fuhr an, geriet einmal auf dem lockeren Schnee ins Rutschen und fuhr dann auf den Eingang zu, vor dem Cindy stand. Der Wagen war ein mehrere Modelle alter Chevrolet. Sie sah, daß Derek Eden am Steuer saß.

Der Portier öffnete die Wagentür, und Cindy stieg ein. Als die Tür ins Schloß klappte, sagte Derek Eden: »Tut mir leid, daß der Wagen so kalt ist. Ich mußte die Zeitung anrufen und dann ein paar Abmachungen für uns treffen. Ich bin gerade eben vor Ihnen angekommen.«

Cindy schauderte und zog ihren Mantel noch fester um sich. »Egal, wo wir hinfahren. Ich hoffe nur, daß es warm ist.«

Derek Eden griff nach ihrer Hand. Da Cindys Hand auf ihrem Knie lag, umfaßte er das ebenfalls. Einen Moment spürte sie, wie seine Finger sich regten, dann legte er seine Hand wieder aufs Lenkrad. Er sagte verhalten: »Sie werden warm werden. Das verspreche ich Ihnen.«

VII

Fünfundvierzig Minuten vor dem planmäßigen Abflug des Flugs Zwei der Trans America – *The Golden Argosy*, unter dem Kommando von Kapitän Demerest um 22 Uhr – waren die letzten Vorbereitungen für den fünftausend Meilen weiten Nonstopflug nach Rom in vollem Gange. Die grundlegenden Vorbereitungen liefen schon seit Monaten, Wochen und Tagen, weitere, unmittelbare waren während der letzten vierundzwanzig Stunden fortgesetzt worden.

Der Abflug einer Verkehrsmaschine von einem großen Flughafen gleicht einem Fluß, der ins Meer mündet. Ehe er seine Mündung erreicht, wird der Fluß von Nebengewässern gespeist, deren Ursprünge zeitlich und räumlich weit entfernt liegen und in die ihrerseits während ihres Laufs größere oder kleinere Zuflüsse einmünden. Schließlich bildet der Fluß selbst an seiner Mündung die Summe von allem, was in ihn eingeströmt ist. In die Sprache der Luftfahrt übertragen bedeutet das: Der ins Meer mündende Fluß gleicht einem Verkehrsflugzeug im Augenblick des Starts.

Eins der wichtigsten Güter, die an Bord genommen wurden, war die Verpflegung. Fünfundsiebzig Minuten vor der Startzeit hatte die Abflugkontrolle bei der Vertragsküche der Gesellschaft angerufen und das Essen für den Flug, der Zahl der erwarteten Passagiere entsprechend, bestellt. Heute abend würden im Erste-Klasse-Abteil bei Flug Zwei nur zwei Plätze unbesetzt bleiben; die Touristenklasse würde zu drei Vierteln gefüllt sein. Der Ersten Klasse wurden wie üblich sechs zusätzliche Portionen zugebilligt; für die Touristenklasse gab es die gleiche Anzahl Portionen wie Passagiere. Daher konnte ein Passagier Erster Klasse eine zusätzliche Mahlzeit erhalten, wenn er sie verlangte; ein Passagier der Touristenklasse aber nicht.

Doch trotz der genauen Zählung bekam auch ein Fluggast, der erst in letzter Minute dazukam, eine Mahlzeit. Reserveportionen – einschließlich koscherer Speisen – standen in Behältern in der Nähe der Ausgänge zur Verfügung. Wenn ein unerwarteter Fluggast an Bord kam, während die Ausgänge schon geschlossen wurden, wurde noch ein Tablett mit seiner Verpflegung gleichzeitig mit ihm in die Maschine gebracht.

Auch die Getränke, für die eine von der Ersten Stewardeß unterschriebene Empfangsbescheinigung verlangt wurde, kamen an Bord. Passagiere Erster Klasse erhielten die Getränke gratis; Passagiere der Touristenklasse bezahlten für den Drink einen Dollar oder den Gegenwert in anderen Währungen, wenn sie sich nicht eine kleine Information für Eingeweihte zunutze machten. Die Information bestand darin, daß den Stewardessen so gut wie kein Wechselgeld, manchmal überhaupt keins, ausgehändigt wurde, und wenn eine Stewardeß nicht herausgeben konnte, hatte sie die Anweisung, dem oder der Reisenden das Getränk umsonst zu überlassen. Mancher regelmäßig Reisende hat in der Touristenklasse jahrelang kostenlos getrunken, nur weil er beim Bezahlen eine Fünfzig- oder Zwanzigdollarnote anbot und hartnäckig behauptete, er habe kein kleineres Geld.

Zur gleichen Zeit, während Verpflegung und Getränke an Bord kamen, wurde das übrige bewegliche Inventar der Maschine überprüft und ergänzt. Es umfaßte einige hundert verschiedene Posten, die von Windeln über Decken, Kissen, Tüten für Luftkranke und einer Gideonbibel zu Einrichtungsstücken wie »Tablett zum Getränkeservieren, für acht Gläser, Größe: 5« reichten. Alle diese Gegenstände konnten ersetzt werden. Nach Beendigung eines Flugs machten sich die Gesellschaften nie die Mühe, das Inventar zu überprüfen. Was fehlte, wurde ohne weitere Fragen ergänzt, und deshalb wurden Passagiere, die irgend etwas unter dem Arm mitgehen ließen, nur selten angehalten.

Zu der gelieferten Ausstattung gehörten auch Zeitschriften und Zeitungen. Zeitungen wurden im allgemeinen auf dem Flug verteilt – mit einer Ausnahme. Bei der Trans America galt die Anweisung: Wenn eine Zeitung auf der ersten Seite über eine Flugzeugkatastrophe berichtete, wurde sie nicht an Bord der Maschine gelassen, sondern weggeworfen. Die gleiche Bestimmung bestand bei den meisten anderen Gesellschaften.

Für Flug Zwei standen heute abend genug Zeitungen zur Verfügung. Die wichtigste Nachricht befaßte sich mit dem Wetter – den Auswirkungen des dreitägigen Schneesturms auf den gesamten Mittelwesten.

Nachdem sich jetzt die Passagiere an den Schaltern einfanden, begann auch Gepäck an Bord zu kommen. Nachdem ein Passagier seinen Koffer bei der Gepäckannahme hatte verschwinden sehen, wurde der Koffer über eine Reihe von Transportbändern in einen Raum tief unter den Ausgangstoren gebracht, den das für Gepäck zuständige Personal unter sich »die Löwengrube« nannte. Diesen Namen hatte er erworben, weil – wie die Gepäckleute nach mehreren Gläsern vertraulich preisgaben – nur die Tapferen oder Naiven zuließen, daß ein Koffer, an dem ihnen gelegen war, dorthin gelangte. Mancher Koffer erreichte – wie leidgeprüfte Besitzer bezeugen konnten – die Löwengrube und ward nie wieder gesehen.

In dem Raum kontrollierte ein diensthabender Angestellter jeden ankommenden Koffer. Dem Anhänger mit dem Bestimmungsort entsprechend betätigte er dann einen Hebel an einer Schalttafel, und einen Augenblick später reckte sich ein mechanischer Arm aus, der den Koffer ergriff und ihn neben anderen für den gleichen Flug abstellte. Von diesem Augenblick an beförderten andere, eine ganze Mannschaft, die Koffer weiter zu den richtigen Flugzeugen.

Es war ein ausgezeichnetes System – wenn es funktionierte. Unglücklicherweise tat es gerade das recht oft nicht.

Die Gepäckbeförderung war – das gaben die Fluggesellschaften vertraulich zu – die unbefriedigendste Seite im Flugverkehr. In einer Zeit, in der die menschliche Erfindungsgabe eine Raumkapsel von der Größe eines Hausboots in den Weltraum befördern konnte, war Tatsache, daß ein Passagier sich nicht darauf verlassen konnte, daß sein Koffer zuverlässig in Pine Bluff, Arkansas oder Minneapolis-St. Paul und gar noch zur gleichen Zeit wie der Reisende selbst eintreffen werde. Eine erstaunliche Menge von Fluggepäck – von hundert Koffern mindestens einer – wurde an einen falschen Bestimmungsort gebracht, kam verzögert an oder ging ganz und gar verloren. Direktoren der Fluggesellschaften wiesen wehklagend auf die vielen Möglichkeiten für menschliches Versagen bei der Gepäckbeförderung hin. Rationalisierungsfachleute überprüften in regelmäßigen Abständen das System der Gepäckbehandlung bei den Fluggesellschaften, und in regelmäßigen Abständen wurde es verbessert. Doch noch keiner hatte ein System entwickelt, das unfehlbar war oder dem wenigstens nahekam. Infolgedessen beschäftigten alle Fluggesellschaften auf sämtlichen Flughäfen Personal, dessen ausschließliche Aufgabe darin bestand, nach vermißtem Gepäck zu forschen. Es kam nur selten vor, daß diese Leute arbeitslos waren.

Erfahrene und durch Schaden klug gewordene Reisende gaben sich die größte Mühe, sich selbst davon zu überzeugen, daß die Anhänger, die an den Schaltern der Fluggesellschaften an ihrem Gepäck befestigt wurden, den richtigen Bestimmungsort angaben. Oft war das nicht der Fall. Überraschend oft wurden in der Eile falsche Anhänger angebracht und mußten ausgetauscht werden, wenn auf den Irrtum hingewiesen wurde. Selbst dann konnte man, sobald der Koffer außer Sicht kam, nicht das Gefühl unterdrücken, sich auf ein Lotteriespiel eingelassen zu haben, und dem Reisenden blieb nichts anderes übrig, als zu beten, daß er eines Tages irgendwo wieder zu seinem Koffer kommen möge.

An diesem Abend war auf Lincoln International das Gepäck für Flug Zwei bereits unvollständig, obwohl das noch niemand ahnte. Zwei Koffer, die nach Rom bestimmt waren, wurden in diesem Augenblick an Bord einer Maschine nach Milwaukee verladen.

In einem stetigen Strom wurde jetzt Luftfracht für Flug Zwei verladen. Gleichfalls Postsäcke. An diesem Abend waren es viereinhalbtausend Kilo Post in farbigen Nylonsäcken; einige für Städte in Italien: Mailand, Palermo, Vatikanstadt, Pisa, Neapel, Rom; andere waren zur Weiterbeförderung in fernere Gegenden bestimmt, deren Namen an Marco Polo erinnerten: Sansibar, Khartum, Mombassa, Jerusalem, Athen, Rhodos, Kalkutta...

In einem der unteren Stockwerke des Flughafengebäudes und nur wenige hundert Schritte von der Boeing 707 entfernt, die jetzt Flug Zwei war, befand sich die Einsatzzentrale der Trans America (Lincoln International). Die Zentrale bestand aus einer geschäftigen, dichtgedrängten, geräuschvollen Ansammlung von Menschen, Schreibtischen, Telefonen, Fernschreibern, gesellschaftseigenen Fernsehanlagen und Anschlagtafeln. Das dort arbeitende Personal war für die Überwachung der Vorbereitungen für Flug Zwei und alle anderen Flüge der Trans America verantwortlich. An Tagen wie heute, an denen infolge des Schneesturms sämtliche Flugpläne chaotisch durcheinander geraten waren, bildete die Zentrale den reinsten Hexenkessel, und ihr Anblick glich der Lokalredaktion einer Zeitung aus alten Zeiten, wie Hollywood sie gern heute noch zeigt.

In einer Ecke der Zentrale befand sich die Verladekontrollstelle. Die Platte des Schreibtisches war unter einem Wust von Papieren begraben, der Schreibtisch selbst war von einem jungen bärtigen Mann mit dem unwahrscheinlichen Namen Fred Phirmphoot besetzt. Seine Freizeit vertrieb sich Phirmphoot als Amateurmaler abstrakter Bilder. Kürzlich war er dazu übergegangen, Farben auf die Leinwand zu schleudern und dann mit einem Kinderfahrrad darauf herumzufahren. Er stand in dem Ruf, an den Wochenenden LSD zu nehmen und litt außerdem unter starkem Körpergeruch. Das letztere war für seine Kollegen in der Einsatzzentrale, in der es auch heute abend trotz der bitteren Kälte draußen heiß und stickig war, ein ständiger Stein des Anstoßes, und mehr als einmal hatte Fred Phirmphoot sich anhören müssen, er solle doch öfters baden.

Aber paradoxerweise besaß Phirmphoot einen scharfen mathematischen Verstand, und seine Vorgesetzten schworen, er sei einer der besten Verladekontrolleure in der ganzen Luftfahrt. Im Augenblick meisterte er gerade die Beladung für Flug Zwei.

Ein Flugzeug, erklärte Fred Phirmphoot gelegentlich seinen gelangweilten Beatfreunden, »das ist ein Vogel, der hin und her taumelt, Mann. Und wenn du nicht aufpaßt, Mann, dann taumelt so ein Vogel hin oder her, vielleicht sogar beides. Aber ich, mein Junge, ich sorge schon dafür, daß das nicht passiert.«

Der Trick bestand darin, das Gewicht richtig im ganzen Flugzeug zu verteilen, damit sein Hebelpunkt und sein Schwerpunkt an vorausbestimmten Stellen lagen. Dann war die Maschine ausbalanciert und lag stabil in der Luft. Fred Phirmphoots Aufgabe bestand darin, zu berechnen, wieviel Last an Bord von Flug Zwei (und anderer Flüge) untergebracht werden konnte und an welcher Stelle. Kein Postsack, kein einzelnes Stück Frachtgut kam ohne seine Anweisung an irgendeine Stelle im Frachtraum des Flugzeugs. Gleichzeitig war er darum bemüht, soviel wie möglich in die Maschine hineinzupacken. »Von Illinois nach Rom«, konnte man von Fred häufig hören, »Mann, das zieht sich hin wie Spaghetti. Das läßt sich nicht hinklecker wie Marmelade.«

Er arbeitete mit Tabellen, Ladelisten, Aufstellungen, einer Addiermaschine, im letzten Augenblick eingegangenen Mitteilungen, einem Sprechfunkgerät, drei Telefonen und einem unfehlbaren Instinkt.

Der Rampeninspektor hatte gerade über Sprechfunk um Erlaubnis gebeten, weitere hundertfünfzig Kilo Post im vorderen Laderaum zu verstauen.

»Kann gemacht werden«, stimmte Fred Phirmphoot zu. Er blätterte in Papieren, verglich mit der Passagierliste, die in den vergangenen zwei Stunden länger geworden war. Fluggesellschaften setzten für die Flugreisenden ein Durchschnittsgewicht ein: Hundertsiebzig Pfund im Winter und zehn Pfund weniger im Sommer. Der Durchschnitt erwies sich immer als richtig, mit einer Ausnahme: wenn eine Fußballmannschaft mitflog. Die kräftig gebauten Fußballspieler warfen jede Berechnung über den Haufen, und die Verladekontrolleure berichtigten das Gewicht nach eigener Schätzung; die schwankte je nachdem, wie gut er die Mannschaft kannte. Baseball- und Hockeyspieler stellten keine Probleme, denn da sie kleiner waren, fügten sie sich dem allgemeinen Durchschnitt ein. Die Passagierliste für heute abend wies aus, daß Flug Zwei nur normale Reisende zu befördern hatte.

»Das mit der Post geht in Ordnung, Junge«, antwortete Fred Phirmphoot über Sprechfunk, »aber ich will diesen Sarg da in das hintere Abteil geschafft haben; dem Wiegezettel nach muß der Tote ein Fettwanst gewesen sein. Dann ist da noch der verpackte Generator von Westinghouse. Bringt den in der Mitte unter. Die übrige Fracht könnt ihr darum herumpacken.«

Zu Phirmphoots Problemen war gerade noch die Anordnung der Besatzung von Flug Zwei hinzugekommen, zusätzlich tausend Kilo Brennstoff für die Rollzeit auf dem Boden über die normalen Reserven hinaus zu tanken. Auf dem Flugfeld draußen wurden heute abend alle Maschinen durch lange Verzögerungen mit laufenden Motoren vor dem Start aufgehalten. Eine Düsenmaschine, die auf dem Boden operierte, soff Brennstoff wie ein durstiger Elefant, und die Kapitäne Demerest und Harris wollten keinen kostbaren Treibstoff vergeuden, den sie auf dem Flug nach Rom vielleicht brauchen würden. Gleichzeitig mußte Fred Phirmphoot errechnen, daß der ganze zusätzliche Treibstoff, der jetzt in die Flügeltanks der NC-731-TA gepumpt wurde, vor dem Start vielleicht nicht verbraucht wurde; deshalb mußte ein gewisser Teil dem Gesamtgewicht beim Start zugeschlagen werden. Die Frage war nur: wieviel?

Für das Gesamtgewicht beim Start bestand eine Sicherheitsgrenze, doch jede Fluggesellschaft hatte das Ziel, auf jedem Flug soviel Ladung wie möglich mitzuführen, um den Maximalgewinn zu erzielen. Fred Phirmphoots schmutzige Fingernägel tanzten über die Addiermaschine und machten eine hastige Berechnung. Er brütete über dem Ergebnis, wühlte in seinem Bart, sein Körpergeruch war noch unerträglicher als sonst.

Die Entscheidung für den zusätzlichen Treibstoff war eine der vielen Entscheidungen, die Kapitän Vernon Demerest in der letzten halben Stunde getroffen hatte. Oder richtiger, er hatte Kapitän Anson Harris die Entscheidung treffen lassen, und dann hatte Demerest sie als prüfender Kapitän mit der letzten Verantwortung gebilligt. Vernon Demerest genoß seine passive Rolle heute abend – jemand anderen zu haben, der den größten Teil der Arbeit leisten mußte, aber dennoch nichts von der eigenen Autorität einzubüßen. Bisher hatte Demerest noch nichts an irgendeiner der Entscheidungen von Anson Harris auszusetzen gehabt. Das war nicht überraschend, denn die Erfahrung und das Dienstalter von Harris waren fast ebenso groß wie die von Demerest.

Harris war mürrisch und schlecht gelaunt gewesen, als sie sich an diesem Abend zum zweiten Male im Mannschaftsraum des Hangars der Trans America begegneten. Amüsiert hatte Demerest festgestellt, daß Harris ein vorschriftsmäßiges Hemd trug, obwohl es ihm etwas zu klein war, und hin und wieder hob Harris die Hand zum Hals, um den Kragen zu lockern. Kapitän Harris war es gelungen, sein Hemd mit einem hilfsbereiten Ersten Offizier zu tauschen, der die Geschichte später eilfertig seinem eigenen Kapitän weitererzählte.

Aber nach wenigen Minuten ließ Harris' Spannung nach. Als einem bis zu den buschigen, angegrauten Augenbrauen durch und durch erfahrenen Fachmann war ihm bewußt, daß keine Flugbesatzung erfolgreich zusammenarbeiten konnte, wenn im Cockpit eine feindselige Stimmung herrschte.

Im Mannschaftsraum sahen beide Kapitäne in ihre Postfächer, und wie üblich enthielten sie einen Packen Post, darunter Rundschreiben ihrer Fluggesellschaft, die sie noch vor dem Start heute abend lesen mußten. Das übrige – Mitteilungen vom Chefpiloten, der ärztlichen Beratungsstelle, der Forschungsabteilung, dem kartographischen Büro und anderes – würden sie mit nach Hause nehmen, um es später anzusehen.

Während Kapitän Harris zwei Ergänzungen in sein Flughandbuch einheftete – das Kapitän Demerest zu überprüfen beabsichtigte, wie er angekündigt hatte –, studierte Demerest die Anschlagtafel mit dem Einsatzplan für die Besatzungen.

Der Einsatzplan wurde monatlich aufgestellt. Er nannte die Daten, an denen Kapitäne und Erste sowie Zweite Offiziere zu fliegen hatten und auf welchen Routen. Eine ähnliche Anschlagtafel gab es für die Stewardessen in deren Aufenthaltsraum weiter unten am Gang.

Jeder Pilot reichte für jeden Monat seine Wünsche für die Routen ein, die er fliegen wollte, und die mit dem höchsten Dienstalter hatten den Vorrang. Demerest bekam immer unweigerlich, was er sich wünschte; Gwen Meighen ebenfalls, deren Dienstalter unter den Stewardessen ihr einen gleich hohen Rang verlieh. Dieses Wunschsystem ermöglichte es Piloten und Stewardessen, Pläne für gemeinsame »Layovers« zu machen, wie

Demerest und Gwen es im voraus für den heutigen Tag getan hatten.

Anson Harris war mit der hastigen Ergänzung seines Flughandbuchs fertig.

Vernon Demerest grinste. »Ich nehme an, daß Ihr Handbuch völlig in Ordnung ist, Anson. Ich habe es mir überlegt. Ich werde mir die Nachprüfung sparen.«

Kapitän Harris zeigte keinerlei Reaktion, außer einer leichten Spannung seiner Mundwinkel.

Der Zweite Offizier für den Flug, ein junger Zweistreifer namens Cy Jordan, war zu ihnen getreten. Jordan war Flugingenieur, aber auch ausgebildeter Pilot. Er war hager und eckig, hatte ein trauriges, hohlwangiges Gesicht und sah immer so aus, als müsse er sich einmal gründlich satt essen. Die Stewardessen ließen ihm immer Extraportionen zukommen, aber das schien nichts zu helfen.

Der Erste Offizier, der im allgemeinen als Demerests Stellvertreter mit ihm flog, hatte den Befehl erhalten, zu Hause zu bleiben, wenn er auch nach dem Tarifvertrag mit dem Pilotenverband die volle Bezahlung für den Hin- und Rückflug nach Rom erhielt. In Abwesenheit des Ersten Offiziers würde Demerest einen Teil von dessen Pflichten übernehmen, Jordan den Rest. Anson Harris würde die meiste Zeit die Maschine steuern.

»Also los«, sagte Demerest zu den beiden. »Gehen wir.«

Der Mannschaftswagen, schneebedeckt und mit innen beschlagenen Scheiben, wartete vor dem Tor des Hangars. Die fünf Stewardessen für Flug Zwei saßen bereits in dem Kleinbus und grüßten im Chor: »Guten Abend, Herr Kapitän – guten Abend, Herr Kapitän«, als Demerest und Harris, gefolgt von Jordan, einstiegen. Ein Windstoß und Schneeflocken begleiteten die Piloten. Der Busfahrer schloß hastig die Tür.

»Hallo, ihr Mädchen!« Vernon Demerest winkte vergnügt und blinzelte Gwen zu. Etwas förmlicher ließ Kapitän Harris ein »Guten Abend« folgen.

Der Sturm ließ den Bus schwanken, während der Fahrer sich behutsam seinen Weg über die gefegte Zufahrtsstraße suchte, an deren beiden Seiten der Schnee in hohen Bänken aufgehäuft war. Der Vorfall mit dem Verpflegungswagen der United Airlines hatte sich auf dem Flughafen herumgesprochen, und infolgedessen waren alle Fahrer sehr vorsichtig. Als der Mannschaftswagen sich seinem Ziel näherte, wurden ihm die hellen Lichter des Flughafengebäudes zum Richtpunkt in der Dunkelheit. Weit draußen auf dem Flugfeld startete und landete ein stetiger Strom von Flugzeugen.

Der Bus hielt, und die Besatzung kletterte hinaus und suchte eilends Schutz hinter der nächsten Tür. Sie befand sich jetzt im untersten Stockwerk des Flügels der Trans America im Flughafengebäude. Die Ausgänge für die Passagiere – einschließlich Ausgang 47, vor dem die Maschine für Flug Zwei startbereit gemacht wurde –, lagen höher.

Die Stewardessen gingen voraus, um ihre eigenen Vorbereitungen für den Start zu beenden, während die drei Piloten die interkontinentale Einsatzzentrale der Trans America aufsuchten.

Wie immer hatte der Einsatzleiter einen Ordner mit den vielfältigen Informationen vorbereitet, die die Flugzeugbesatzung brauchte. Er breitete ihn auf der Barriere aus, und die drei Piloten beugten sich über die Aufzeichnungen. Hinter der Barriere war ein halbes Dutzend Leute dabei, weltweite Informationen über Flugrouten, Verhältnisse auf Flughäfen und das Wetter zusammenzustellen, die andere internationale Flüge der Trans America in dieser Nacht noch benötigen würden. Eine ähnliche Einsatzzentrale für Flüge innerhalb der Vereinigten Staaten lag weiter unten am gleichen Gang.

Das war der Augenblick, in dem Kapitän Harris mit seinem Pfeifenstiel auf den vorläufigen Lagebericht klopfte und zusätzlich tausend Kilo Treibstoff für den Weg über die Rollbahnen zum Start verlangte. Er sah den Zweiten Offizier Jordan, der Kurven über den Treibstoffverbrauch prüfte, an, und dann Demerest. Beide nickten zustimmend, und der Einsatzleiter füllte eine Anweisung aus, die an die Treibstoffkontrolle an der Rampe weitergegeben wurde.

Der Meteorologe der Gesellschaft trat zu den vier Männern an der Barriere. Es war ein blasser junger Mann mit dem Gesicht eines Gelehrten, trug eine randlose Brille und sah aus, als ob er sich persönlich nur selten unwirtlichem Wetter aussetzte.

Demerest fragte: »Was haben uns die Computer heute abend beschert, John? Hoffentlich etwas Besseres als das hier.«

In zunehmendem Maß wurden Wettervoraussagen und Flugpläne der Fluggesellschaften von Computern ausgespuckt. Die Trans America und andere Gesellschaften bewahrten aber noch das Moment des Persönlichen durch Menschen, die sie zwischen die Computer und die Flugbesatzungen einschalteten, aber es wurde bereits vorausgesagt, daß die menschlichen Wetterfrösche bald verschwinden würden.

Der Meteorologe schüttelte den Kopf, während er mehrere Wetterkarten ausbreitete. »Besseres haben Sie erst mitten über dem Atlantik zu erwarten, fürchte ich. Wir können hier bald mit besserem Wetter rechnen, aber da Sie nach Osten fliegen, holen Sie das ein, was wir hinter uns gebracht haben. Der Sturm, in dem wir uns jetzt befinden, erstreckt sich von hier bis nach Neufundland und noch darüber hinaus.« Mit der Spitze seines Bleistifts zog er das breite Gebiet des Sturmes nach. »Übrigens, die beiden Flughäfen auf Ihrem Weg, Detroit Metropolitan und Toronto, sind geschlossen worden.«

Der Einsatzleiter warf einen Blick auf ein Fernschreiben, das ihm gerade gereicht worden war. Er mischte sich ein: »Setzen Sie Ottawa dazu. Dort wird auch gerade geschlossen.«

»Jenseits der Atlantikmitte«, sagte der Meteorologe, »sieht alles gut aus. Über ganz Südeuropa verstreut sind Störungen, wie Sie selbst sehen können, aber in Ihrer Höhe sollten die Sie nicht behindern. In Rom ist das Wetter klar und sonnig und wird es für mehrere Tage bleiben.«

Kapitän Demerest beugte sich über die Karte von Südeuropa. »Wie sieht es in Neapel aus?«

Der Meteorologe war überrascht. »Ihr Flug führt doch nicht dorthin.«

»Nein, aber es interessiert mich.«

»Neapel liegt im gleichen Hochdruckgebiet wie Rom. Das Wetter wird gut sein.«

Demerest grinste.

Der junge Meteorologe begann einen Vortrag über Temperaturen, Hoch- und Tiefdruckgebiete und Höhenwinde. Für den Teil des Flugs, der über Kanada führte, empfahl er einen weiter nördlich liegenden Kurs als üblich, um den starken Gegenwinden auszuweichen, auf die man weiter südlich stieß. Die Piloten hörten aufmerksam zu. Ob man sich auf Computer oder menschliche Berechnungen stützte: die Wahl der besten Höhe und des Kurses war wie eine Schachpartie, in der menschlicher Verstand über die Natur triumphieren konnte. Alle Piloten waren in diesen Dingen geschult; das galt auch für die Meteorologen der Fluggesellschaften, die stärker auf die Bedürfnisse der einzelnen Fluglinien eingingen als ihre Kollegen bei den amtlichen Wetterstationen.

»Sobald es Ihnen Ihre Treibstoffladung erlaubt«, sagte der Meteorologe der Trans America, »würde ich Ihnen eine Flughöhe von zehntausend Metern empfehlen.«

Der Zweite Offizier verglich mit seinen Tabellen. Ehe N-731-TA so hoch steigen konnte, mußte sie einen Teil ihrer anfänglich schweren Treibstoffladung verbrauchen.

Nach einigen Augenblicken meldete der Zweite Offizier: »Wir sollten in der Lage sein, zehntausend Meter in der Nähe von Detroit zu erreichen.«

Anson Harris nickte. Sein goldener Kugelschreiber flog über das Papier, als er den Flugplan ausfüllte, den er in wenigen Minuten bei der Flugsicherung einreichen würde. Die Flugsicherung würde ihm dann mitteilen, ob die Flughöhen, um die er nachsuchte, verfügbar waren oder nicht, und welche anderen er haben konnte, falls das nicht der Fall war. Vernon Demerest, der normalerweise seinen Flugplan selbst ausgefüllt hätte, überflog das Formular, als Kapitän Harris fertig war, und unterschrieb es dann.

Wie es schien, gingen alle Vorbereitungen für Flug Zwei gut voran. Trotz des Sturms hatte es den Anschein, als ob The Golden Argosy, der Stolz der Trans America, rechtzeitig starten würde.

Gwen Meighen empfing die drei Piloten, als sie an Bord der Maschine kamen. »Haben Sie es schon gehört?« fragte sie.

»Was gehört?« erwiderte Kapitän Harris.

»Wir starten mit einer Stunde Verspätung. Der Angestellte am Ausgang hat es gerade erfahren.«

»Verdammt!« schimpfte Vernon Demerest. »Verflucht noch mal!«

»Anscheinend sind eine Menge Passagiere noch unterwegs hierher, wurden aber aufgehalten – wahrscheinlich durch den Schnee. Verschiedene haben angerufen, und die Abflugkontrolle hat entschieden, ihnen zusätzlich Zeit einzuräumen.«

»Wird die Verladung auch verschoben?« fragte Kapitän Harris.

»Ja, Herr Kapitän. Der Flug ist noch nicht aufgerufen worden, und es soll erst in einer halben Stunde geschehen.«

Harris hob die Schultern. »Na schön. Was sollen wir uns aufregen?« Er ging auf die Pilotenkanzel zu.

»Ich kann Ihnen allen Kaffee bringen, wenn Sie wünschen«, erbot sich Gwen.

»Ich trinke Kaffee im Flughafen drinnen«, antwortete Vernon Demerest. Er nickte Gwen zu. »Warum kommen Sie nicht mit mir?«

Sie zögerte. »Machen ließe sich das schon.«

»Gehen Sie nur«, sagte Harris. »Eins der anderen Mädchen kann mir meinen bringen, und wir haben noch reichlich Zeit.«

Ein oder zwei Minuten später schritt Gwen neben Vernon Demerest durch den Abflugtrakt der Trans America. Ihre Absätze klapperten, während sie sich bemühte, mit ihm Schritt zu halten. Sie gingen zur Haupthalle des Flughafengebäudes.

Diese Stunde Verzögerung war vielleicht gar nicht so übel, dachte Demerest. Bis zu diesem Augenblick hatte er, mit der wichtigen Aufgabe des Flugs Zwei vor Augen, jeden Gedanken an Gwens Schwangerschaft aus seinem Kopf verbannt. Aber bei Kaffee und einer Zigarette bestand die Möglichkeit, das früher am Abend begonnene Gespräch wiederaufzunehmen. Vielleicht konnte jetzt die Frage, die bisher noch nicht berührt worden war – eine Abtreibung –, aufgeworfen werden.

VIII

Nervös zündete sich D. O. Guerrero am Rest der vorhergegangenen Zigarette eine neue an. Trotz der Bemühung, seine Hände ruhig zu halten, zitterten sie merklich. Er war aufgeregt, gespannt und voller Angst. Wie schon vorher, als er seine Bombe zusammensetzte, spürte er Schweißperlen auf dem Gesicht und unter seinem Hemd.

Der Grund für seine Erregung war die Zeit – die Zeit, die ihm noch zwischen dem jetzigen Augenblick und dem Start von Flug Zwei blieb. Unerbittlich verrann sie wie der Sand in einem Stundenglas, und viel, allzuviel war von dem Sand bereits verronnen.

Guerrero saß im Bus zum Flughafen. Vor einer halben Stunde war der Bus in die Kennedy-Schnellstraße eingebogen, an einer Stelle, von der aus er unter normalen Umständen noch knapp fünfzehn Minuten bis zum Flughafen gebraucht hätte. Aber der Verkehr auf der Schnellstraße wurde, wie auf allen anderen großen Straßen im Staat, durch den Schneesturm und Verkehrsstauungen stark behindert. Zeitweise kam er ganz zum Erliegen, dann wieder kroch er im Schneckentempo dahin.

Vor der Abfahrt in der Innenstadt waren die etwa zwölf Fahrgäste im Bus, sämtlich für Flug Zwei bestimmt, von der Verspätung ihres Flugs um eine Stunde verständigt worden. Aber bei diesem Tempo sah es so aus, als ob es noch zwei, vielleicht drei Stunden dauern würde, bis sie zum Flughafen kämen.

Auch andere im Bus machten sich Sorgen.

Wie D. O. Guerrero hatten sie sich im Stadtbüro der Trans America gemeldet. Da war noch reichlich Zeit gewesen, aber angesichts der immer größer werdenden Verspätung fragten sie jetzt laut, ob Flug Zwei endlos lange auf sie warten würde.

Der Busfahrer konnte nicht viel Trost spenden. Auf Fragen erklärte er, wenn ein Bus vom Stadtbüro Verspätung hätte, würde gewöhnlich ein Flug so lange zurückgehalten, bis er eingetroffen wäre. Aber wenn die Verhältnisse derart unübersichtlich wurden wie heute, könnte alles passieren. Die Fluggesellschaft könnte annehmen, daß der Bus noch für Stunden aufgehalten würde – was ja sein konnte –, und entscheiden, daß die Maschine abfliegen solle. Auch habe es bei den wenigen Personen im Bus den Anschein, fügte der Fahrer hinzu, als ob die meisten der Passagiere für Flug Zwei bereits auf dem Flughafen seien. Das passiere bei internationalen Flügen oft, erklärte er; Verwandte kämen mit, um die Passagiere zu verabschieden, und brächten sie im Wagen hinaus.

Die Diskussion im Bus ging hin und her, aber D. O. Guerrero, seinen dürren Körper auf dem Sitz zusammengekauert, beteiligte sich nicht daran. Die meisten anderen Passagiere schienen Touristen zu sein, bis auf eine lebhafte italienische Familie – Mann, Frau und mehrere Kinder –, die sich angeregt in ihrer eigenen Sprache unterhielten.

»An Ihrer Stelle, Herrschaften, würde ich mir keine Sorgen machen.« Das hatte der Fahrer vor ein paar Minuten verkündet. »Die Schlange vorn sieht aus, als ob sie sich ein bißchen lockert. Wir können es vielleicht gerade noch schaffen.«

Bis jetzt hatte sich das Tempo des Busses allerdings nicht erhöht.

D. O. Guerrero hatte eine Reihe mit zwei Plätzen für sich allein, drei Reihen hinter dem Fahrer. Der höchst wichtige Aktenkoffer ruhte sicher auf seinen Knien. Er beugte sich vor, wie er es schon ein paarmal getan hatte, und versuchte mit den Augen die Finsternis vor dem Bus zu durchdringen. Alles, was er durch die beiden von den klapsenden Scheibenwischern klargefegten Halbkreise wahrnahm, war eine endlose Reihe von Rücklichtern, deren Spitze im fallenden Schnee verschwand. Trotz seines Schwitzens waren seine bleichen, dünnen Lippen trocken; er feuchtete sie mit der Zunge an.

Es genügte für Guerrero nicht, wenn er es bis zum Flughafen für Flug Zwei gerade noch schaffen würde. Er brauchte mindestens noch zusätzlich zehn bis fünfzehn Minuten, um eine Flugversicherung abzuschließen. Er verfluchte sich selbst deswegen, daß er nicht früher zum Flughafen gefahren war und die Versicherung, die er brauchte, in aller Ruhe abgeschlossen hatte. In seinem ursprünglichen Plan war die Absicht, eine Versicherung erst in letzter Minute abzuschließen und dadurch die Wahrscheinlichkeit, Rückfragen ausgesetzt zu sein, auf ein Minimum zu verringern, als eine gute Idee erschienen. Was er aber nicht vorausgesehen hatte, war, daß es ein derartiger Abend werden würde – obwohl er es, angesichts der Jahreszeit, hätte voraussehen müssen. Das war eben gerade eins der Dinge – das Übersehen eines bedeutenden veränderlichen Faktors –, die D. O. Guerrero bei seinen geschäftlichen Unternehmungen verfolgt und Mal für Mal seine grandiosen Pläne zum Scheitern gebracht hatten. Das Schlimme war, erkannte er, daß er beim Plänemachen sich selbst einredete, es würde alles so ablaufen, wie er hoffte, und deshalb versäumte er, das Unerwartete in Rechnung zu stellen. Genauer gesagt, dachte er verbittert, war er wohl nie fähig gewesen, aus früheren Erfahrungen zu lernen.

Er nahm an, er könne sich nach der Ankunft im Flughafen – vorausgesetzt, Flug Zwei war noch nicht abgegangen – beim Abfertigungsschalter der Trans America melden und dann darauf bestehen, daß ihm noch die Zeit zugestanden wurde, eine Flugversicherung abzuschließen, ehe die Maschine startete. Aber gerade das würde mit sich bringen, was er verzweifelt zu vermeiden wünschte: noch einmal die Aufmerksamkeit auf sich zu lenken, wie er es bereits einmal getan hatte – und nur wegen der dümmsten Unterlassung, die er überhaupt begehen konnte.

Er hatte nämlich versäumt, außer dem kleinen dünnen Aktenkoffer mit der Dynamitbombe irgendein weiteres Gepäckstück mitzubringen.

An dem Anmeldeschalter im Stadtbüro hatte der Flugscheinkontrolleur gefragt: »Ist das Ihr Gepäck, Sir?« Er hatte auf eine Reihe Koffer gezeigt, die dem hinter ihm stehenden Mann gehörten.

»Nein.« D. O. Guerrero hatte gezögert und dann das kleine Köfferchen vorgewiesen: »Ich – eh – habe sonst nichts weiter.«

Der Kontrolleur hatte die Augenbrauen hochgezogen. »Weiter nichts für einen Flug nach Rom, Sir? Sie reisen wirklich mit leichtem Gepäck.« Dann hatte er auf das Köfferchen gewiesen. »Wünschen Sie das aufzugeben?«

»Nein, danke.« Alles, was Guerrero jetzt noch wollte, war seinen Flugschein, von dem Schalter fortzukommen und sich einen unauffälligen Platz im Flughafenbus zu sichern. Aber der Kontrolleur hatte ihn ein zweitesmal neugierig angesehen, und Guerrero hatte gewußt, daß man sich, von diesem Augenblick an, an ihn erinnern würde. Er hatte sich untilgbar in das Gedächtnis des Kontrolleurs eingegraben – nur, weil er vergessen hatte, ein Gepäckstück mitzubringen, was doch so einfach gewesen wäre. Selbstverständlich hatte er dafür rein instinktiv einen Grund gehabt. D. O. Guerrero wußte ja, im Gegensatz zu anderen, daß Flug Zwei nie seinen Bestimmungsort erreichen würde; deshalb brauchte er auch kein Gepäck. Zur Tarnung hätte er aber Gepäck haben müssen. So aber würde bei der Untersuchung, die unvermeidlich nach dem Verlust der Maschine folgen mußte, sich jemand daran erinnern, daß ein Passagier – eben er – ohne Gepäck an Bord gegangen war, und diese Tatsache zur Sprache bringen! Das würde jeden Verdacht, der gegen D. O. Guerrero bis dahin vielleicht schon bestände, nur noch verstärken.

Aber wenn keine Trümmer gefunden werden, beruhigte er sich selbst, *was können sie dann beweisen?*

Gar nichts! Die Flugversicherung mußte zahlen.

Kam denn der Bus *nie* zum Flughafen?

Die Kinder der italienischen Familie tobten lärmend im Mittelgang des Busses hin und her. Ein paar Sitze weiter hinten plapperte die Mutter immer noch auf italienisch mit ihrem Mann; sie hatte ein laut brüllendes Baby im Arm. Weder die Frau noch der Mann schienen das Schreien zu bemerken.

Guerreros Nerven waren gespannt und gereizt. Er hätte das Baby packen und erwürgen und den anderen zubrüllen mögen: »Ruhe! Ruhe!«

Hatten die denn gar kein Gefühl? ... Wußten die Dummköpfe nicht, daß jetzt nicht die Zeit für albernes Gequatsche war? ... Nicht die Zeit, da doch Guerreros ganze Zukunft – wenigstens die seiner Familie – der Erfolg des so mühevoll ausgearbeiteten Plans – alles, *alles* davon abhing, so zeitig am Flughafen anzukommen, daß er noch etwas Bewegungsfreiheit hatte.

Eins der herumtobenden Kinder, ein Junge von fünf oder sechs Jahren mit einem hübschen, intelligenten Gesicht, stolperte in dem Gang und fiel zur Seite auf den freien Sitz neben D. O. Guerrero. Nach Gleichgewicht suchend, streckte der Junge die Hand aus und stieß gegen den Aktenkoffer auf Guerreros Knien. Der Koffer rutschte zur Seite, und Guerrero griff danach. Es gelang ihm gerade noch, ihn vor dem Fallen zu bewahren, und er wandte sich mit wutverzerrtem Gesicht und zum Zuschlagen erhobener Hand dem Kind zu. Mit erschrockenen Augen blickte der Junge ihn an. Leise sagte er: »*Scusi!*«

Mühsam beherrschte Guerrero sich. Andere im Bus konnten vielleicht zusehen. Wenn er sich nicht zusammennahm, würde er wieder die Aufmerksamkeit auf sich lenken. Nach ein paar Worten suchend, die er von Italienern aufgeschnappt hatte, die bei Bauvorhaben für ihn gearbeitet hatten, sagte er schwerfällig: »*È troppo rumorosa.*«

Das Kind nickte ernsthaft. »*Si.*« Es blieb stehen, wo es stand.

»Na schön«, sagte Guerrero. »Das ist alles. Hau ab! *Se ne vada!*«

»*Si*«, sagte der Junge wieder. Sein Blick war unangenehm fest, und für einen Augenblick ging Guerrero der Gedanke durch den Kopf, daß dieses Kind und noch andere an Bord von Flug Zwei sein würden. Aber das ließ sich nicht ändern. Es hatte keinen Sinn, jetzt sentimental zu werden; nichts mehr konnte ihn von seiner Absicht abbringen. Außerdem, sobald es geschah, sobald er an der Schnur des Aktenkoffers ziehen würde und das Flugzeug zerbarst, war alles schnell vorbei, noch ehe jemand – besonders die Kinder – etwas davon merkte.

Der Junge drehte sich um und ging zu seiner Mutter.

Endlich! – Der Bus fuhr schneller – kam in Fahrt! Wie Guerrero durch die Windschutzscheibe sehen konnte, lockerte sich der Verkehr, bewegten sich die Rücklichter vor ihnen schneller. Sie konnten – konnten eben – für ihn rechtzeitig genug den Flughafen erreichen, damit er noch seine Flugversicherung abschließen konnte, ohne unnötige Aufmerksamkeit zu wecken. Aber es würde knapp werden. Er hoffte, daß an dem Versicherungskiosk kein allzu starker Betrieb war.

Er bemerkte, daß die Kinder der italienischen Familie jetzt auf ihren Plätzen saßen, und er gratulierte sich selbst dazu, soeben keine Aufmerksamkeit erregt zu haben. Hätte er das Kind geschlagen, wie es beinahe geschehen wäre, dann hätten die Leute ein großes Wesen darum gemacht. Wenigstens das hatte er vermieden. Ärgerlich war nur, daß er bei der Anmeldung im Büro der Fluggesellschaft so aufgefallen war. Aber wenn er es genau überlegte, konnte dadurch kein nicht wiedergutzumachender Schaden entstanden sein.

Oder womöglich doch?

Eine neue Sorge bedrückte ihn.

Angenommen, der Mann am Schalter, der wegen des fehlenden Gepäcks so überrascht gewesen war, erinnerte sich an den Vorfall, nachdem der Bus abgefahren war. Guerrero wußte, daß er dabei einen zerfahrenen Eindruck gemacht hatte. Angenommen, er hätte dann mit irgend jemand, etwa einem Inspektor, darüber geredet, und der hätte daraufhin vielleicht schon den Flughafen angerufen? Schon in diesem Augenblick konnte irgendwer – die Polizei? – auf die Ankunft des Busses warten, um D. O. Guerrero zu verhören. Um sein einzelnes kleines Köfferchen mit dem verdammenden Beweis darin zu öffnen. Zum erstenmal fragte Guerrero sich, was geschehen würde, falls man ihn erwischte. Er würde verhaftet und käme ins Gefängnis. Dann dachte er: Ehe er das zuließe – wenn er angehalten würde, wenn eine Entlarvung drohen sollte –, würde er an der Schnur, die aus dem Köfferchen herausing, ziehen und sich selbst samt allen, die in seiner Nähe waren, in die Luft sprengen. Er streckte seine Hand aus. Unter dem Griff tastete er nach der Schlaufe, aber nicht zu fest. Das war beruhigend ... Jetzt wollte er versuchen, an etwas anderes zu denken.

Er fragte sich, ob Inez seinen Zettel gefunden hatte.

Sie hatte ihn gefunden.

Müde kam Inez Guerrero in die armselige Wohnung in der 51. Straße zurück, streifte die Schuhe ab, die sie gedrückt hatten, und zog den von geschmolzenem Schnee durchnäßten Mantel und den Schal aus. Sie spürte eine Erkältung nahen und fühlte sich restlos erschöpft. Ihre Arbeit als Kellnerin war heute anstrengender als sonst gewesen, die Gäste knauseriger und die Trinkgelder kleiner. Außerdem war sie noch nicht daran gewöhnt, und das machte es für sie noch schwerer.

Vor zwei Jahren, als die Guerreros noch in einer bequemen, ausreichend großen Wohnung in einem Vorort der Stadt wohnten, war Inez, wenn auch nie eine schöne, so doch eine gutaussehende, gepflegte Frau gewesen. Seitdem aber hatten die Zeit und die Umstände auf ihrem Gesicht ihre verheerenden Spuren hinterlassen und sie, die früher jünger ausgesehen hatte als sie war, wurde nun für beträchtlich älter gehalten. Heute abend hätte Inez, wenn sie noch in ihrem eigenen Haus gewohnt hätte, Erholung und Entspannung in einem heißen Bad gesucht, das sie in schweren Zeiten stets zu beruhigen schien – und schwere Zeiten hatte es im Eheleben der Guerreros sehr oft gegeben. Zwar gab es am Ende des Korridors eine Art Badezimmer, in das sich drei Parteien teilte, aber es war ungeheizt, hatte einen abblätternden Anstrich und einen Gasboiler, der mit Münzen gespeist werden mußte. Schon der Gedanke daran ließ sie schaudern. Sie entschloß sich, eine Weile in dem schäbigen Wohnzimmer sitzen zu bleiben und dann zu Bett zu gehen. Sie hatte keine Ahnung, wo ihr Mann war.

Es dauerte eine ganze Zeit, bis sie den Zettel auf dem Wohnzimmertisch entdeckte.

»Ich komme für ein paar Tage nicht nach Hause. Ich fahre fort. Ich hoffe, daß ich bald gute Nachrichten habe, die Dich überraschen werden.«

Nur selten hatte D. O. Guerrero seine Frau noch überraschen können. Unberechenbar war er immer gewesen, und in jüngster Zeit geradezu unvernünftig. Gute Neuigkeiten waren tatsächlich eine Überraschung, aber sie konnte beim besten Willen nicht mehr daran glauben, daß so etwas noch kommen würde. Inez hatte zu oft die ehrgeizigen Pläne ihres Mannes ins Wanken geraten und zusammenstürzen sehen, um noch an die Wahrscheinlichkeit auch nur eines einzigen Erfolgs zu glauben.

Aber der erste Teil der Nachricht war ihr rätselhaft. Wohin ging D. O. für ein paar Tage? Ebenso geheimnisvoll war ihr: Woher

hatte er Geld dazu? Am Abend vorher hatten sie beide Kassen-
sturz gemacht. Das Ergebnis war: Sechsundzwanzig Dollar und
ein paar Cent. Außer diesem Geld gab es nur noch ein Stück,
das sich im Pfandhaus zu versetzen gelohnt hätte, und das gehörte Inez – der Ring ihrer Mutter. Von ihm sich zu trennen,
hatte sie sich bisher geweigert. Aber auch er würde wohl bald
diesen Weg gehen müssen.

Von den rund sechsundzwanzig Dollar hatte Inez achtzehn für
den Einkauf von Lebensmitteln und Mietabzahlung an sich genommen. Sie hatte die Verzweiflung in D. O.'s Gesicht gesehen,
als er die übriggebliebenen acht Dollar und das Kleingeld ein-
steckte.

Inez beschloß, sich nicht weiter den Kopf zu zerbrechen, sondern ihre Absicht wahr zu machen und schlafen zu gehen. Sie
war sogar zu erschöpft, sich besorgt zu fragen, wie es den Kindern gehen mochte, obwohl sie seit über einer Woche nichts
von ihrer Schwester in Cleveland, bei der die Kinder waren,
gehört hatte. Sie drehte das Licht im Wohnzimmer aus und ging
in das enge, schäbige Schlafzimmer.

Sie konnte ihr Nachthemd nicht finden. Der Inhalt der wackligen Kommode schien durcheinandergebracht zu sein. Schließlich fand sie das Nachthemd, zusammen mit drei von D. O.'s
Hemden. Das waren seine letzten. Also hatte er, wohin er auch
gegangen war, keine Wäsche zum Wechseln mitgenommen.
Unter einem der Hemden fand sie ein zusammengefaltetes Blatt
gelbes Papier. Sie zog es heraus und entfaltete es.

Das gelbe Blatt war ein gedrucktes Formular, das mit Schreibmaschine ausgefüllt war. Was Inez da vor sich hatte, war ein
Durchschlag. Als sie erkannte, was es bedeutete, setzte sie sich
ungläubig aufs Bett. Um sicherzugehen, daß sie nichts mißverstanden hatte, las sie das Formular noch einmal durch.

Es war ein Ratenzahlungsvertrag zwischen den Trans America
Airlines und D. O. »Buerrero« – der Name hatte, wie sie sah,
einen Tippfehler. Der Vertrag bestätigte, daß »Buerrero« einen
Rückflugschein nach Rom, Touristenklasse, gegen eine Anzahlung von siebenundvierzig Dollar erhalten hatte und sich verpflichtete, den Rest von vierhundertundsiebenundzwanzig

Dollar, plus Zinsen, in Raten innerhalb von vierundzwanzig Monaten zu bezahlen.

Sie begriff das alles nicht.

Inez starrte wie vor den Kopf geschlagen auf das gelbe Formular. In ihrem Kopf jagten sich die Fragen.

Wozu brauchte D. O. überhaupt einen Flugschein? Und wenn einen Flugschein, warum dann nach Rom? Und wie war es mit dem Geld? Er konnte doch unmöglich die Abzahlungen aufbringen, wenn ihr auch diese Seite der Angelegenheit wenigstens verständlich war. D. O. Guerrero war schon so oft Verpflichtungen eingegangen, die er doch nicht bezahlen konnte. Schulden machten ihm nie Sorgen, Inez dafür um so mehr. Doch ganz abgesehen von diesen Schulden: Woher stammten die siebenundvierzig Dollar für die Anzahlung? Das Formular bestätigte den Empfang. Und vor zwei Abenden hatte D. O. noch erklärt, außer dem, was vor ihnen auf dem Tisch läge, hätte er kein Geld mehr. Und was er sonst auch immer tun mochte, eines wußte Inez: Er belog sie nie.

Doch irgendwoher mußten die siebenundvierzig Dollar ja gekommen sein. Woher nur?

Plötzlich fiel ihr der Ring ein. Er war aus Gold und trug einen einzelnen Brillanten in einer Platinfassung. Bis vor einer Woche hatte Inez ihn regelmäßig getragen, aber in letzter Zeit waren ihre Hände immer sehr geschwollen. Darum hatte sie ihn abgezogen und in ein Etui in einer Schublade im Schlafzimmer gelassen. Zum zweitenmal an diesem Abend durchsuchte sie die Schubladen. Das Etui war da – aber leer. Offenbar hatte D. O. den Ring versetzt, um an die siebenundvierzig Dollar zu kommen.

Ihre erste Reaktion war Trauer. Dieser Ring hatte Inez viel bedeutet; er war das letzte Bindeglied mit ihrer Vergangenheit, mit ihrer in alle Welt verstreuten Familie, mit ihrer toten Mutter, die sie in verehrender Erinnerung bewahrte. Doch realistischer: Der Ring, wenn auch nicht besonders wertvoll, war ein letzter Notanker gewesen. Solange der Ring da war, hatte sie das Gefühl, daß er, wie schlimm es auch kommen möge, ihnen einmal für ein paar weitere Tage den Lebensunterhalt sichern würde. Nun war er fort und mit ihm auch dieser letzte kleine Rückhalt.

Zwar wußte sie nun, woher das Geld für den Flugschein gekommen war; das gab ihr jedoch noch keine Antwort auf die Frage wozu? Wozu eine Flugreise? Wozu nach Rom? Immer noch auf dem Bett sitzend, bemühte sich Inez, scharf nachzudenken. In diesem Augenblick setzte sie sich über ihre Müdigkeit hinweg.

Eine besonders intelligente Frau war Inez nicht. Wäre sie das gewesen, hätte sie die fast zwanzigjährige Ehe mit D. O. Guerrero nicht ausgehalten. Auch würde sie sich nicht damit begnügen müssen, als Kaffeehaus-Kellnerin gegen einen armseligen Lohn zu schuften, wenn ihre geistigen Gaben größer gewesen wären. Aber gelegentlich gelang es Inez, durch langes, angestrengtes Nachdenken und mit Hilfe ihres Instinkts zu richtigen Schlußfolgerungen zu kommen. Besonders, wenn es ihren Mann betraf.

Mehr als ihr Verstand alarmierte sie ihr Instinkt, daß D. O. Guerrero in Schwierigkeiten sei – größeren Schwierigkeiten, als alles, was ihnen bisher zugestoßen war. Zwei Dinge überzeugten sie davon: Seine geistige Verstörtheit in letzter Zeit und die Weite der geplanten Reise. In der gegenwärtigen Lage der Guerreros konnte nur eine unermeßliche Verzweiflungstat einen Flug nach Rom erklären. Sie holte den Zettel aus dem Wohnzimmer und las ihn noch einmal. Im Lauf der Jahre hatte sie viele derartige Zettel vorgefunden. Inez spürte aber, daß dieser etwas anderes meinte, als er besagte.

Zu weiteren Schlüssen kam sie allerdings nicht, aber sie hatte das Gefühl, ja, die sich von Minute zu Minute steigernde Gewißheit, daß es irgend etwas gab, das sie tun sollte, unbedingt tun *mußte*.

Inez kam nicht auf den Gedanken, völlig zu resignieren und D. O. den Folgen seiner jüngsten Torheit, mochte es sein, was es wolle, zu überlassen. Im Grunde hatte sie ein schlichtes Gemüt und war ganz unkompliziert. Vor achtzehn Jahren hatte sie D. O. Guerrero ihr Jawort gegeben »für gute und für schlechte Zeiten«. Daß es meistens schlechte geworden waren, das änderte für Inez nichts an ihrer Verantwortung als Ehefrau.

Vorsichtig und behutsam überlegte sie weiter. Zuerst wollte sie feststellen, ob D. O. bereits abgeflogen war; wenn nicht, dann hatte sie vielleicht noch Zeit, ihn zurückzuhalten. Sie hatte weder eine Ahnung, ob D. O. bereits im Flugzeug saß, noch vor wie vielen Stunden sein Zettel an sie geschrieben worden war. Sie nahm das gelbe Formular wieder vor, jedoch über Tag und Stunde war daraus nichts zu erfahren. Aber sie konnte ja die Fluggesellschaft anrufen – Trans America. So schnell sie konnte, begann Inez die Kleidungsstücke, die sie gerade erst abgelegt hatte, wieder anzuziehen.

Ihre Straßenschuhe drückten sie unverändert, und in ihrem Mantel spürte sie wieder die unangenehme Feuchtigkeit, als sie die enge Treppe hinunterstieg. Im unteren Vorplatz war Schnee unter der Haustür hereingeweht worden und bedeckte die nackten Dielen im Eingang. Draußen lag der Schnee jetzt noch höher als zuvor. Als sie aus dem Schutz des Hauses kam, fiel der eisige, rauhe Wind sie an und fegte ihr wieder Schnee ins Gesicht.

In ihrer Wohnung war kein Telefon. Inez hätte zwar den Telefonapparat in dem Schnellimbiß im Parterre benutzen können, sie wollte aber eine Begegnung mit dem Besitzer vermeiden, der gleichzeitig Wohnungsvermieter war. Er hatte für den nächsten Tag mit der Ausweisung gedroht, wenn der Mietrückstand nicht bezahlt würde. Das war auch etwas, das sie für heute abend aus ihren Gedanken verdrängt hatte und was sie allein auszubaden hatte, wenn D. O. bis morgen nicht zurückkam.

Ein Drugstore mit einer Telefonzelle befand sich anderthalb Block weiter.

Die Uhrzeit war ein Viertel vor zehn.

Das Telefon im Drugstore war durch zwei junge Mädchen besetzt, und Inez mußte fast zehn Minuten warten, bis es frei wurde. Als sie dann die Nummer der Trans America wählte, teilte ihr ein Tonband mit, daß sämtliche Telefonleitungen besetzt seien und sie bitte warten solle. Sie wartete, während das Band sich mehrmals wiederholte, bis eine lebhafte Frauenstimme verkündete, sie sei Miß Young und womit sie dienen könne?

»Ach, bitte«, sagte Inez, »ich möchte mich erkundigen über Flüge nach Rom.«

Als ob auf einen Knopf gedrückt worden wäre, antwortete Miß Young, Trans America habe direkte Non-Stop-Flüge von Lincoln International nach Rom, dienstags und freitags. Über New York gäbe es täglich direkte Anschlüsse, und ob die Anruferin gleich buchen wolle?

»Nein«, antwortete Inez. »Ich will selbst nicht fliegen. Es handelt sich um meinen Mann. Sagten Sie nicht, es gäbe freitags einen Flug, also heute abend?«

»Ja, Madam, unser Flug Zwei, *The Golden Argosy*. Er startet um zweiundzwanzig Uhr Ortszeit. Allerdings, heute abend wird der Abflug wegen der Wetterlage ausnahmsweise um eine Stunde verschoben.«

Inez konnte die Drugstoreuhr sehen. Im Augenblick war es fünf Minuten nach zehn. Schnell sagte sie: »Das heißt also, das Flugzeug ist noch nicht fort?«

»Nein, Madam, noch nicht.«

»Bitte...« Wie es ihr oft passierte, mußte Inez nach Worten suchen. »Bitte, es ist für mich sehr wichtig, zu erfahren, ob mein Mann mitfliegt. Sein Name ist D. O. Guerrero, und...«

»Bedaure sehr, wir dürfen keine Auskunft erteilen.« Miß Young war höflich, aber bestimmt.

»Ich glaube, Sie verstehen nicht, Miß. Ich rede von meinem Mann. Ich bin seine Frau.«

»Ich verstehe sehr wohl, Mrs. Guerrero, und ich bedaure sehr. Aber es ist eine Vorschrift der Gesellschaft.« Miß Young war in den Vorschriften ebensogut geschult wie andere ihresgleichen und kannte deren Grund. Viele Geschäftsleute nahmen ihre Sekretärin oder eine Geliebte mit auf die Reise und schrieben sie als ihre Ehefrauen ein, um von dem Rabatt für Familienangehörige zu profitieren. In letzter Zeit waren ein paar argwöhnische Ehefrauen skeptisch geworden und hatten Passagieren – ihren Ehemännern – Scherereien gemacht. Danach waren die Männer gekommen und hatten sich bitter über Vertrauensbrüche beschwert. Der Erfolg war, daß jetzt die Fluggesellschaften grundsätzlich keine Passagiernamen mehr bekanntgaben.

Inez fragte zögernd: »Besteht denn gar keine Möglichkeit ...?«

»Wirklich keine.«

»Ach, du lieber Gott!«

»Verstehe ich richtig«, erkundigte sich Miß Young. »Sie glauben, Ihr Mann würde mit Flug Zwei abreisen, wissen es aber nicht genau?«

»Ja, das stimmt.«

»Dann wäre das einzige, was Sie tun könnten, Mrs. Guerrero, daß Sie zum Flughafen hinausfahren. Vielleicht ist die Maschine noch nicht abgefertigt. Wenn Ihr Mann also da ist, könnten Sie ihn dort treffen. Selbst wenn er an Bord gegangen ist, könnte man Ihnen an der Ausgangssperre helfen. Sie müßten sich aber beeilen.«

»Also gut«, sagte Inez. »Wenn es die einzige Möglichkeit ist, werde ich es versuchen.« Sie hatte keine Vorstellung davon, wie sie in weniger als einer Stunde zu dem über zwanzig Meilen entfernten Flughafen kommen sollte. Und dazu der Sturm!

»Warten Sie mal.« Miß Young schien zu zögern, ihre Stimme klang menschlicher, so, als wäre etwas von Inez' Verzweiflung durch den Draht gedrungen. »Ich dürfte es ja eigentlich nicht, Mrs. Guerrero, aber ich will Ihnen einen kleinen Tip geben.«

»Ach ja, bitte!«

»Wenn Sie auf dem Flughafen zur Abflugsperre kommen, sagen Sie nicht, Sie glaubten, Ihr Mann wäre an Bord. Sagen Sie, Sie wüßten, daß er an Bord ist, und Sie müßten ihm noch etwas sagen. Wenn er nicht in der Maschine ist, bekommen Sie das ja heraus. Ist er es aber, dann erleichtert es das dem Mann an der Sperre, Ihnen zu sagen, was Sie wissen wollen.«

»Ich danke Ihnen«, sagte Inez. »Danke Ihnen vielmals.«

»Aber bitte, gern geschehen, Madam.« Miß Young war nun wieder der Automat in Person. »Gute Nacht und vielen Dank für den Anruf bei Trans America.«

Als Inez den Hörer einhängte, fiel ihr etwas ein, was sie beim Hineingehen bemerkt hatte. Vor dem Lokal stand ein Taxi. Jetzt sah sie den Fahrer. Er trug seine gelbe Schirmmütze, stand vor dem Getränkeausschank und unterhielt sich mit einem anderen Mann.

Ein Taxi würde teuer sein, aber wenn sie vor elf Uhr auf dem Flughafen sein wollte, war das wahrscheinlich die einzige Möglichkeit.

Inez ging zur Theke und berührte den Mann am Arm. »Entschuldigen Sie.«

Der Taxifahrer drehte sich zu ihr um. »Ja, was ist denn?« Er hatte ein ordinäres, gedunsenes Gesicht und war unrasiert.

»Ich möchte gern wissen, was ein Taxi zum Flughafen kostet.«

Der Fahrer musterte sie mit zugekniffenen, berechnenden Augen. »Von hier aus vielleicht neun, zehn Dollar, nach der Uhr.«

Inez wandte sich ab. Das war zuviel – mehr als die Hälfte des geringen Betrages, der ihr noch geblieben war; und dabei war sie nicht einmal sicher, ob D. O. in der Maschine sein würde.

»Heda! Warten Sie mal!« Der Fahrer leerte seine Cola und folgte Inez, die er an der Tür einholte. »Wieviel haben Sie denn?«

»Darum geht es nicht.« Inez schüttelte den Kopf. »Es ist – das ist einfach mehr, als ich mir leisten kann.«

Der Taxifahrer schnaubte. »Manche Leute denken, sie können so 'ne Fahrt für 'n Butterbrot kriegen. Es ist weit bis da 'raus.«

»Ja, ich weiß.«

»Warum wollen Sie denn da hin? Warum haben Sie nicht den Bus genommen?«

»Es ist wichtig. Ich muß einfach hin – unbedingt dort sein – vor elf Uhr.«

»Na ja«, sagte der Fahrer, »soll mal eine billige Nacht werden. Ich fahr' Sie für nur sieben.«

»Ja . . .« Inez zögerte noch immer. Sieben Dollar war gerade der Betrag, den sie dem Hauswirt morgen anbieten wollte, um ihn wegen der Rückstände zu besänftigen. Ihren Lohn von der Kaffeestube würde sie erst Ende der nächsten Woche bekommen.

Ungeduldig drängte der Fahrer: »Billiger kriegen Sie es nirgends. Nehmen Sie an oder nicht?«

»Gut«, sagte Inez. »Ich nehme an.«

»Also los dann.«

Während Inez ohne Hilfe in das Taxi stieg, fegte der Fahrer

grinsend mit einem Schneebesen die Windschutzscheibe und die Fenster frei. Als Inez ihn im Drugstore ansprach, hatte er bereits Feierabend, und da er in der Nähe des Flughafens wohnte, hatte er mit einer Leerfahrt nach Hause rechnen müssen. Aber jetzt hatte er einen Fahrgast. Gelogen hatte er auch, als er behauptete, der Taxiuhr nach würde die Fahrt zum Flughafen auf neun oder zehn Dollar kommen. In Wirklichkeit waren es weniger als sieben. Aber mit dieser Lüge hatte er dem Fahrgast vorflunkern können, dieser mache ein gutes Geschäft. Außerdem konnte er mit abgestellter Uhr fahren und die sieben Dollar für sich einstecken. Das war zwar ungesetzlich, aber kein Polizist würde ihn bei diesem scheußlichen Wetter anhalten und kontrollieren.

Und so, sagte sich der Fahrer selbstzufrieden, war es ihm in einem Aufwaschen geglückt, die alte Schreckschraube von Fahrgast und seinen Lausekerl von Arbeitgeber 'reinzulegen.

Als sie anfuhren, fragte Inez besorgt: »Sind Sie auch sicher, daß Sie es bis elf Uhr schaffen?«

Der Fahrer brummte über die Schulter: »Das habe ich Ihnen doch gesagt. Also überlassen Sie es ruhig mir!«

Allerdings mußte er sich selbst eingestehen, daß er dessen gar nicht so sicher war. Die Straßenverhältnisse waren schlecht, der Verkehr behindert. Sie konnten es vielleicht gerade schaffen, aber es würde verdammt knapp werden.

Fünfunddreißig Minuten später kroch das Taxi, in dem Inez saß, beschwerlich die verschneite, immer noch verstopfte Kennedy-Schnellstraße entlang. Inez saß angespannt hinten auf ihrem Platz, bewegte rastlos ihre Finger und fragte sich verzweifelt, wie lange die Fahrt noch dauern mochte.

Zur gleichen Zeit traf der Flughafenbus mit den Passagieren für Flug Zwei vor dem Eingang zu den Abflugrampen von Lincoln International Airport ein. Nachdem er den stockenden Verkehr in Stadtnähe hinter sich gelassen hatte, konnte der Bus weiter gutes Tempo halten. Jetzt zeigte die Uhr über dem Hauptgebäude Viertel vor elf.

Als der Bus anhielt, war D. O. Guerrero der erste, der ausstieg.

271

IX

»Und nehmen Sie die transportable Lautsprecheranlage mit«, befahl Elliott Freemantle, »die können wir vielleicht brauchen.« Die Versammlung in Meadowood im Gemeindesaal der Baptistenkirche bebte vor Erregung, die Rechtsanwalt Freemantle so geschickt angeheizt hatte. Die Versammlung war bereit, auf den Lincoln International Airport anzurücken.

»Ich möchte keine trüben Ausreden hören, daß es Ihnen zu spät ist oder daß man lieber nicht gehen sollte«, hatte Freemantle seine sechshundert Zuhörer einige Minuten vorher beschworen. Zuversichtlich und untadelig, in seinem eleganten blauen Anzug und seinen glänzenden Krokodilschuhen, stand er da vor ihnen; kein einzelnes Härchen hatte sich verschoben, und er strahlte Selbstsicherheit aus. Die Versammlung stand begeistert auf seiner Seite, je ruppiger er sprach, desto mehr gefiel er ihnen.

Er fuhr fort: »Und wir wollen keine albernen Ausreden dafür erfinden, nicht zu gehen. Ich will nichts hören von Babysittern, alleingelassenen Schwiegermüttern oder angebranntem Essen, weil es mir völlig schnuppe ist; und weil es das Ihnen − im Augenblick − auch sein sollte. Wenn Ihr Wagen im Schnee steckenbleibt, lassen Sie sich von jemand anderem mitnehmen. Der springende Punkt ist: Ich gehe heute abend zum Flughafen in Ihrem Interesse, um Ärgernis zu erregen.« Er machte eine Pause, als wieder ein Flugzeug über das Haus donnerte. »Weiß Gott − allerhöchste Zeit, daß irgendeiner etwas unternimmt.« Die letzte Bemerkung hatte Applaus und Lachen ausgelöst.

»Ich brauche Ihre Unterstützung, und ich will, daß Sie dabei sind − Sie alle. Jetzt will ich eine klare und offene Frage an Sie stellen: Kommen Sie mit?« Die Halle dröhnte wider von »Ja«-Rufen. Die Leute waren aufgesprungen und spendeten laut Beifall.

»Also gut«, sagte Freemantle, und der Saal wurde ruhig. »Lassen Sie uns noch ein paar Dinge klarstellen, ehe wir gehen.«

Er habe ihnen bereits gesagt, führte er aus, daß legale Mittel die Basis für alle Handlungen sein müßten, die das Ziel hätten, die Gemeinde Meadowood von dem unerträglichen Flughafenlärm zu befreien. Derartig legales Vorgehen dürfte jedoch nicht von der Art sein, die kein Mensch bemerke oder die in irgendeinem abgelegenen Gerichtssaal ohne Zuschauer stattfinde. Im Gegenteil, es müsse in das Scheinwerferlicht öffentlicher Aufmerksamkeit und öffentlicher Sympathie gerückt werden.

»Und wie erreicht man diese Art von Aufmerksamkeit und Sympathie?« Rechtsanwalt Freemantle machte eine Pause und beantwortete seine Frage dann selbst.

»Wir erreichen sie dadurch, daß wir unseren Standpunkt auf solche Weise klarmachen, daß er schlagzeilenreif wird. Dann, und nur dann können die aufmerksamkeiterregenden Medien – Presse, Rundfunk und Fernsehen – unseren Gesichtspunkt mit Vorrang und so, wie wir es brauchen, behandeln.«

Die Presse sei freundlich gesinnt, erklärte er. »Wir verlangen ja gar nicht, daß sie unseren Standpunkt teilt, sondern nur, daß sie objektiv berichtet, was sie – meiner Erfahrung nach – immer tut. Aber es hilft unseren Reportern, wenn ein Fall sich dramatisch zuspitzt; dann bekommen sie eine bessere Story zusammen.« Die drei Reporter am Pressetisch schmunzelten, als Freemantle hinzufügte: »Wir werden sehen, ob wir heute abend ein Drama für sie inszenieren können.«

Während Elliott Freemantle sprach, beobachtete er gespannt den Rücklauf der Formulare, die ihn als offiziellen Vertreter der einzelnen Hausbesitzer bestellten und die nun in der Halle rundgingen. Viele der Blätter, mindestens hundert, dachte er, waren unterschrieben und nach vorne gereicht worden. Er hatte gesehen, wie Kugelschreiber erschienen, Ehepaare sich über die Papiere beugten, um gemeinsam zu unterschreiben und so jede Familie sich zur Zahlung von hundert Dollar verpflichtete. Erfreut stellte Freemantle eine Rechnung an: Rund einhundert Klienten bedeuteten zehntausend Dollar für ihn selbst. Kein schlechtes Honorar für die Arbeit – bis jetzt – von einem Abend, am Schluß würde die Gesamtsumme noch höher sein.

Weil die Formulare noch zirkulierten, beschloß er, noch ein paar Minuten länger zu reden. Was sich heute abend auf dem Flughafen ereignen werde, informierte er die Zuhörer, sollten sie ganz ihm überlassen. Er hoffe, daß es zu einer Konfrontation mit der Flughafenleitung kommen werde; auf jeden Fall plane er, eine Demonstration in der Haupthalle auf die Beine zu stellen, an die die Leute noch lange denken würden.

»Das einzige, um was ich Sie bitte, ist: Bleiben Sie zusammen, und erheben Sie die Stimmen nur, wenn ich es Ihnen sage.« Nachdrücklich warnte er vor Aufruhr. Niemand darf am anderen Tag behaupten können, die Antilärmdelegation von Meadowood habe irgendein Gesetz übertreten.

»Natürlich«, Freemantle lächelte herausfordernd, »könnten wir jemand in die Quere kommen und Unannehmlichkeiten verursachen. Wie ich höre, ist auf dem Flughafen heute abend besonders viel Betrieb. Aber das geht uns nichts an.«

Hier gab es wieder Lachen. Er hatte das Gefühl, die Menschen seien marschbereit. Wieder dröhnte ein Flugzeug über die Versammlung hinweg, und er wartete, bis der Lärm nachließ.

»Also los! Machen wir uns auf den Weg!« Rechtsanwalt Freemantle erhob die Hände gleich einem Moses des Jet-Zeitalters und zitierte falsch: »Denn ich habe Gelöbnisse getan, die Mühe verlangen, eh' ich schlafen kann.«

Das Lachen ging in erneuten Beifall über, und die Leute begannen, sich zum Ausgang hin in Bewegung zu setzen.

Da bemerkte er das Mikrofon, das von der Kirche ausgeliehen worden war, und ordnete an, die Lautsprecheranlage mitzunehmen. Floyd Zanetta, der Vorsitzende der Versammlung, der praktisch ignoriert wurde, seit Freemantle ihm die Schau gestohlen hatte, beeilte sich, der Anweisung zu folgen.

Freemantle selbst stopfte die unterzeichneten Formulare in seine Mappe. Ein flüchtiger Überschlag zeigte, daß er vorhin zu niedrig geschätzt hatte – es waren mehr als einhundertsechzig Formulare oder ein Honorar von über sechzehntausend Dollar, die er einkassieren konnte. Dazu hatten auch noch viele, die nach vorn gekommen waren, um ihm die Hand zu schütteln, versichert, sie würden ihm am nächsten Morgen ihre Formulare mit Scheck per Post schicken. Anwalt Freemantle strahlte. Von dem, was auf dem Flughafen wirklich passieren würde, hatte er keine klare Vorstellung, ebensowenig wie er heute abend einen festen Plan dafür gehabt hatte, wie er die Versammlung an sich reißen solle. Elliott Freemantle war gegen

feste Pläne. Er zog es vor, zu improvisieren, die Dinge sich entwickeln zu lassen und sie dann zu seinem Vorteil in die eine
oder andere Richtung zu lenken. Seine Freilaufmethode hatte
sich schon einmal an diesem Abend bewährt. Warum nicht ein
zweites Mal?

Hauptsache war, die Einwohner von Meadowood in der Überzeugung zu halten, sie hätten einen temperamentvollen Vertreter, der etwas erreichen würde. Man mußte sie in diesem Glauben
lassen – bis die Quartalszahlungen, die die Vollmachten vor-
sahen, geleistet waren. Danach, wenn Freemantle sein Geld auf
der Bank hatte, war ihre Meinung nicht mehr so wichtig.

Also mußte der Zustand zehn oder elf Monate lang, überlegte
er sich, lebendig erhalten werden – und dafür wollte er schon
sorgen. Er würde den Leuten alle Aktivität geben, die sie sich
nur wünschen konnten. Es mußten noch weitere Versammlun-
gen und Demonstrationen, außer der heutigen, stattfinden, weil
sie den Zeitungen Stoff für Berichte lieferten. Sehr oft gaben
Gerichtsverfahren das nicht her. Obwohl er vor ein paar Minuten gesagt hatte, legale Mittel seien die Grundlage, würden
die Gerichtsverhandlungen voraussichtlich unspektakulär und
wenig ergiebig sein. Selbstverständlich würde er sein Bestes
tun, auch vor Gericht ein paar große Auftritte zu inszenieren,
obwohl nur noch wenige Richter auf Rechtsanwalt Freemantles
aufsehenerregende Praktiken hereinfielen, sondern sie unerbittlich unterdrückten. Aber wirkliche Probleme waren das
nicht, vorausgesetzt, daß er sich daran erinnerte – was er in
solchen Fällen stets tat –: die Hauptsache war und blieb, für das
Wohl und die Ernährung von Elliott Freemantle zu sorgen.

Er konnte sehen, wie einer der Reporter – Tomlinson von der
Tribune – draußen vor der Halle eine Telefonzelle benutzte;
der andere Reporter war in der Nähe. Gut so! Das bedeutete,
daß die Redaktionen in der Stadt alarmiert waren und über
alles, was auch immer sich auf dem Flughafen abspielte, berichten würden. Außerdem, wenn frühere Arrangements, die Freemantle getroffen hatte, klappten, würde auch das Fernsehen
nicht fehlen.

Die Menge lichtete sich. Es war Zeit, zu gehen.

X

Kurz vor dem hellangestrahlten Haupteingang zum Flughafengebäude erlosch das aufblinkende rote Warnlicht des Streifen-
wagens, der Joe Patroni von der Unfallstelle mit dem umgestürzten Sattelschlepper vorausgefahren war. Der Wagen
verlangsamte sein Tempo, und der Polizist am Steuer fuhr an
den Bordstein. Er winkte dem Leiter der Wartungsabteilung der
TWA zu, vorbeizufahren. Patroni gab Gas. Als sein Buick
Wildcat überholte, winkte Patroni zum Gruß mit seiner Zigarre
und drückte zweimal kurz auf die Hupe.

Zwar hatte Patroni den letzten Teil seiner Fahrt schnell zurück-
gelegt, dennoch hatte er insgesamt drei Stunden für die Strecke
von seinem Haus zum Flughafen gebraucht, die er im allgemeinen in vierzig Minuten fuhr. Er hoffte, jetzt einen Teil der
verlorenen Zeit aufholen zu können.

Gegen den Schnee und die glatte Fahrbahn ankämpfend,
schlängelte er sich durch den Verkehrsstrom zum Flughafen
und bog in eine Abzweigung ein, die zum Bereich der Hangars
führte. Bei einem Schild »TWA – Wartung« steuerte er scharf
nach rechts. Wenige hundert Meter weiter ragte düster und
gewichtig die Wartungshalle der Fluggesellschaft auf. Das
Haupttor stand offen. Er fuhr direkt hinein.

In der Halle wartete bereits ein Einsatzwagen mit Sprechfunk-
ausrüstung und Fahrer auf ihn. Er sollte Patroni auf das Flugfeld hinausbringen – zu der festgefahrenen Düsenmaschine
der Aéreo Mexican, die unverändert die Startbahn Drei-Null
blockierte. Der Leiter des Wartungsdienstes stieg aus und blieb
nur so lange stehen, um unter Mißachtung des Schildes »Rauchen verboten« seine Zigarre wieder anzuzünden, dann hievte
er seinen stämmigen Körper in das Führerhaus des Lasters. Er
befahl dem Fahrer: »Los, mein Junge, jetzt jagen Sie mal die
Nadel hoch.«

Der Wagen raste los, und während sie fuhren, ließ Patroni
sich vom Kontrollturm freie Fahrt für ihren Weg geben. Sobald sie den Hangar hinter sich gelassen hatten, hielt sich der
Fahrer dicht an die blauen Taxilichter, der einzige Hinweis in

der Schneewüste für die Grenze zwischen fester Fahrbahn und unpassierbarem Schnee. Auf Anweisung des Turms hielten sie dicht vor einer Landebahn, auf der eine DC-9 der Delta Air Lines in aufwirbelndem Schnee landete und mit donnernden rückwärts geschalteten Düsenmotoren an ihnen vorbeiraste. Die Bodenkontrolle gab ihnen den Weg über die Landebahn frei und fragte dann: »Spricht dort Joe Patroni?«

»Ja.«

Es folgte eine Unterbrechung, weil der Kontroller sich anderem Verkehr widmen mußte, dann meldete er sich wieder. »Boden-kontrolle an Patroni. Wir haben eine Nachricht von der Flug-hafendirektion für Sie. Haben Sie verstanden?«

»Hier Patroni. Verstanden.«

»Die Nachricht lautet: ›Joe, ich wette eine Kiste Zigarren ge-gen zwei Eintrittskarten zum Baseball, daß Du die festsitzende Maschine auf Drei-Null heute nacht nicht freikriegst, und ich wäre froh, wenn Du gewinnen würdest.‹ Unterschrift: ›Mel Bakersfeld.‹ Ende der Nachricht.«

Joe Patroni mußte unwillkürlich lachen, als er auf den Schalter des Mikrofons drückte. »Patroni an Bodenkontrolle. Richten Sie ihm aus: ›Angenommen‹.«

Er hängte das Mikrofon zurück und trieb den Fahrer an: »Machen Sie zu, Mann. Jetzt habe ich was zu gewinnen.«

An der blockierten Kreuzung der Startbahn Drei-Null kam Ingram, der Leiter des Wartungsdienstes der Aéreo Mexican, auf den Wagen zu, sobald er anhielt. Ingram hüllte sich fest in seinen Anorak und schützte sein Gesicht, so gut es ging, vor dem beißenden Wind und dem Schnee.

Joe Patroni biß die Spitze einer frischen Zigarre ab, zündete sie diesmal aber nicht an, und kletterte aus dem Führerhaus des Wagens. Auf der Fahrt vom Hangar aufs Flugfeld hinaus hatte er seine Überschuhe gegen ein Paar schwere, pelzgefütterte Stiefel vertauscht. Doch so hoch die Stiefel auch waren, er sank bis über ihren Rand in dem tiefen Schnee ein.

Patroni zog ebenfalls seinen Anorak fest um sich und nickte Ingram zu. Die beiden Männer waren flüchtig miteinander bekannt.

»Also los«, begann Patroni. Er mußte brüllen, um sich bei dem starken Sturm verständlich zu machen. »Erzählen Sie mir, wie es hier aussieht.«

Wie ein ungeheurer, riesiger Albatros ragten Tragfläche und Rumpf der festgefahrenen Boeing 707 in die stürmische Nacht über den beiden Männern auf, während Ingram berichtete. Unter dem Rumpf der großen Düsenmaschine blinkte unaufhörlich die rote Warnleuchte, und nach wie vor stand dicht zusammengedrängt auf dem Taxiweg neben der Maschine die Ansammlung von Lastwagen und Hilfsfahrzeugen, darunter der Bus für das Einsatzkommando und ein dröhnender Generatorwagen.

Der Wartungsleiter der Aéreo Mexican faßte zusammen, was er bisher unternommen hatte: das Ausladen der Passagiere und den ersten fehlgeschlagenen Versuch, die Maschine mit eigener Kraft von der Stelle zu bewegen. Anschließend, berichtete er Patroni, habe er die Maschine soweit wie möglich von ihrer Zuladung befreit – von Fracht, Post, Passagiergepäck und dem größten Teil des Treibstoffs, der in Tankwagen übergepumpt worden war. Dann war ein zweiter Versuch unternommen worden, das Flugzeug durch die Triebkraft seiner Düsenmotoren freizubekommen, der ebenfalls mit einem Fehlschlag endete.

Patroni kaute auf seiner Zigarre, statt sie zu rauchen – eine der seltenen Konzessionen des Wartungschefs der TWA an die Feuersgefahr; denn es roch stark nach dem Treibstoff der Maschine –, und trat näher an das Flugzeug heran.

Ohne den Schnee zu beachten, der ihn wie in einer Szene aus *Mit Scott zum Südpol* umwirbelte, überprüfte Patroni die Situation und erwog die Erfolgsaussichten.

Noch bestand eine den Versuch lohnende Chance, die Maschine durch die Kraft ihrer eigenen Motoren aus dem Schlamm herauszubekommen, entschied er. Er verkündete: »Wir müssen vor dem Fahrwerk tief und breit ausgraben. Ich brauche zwei sechs Fuß breite Gräben bis zu der Stelle, wo die Räder jetzt sind. Unmittelbar vor den Rädern müssen sie waagerecht laufen und dann langsam aufwärts führen.« Er wandte sich Ingram zu. »Da haben wir eine Menge zu graben.«

Ingram nickte: »Kann man wohl sagen.«

»Wenn wir damit fertig sind, starten wir die Motoren und lassen sie alle vier mit voller Kraft laufen.« Patroni deutete auf das bewegungsunfähige stille Flugzeug. »Auf diese Weise sollten wir sie in Gang bekommen. Sobald sie anrollt und die Steigung in den Gräben überwunden hat, schwingen wir sie in diese Richtung.« Er stampfte mit den schweren Stiefeln, die er in dem Lastwagen angezogen hatte, von dem weichen Boden bis zu dem betonierten Taxiweg eine tiefe Spur in den weichen Schnee. »Noch etwas. Vor die Räder wollen wir schwere Bohlen in die Gräben legen, so viele wie möglich. Haben Sie welche hier?«

»Ein paar«, antwortete Ingram. »Auf einem der Lastwagen.«

»Lassen Sie die abladen, und schicken Sie den Fahrer auf dem Flughafen herum, um so viele wie möglich heranzuschaffen. Versuchen Sie es bei allen Gesellschaften und der Wartungsabteilung des Flughafens.«

Die Leute um Patroni und Ingram riefen nach den anderen, die aus dem Bus ausstiegen. Zwei Männer schlugen eine schneebedeckte Zeltbahn von einem Lastwagen zurück, der Schaufeln und andere Werkzeuge geladen hatte. Die Schaufeln wurden von den schattenhaften Gestalten, die sich außerhalb des erleuchteten Halbkreises bewegten, aneinander weitergereicht. Der treibende Schnee machte es den Männern manchmal schwer, sich gegenseitig zu erkennen. Sie warteten auf den Befehl, anzufangen.

Die Einstiegtreppe, die zur vorderen Kabinentür der 707 führte, war bisher stehengelassen worden. Patroni deutete darauf. »Sind die Fliegerknaben noch an Bord?«

»Sind sie«, knurrte Ingram. »Dieser verdammte Kapitän und sein Erster Offizier.«

Patroni sah ihn scharf an. »Haben sie Ihnen Ärger gemacht?«

»Nicht durch das, was sie gemacht, sondern durch das, was sie nicht gemacht haben«, antwortete Ingram verdrossen. »Als ich herkam, wollte ich, daß sie die Motoren mit voller Kraft laufen ließen, genauso wie Sie gesagt haben. Wenn sie das auch gleich gemacht hätten, wäre die Maschine vermutlich freigekommen, aber dazu hatten sie nicht den Mumm, und deshalb sitzen sie jetzt noch tiefer drin. Der Kapitän hat heute abend schon einen dicken Patzer gemacht, das weiß er. Und jetzt hat er eine Todesangst, er könnte die Maschine auf die Schnauze stellen.«

Joe Patroni grinste. »An seiner Stelle ginge es mir wahrscheinlich genauso.« Er hatte seine Zigarre zu Fetzen zerkaut. Er warf sie in den Schnee und griff unter seinen Anorak nach einer neuen. »Mit dem Kapitän spreche ich später. Ist ein Telefon zum Cockpit angeschlossen?«

»Ja.«

»Dann rufen Sie an. Sagen Sie, daß wir an der Arbeit sind und ich bald zu ihm hinaufkäme.«

»Wird gemacht.« Während Ingram näher an das Flugzeug heranging, rief er den etwa zwanzig versammelten Männern des Arbeitskommandos zu: »Los jetzt, Leute. Fangen wir an zu graben.«

Joe Patroni griff selbst nach einer Schaufel, und gleich darauf schaufelte die ganze Gruppe Schnee, Schlamm und Erde auf die Seite.

Nachdem Ingram über das an den Rumpf angeschlossene Telefon mit den Piloten hoch oben in ihrem Cockpit gesprochen hatte, begann er mit vor Kälte klammen Händen in dem eisigen Schlamm herumzutasten, um mit Hilfe eines Mechanikers die erste Bohle vor den Rädern des Flugzeugs auszulegen.

Weit entfernt über dem Flugfeld, wo sich in dem wehenden Schnee die Sichtweite ständig veränderte, wurden gelegentlich die Positionslichter startender und landender Flugzeuge sichtbar, und der Wind trug das hohe, schrille Jaulen der Düsenmotoren an die Ohren der arbeitenden Männer. Aber Startbahn Drei-Null, ganz in der Nähe, lag weiterhin still und verlassen.

Joe Patroni rechnete nach. Wahrscheinlich würde eine Stunde vergehen, ehe die Grabarbeit beendet war und die Motoren der Boeing 707 angelassen und versucht werden konnte, den großen Luftkreuzer durch die Gräben aus dem Schlamm herausrollen zu lassen. Die Gräben begannen schon Form anzunehmen, aber die Männer, die sie gruben, mußten in Schichten arbeiten und sich abwechselnd in dem Mannschaftsbus, der nach wie vor auf dem Taxiweg stand, ausruhen und aufwärmen.

Jetzt war es halb elf. Mit etwas Glück, überlegte Joe Patroni, konnte er kurz nach Mitternacht wieder zu Hause und im Bett sein – bei Marie.

Um diese Aussicht der Verwirklichung näher zu bringen, aber auch um sich warm zu halten, schaufelte Joe Patroni noch angestrengter weiter.

XI

Im Cloud Captain's Coffee Shop bestellte Kapitän Vernon Demerest Tee für Gwen und schwarzen Kaffee für sich selbst. Kaffee hielt ihn – wie er es sollte – munter; von hier bis Rom würde er vermutlich noch ein Dutzend weitere Tassen brauchen. Obwohl Kapitän Harris heute nacht die Hauptarbeit beim Steuern von Flug Zwei zufiel, beabsichtigte Demerest nicht, sich geistig zu entspannen. Das tat er in der Luft selten. Er wußte, wie die meisten erfahrenen Kapitäne, daß nur die Flieger die Chance hatten, in ihrem Bett an Altersschwäche zu sterben, die während ihrer Laufbahn immer imstande waren, sofort mit dem Unerwarteten fertig zu werden.

»Wir sind beide so ungewöhnlich schweigsam«, sagte Gwen mit ihrem sanften englischen Akzent. »Kaum ein Wort haben wir gesprochen, seit wir auf den Flughafen gekommen sind.«

Vor ein paar Minuten erst hatten sie nach Bekanntgabe der einstündigen Verspätung das Gedränge an der Abfertigung verlassen. Es war ihnen gelungen, eine Nische im rückwärtigen Teil der Kaffeestube zu ergattern, und Gwen blickte nun in den Spiegel ihrer Puderdose und brachte ihr Haar in Ordnung, das voll und glänzend unter der schnittigen Trans-America-Stewardeßmütze hervorquoll. Ihre dunklen, ausdrucksvollen Augen blickten flüchtig vom Spiegel zu Vernons Gesicht auf.

»Ich habe nicht geredet«, sagte Demerest, »weil ich nachdachte, das ist alles.«

Gwen befeuchtete ihre Lippen, aber benutzte keinen Lippenstift – die Fluglinien hatten strenge Vorschriften über das Zurechtmachen der Stewardessen in der Öffentlichkeit. Ohnehin benutzte Gwen sehr wenig Make-up: Ihr Teint hatte diesen Milch-und-Rosen-Ton, der so vielen englischen Mädchen angeboren zu sein scheint.

»Nachgedacht worüber? Dein traumatisches Erlebnis – die Ankündigung, daß wir Eltern werden?« Gwen lächelte ironisch und sagte dann: »Kapitän Vernon Waldo Demerest und Miß Gwendolyn Meighen geben die baldige Ankunft ihres ersten Kindes bekannt, eines – ja, was denn? ... Das wissen wir ja noch nicht. Noch sieben Monate lang nicht. Na, wir brauchen nicht lange zu warten.«

Er blieb schweigsam, während Kaffee und Tee gebracht wurden, dann protestierte er: »Um Gottes willen, Gwen, laß uns ernst bleiben.«

»Warum denn? Besonders, wo ich es nicht mal ernst nehme. Wenn sich schon einer Sorgen machen muß, sollte ich das doch sein.«

Er war schon im Begriff, etwas zu erwidern, als Gwen unter dem Tisch seine Hand ergriff. Ihr Ausdruck ging in Mitgefühl über.

»Entschuldige. Ich glaube, das Ganze zerrt ein bißchen an unseren Nerven.«

Das war die Äußerung, auf die Demerest gewartet hatte. Vorsichtig sagte er: »Es braucht uns nicht zu beunruhigen. Denn, wenn wir nicht wollen, müssen wir nicht Eltern werden.«

»Gut«, sagte Gwen sachlich. »Ich habe mich schon gefragt, wann du damit herausrücken würdest.« Sie klappte ihre Puderdose zu und steckte sie ein. »Im Wagen warst du beinah soweit, nicht wahr? Dann hast du dir es anders überlegt.«

»Was anders überlegt?«

»Nein, wirklich, Vernon! Warum heucheln? Wir wissen beide ganz genau, wovon du sprichst. Du bist für eine Abtreibung, daran hast du immer gedacht, seit ich dir gesagt habe, daß ich schwanger bin. Hab' ich recht?«

Er nickte zögernd. »Ja.« Er fand Gwens Direktheit immer noch entwaffnend.

»Was ist los? Hast du gedacht, ich hätte noch nie im Leben von Abtreibung gehört?«

Demerest schielte über die Schulter, aus Angst, sie könnten gehört werden, aber das Geschirrklappern und Stimmengeräusch übertönte alles.

»Ich war nicht sicher, was du dazu sagen würdest.«

»Ich bin selbst nicht sicher.« Nun war es an Gwen, ernst zu werden. Sie sah auf ihre Hände hinunter, die langen, schlanken Finger, die er so bewunderte und die sie nun vor der Brust gefaltet hatte. »Ich habe darüber nachgedacht, aber ich weiß es immer noch nicht.«

Er fühlte sich ermutigt. Wenigstens war das keine zugeschlagene Tür, keine glatte Ablehnung.

Er versuchte die reine Vernunft sprechen zu lassen. »Es ist wirklich das einzig Vernünftige. In gewisser Weise ist es vielleicht unangenehm, daran zu denken, aber schließlich geht es schnell vorüber, und wenn es ordentlich gemacht wird, therapeutisch, ist keine Gefahr damit verbunden, keine Komplikation zu befürchten.«

»Ja, ich weiß«, sagte Gwen. »Es ist alles schrecklich einfach. Tust du's oder tust du's nicht?« Sie blickte ihn direkt an. »So ist es doch?«

»So ist es.«

Er trank seinen Kaffee. Vielleicht war es einfacher, als er gedacht hatte.

»Vernon«, sagte Gwen leise, »hast du auch einmal daran gedacht, daß das, was jetzt in mir ist, ein Menschenwesen ist? Daß es lebendig ist, eine Persönlichkeit – schon jetzt? Wir haben uns geliebt. Es ist wie du und ich; ein Teil von uns!« Ihre Augen, beunruhigter, als er sie je gesehen hatte, suchten auf seinem Gesicht eine Antwort.

Mit nachdrücklicher Betonung und in absichtlich barschem Ton sagte er: »Das stimmt nicht. Ein Fötus ist in diesem Stadium kein menschliches Wesen; noch keine Persönlichkeit, noch nicht. Vielleicht später, aber jetzt noch nicht. Das lebt nicht, atmet nicht und fühlt nicht. Eine Abtreibung – besonders so zeitig – ist nicht dasselbe, wie ein Menschenleben zu vernichten.«

Gwen reagierte aufgebracht, wie schon im Auto bei der Herfahrt.

»Du meinst, später wäre es nicht so in Ordnung? Wenn wir noch warteten und dann eine Abtreibung machten, wäre es vielleicht nicht so ethisch. Wenn das Baby schon fertig ausgebildet ist, seine Finger und Zehen schon alle fertig sind? Es dann umzubringen wäre schlimmer als jetzt? Ist das richtig, Vernon?«

Demerest schüttelte den Kopf. »Das habe ich nicht gesagt.«

»Aber du hast es so gemeint?«

»Wenn es so klang, war das nicht meine Absicht. Auf jeden Fall verdrehst du die Worte.«

Gwen seufzte. »Ich bin eben eine Frau.«

»Niemand hat ein größeres Recht dazu.«

Er lächelte; seine Augen wanderten zu ihr hinüber. Der Gedanke an Neapel, mit Gwen – in wenigen Stunden –, erregte ihn immer noch.

»Ich liebe dich, Vernon. Wirklich, das tu ich.«

Unter dem Tisch ergriff er wieder ihre Hand. »Ich weiß es. Deshalb ist es auch so schwer für uns beide.«

»Ja, das ist es«, bestätigte Gwen langsam, als dächte sie laut. »Ich habe noch nie ein Kind empfangen, und bis das geschieht, fragt sich eine Frau immer, ob sie überhaupt dazu fähig ist. Wenn man dann erfährt, wie ich es jetzt erfuhr, daß die Antwort ein ›Ja‹ ist, dann ist das eine Art Geschenk, ein Gefühl – das nur eine Frau hat, das ist so groß und wundervoll. Und dann plötzlich, wie in unserer Situation, steht man davor, daß alles aus ist, daß alles vergeudet wird, was geschenkt worden ist.« Ihre Augen waren feucht. »Kannst du das verstehen, Vernon? Richtig verstehen?«

Er antwortete zart: »Ja. Ich glaube, ja.«

»Der Unterschied zwischen dir und mir ist, daß du schon ein Kind gehabt hast!«

Er schüttelte den Kopf. »Ich habe keine Kinder. Sarah und ich...«

»Nicht in deiner Ehe. Aber da war doch ein Kind, wie du erzähltest. Ein kleines Mädchen; das durch das 3-PPP-Programm« – sie zeigte den Anflug eines Lächelns –, »das adoptiert wurde. Was nun auch passieren mag, da ist immer irgendwo jemand, der wieder du ist.«

Er sagte nichts.

Gwen fragte: »Denkst du noch manchmal an es? Fragst du dich manchmal, wo es wohl sein mag, wie es wohl aussieht?«

Es gab keinen Grund zu lügen. »Ja«, sagte er, »manchmal tu ich das.«

»Gibt es keine Möglichkeit, es zu finden?«

Er schüttelte den Kopf. Er habe sich einmal erkundigt, aber

erfahren, nach erfolgter Adoption würden die Akten vernichtet. Es gebe keine Möglichkeit, nie.

Gwen trank einen Schluck Tee. Über den Tassenrand hinweg betrachtete sie die überfüllte Kaffeestube. Er spürte, daß ihre Fassung wiedergekehrt war; die Vorahnung von Tränen war verschwunden.

Lächelnd sagte sie: »Du lieber Himmel, was für eine Menge Unannehmlichkeiten ich dir mache!«

Er antwortete, und es war ihm Ernst: »Meine Sorgen spielen keine Rolle. Nur das, was für dich das Beste ist.«

»Na, ich glaube, schließlich tu ich das, was am vernünftigsten ist. Das ist eine Abtreibung. Ich muß es erst einmal durchdenken, durchsprechen.«

»Wenn du bereit bist, werde ich dir helfen. Wir sollten aber nicht zuviel Zeit verlieren.«

»Wahrscheinlich nicht.«

»Sieh mal, Gwen«, versicherte er ihr, »die ganze Geschichte geht so schnell, und ich verspreche dir, es wird medizinisch völlig sicher sein.« Er erzählte ihr von Schweden; er würde alles bezahlen, was die Klinik kostete; die Fluglinie würde helfen, sie dorthin zu bringen.

Sie antwortete: »Ich werde mich entschließen, bevor wir von diesem Flug zurückkommen.«

Er nahm ihren Zahlbon an sich, und sie erhoben sich zum Gehen. Es war für Gwen an der Zeit, zur Stelle zu sein, um die an Bord von Flug Zwei gehenden Gäste zu begrüßen.

Als sie die Kaffeestube verließen, sagte sie: »Ich glaube, ich habe großes Glück, daß du so bist. Andere Männer wären verschwunden und hätten mich sitzenlassen.«

»Ich werde dich nicht verlassen.«

Aber er würde sie doch verlassen; dessen war er jetzt sicher. Wenn Neapel und die Abtreibung vorüber waren, dann würde er mit Gwen Schluß machen, ihre Affäre beenden – so rücksichtsvoll wie möglich, aber doch vollständig und endgültig. Das würde nicht allzu schwer werden. Es würde ein paar ungemütliche Augenblicke geben, wenn Gwen seine Absichten erfuhr, aber sie gehörte nicht zu denen, die ein großes Theater machten. Das hatte sie ja bereits bewiesen. Auf jeden Fall würde er die Situation in der Hand behalten, die ja nichts Neues für ihn war. Vernon hatte sich schon früher aus amourösen Affären geschickt herausgezogen.

Gewiß, diesmal war es anders als sonst. Noch keine Frau hatte auf ihn einen solchen Eindruck gemacht wie Gwen. Keine andere Frau hatte ihn so stark erregt. Bei keiner — wenigstens soweit er sich erinnern konnte — hatte er eine solche Freude an ihrer Gesellschaft, an dem bloßen Zusammensein mit ihr empfunden. Eine Trennung würde nicht ganz leicht werden, und er wußte, er würde später in Versuchung geraten, seine Meinung zu ändern. Aber er würde unerbittlich bleiben. Wenn Vernon Demerest sich einmal für einen Weg entschieden hatte, dann war er ihn in seinem bisherigen Leben auch gegangen. Selbstzucht hatte er sich zur Gewohnheit gemacht.

Außerdem sagte ihm sein nüchterner Verstand, wenn er nicht bald mit Gwen bräche, würde eine Zeit kommen, wo er es nicht mehr fertigbrächte, wo er — Selbstzucht hin, Selbstzucht her — sich nicht mehr von Gwen trennen könnte. Wenn das passierte, mußte eine Dauerlösung gefunden werden, und das bedeutete eine katastrophale Umwälzung — in Ehe, Finanzen, Gefühlen, die er zu vermeiden entschlossen war. Vor zehn oder fünfzehn Jahren vielleicht? Heute nicht mehr.

Er berührte Gwens Arm. »Geh vor, ich komme in einer Minute nach.«

Als sich das Gedränge in der Haupthalle einen Moment lichtete, hatte er vor sich Mel Bakersfeld bemerkt. Es störte ihn nicht sonderlich, mit Gwen zusammen gesehen zu werden, aber es bestand auch kein Anlaß, ihre Beziehungen der ganzen Familie auf die Nase zu binden.

Er sah, daß sein Schwager ein ernstes Gespräch mit Leutnant Ned Ordway führte, dem tüchtigen, freundlichen Neger, der die Flughafenpolizei befehligte. Vielleicht war Mel zu beschäftigt, den Mann seiner Schwester zu bemerken, was Demerest nur sehr recht sein konnte, denn er hatte nicht den geringsten Wunsch nach einer Begegnung, wenn er sie auch nicht zu vermeiden gedachte.

Gwen verschwand in der Menge. Der letzte Eindruck, den er hatte, waren gutgeformte nylonbekleidete Beine und ebenso attraktive und wohlproportionierte Fußgelenke. *O sole mio...* Eil dich! Verdammt! Mel Bakersfeld hatte ihn gesehen.

»Ich habe Sie gesucht«, hatte Leutnant Ordway zu Mel ein paar Minuten vorher gesagt. »Ich habe gerade gehört, wir kriegen Besucher – einige Hundert.«

Heute abend war der Polizeileutnant in Uniform; eine große, auffallende Gestalt, die wie ein afrikanischer Kaiser aussah. Allerdings sprach er mit einer für einen solchen Riesen überraschenden Sanftheit.

»Wir haben schon genug Besucher.« Mel überblickte das Menschengewirr in der Haupthalle. Er hatte sie auf dem Weg in den Verwaltungsstock durchquert. »Nicht Hunderte, sondern Tausende.«

»Ich meine nicht Passagiere«, sagte Ordway. »Die Leute, von denen ich rede, dürften uns noch mehr Scherereien machen!«

Er berichtete kurz von der Protestversammlung gegen den Fluglärm; die Versammlung sei zu Ende, und die meisten der Beteiligten seien nun im Anmarsch auf den Flughafen. Leutnant Ordway hatte von der Versammlung und der geplanten Fortsetzung durch ein Fernsehteam erfahren, das um Erlaubnis gebeten hatte, Kameras innerhalb des Hauptgebäudes aufzustellen. Nachdem er mit den Fernsehleuten gesprochen hatte, habe er einen Freund in der Redaktion der *Tribune* angerufen und sich von ihm das Wesentliche aus einem Bericht vorlesen lassen, den ein Reporter von der Versammlung durchgegeben hatte.

»Teufel noch mal!« brummte Mel. »Ausgerechnet heute abend! Als ob wir nicht schon genug Schwierigkeiten hätten!«

»Das ist wohl die Absicht dabei; auf die Weise werden sie stärker geachtet. Aber ich hielt es für richtig, Sie darauf vorzubereiten, denn die werden sicher mit Ihnen sprechen wollen und vielleicht mit jemanden von der FAA.«

Mel sagte bitter: »Ach, die FAA! Die verschwinden von der Bildfläche, wenn sie von so etwas hören, und kommen erst wieder heraus, wenn die Entwarnungssirene geläutet hat.«

»Und wie steht es mit Ihnen?« Der Polizist grinste. »Wollen Sie auch verschwinden?«

»Nein, Sie können den Leuten sagen, daß ich eine Abordnung von sechs Personen empfangen werde, wenn es heute abend auch Zeitverschwendung ist. Ich kann doch nichts ändern.«

»Sie wissen ja«, sagte Ordway, »daß ich keine gesetzliche Handhabe besitze, um gegen sie einzuschreiten, wenn sie nicht gerade Aufruhr oder Sachbeschädigung begehen.«

»Ja, ich weiß, aber ich will nicht mit einem Pöbelhaufen reden. Trotzdem wollen wir es nicht erst zu einem Zusammenstoß kommen lassen. Auch wenn wir ein bißchen herumgestoßen werden: Sorgen Sie dafür, daß von unserer Seite damit nicht angefangen wird, solange es sich vermeiden läßt. Vergessen Sie nicht, daß die Presse da ist. Ich will keine Märtyrer schaffen.«

»Ich habe meine Leute schon instruiert. Sie werden es mit Humor nehmen und das Jiu-Jitsu aufsparen.«

»Gut!«

Mel hatte Vertrauen zu Ned Ordway. Der Polizeidienst auf Lincoln International wurde von einer sich selbst verwaltenden Abteilung der Städtischen Polizei versehen, und Leutnant Ordway repräsentierte den besten Typ eines Karrierepolizisten. Er war seit einem Jahr mit dem Flughafen-Polizeikommando betraut und würde wahrscheinlich bald in eine bedeutendere Stellung in der Stadt versetzt werden. Mel würde es bedauern, wenn er wegging.

»Und abgesehen von dieser Meadowood-Angelegenheit«, erkundigte sich Mel, »wie steht es sonst?«

Er wußte, daß die hundert Mann des Polizeikommandos, wie fast alle anderen auf dem Flughafen, seit Beginn des Sturms Überstunden gemacht hatten.

»Hauptsächlich Routinekram. Mehr Betrunkene als sonst und ein paar Schlägereien. Aber das geht zu Lasten der vielen Verspätungen und Ihrer tüchtigen Bars.«

Mel grinste. »Sagen Sie nichts gegen die Bars. Der Flughafen bekommt von jedem Drink seine Prozente, und wir brauchen diese Einnahmen.«

»Die Fluggesellschaften wohl auch, nehme ich an. Wenigstens

nach den Passagieren zu schließen, die sie wieder nüchtern zu machen versuchen, damit sie sie an Bord kriegen können. Ich habe meinen ewigen Ärger damit.«

»Kaffee?«

»Natürlich. In dem Augenblick, wo an den Abfertigungsschaltern einer Fluglinie ein betrunkener Passagier auftaucht, wird einer der Angestellten abgeordnet, ihn mit Kaffee vollzupumpen. Fluggesellschaften scheinen es nie zu lernen, daß der ganze Erfolg, wenn der Kaffee drinnen ist, darin besteht, daß der Betrunkene hellwach ist. Und dann rufen sie uns meistens zu Hilfe.«

»Damit werden Sie ja fertig.«

Ordways Männer waren, das wußte Mel, Fachleute im Umgang mit Betrunkenen, die fast nie bestraft wurden, außer wenn sie zu lärmen anfingen. Meistens waren es Vertreter und Geschäftsleute von auswärts, manchmal durch eine anstrengende Woche harten Konkurrenzkampfes erschöpft, und ein paar Drinks auf der Heimreise warfen sie um. Wenn die Flugbesatzung sie nicht an Bord lassen wollte – und Kapitäne, die hierin das letzte Wort hatten, waren da meistens unbeugsam –, wurden Betrunkene von der Polizei in das Haftlokal geschafft und ihnen dort Gelegenheit gegeben, wieder nüchtern zu werden. Später durften sie dann wieder gehen – meistens wie begossene Pudel.

»Ach, da wäre noch was«, sagte Leutnant Ordway. »Die Parkplatzwärter glauben, wir hätten wieder mehrere Autowracks. Bei dem Wetter ist das ja schwer festzustellen, aber wir werden es untersuchen, sobald wir können.«

Mel zog eine Grimasse. Wertlose, auf Parkplätzen im Stich gelassene alte Wagen waren auf jedem größeren Flughafen eine bekannte Plage. War eine alte Karre unbrauchbar geworden, dann war es heutzutage erstaunlich schwer, sie loszuwerden. Schrott- und Bergungsfirmen waren bis an den Rand ihrer Grundstücke vollgestopft und nahmen nichts mehr an – es sei denn, der Wagenbesitzer bezahlte dafür. So stand ein Besitzer vor der Wahl, entweder für die Abnahme zu bezahlen oder einen Abstellplatz zu mieten, oder eine Stelle zu finden, wo er, ohne eine Spur von sich zu hinterlassen, sein Fahrzeug loswerden konnte. Flughäfen-Parkplätze boten sich geradezu als Autofriedhöfe an.

Die alten Wagen wurden auf Flughafen-Parkplätze gebracht, die Autonummern abmontiert und andere Kennzeichen still und heimlich beseitigt. Motornummern konnten natürlich nicht entfernt werden, aber der Aufwand an Zeit und Mühe, nach ihnen den letzten Besitzer festzustellen, lohnte sich nicht. Es war also einfacher, der Flughafen tat das, was der Besitzer nicht tun wollte – bezahlte, damit der Wagen abgeschleppt und verschrottet wurde, und das möglichst schnell, da er einnahmenbringende Parkplätze blockierte. Auf Lincoln International war die monatliche Rechnung für die Beseitigung alter Wagen in letzter Zeit erschreckend angewachsen.

Zwischen der hin und her wogenden Menge in der großen Halle entdeckte Mel Kapitän Vernon Demerest.

»Davon abgesehen«, sagte Ordway aufmunternd, »sind wir in bester Form für Ihre Besucher aus Meadowood. Ich sage Ihnen Bescheid, wenn sie kommen.« Mit freundlichem Nicken ging der Polizist weiter.

Vernon Demerest – in der Uniform der Trans America und mit der bei ihm üblichen selbstbewußten Haltung – kam in Mels Richtung. Mel spürte einen Anflug von Gereiztheit, wenn er an den abträglichen Bericht des Schnee-Komitees dachte, von dem er gehört, den er aber immer noch nicht gesehen hatte.

Demerest schien nicht geneigt, stehenzubleiben, bis Mel sagte: »Guten Abend, Vernon.«

»Hallo!« Demerests Ton war gleichgültig.

»Wie ich höre, bist du jetzt Sachverständiger für Schneeräumung.«

»Man braucht doch kein Sachverständiger zu sein«, antwortete Vernon Demerest schroff, »um zu erkennen, daß miserable Arbeit geleistet wird.«

Mel bemühte sich, im Ton maßvoll zu bleiben. »Hast du eine Ahnung, wie hoch der Schnee gewesen ist.«

»Vielleicht besser als du. Den Wetterbericht zu lesen gehört zu meinen Aufgaben.«

»Dann weißt du auch, daß in den letzten vierundzwanzig Stunden bei uns auf dem Flughafen zehn Zoll Schnee gefallen sind; nicht gerechnet, was vorher schon da war.«

Demerest zuckte mit den Achseln. »Dann schafft ihn doch weg.«

»Das tun wir ja.«

»Davon merkt man verdammt wenig.«

»Der stärkste je registrierte Schneefall hier war zwölf Zoll im gleichen Zeitraum. Das war eine Überflutung, und alles wurde geschlossen. Diesmal standen wir dicht davor, aber wir haben nicht geschlossen. Wir haben darum gekämpft, den Flughafen offenzuhalten, und wir haben es geschafft. Es gibt nirgendwo einen Flughafen, der besser mit diesem Sturm fertig geworden wäre als wir. Wir haben jede Maschine aus dem Schneeräumungspark Tag und Nacht eingesetzt.«

»Vielleicht habt ihr nicht genug Maschinen.«

»Mein Gott, Vernon! Niemand hat genug Ausrüstung für einen solchen Sturm, wie wir ihn in den letzten Tagen hatten. Jeder könnte mehr brauchen, aber man kauft doch keine Schneeräummaschinen für eine gelegentliche Ausnahmesituation – wenn man nur ein kleines bißchen wirtschaftlich denkt. Man kauft für normale Tage, und wenn ein Notstand eintritt, verwendet man eben alles, was man hat, und setzt es so vorteilhaft wie möglich ein. Das haben meine Leute gemacht, und sie haben es verdammt gut gemacht!«

»Na schön«, erwiderte Demerest, »du bleibst bei deiner Meinung, ich bei meiner. Ich bin zufällig der Meinung, daß ihr unzulängliche Arbeit geleistet habt. Das habe ich auch in meinem Bericht gesagt.«

»Ich dachte, es wäre ein Komiteebericht gewesen? Oder hast du die anderen herausgeboxt, um mir persönlich einen Stich zu versetzen?«

»Wie das Komitee arbeitet, ist unsere Sache. Es kommt nur auf den Bericht an. Du kriegst morgen deinen Durchschlag.«

»Vielen Dank.« Sein Schwager, stellte Mel fest, hatte nicht einmal zu leugnen versucht, daß der Bericht persönlich gemeint war. Mel fuhr fort: »Was du auch geschrieben hast, ändern wird sich dadurch überhaupt nichts. Aber wenn es dir Genugtuung verschafft, negativen Effekt wird es haben. Morgen muß ich Zeit darauf verschwenden, zu erklären, wie unwissend – auf gewissen Gebieten – du in Wirklichkeit bist.« Mel hatte erregt gesprochen und sich nicht bemüht, seinen Ärger zu verbergen.

Zum ersten Male grinste Demerest. »Ist dir wohl doch etwas unter die Haut gegangen, was? Und das mit dem negativen Effekt und deiner kostbaren Zeit ist ein Jammer. Ich werde morgen daran denken, wenn ich die italienische Sonne genieße.« Immer noch grinsend ging er.

Als er ein paar Meter weiter war, wurde aus dem Grinsen ein finsteres Gesicht.

Die Ursache von Kapitän Demerests Mißmut war der Versicherungskiosk in der Haupthalle, der heute abend sichtlich Hochkonjunktur hatte. Das war eine Mahnung daran, daß Demerests Sieg über Mel Bakersfeld eine Lappalie, bloß ein Mückenstich gewesen war. In einer Woche würde der unfreundliche Schneekomiteebericht vergessen sein, aber die Versicherungsschalter waren immer noch da. Also war der wirkliche Sieg auf seiten seines glatten, selbstgefälligen Schwagers, der Demerests Argumente vor dem Verwaltungsrat weggefegt und ihn selbst lächerlich gemacht hatte.

Hinter den Versicherungsschaltern schrieben zwei junge Mädchen – eine von ihnen eine vollbusige Blondine – eifrig Policen für Antragsteller aus, hinter denen ein weiteres halbes Dutzend Schlange stand. Die meisten der Wartenden hielten Geldscheine in den Händen – weitere schnelle Profite für die Versicherungsgesellschaften, wie Demerest mißvergnügt feststellte, und er hatte auch keinen Zweifel daran, daß die Automaten an verschiedenen Stellen des Flughafens genauso beschäftigt waren.

Er fragte sich, ob wohl auch einige seiner Passagiere von Flug Zwei in der Schlange ständen. Er war versucht, danach zu fragen, und falls es so wäre, eigene Bekehrungsversuche zu machen, unterließ es aber dann doch. Vernon Demerest hatte das bereits früher einmal versucht – Menschen vor einem Versicherungsschalter abzuraten, eine Flugversicherung abzuschließen, und ihnen zu erklären, warum nicht; später waren dann Klagen gekommen, die ihm einen scharfen Rüffel von der Trans America eingetragen hatten. Zwar liebten die Fluggesellschaften Flugversicherungen genausowenig wie die Flugbesatzungen, waren aber gezwungen, neutral zu sein, da sie von verschiedenen Stellen unter Druck gesetzt wurden. Erstens, führten die Flughafenleitungen an, brauchten sie die Einkünfte von den Versicherungsgesellschaften. Ohne die Einnahmen aus dieser Quelle, erklärten sie, müßten die Fluglinien die Differenz voraussichtlich durch höhere Landegebühren ausgleichen. Außerdem legten die Fluglinien keinen Wert darauf, Fluggäste zu verschnupfen, die es vielleicht verärgerte, eine Versicherung nicht in der gewohnten Weise abschließen zu können. Daher hatten die Piloten allein die Initiative ergriffen – und auch die Schmähungen auf sich genommen.

Mit diesen Gedanken beschäftigt, war Kapitän Demerest ein paar Sekunden lang stehengeblieben und hatte die Geschäftigkeit an dem Versicherungskiosk betrachtet. Jetzt sah er einen Neuankömmling sich der Schlange anschließen – ein nervös wirkender spindeldürrer Mann mit gebeugtem Rücken und einem kleinen sandfarbenen Schnurrbart. Der Mann trug einen kleinen Aktenkoffer und schien wegen der Zeit beunruhigt zu sein; wiederholt blickte er zu der Zentraluhr hinauf und verglich sie mit seiner eigenen Uhr. Die Länge der Schlange vor ihm machte ihn sichtlich ungeduldig.

Mißbilligend dachte Demerest, der Mann hat sich nicht genug Zeit genommen, er sollte die Versicherung vergessen und machen, daß er an Bord seines Flugzeugs kommt.

Dann mahnte Demerest sich selbst, daß er in die Pilotenkanzel von Flug Zwei zurück mußte. Schnell machte er sich auf den Weg zur Abfertigung der Trans America; jeden Augenblick konnte jetzt der erste Aufruf, an Bord zu gehen, erfolgen. Ah – da war er schon!

»Trans America gibt den Abflug von Flug Zwei nach Rom bekannt, The Golden Argosy.«

Kapitän Demerest war länger im Hauptgebäude geblieben, als er beabsichtigt hatte. Während er sich beeilte, ging die Ansage klar und deutlich über dem Lärm in der Halle weiter.

XII

»... Flug Zwei, The Golden Argosy, nach Rom. Die Maschine ist jetzt bereit zum Einsteigen. Die Fluggäste mit bestätigten Buchungen...«

Eine Abflugankündigung hat für die Leute, die sie hören, verschiedene Bedeutungen. Für einen Teil ist es reine Routine, ein Aufruf zu einer weiteren ermüdenden Geschäftsreise, die manche, wenn sie die Wahl hätten, nicht machen würden. Für andere bedeutet eine Flugankündigung den Beginn von Abenteuern; für wieder andere die Annäherung an ein Ziel – die Heimkehr. Einigen bringt sie Betrübnis und Abschied; anderen, im Gegenteil, Aussicht auf Wiedersehen und Freude. Einige hören Flugankündigungen nur für andere, für Freunde oder Verwandte, die die Reise antreten; für sie selbst sind die Namen der Bestimmungsorte mit sehnsuchtsvollen flüchtigen Vorstellungen weit entfernter Gegenden verbunden, die sie nie zu Gesicht bekommen würden. Bei einer Handvoll lösen sie Angst aus; wenige nur nehmen sie gleichgültig hin. Sie sind das Signal, daß ein Aufbruch begonnen hat. Ein Flugzeug steht bereit; es ist Zeit, an Bord zu gehen, aber nicht Zeit, um zu trödeln, denn nur selten warten Fluglinien auf einzelne Passagiere. In Kürze würde die Maschine in das für die Menschen unnatürliche Element, die Luft, aufsteigen; und da es unnatürlich war, umwitterte den Aufbruch stets ein Hauch von Abenteuer und Romantik, der immer bestehenbleiben würde.

Fast alle Flugankündigungen wurden vorher auf Tonbänder aufgenommen. Obwohl jede Ankündigung für das Ohr in sich geschlossen klang, war sie das nie, denn sie bestand aus drei verschiedenen Bändern. Das erste Band nannte die Fluglinie und den Flug, das zweite beschrieb die Ladephase, Vorbereitung, Anbordnahme, oder Schluß; das dritte Band bezeichnete die Nummer des Ausgangs. Da die drei Aufzeichnungen ohne Pause aufeinanderfolgten, klangen sie zusammenhängend, und das sollten sie auch.

Menschen, die quasi-menschliche Automaten nicht liebten, freuten sich manchmal, wenn die Tonbänder verkehrt arbeiteten.

Gelegentlich verklemmte sich irgendwas in dem Gerät, und die Folge war, daß Passagiere für ein halbes Dutzend Flüge an ein und denselben Ausgang dirigiert wurden. Das dadurch hervorgerufene Chaos in Form von tausend oder noch mehr verwirrten und ungeduldigen Passagieren war für die Fluglinienangestellten ein Alptraum.

Für Flug Zwei funktionierte die Apparatur heute abend.

»... Passagiere mit bestätigten Buchungen wollen sich bitte zum Ausgang siebenundvierzig begeben, der blaue Warteraum ›D‹.«

Nunmehr hatten Tausende im Flughafen die Ansage von Flug Zwei gehört. Einige ging es mehr an als die anderen. Einige, die es jetzt noch nichts anging, würden davon betroffen sein, ehe die Nacht um war.

Mehr als hundertfünfzig Passagiere von Flug Zwei hörten die Ankündigung. Diejenigen, die abgefertigt waren, aber Ausgang siebenundvierzig noch nicht erreicht hatten, hasteten dorthin, darunter ein paar, die eben erst angekommen waren und sich im Gehen noch den Schnee von den Kleidern klopften.

Die rangälteste Stewardeß, Gwen Meighen, brachte einige Familien mit kleinen Kindern an Bord, als die Ansage über die Gangway hallte. Sie benutzte das Bordtelefon, um Kapitän Anson Harris zu verständigen, und machte sich auf den Ansturm der Passagiere in den nächsten paar Minuten gefaßt. Noch vor den Passagieren kam Kapitän Vernon Demerest an Bord, eilte nach vorn und schloß die Tür der Pilotenkanzel hinter sich.

Anson Harris, der mit dem Zweiten Offizier Cy Jordan zusammen arbeitete, hatte bereits mit der Flugvorkontrolle begonnen.

»Da wären wir«, sagte Demerest. Er schob sich auf den Platz des Ersten Offiziers auf der rechten Seite und nahm den Hefter mit der Kontrolliste an sich. Jordan nahm wieder seinen ständigen Platz hinter den beiden anderen ein.

Mel Bakersfeld war immer noch in der Haupthalle, hörte die Ansage und erinnerte sich, daß *The Golden Argosy* ja Vernon Demerests Flug war. Mel bedauerte ehrlich, daß wieder einmal eine Gelegenheit, die Feindseligkeiten zwischen sich und seinem

Schwager zu beenden, oder wenigstens zu vermindern, versäumt worden war. Nun waren ihre persönlichen Beziehungen womöglich noch schlechter als vorher. Mel fragte sich, wieviel Schuld dabei auf sein eigenes Konto ginge; ein Teil bestimmt, denn Vernon Demerest schien die Gabe zu haben, die schlechtesten Eigenschaften in ihm wachzurufen, aber Mel glaubte ehrlich, daß ihr Streit vorwiegend auf Vernons Kappe ging. Zum Teil beruhten die Schwierigkeiten darauf, daß Vernon sich selbst als ein höheres Wesen betrachtete und es übelnahm, wenn andere das nicht widerspruchslos hinnahmen. Aber eine ganze Reihe von Piloten, die Mel kannte – vor allem Kapitäne –, hatten die gleiche hohe Meinung von sich.

Mel kochte immer noch, wenn er daran dachte, wie Vernon nach jener Verwaltungsratssitzung behauptet hatte, Menschen wie Mel seien »bodenverhaftet, schreibtischgebunden, hätten Spatzengehirne«. Als ob das Fliegen eines Flugzeuges, dachte Mel, im Vergleich mit anderen Tätigkeiten so etwas verdammt Extra-Besonderes wäre!

Doch trotzdem wünschte sich Mel, er könnte heute nacht wieder einmal für ein paar Stunden Pilot sein und stünde – so wie Vernon – vor einem Flug nach Rom. Es fiel ihm ein, wie Vernon Demerest vom Genießen der Sonne in Italien gesprochen hatte. Mel hätte davon im Augenblick etwas vertragen können und etwas weniger Luftfahrtlogistik am Boden. Heute abend schienen die sicheren Bindungen an die Erde noch zäher als sonst zu sein.

Polizeileutnant Ned Ordway, der vor ein paar Minuten Mel Bakersfeld verlassen hatte, hörte durch den offenstehenden Eingang einer kleinen Wache direkt an der Haupthalle die Ansage von Flug Zwei. Ordway erhielt gerade einen telefonischen Bericht von seinem Sergeanten in der Hauptwache der Flughafenpolizei. Der Funkmeldung eines Polizeiwagens zufolge sei ein starker Zustrom von vollbesetzten Privatwagen auf die Parkplätze zu verzeichnen, und es würden Schwierigkeiten entstehen, sie alle unterzubringen. Überprüfungen hätten ergeben, daß die Mehrzahl der Wageninsassen aus der Gemeinde Meadowood stammten, also Teilnehmer der Antilärmdemonstration seien, von der Leutnant Ordway ja schon gehört habe. Wie der Leutnant befohlen habe, seien bereits Polizeiverstärkungen unterwegs zum Flughafen.

Ein paar hundert Meter von Leutnant Ordway entfernt, in einer Wartenische für Fluggäste, machte die kleine alte Dame aus San Diego, Mrs. Ada Quonsett, eine Pause in ihrer Unterhaltung mit dem jungen Peter Coakley von der Trans America, während die beiden auf die Ankündigung von Flug Zwei horchten.

Sie saßen nebeneinander auf einer der ledergepolsterten Bankreihen. Mrs. Quonsett hatte gerade die Verdienste ihres verstorbenen Mannes in Ausdrücken beschrieben, wie Queen Victoria sie benutzt haben muß, wenn sie von Prinz Albert sprach. »So ein liebenswerter Mann, so verständig und gut aussehend. Er begegnete mir ja erst in seinen späteren Jahren, doch stelle ich mir vor, daß er Ihnen in seinen jungen Jahren sehr ähnlich gesehen haben muß.«

Peter Coakley grinste einfältig, so wie er es in den vergangenen anderthalb Stunden schon oft getan hatte. Seit er Tanya Livingston mit ihrem Auftrag verlassen hatte, bei der alten Schwarzflugdame bis zum Abgang ihres Rückfluges nach Los Angeles zu bleiben, hatte ihr Gespräch in der Hauptsache aus einem Monolog von Mrs. Quonsett bestanden, in dem Peter Coakley oft und schmeichelhaft mit dem verstorbenen Herbert Quonsett verglichen worden war. Es war ein Thema, das Peter entschieden ermüdet hatte. Er merkte nicht, daß Ada Quonsett listigerweise gerade das im Schilde führte.

Verstohlen gähnte Peter; mit solcher Art Arbeit hatte er nicht gerechnet, als er bei der Trans America als Passagieragent eintrat. Er kam sich wie ein Hanswurst vor, da in Uniform zu sitzen und das Kindermädchen für eine harmlose, schwatzhafte alte Dame zu spielen, die gut seine Urgroßmutter hätte sein können. Er hoffte, dieser Dienst hätte nun bald ein Ende. Es war Pech, daß Mrs. Quonsetts Flug nach Los Angeles, wie die meisten anderen heute abend, des Sturmes wegen verschoben war; sonst wäre die alte Schachtel bereits seit einer Stunde unterwegs. Er hoffte, daß der Flug nach Los Angeles bald aufgerufen würde. Indessen ging die Ankündigung von Flug Zwei weiter, und das war eine willkommene, wenn auch kurze Erholungspause. Der junge Peter Coakley hatte Tanyas zur Vorsicht mahnende Worte schon vergessen: »Vergessen Sie nicht – sie hat einen ganzen Sack voll Tricks.«

»Hören Sie nur!« sagte Mrs. Quonsett, als die Ansage zu Ende war. »Ein Flug nach Rom! Ach, ein Flughafen ist doch zu interessant, finden Sie nicht? Besonders für einen intelligenten jungen Mann wie Sie. Wenn es einen Ort gibt, von dem mein lieber Mann wünschte, daß wir ihn gemeinsam sehen sollten, dann war es Rom.« Sie faltete die Hände, zwischen denen sie ein winziges Spitzentaschentuch hielt, und seufzte. »Es war uns nie vergönnt.«

Während sie redete, arbeitete es in Ada Quonsetts Kopf mit der Präzision einer guten Schweizer Uhr. Was sie wollte, war: diesem Kind in Männeruniform zu entwischen. Wenn es ihm sichtlich langweilig wurde, so war doch Langeweile an sich nicht genug: er war und blieb da. Was sie nun tun mußte, das war, für eine Situation zu sorgen, in der aus Langeweile Unachtsamkeit würde. Es mußte aber bald sein.

Mrs. Quonsett hatte ihre ursprüngliche Absicht nicht vergessen – sich in einen Flug nach New York einzuschmuggeln. Sie hatte sorgfältig auf die Ansagen der Abflüge nach New York geachtet, und fünf Flüge verschiedener Linien waren aufgerufen worden, aber keiner im richtigen Augenblick, das heißt, mit einer aussichtsreichen Chance, unbemerkt ihrem jungen Bewacher zu entkommen. Sie wußte nicht, ob noch ein weiterer Abflug nach New York bevorstand, ehe die Maschine der Trans America nach Los Angeles startete – der Flug, den sie benutzen sollte, aber nicht wollte.

Alles andere ist besser, sagte sich Mrs. Quonsett, als nach Los Angeles zurückzufliegen. Aber auch alles! – Sogar – plötzlich hatte sie einen Einfall –, sogar an Bord der Maschine zu jenem Flug nach Rom zu gehen.

Noch zögerte sie. Aber warum eigentlich nicht? Vieles von dem, was sie heute abend über Herbert gesagt hatte, stimmte nicht, aber richtig war, daß sie sich zusammen einmal Ansichtspostkarten von Rom angesehen hatten ... Und wenn sie nicht weiter als bis zum Flughafen von Rom käme, wäre sie doch wenigstens einmal dort gewesen; dann könnte sie doch Blanche etwas erzählen, wenn sie schließlich nach New York käme. Ebenso wohltuend würde es sein, der rothaarigen Hexe von der Passagierbetreuung eins auszuwischen ... Aber würde sie es schaffen? Und wie war die Nummer des Ausgangs, die sie gerade angesagt hatten? War es nicht ... Ausgang siebenundvierzig im Blauen Warteraum »D«? Ja, sie war sicher.

Natürlich konnte der Flug voll besetzt und kein Platz mehr für einen blinden Passagier oder sonst jemanden sein, aber das war ja ein Risiko, das man immer einging. Und außerdem, fiel ihr ein, brauchte man für einen Flug nach Italien einen Paß, um an Bord zu kommen. Sie mußte überlegen, wie das zu machen war. Und selbst jetzt noch, wenn ein Flug nach New York angesagt würde ... Hauptsache war jetzt, nicht dazusitzen, sondern irgend etwas zu unternehmen. Mrs. Quonsett begann mit ihren zarten faltigen Händen zu zittern. »O Gott!« stöhnte sie. »O Gott!« Die Finger ihrer rechten Hand nestelten an ihrer altmodisch hochgeschlossenen Bluse, sie betupfte ihren Mund mit dem Spitzentüchlein und ließ einen leisen, tiefen Seufzer hören.

Ein Ausdruck höchster Beunruhigung erschien auf dem Gesicht des jungen Mannes. »Was ist denn, Mrs. Quonsett? Was fehlt Ihnen?«

Ihre Augen schlossen sich und öffneten sich wieder. »Es tut mir so leid. Ich fühle mich gar nicht wohl.«

Peter Coakley erkundigte sich besorgt: »Soll ich Hilfe holen? Einen Arzt?«

»Ich möchte doch keine Umstände machen.«

»Das sind doch keine ...«

»Nein«, Mrs. Quonsett schüttelte schwach den Kopf. »Ich glaube, ich werde mal zur Toilette gehen. Ich denke, es geht vorüber.«

Dem jungen Angestellten schien das zweifelhaft. Er wollte nicht riskieren, daß ihm die alte Dame unter den Händen starb, und danach sah es beinahe aus. Besorgt fragte er: »Glauben Sie wirklich?«

»Ja, ganz sicher.« Mrs. Quonsett hatte nicht die Absicht, hier in der Haupthalle des Flughafens Aufsehen zu erregen. Es waren zu viele Menschen in der Nähe, die sie beobachten würden. »Bitte helfen Sie mir auf – danke – wenn Sie mir jetzt Ihren Arm geben wollen – ich glaube, die Toiletten sind da drüben!« Auf dem Weg dahin stöhnte sie ein paarmal leise, was bei Peter Coakley ängstliche Blicke zur Folge hatte. Sie beruhigte ihn: »Ich habe schon einmal so einen Anfall gehabt. Ich bin sicher, es wird bald besser.«

Vor der Tür zur Damentoilette gab sie Coakleys Arm frei. »Sie sind wirklich freundlich zu einer alten Dame. So viele junge Männer sind heutzutage – o Gott! –« Sie verwarnte sich selbst: Das war jetzt genug; sie mußte sich vor Übertreibungen hüten. »Werden Sie hier auf mich warten? Sie werden doch nicht weggehen?«

»O nein. Ich bleibe hier.«

»Danke!« Sie öffnete die Tür und verschwand. Im Innern waren zwanzig oder dreißig Frauen. Überall auf dem Flughafen blühte heute abend das Geschäft, dachte Mrs. Quonsett, sogar bei den Toiletten. Nun brauchte sie einen Bundesgenossen. Sorgsam sondierte sie das Schlachtfeld, bis sie sich eine Frau vom Typ Sekretärin ausgesucht hatte, die es nicht sehr eilig zu haben schien. Mrs. Quonsett schlich sich zu ihr hinüber.

»Entschuldigen Sie, ich fühle mich nicht ganz wohl. Würden Sie mir vielleicht helfen?« Die kleine alte Dame aus San Diego fummelte mit ihren Händen, schloß die Augen und öffnete sie wieder, wie sie es bei Peter Coakley getan hatte.

Die jüngere Frau war sofort besorgt. »Natürlich helfe ich Ihnen. Soll ich Sie 'rausführen?«

»Nein – danke schön.« Mrs. Quonsett lehnte sich, scheinbar zur Stütze, gegen ein Waschbecken. »Ich müßte nur dringend eine Benachrichtigung geben. Draußen vor der Tür wartet ein junger Mann in der Uniform der Trans America. Er heißt Coakley. Bitte sagen Sie ihm – ja, ich bäte, doch einen Arzt zu holen.«

301

»Ich werd's ihm sagen. Kann ich Sie so lange allein lassen?«

Mrs. Quonsett nickte. »Ja, ja, danke. Aber Sie kommen doch wieder – und sagen mir Bescheid?«

»Natürlich.«

In weniger als einer Minute war die junge Frau zurückgekehrt. »Er kümmert sich sofort um einen Arzt. Jetzt sollten Sie sich aber ausruhen, glaube ich. Warum...«

Mrs. Quonsett ließ das Waschbecken los. »Sie meinen, er ist schon fort?«

»Er hat sich sofort auf den Weg gemacht.«

Jetzt brauchte sie nur noch diese Frau loszuwerden, dachte Mrs. Quonsett. Von neuem schloß sie die Augen und öffnete sie wieder. »Ich weiß, daß es eigentlich zuviel verlangt ist – Sie waren ja so schon so freundlich –, aber meine Tochter wartet auf mich, vorn am Haupteingang, in der Nähe der United Air Lines.«

»Möchten Sie, daß ich sie hole?«

Mrs. Quonsett betupfte mit dem Spitzentüchlein ihre Lippen. »Ich wäre Ihnen so dankbar, wenn es auch eigentlich eine Zumutung ist.«

»Ich bin sicher, daß Sie das gleiche für mich täten. Aber woran kann ich Ihre Tochter erkennen?«

»Sie trägt einen weiten mauvefarbenen Mantel und einen kleinen weißen Hut mit gelben Blumen. Und sie hat einen Hund bei sich – einen französischen Pudel.«

Die Frau, die wie eine Sekretärin aussah, lächelte. »Dann ist es ja ganz einfach. Ich bin gleich zurück.«

»Es ist wirklich zu gütig von Ihnen.«

Ada Quonsett wartete einen Moment, nachdem die Frau gegangen war. Sie hoffte nur zugunsten der freundlichen Helferin, daß sie nicht gar zu viel Zeit daran wenden würde, nach einer Phantasiegestalt in mauvefarbenem Mantel und in Begleitung eines nicht existierenden französischen Pudels zu suchen.

Innerlich lächelnd verließ die kleine alte Dame aus San Diego munteren Schritts die Damentoilette. Kein Mensch sprach sie an, als sie sich aufmachte und bald von dem Menschengebrodel des Flughafens verschluckt wurde.

Wo war nur der Blaue Warteraum »D« und der Ausgang siebenundvierzig?

Für Tanya Livingston war die Ansage für Flug Zwei so etwas wie ein Wechsel auf der Anzeigentafel über den Stand bei einem Ballspieldoppel. Vier Flüge der Trans America standen im Moment in verschiedenen Stadien des Abflugs. In ihrer Eigenschaft als Passagierbetreuerin hatte Tanya mit allen vier zu tun. Außerdem hatte sie gerade eine gereizte Verhandlung mit einem Passagier eines angekommenen Flugs aus Kansas City hinter sich.

Der aggressive Passagier beschwerte sich mit einem Wortschwall darüber, daß der Lederkoffer seiner Frau auf dem Fließband mit einem Riß in der Seite aufgetaucht war, weil er infolge unsachgemäßer Behandlung beschädigt worden sei. Tanya glaubte ihm das nicht – der Riß sah älter aus –, doch bot sie an, wie Trans America und andere Gesellschaften es zu tun pflegen, die Reklamation auf der Stelle durch Schadenersatz zu regeln. Schwieriger war es gewesen, sich auf eine angemessene Summe zu einigen. Tanya bot fünfunddreißig Dollar, was ihrer Meinung nach mehr als der ganze Wert des Koffers war; der Passagier wollte dafür fünfundvierzig haben. Schließlich einigten sie sich auf vierzig Dollar, wobei dem Kläger nicht bekannt war, daß ein Angestellter bis zu sechzig Dollar bieten durfte, um in Bagatellfällen Reklamationen loszuwerden. Selbst wenn der Verdacht eines Betrugversuchs nahelag, fanden die Gesellschaften es billiger, schnell zu bezahlen, als sich auf einen langen Disput einzulassen. Eigentlich sollten die Angestellten bei der Abfertigung beschädigte Gepäckstücke kennzeichnen, taten es aber selten. Infolgedessen erneuerten Fluggäste, die die Schliche kannten, manchmal auf diese Weise ihre alten Gepäckstücke.

Obwohl es nicht ihr Geld war, tat es Tanya leid, zu bezahlen, wenn die Fluglinie ihrer Meinung nach betrogen werden sollte. Jetzt richtete sie ihre Aufmerksamkeit darauf, gehetzten Nachzüglern zu Flug Zwei zu helfen, die immer noch ankamen. Glücklicherweise war der Bus mit den aus der Stadt Angemeldeten vor wenigen Minuten angekommen und die meisten der Fluggäste waren inzwischen zu dem Warteraum »D«, Ausgang siebenundvierzig, dirigiert worden. In ein oder zwei Minuten, sagte sich Tanya, würde sie, für den Fall, daß beim Einsteigen der in letzter Minute ankommenden Passagiere Probleme auftauchen sollten, selbst zum Ausgang siebenundvierzig gehen.

D. O. Guerrero hörte die Ankündigung von Flug Zwei, während er in einer Schlange vor dem Schalter der Versicherung in der Haupthalle stand.

Es war Guerrero, gehetzt und nervös, den Kapitän Vernon Demerest hatte ankommen sehen, mit dem kleinen Aktenkoffer, der die Dynamitbombe enthielt.

Guerrero war vom Bus sofort zum Versicherungsschalter geeilt, vor dem er nun als letzter in der Schlange wartete. Zwei Leute an der Spitze verhandelten mit zwei weiblichen Angestellten, die mit einer zermürbenden Langsamkeit arbeiteten. Eins der Mädchen – eine vollbusige Blondine in tief ausgeschnittener Bluse – hatte eine lange Unterhaltung mit ihrer augenblicklichen Kundin, einer Frau mittleren Alters. Das Mädchen schien der Frau vorzuschlagen, eine höhere Police als beabsichtigt zu nehmen; die Frau konnte sich nicht entschließen. Offensichtlich würde es mindestens zwanzig Minuten dauern, um die Spitze der Schlange zu erreichen, aber bis dahin würde Flug Zwei wahrscheinlich weg sein. Aber er *mußte* eine Versicherung haben; er *mußte* an Bord sein.

Die Ansage hatte gelautet, zu Flug Zwei würde durch Ausgang siebenundvierzig an Bord gegangen. Guerrero sollte jetzt am Ausgang sein. Er merkte, wie er zitterte. Seine Hand am Griff des Aktenkoffers war feucht. Er sah wieder auf seine Uhr, zum zwanzigsten Male, und verglich sie mit der Zentraluhr. Sechs Minuten waren verstrichen seit der Ansage von Flug Zwei, der letzte Aufruf – Schließen der Flugzeugtüren – konnte jeden Augenblick kommen. Irgend etwas mußte geschehen.

D. O. Guerrero drängte sich rücksichtslos an die Spitze der Schlange vor. Ob er auffiel oder jemand beleidigte, das war ihm jetzt gleichgültig. Ein Mann protestierte: »He, Sie, wir warten auch.« Guerrero überhörte ihn. Er wandte sich an die vollbusige Blondine. »Ach, bitte schön, mein Flug nach Rom ist ausgerufen worden. Ich brauche eine Versicherung. Ich kann nicht warten.« Der Mann, der eben protestiert hatte, fuhr dazwischen: »Dann fliegen Sie doch ohne. Das nächstemal kommen Sie früher.«

Guerrero wollte schon antworten: Es gibt kein nächstesmal. Statt dessen wandte er sich wieder der Blondine zu. »Ich bitte Sie!« Zu seiner Überraschung lächelte sie ihn freundlich an. Dabei hatte er einen Rüffel erwartet. »Sagten Sie Rom?«

»Ja, ja, der Flug ist schon aufgerufen.«

»Ja, ich weiß.« Wieder lächelte sie. »Trans America Flug Zwei. Er heißt *The Golden Argosy.*«

Trotz seiner Aufregung bemerkte er, daß das Mädchen mit einem anziehenden europäischen Akzent – wahrscheinlich ungarisch – sprach. D. O. Guerrero bemühte sich, ganz ruhig zu bleiben. »Ja, stimmt.«

Das Mädchen richtete sein Lächeln an die anderen Wartenden. »Dieser Herr hier hat wirklich keine Zeit. Ich hoffe, Sie nehmen es nicht übel, wenn ich ihn zuerst bediene.«

Es war so viel schiefgegangen, daß er an sein Glück kaum glauben konnte. Es wurde etwas gemurrt in der Schlange, doch der Mann, der bisher geredet hatte, verhielt sich still.

Das Mädchen legte ein Versicherungsformular vor. Sie strahlte die Frau an, mit der sie bisher verhandelt hatte. »Das hier dauert nur einen Augenblick.« Dann wandte sie ihr Lächeln wieder D. O. Guerrero zu.

Zum ersten Male merkte er, wie wirkungsvoll dieses Lächeln war und warum kein wirklicher Protest von den anderen erfolgte. Als das Mädchen ihn direkt ansah, hatte Guerrero, auf den Frauen selten Eindruck machten, das Gefühl dahinzuschmelzen. Sie hatte aber auch den größten Busen, den er je gesehen hatte.

»Mein Name ist Bunnie«, sagte das Mädchen mit seinem europäischen Akzent. »Wie ist der Ihre?« Ihr Kugelschreiber war gezückt.

Als Verkäuferin von Versicherungspolicen auf dem Flughafen war Bunnie Vorobioff bemerkenswert erfolgreich. Sie stammte nicht, wie D. O. Guerrero gedacht hatte, aus Ungarn, sondern aus Glauchau in Ostdeutschland und war über die Berliner Mauer in die Staaten gekommen. Bunnie, die damals noch Gretchen Vorobioff hieß und die schlichte, flachbrüstige Tochter eines kleinen kommunistischen Funktionärs und selbst Jungkommunistin war, kam nachts mit zwei männlichen Kameraden über die Mauer. Die beiden jungen Männer wurden von den Scheinwerfern erfaßt und erschossen. Bunnie dagegen hatte Glück; sie entging den Suchlichtern und Schußwaffen und überlebte, denn Überleben war eine Fähigkeit, die für sie ganz natürlich zu sein schien.

Später, bei ihrer Ankunft in den USA, als Einwanderin von zwanzig Jahren, hatte sie das amerikanische freie Unternehmertum und seine Wohltaten mit der Begeisterung eines religiösen Konvertiten in sich aufgenommen. Sie arbeitete schwer als Hilfskraft in einem Krankenhaus, wo sie eine gewisse Ausbildung erhielt, und gleichzeitig nachts als Kellnerin. In die noch übrige Zeit quetschte sie irgendwie einen Englischkurs bei der Berlitz-School, und es gelang ihr auch noch ins Bett zu gehen – manchmal nur um zu schlafen, meistens aber mit Assistenzärzten des Krankenhauses. Die Assistenzärzte belohnten Gretchens sexuelle Gunstbeweise damit, daß sie sie mit Brustinjektionen behandelten. Es begann zufällig und endete als heiteres Gruppenexperiment, um einmal zu sehen, wie groß ihre Brüste wohl werden würden. Ehe sie mehr als gargantuanisch werden konnten, erprobte sie glücklicherweise ihre neugefundene Freiheit und gab das Krankenhaus für eine besser bezahlte Tätigkeit auf. Irgendwo unterwegs wurde sie nach Washington mitgenommen und besichtigte das Weiße Haus, das Kapitol und den Playboy-Club. Nach letzterem amerikanisierte sie sich noch mehr, indem sie den Namen Bunnie annahm.

Nun, ein Jahr später, war Bunnie Vorobioff völlig assimiliert. Sie nahm an einem Tanzkursus teil, war im Blue Cross und Columbia Record Club, hatte ein Kreditkonto bei Carson Pirie Scott, war auf *Reader's Digest* und *TV* abonniert, kaufte in Raten die *World Book Encyclopedia*, besaß einen Volkswagen, sammelte Rabattmarken und nahm die Pille.

Bunnie nahm auch begeistert an Wettbewerben aller Art teil, besonders solchen, die eine greifbare Belohnung versprachen. Das war auch der Grund dafür, daß ihr die jetzige Tätigkeit mehr behagte als alles, was sie vorher getan hatte. Es war die Tatsache, daß die Versicherungsgesellschaften von Zeit zu Zeit für ihre Angestellten Umsatzwettbewerbe mit Warenpreisen veranstalteten. Ein solcher Wettbewerb war nun gerade im Gange. Er sollte heute abend zu Ende gehen.

Dieser Wettbewerb war der Grund dafür, daß Bunnie so erfreut reagiert hatte, als D. O. Guerrero sagte, er sei auf dem Weg nach Rom. Im Augenblick brauchte Bunnie noch vierzig Punkte, um ihr Ziel in dem Wettbewerb zu erreichen: eine elektrische Zahnbürste. Eine Zeitlang hatte sie heute abend daran gezweifelt, daß sie ihre Punktzahl noch rechtzeitig zusammen bekäme, weil die Policen, die sie heute ausgestellt hatte, vorwiegend Inlandflüge betrafen. Denn diese Abschlüsse brachten geringere Prämien und weniger Wettbewerbspunkte. Wenn sie nun noch eine Höchstprämie für einen Überseeflug erringen konnte, würde ihr das fünfundzwanzig Punkte bringen, und der dann noch verbleibende Rest wäre leicht zu schaffen. Die Frage war nur: Eine wie hohe Police wollte der Fluggast nach Rom haben und gesetzt, sie läge unter dem Maximum, könnte Bunnie sie höher treiben?

In der Regel konnte sie das. Bunnie setzte einfach ihr verführerischstes Lächeln auf, das sie wie einen sofort wärmespendenden Ofen zu benutzen gelernt hatte, beugte sich nahe an den Kunden heran, so daß ihr Busen ihn verwirrte, und machte ihm dann klar, eine wieviel größere Chance sich ihm für etwas mehr Geld bot. Meistens zog das und war die Erklärung für Bunnies Erfolg als Versicherungsangestellte.

Nachdem D. O. Guerrero seinen Namen buchstabiert hatte, fragte sie:»An welche Police dachten Sie, Sir?« Guerrero schluckte. »Volle Lebensversicherung – fünfundsiebzigtausend Dollar.«

Nachdem er es ausgesprochen hatte, wurde ihm der Mund trokken. Er bekam plötzlich Angst, seine Worte hätten jedermann in der Schlange hinter ihm stutzig gemacht, und dachte, ihre Augen bohrten sich ihm in den Rücken. Er zitterte am ganzen

Leib, er war sicher, daß es bemerkt werden würde. Um das zu verdecken, zündete er sich eine Zigarette an, aber seine Hand zitterte derart, daß er Mühe hatte, Flamme und Zigarette zusammenzubringen. Gott sei Dank hatte das Mädchen, deren Stift über der Spalte »Versicherungssumme« schwankte, anscheinend nichts gemerkt. Bunnie äußerte: »Das würde zwei Dollar und fünfzig Cent kosten.«

»Was? – Ach so, ja.« Guerrero gelang es, seine Zigarette anzuzünden, dann ließ er das Streichholz fallen. Er griff in seine Taschen, das wenige Geld, das er noch hatte, hervorzuholen.

»Aber es ist nur eine sehr kleine Police.« Bunnie Vorobioff hatte die Summe noch nicht eingetragen. Nun beugte sie sich vor und brachte dem Kunden ihren Busen näher. Sie konnte sehen, wie er fasziniert darauf herunterschaute; das taten die Männer immer. Manchmal spürte sie, daß sie am liebsten zupacken würden. Dieser Mann jedoch nicht.

»Klein?« Guerrero sprach verlegen und stockend. »Ich dachte – es wäre die größte.«

Selbst Bunnie bemerkte nun die starke Nervosität des Mannes. Sie vermutete, das käme durch den baldigen Abflug. Sie schickte ein blendendes Lächeln über den Tisch.

»Aber nein, Sir. Sie können eine Dreihunderttausend-Dollar-Police haben. Die meisten Reisenden nehmen sie, und sie kostet nur zehn Dollar Prämie. Das ist doch wirklich nicht viel für den großen Schutz, den sie bietet, nicht wahr?« Sie behielt ihr Lächeln eingeschaltet; die Antwort konnte eine Differenz von beinahe zwanzig Punkten bedeuten; sie konnte sie die elektrische Zahnbürste gewinnen oder verlieren lassen.

»Sie sagten – zehn Dollar?«

»Ganz richtig – für dreihunderttausend.«

D. O. Guerrero dachte: Wenn ich das gewußt hätte! Er hatte angenommen, fünfundsiebzigtausend Dollar seien die Höchstgrenze für auf Flughäfen abgeschlossene Versicherungen bei Überseeflügen. Diese Kenntnis hatte er aus einem Versicherungsformular gewonnen, das er vor ein oder zwei Monaten auf einem anderen Flughafen an sich genommen hatte. Jetzt fiel ihm aber ein, daß jenes Formular ja aus einem Automaten stammte. Der Gedanke war ihm nicht gekommen, daß Policen am Schalter viel höher sein könnten.

Dreihunderttausend Dollar!

»Ja«, sagte er. »Bitte – ja.«

Bunnie strahlte. »Den vollen Betrag, Mr. Guerrero?«

Er war im Begriff zustimmend zu nicken, als ihm die höchste Ironie aufging. Zehn Dollar besaß er wahrscheinlich gar nicht mehr. Er sagte: »Miß – warten Sie mal!« und begann in seinen Taschen zu wühlen und alles, was er an Geld noch besaß zusammenzusuchen.

Die Leute in der Schlange fingen allmählich an, ungeduldig zu werden. Der Mann, der sich zu Anfang gegen Guerrero gewandt hatte, protestierte nun bei Bunnie: »Sie sagten, es dauert nur eine Minute!« Guerrero hatte vier Dollar und siebzig Cent zusammengekratzt.

Vor zwei Nächten, als D. O. Guerrero und Inez ihr letztes verbliebenes Geld zusammengeworfen hatten, hatte er acht Dollar und ein bißchen Kleingeld an sich genommen. Nachdem er Inez' Ring versetzt und die Ausgaben für den Flugschein gemacht hatte, waren ihm nur ein paar Dollar geblieben; genau wußte er es nicht, aber nachdem er für Essen, Untergrundbahnfahrten und den Flughafenbus bezahlt hatte... Er hatte gewußt, daß er zweieinhalb Dollar für die Versicherung brauchte, und diesen Betrag sorgfältig in einer Extratasche gelassen. Darüber hinaus aber hatte er sich keine Gedanken gemacht, weil er sich gesagt hatte, sobald er erst einmal an Bord von Flug Zwei wäre, hätte Geld ja keinen Wert mehr.

»Wenn Sie kein Bargeld haben«, sagte Bunnie Vorobioff, »können Sie mir auch einen Scheck geben.«

»Mein Scheckbuch habe ich zu Hause gelassen.« Das war eine Lüge; er hatte Schecks in der Tasche. Aber wenn er einen ausschrieb, würde dieser platzen und die Versicherung ungültig machen.

Bunnie sagte hartnäckig: »Wie ist es mit italienischem Geld, Mr. Guerrero? Ich kann ja Lire zum richtigen Kurs nehmen.«

Er murmelte: »Italienisches Geld habe ich auch nicht.« Dann verfluchte er sich selbst, weil er das gesagt hatte. In der Stadt hatte er sich für einen Flug nach Rom ohne Gepäck gemeldet. Nun hatte er wahrscheinlich vor Zuschauern gezeigt, daß er kein Geld, weder amerikanisches noch italienisches, hatte. Wer würde schon ohne Gepäck und ohne einen Pfennig einen Überseeflug antreten, es sei denn jemand, der wußte, daß der Flug nie seinen Bestimmungsort erreichen würde.

Dann sagte sich Guerrero aber, außer in seiner Vorstellung hätten die beiden Vorfälle – in der Stadt und hier – ja gar keinen Zusammenhang. Sie würden erst später in Zusammenhang gebracht werden, doch dann war es belanglos.

Er überlegte weiter, wie er es schon auf dem Weg hierher getan hatte: Der Grad der Verdächtigung spielte gar keine Rolle, der entscheidende Faktor war, daß es kein Wrack, keinen Beweis gab. Erstaunlicherweise, und trotz seines letzten Fehlers, entdeckte er, daß seine Zuversicht wuchs.

Er legte noch ein paar Zehncentstücke und Pennies zu dem Haufen Kleingeld auf den Schalter. Da fand er, wie durch ein Wunder, in einer Innentasche noch eine Fünfdollarnote.

Ohne seine Erregung zu verbergen, rief Guerrero aus: »Da haben wir es! Ich habe genug!« Es blieb sogar noch ungefähr ein Dollar übrig.

Nun aber kamen sogar Bunnie Zweifel. Anstatt die Dreihunderttausend-Dollar-Police auszuschreiben, zögerte sie.

Während er in seinen Taschen gesucht hatte, hatte sie sein Gesicht studiert.

Natürlich war es seltsam, daß dieser Mann ohne Geld nach Übersee flog, aber das war schließlich seine eigene Angelegenheit. Dafür konnte es alle möglichen Gründe geben. Was sie wirklich irritierte, waren seine Augen; eine Spur von Irrsinn, von Verzweiflung lag in ihnen. Das waren Zustände, die Bunnie aus ihrer Vergangenheit gut kannte. Sie hatte sie bei anderen erlebt. Und in Augenblicken – obwohl es schon so lange her zu sein schien – hatte sie selbst dicht davorgestanden. Bunnies Arbeitgeber bei der Versicherungsgesellschaft hatten eine feststehende Vorschrift: Beantragte jemand eine Flugversicherung, der gestört oder ungewöhnlich erregt schien oder betrunken war, so war dieses Faktum der Fluggesellschaft zu melden, mit der er flog. Die Frage für Bunnie war: Lag hier ein Anlaß vor, die Regel zu befolgen? Sie war nicht sicher.

Die Versicherungsangestellten diskutierten diese Vorschrift öfters untereinander. Einige der Mädchen hatten etwas dagegen und befolgten sie nicht. Sie machten den Einwand, sie seien angestellt, um Versicherungen auszustellen, nicht um als unbezahlte, ungeprüfte Psychologen zu arbeiten. Andere sagten, viele Menschen, die auf einem Flughafen Versicherungen abschlössen, seien nervös; wie könne einer ohne Spezialausbildung entscheiden, wo Nervosität aufhöre und Irrsinn anfange. Bunnie selbst hatte nie einen erregten Passagier gemeldet, wenn sie auch ein Mädchen kannte, die es getan hatte, wobei sich nachher herausstellte, daß es der Vizepräsident einer Fluggesellschaft war, der so aufgeregt war, weil seine Frau ein Kind bekam. Es waren alle möglichen Verwicklungen in dieser Beziehung vorgekommen.

Immer noch zögerte Bunnie. Sie hatte ihre Unsicherheit dadurch überspielt, indem sie das Geld des Mannes vor dem Schalter zählte. Nun fragte sie sich, ob Marj, die Kollegin, die neben ihr arbeitete, wohl irgend etwas Ungewöhnliches bemerkt hätte. Marj war mit dem Ausschreiben einer Police und dem Verdienen ihrer Wettbewerbspunkte beschäftigt.

Am Ende war es Bunnie Vorobioffs Vergangenheit, die ihre Entscheidung beeinflußte. Ihre Jugendzeit – das besetzte Europa, ihre Flucht in den Westen, die Berliner Mauer – hatte sie überleben gelehrt und ihr die Erfahrung eingebracht: Die Neugier beherrschen und keine unnötigen Fragen stellen. Fragen führen zu Verwicklungen, und Verwicklung – in anderer Leute Probleme – war etwas, das vermieden werden mußte, wenn man seine eigenen hatte.

Ohne weitere Fragen zu stellen und dabei zugleich ihr Problem – wie gewinne ich eine elektrische Zahnbürste – lösend, schrieb Bunnie Vorobioff eine Flugversicherungspolice für dreihunderttausend Dollar auf D. O. Guerreros Leben aus.

Auf dem Weg zu Ausgang siebenundvierzig zu Flug Zwei steckte D. O. Guerrero die Police an seine Frau Inez in den Briefkasten.

XIII

Zollinspektor Harry Standish hörte die Ansage des bevorstehenden Abflugs von Flug Zwei nicht, doch wußte er, daß sie erfolgt war. Flugansagen wurden nicht zur Zollabfertigung durchgegeben, da nur die aus dem Ausland ankommenden Besucher dorthin gehen. Folglich erhielt Standish seine Information von der Trans-America-Fluglinie über das Telefon. Ihm wurde gesagt, daß Flug Zwei mit dem Anbordgehen begonnen habe und zur neu festgesetzten Zeit, um 23 Uhr, starten würde.

Standish sah auf die Uhr und wollte in einigen Minuten zum Ausgang siebenundvierzig gehen, nicht dienstlich, sondern um sich von seiner Nichte Judy zu verabschieden, der Tochter seiner Schwester, die zu ihrer Ausbildung für ein Jahr nach Europa flog. Früher am Abend hatte er eine Weile mit seiner Nichte, einem netten, selbstsicheren Mädchen von achtzehn Jahren, verbracht und gesagt, er würde noch einmal kommen und sich verabschieden, ehe ihr Flug abginge.

Indessen war Inspektor Standish dabei, vor Ende eines mühevollen Tages, ein lästiges Problem zu lösen.

»Madam«, sagte er in aller Ruhe zu der hoheitsvollen, starkknochigen Dame, deren verschiedene Koffer geöffnet auf dem Zolluntersuchungstisch zwischen ihnen lagen, »sind Sie sicher, daß Sie Ihre Darstellung nicht mehr berichtigen wollen?«

Sie stieß hervor: »Sie wollen damit wohl andeuten, ich hätte gelogen. Dabei habe ich Ihnen nur die Wahrheit gesagt. Manchmal frage ich mich, ob wir hier nicht in einem Polizeistaat leben.«

Harry Standish ignorierte die letzte Bemerkung, weil sich Zollbeamte angewöhnt haben, die vielen Beleidigungen, die sie zu hören bekommen, zu übergehen, und antwortete höflich: »Ich will gar nichts andeuten, Madam. Ich frage lediglich, ob Sie Ihre Angaben über diese Dinge – die Kleider, die Pullover und den Pelzmantel – korrigieren möchten.«

Die Frau, deren amerikanischer Paß sie als Mrs. Harriet Du Barry Mossman aus Evenston auswies und die eben von einem einmonatigen Aufenthalt in England, Frankreich und Dänemark zurückkam, antwortete scharf: »Nein, das möchte ich nicht. Außerdem, wenn der Anwalt meines Mannes von dieser Ausfragerei erfährt...«

»Schön, Madam«, sagte Harry Standish. »In dem Fall möchte ich Sie bitten, dies Formular zu unterschreiben. Wenn Sie wünschen, erkläre ich es Ihnen.«

Die Kleider, Pullover und der Pelzmantel lagen ausgebreitet auf dem Tisch. Den Pelz – einen Zobelmantel – hatte Mrs. Mossman bis vor einigen Minuten getragen, als Inspektor Standish zur Zollkontrolle Nr. 11 kam; er hatte sie gebeten, den Mantel auszuziehen, damit er ihn genauer ansehen könne. Kurz vorher hatte ein Rotlicht auf einem Wandbrett, weiter in der Mitte der großen Zollabfertigungshalle, Standish herbeigerufen. Diese Lichtsignale – eines für jeden Platz – meldeten, daß ein Zollbeamter vor einem Problem stand und die Hilfe eines Vorgesetzten brauchte.

Nun stand der junge Zöllner, der bisher mit Mrs. Mossman zu tun hatte, neben Inspektor Standish. Die meisten anderen Passagiere, die an Bord einer DC-8 der Scandinavian Airlines von Kopenhagen angekommen waren, hatten die Zollkontrolle hinter sich und waren gegangen. Nur diese gutgekleidete Dame gab ein Problem auf, indem sie darauf bestand, alles, was sie in Europa gekauft habe, sei etwas Parfüm, billiger Modeschmuck und Schuhe.

»Warum soll ich irgend etwas unterschreiben?« fragte Mrs. Harriet Du Barry Mossman.

Standish blickte zu einer Uhr hinauf, es war Viertel nach zehn. Er hatte also noch Zeit, das hier zu Ende zu bringen und Flug Zwei vor Abflug noch zu erreichen. Höflich antwortete er: »Um Ihnen die Sache zu erleichtern, Madam. Wir bitten nur, uns schriftlich zu bestätigen, was Sie uns bereits gesagt haben. Sie sagten, die Kleider wären in...«

»Wie oft soll ich es Ihnen noch sagen? Sie sind in Chicago und New York gekauft, ehe ich nach Europa flog; ebenso die Pullover. Der Pelz ist ein Geschenk – gekauft in den Vereinigten Staaten. Ich bekam ihn vor sechs Monaten.«

Warum, fragte sich Standish, taten die Menschen nur so etwas?

Die gemachten Angaben, das wußte er genau, waren lauter Lügen.

Zunächst einmal waren aus allen Kleidern – sechs, und alle von erster Qualität – die Etiketts herausgetrennt. Das tat niemand nur einfach so; in der Regel waren Frauen stolz auf Etiketts in erstklassigen Sachen. Wesentlicher war: Die Machart der Kleider war eindeutig französisch, ebenso der Schnitt des Pelzes – obwohl ein Etikett von Saks Fifth Avenue recht ungeschickt in das Futter genäht worden war. Daß Menschen wie diese Mrs. Mossman sich nie klarmachten, daß ein erfahrener Zollbeamter keine Etiketts zu sehen braucht, um zu wissen, woher Kleidungsstücke stammen. Schnitt, Näharbeit – sogar die Art, wie ein Reißverschluß eingenäht ist – waren für sie wie eine bekannte Handschrift, und auch so unterscheidbar.

Dasselbe galt auch für die drei teuren Pullover. Die waren auch ohne Etiketts und stammten unverkennbar aus Schottland, in typisch englischen, gedeckten Farben, wie sie in den Vereinigten Staaten nicht zu haben waren. Wenn Geschäfte in den Staaten solche Pullover bestellten, machten die schottischen Strickereien sie in viel knalligeren Farben, wie sie der amerikanische Markt bevorzugt. All dieses und vieles andere lernten die Zollbeamten bei ihrer Ausbildung.

Mrs. Mossman erkundigte sich: »Und was passiert, wenn ich unterschreibe?«

»Dann können Sie gehen, Madam.«

»Und kann meine Sachen mitnehmen? Alles?«

»Gewiß.«

»Wenn ich es aber nun ablehne?«

»Dann sind wir genötigt, Sie hier festzuhalten, solange die Nachforschungen dauern.«

Es entstand eine ganz kurze Pause: »Also gut. Füllen Sie das Formular aus, und ich unterschreibe.«

»Nein, Madam, Sie füllen es aus. Hier führen Sie die Gegenstände auf, und hier geben Sie an, wo Sie sie gekauft haben. Bitte nennen Sie die Geschäfte und auch, von wem Sie den Pelz geschenkt bekommen haben . . .«

Harry Standish dachte: In einer Minute muß ich gehen; jetzt ist es zehn vor elf. Er wollte doch nicht bei Flug Zwei ankommen, wenn die Türen geschlossen waren. Aber erst einmal hatte er einen Verdacht...

Morgen früh würde ein Beamter der Zollfahndungsstelle die Erklärung prüfen, die Mrs. Mossman soeben abgegeben hatte. Die Kleider und Pullover würden sichergestellt und in den Geschäften, in denen sie angeblich gekauft waren, vorgezeigt werden; der Pelzmantel würde zu Saks in der Fifth Avenue gebracht werden, die ihn zweifellos für nicht von ihnen stammend erklären würden. Mrs. Mossman hatte – obwohl sie es noch nicht wußte – große Scherereien, einschließlich hoher Zollgebühren und wohl auch einer gehörigen Geldbuße, zu erwarten.

»Madam«, sagte Inspektor Standish, »haben Sie sonst noch irgend etwas zu verzollen?«

Mrs. Mossman entgegnete empört: »Nein, ganz bestimmt nichts!«

»Sind Sie ganz sicher?«

Ihn keiner Antwort würdigend, schüttelte sie verächtlich den Kopf.

»Dann bitte ich Sie«, sagte der Inspektor, »doch einmal Ihre Handtasche zu öffnen.«

Zum erstenmal verriet die hochmütige Frau Unsicherheit. »Aber Handtaschen werden doch nie kontrolliert! Ich bin so oft durch den Zoll gekommen.«

»Im allgemeinen nicht. Aber wir haben das Recht dazu.«

Das Kontrollieren von Damenhandtaschen kam selten vor. Wie die Hosentaschen bei Männern, galten Handtaschen als persönliche Sphäre und wurden fast nie beachtet. Wenn aber jemand Schwierigkeiten machte, dann konnten die Zöllner auch schwierig werden.

Zögernd klappte Mrs. Harriet Du Barry Mossman ihre Handtasche auf.

Harry Standish prüfte einen Lippenstift und eine goldene Puderdose. Als er den Puder in der Dose untersuchte, zog er einen Ring mit einem Brillanten und einem Rubin heraus; er blies den Puder von dem Ring. Dann kam eine halbvolle Tube mit Handcreme zum Vorschein. Als er die Tube aufrollte, sah er, daß das

Ende aufgemacht worden war. Als er die Tube an der Spitze befühlte, bemerkte er etwas Hartes im Inneren. Er fragte sich, wann die Schmuggler sich endlich einmal etwas Neues einfallen lassen würden. So alte Tricks! Die hatte er alle schon oft gesehen.

Mrs. Mossman erbleichte sichtlich. Ihre ganze Arroganz war dahin.

»Madam«, sagte Standish, »ich muß für einen Augenblick fort, bin aber bald zurück. Auf jeden Fall wird das hier etwas länger dauern.« Er instruierte den jungen Kollegen neben ihm: »Kontrollieren Sie alles sehr sorgfältig. Sehen Sie sich das Futter der Handtasche und der Koffer an, die Säume und Nähte von allen Sachen. Machen Sie eine Liste. Sie wissen ja, was Sie zu tun haben.«

Als er gehen wollte, rief Mrs. Mossman hinter ihm her: »Herr Zollinspektor!«

Er blieb stehen. »Ja, Madam?«

»Mit dem Mantel und den Kleidern, da habe ich mich vielleicht geirrt – ich war so verwirrt. Die habe ich gekauft, und da sind vielleicht noch ein paar Kleinigkeiten...«

Standish schüttelte den Kopf. Wenn die Leute doch endlich begreifen wollten, daß irgendwo eine Grenze sein mußte, nach der keine Zusammenarbeit mehr möglich war. Er sah, daß der Kollege noch etwas anderes gefunden hatte.

»Bitte! Ich bitte Sie sehr – mein Mann...«

Als der Inspektor ging, wurde das Gesicht der Frau weiß und eingefallen.

Mit schnellen Schritten nahm Harry Standish eine Abkürzung, die unterhalb des für die Allgemeinheit zugänglichen Teils des Flughafens hindurchführte, um zum Warteraum »D« und Ausgang siebenundvierzig zu kommen. Unterwegs dachte er über die Torheit dieser Mrs. Mossman und der vielen ihresgleichen nach. Wäre sie mit dem Mantel und den Kleidern ehrlich gewesen und hätte sie sie angegeben, dann wäre die Zollgebühr nicht sehr hoch gewesen, besonders für jemand, der offensichtlich wohlhabend war. Wenn der junge Kollege die Pullover auch bemerkt hätte, hätte er sich wahrscheinlich gar nicht damit aufgehalten; und sicher wäre dann auch nicht ihre Handtasche kontrolliert worden. Die Zollbeamten wußten ja genau, daß alle zurückkehrenden Reisenden ein bißchen schmuggelten, und waren da nachsichtig. Und wenn sie gebeten wurden, halfen sie den Leuten, ihre hochverzollbaren Dinge innerhalb der Grenze für zollfreie Einfuhr unterzubringen und andere Artikel, für die niedrigere Sätze galten, zum Verzollen zu deklarieren.

Leute, die geschnappt, hart angepackt und manchmal angeklagt wurden, waren immer und ewig nur solche, wie Mrs. Mossman, die versuchten, mit allem glatt durchzukommen. Deprimiert hatte Harry Standish heute nur die große Zahl von ihresgleichen.

Erleichtert sah er, daß die Türen zu Flug Zwei noch nicht geschlossen waren und bei der Ausgangskontrolle noch einige Reisende standen. Seine Zolluniform galt für ihn auf dem Flughafen als Passierschein, und der beschäftigte Angestellte am Ausgang blickte kaum auf, als Inspektor Standish vorbeikam. Der Angestellte am Ausgang wurde, wie Standish bemerkte, von einer rothaarigen Frau in Uniform unterstützt, in der er Mrs. Livingston erkannte.

Der Inspektor betrat die Gangway zur Touristenklasse. Eine Stewardeß stand am hinteren Eingang des Flugzeugs. Er lächelte. »Es dauert nur einen Augenblick. Starten Sie aber nicht mit mir an Bord.«

Er fand seine Nichte auf dem äußersten Platz einer dreisitzigen Reihe. Sie beschäftigte sich mit einem Kind, das einem jungen Ehepaar auf den beiden anderen Plätzen gehörte. Wie immer schien diese Touristenkabine erdrückend überfüllt zu sein, die Plätze unbequem eng nebeneinander. Bei den wenigen Flugreisen, die Inspektor Standish selbst gemacht hatte, war er auch in der Touristenklasse geflogen und hatte stets ein Gefühl von Platzangst gehabt. Heute abend beneidete er keinen dieser Leute um die zehnstündige Reise, die vor ihnen lag.

»Onkel Harry!« rief Judy. »Ich habe schon gedacht, du würdest es nicht mehr schaffen.« Sie gab das Kind der Mutter zurück.

»Ich bin nur schnell gekommen, um noch einmal adieu zu sagen!« meinte er. »Ich wünsche dir ein gutes Jahr, und wenn du zurückkommst, versuche nicht zu schmuggeln!«

Sie lachte. »Das werde ich nicht. Auf Wiedersehn, Onkel Harry.«

Sie hielt ihm das Gesicht hin, und er küßte sie herzlich. Nein, um Judy hatte er keine Angst. Er hatte das Gefühl, sie würde einmal nicht so werden wie Mrs. Mossman.

Nachdem er das Flugzeug mit einem freundlichen Lächeln zur Stewardeß hin verlassen hatte, blieb er einen Augenblick am Ausgang stehen und sah zu. Die letzten Augenblicke vor dem Start eines Fluges, besonders nach entfernten Gegenden, faszinierten ihn immer wieder, wie es ja vielen Menschen geht.

»*Trans America Airlines geben den sofortigen Start von Flug Zwei The Golden Argosy*...« hieß es gerade im Lautsprecher.

Das Menschenknäuel, das darauf wartete, an Bord zu gehen, hatte sich bis auf zwei verringert. Die rothaarige Passagierbetreuerin, Mrs. Livingston, sammelte ihre Papiere ein, während sich der Mann an der Sperre mit dem vorletzten Ankömmling beschäftigte – einem großen blonden Mann, hutlos, in einem Kamelhaarmantel. Nun verließ der blonde Mann die Sperre und betrat die Gangway zur Touristenklasse. Mrs. Livingston verließ ebenfalls die Sperre und ging zur Haupthalle des Flughafens.

Während er zusah, bemerkte Standish, eigentlich mehr im Unterbewußtsein, noch jemanden, der vor einem Fenster stand und der Sperre den Rücken zukehrte. Jetzt drehte sich die Gestalt um, und er sah, daß es eine alte Dame war. Sie wirkte klein, gesetzt und zart. Sie war schwarz gekleidet, in einem altmodischen Stil, und trug eine schwarze Perlenhandtasche. Sie sah aus, als brauche sie jemanden, der sich ihrer annahm, und er wunderte sich, daß jemand, der so alt und offensichtlich einsam war, noch so spät in der Nacht hier war.

Flinker als erwartet, ging die alte Dame zu dem Angestellten der Trans America der mit den letzten Reisenden für Flug Zwei beschäftigt war. Standish hörte bruchstückweise, was gesagt wurde. Die Worte der alten Dame wurden übertönt von dem Lärm der Flugzeuge, die draußen starteten. »Entschuldigen Sie – mein Sohn ist gerade an Bord gegangen – blondes Haar, ohne Hut, Kamelhaarmantel – Brieftasche vergessen – sein ganzes Geld.« Die alte Dame zeigte, wie Standish sehen konnte, etwas vor, das aussah wie eine Brieftasche. Der Angestellte blickte ungeduldig auf. Er sah abgekämpft aus; das taten die Männer an der Sperre gewöhnlich in den letzten Minuten vor einem Abflug. Der Mann wollte die Brieftasche ergreifen, sah aber dann die alte Dame, überlegte es sich anders und sagte schnell irgendwas. Er wies auf die Gangway zur Touristenklasse, und Standish hörte ihn sagen: »Bitten Sie die Stewardeß.« Die alte Dame lächelte, nickte und ging zur Gangway. Einen Augenblick später war sie außer Sicht.

Alles, was Zollinspektor Standish beobachtet hatte, dauerte nur wenige Augenblicke, vielleicht weniger als eine Minute. Nun sah er einen anderen Ankömmling erscheinen – einen spindeldürren Mann mit gebeugtem Rücken, der durch den Warteraum »D« auf Ausgang siebenundvierzig zu eilte. Der Mann hatte ein hageres Gesicht und einen dünnen sandfarbenen Schnurrbart. Er trug einen kleinen Aktenkoffer.

Standish wollte sich gerade abwenden, da erregte irgend etwas an dem Mann seine Aufmerksamkeit. Es war die Art, wie er seinen Koffer hielt – beschützend unter seinem Arm. Harry Standish hatte oft Leute dasselbe tun sehen, wenn sie durch die Zollabfertigung kamen. Es war ein Eingeständnis, daß sie das, was auch immer in dem Koffer oder der Tasche war, verbergen wollten. Wenn dieser Mann aus dem Ausland gekommen wäre, hätte Standish ihn den Koffer öffnen lassen und dessen Inhalt kontrolliert. Aber der Mann verließ ja die Vereinigten Staaten. Kurz gesagt: Es ging Harry Standish nichts an.

Doch irgend etwas – ein sechster Sinn, den Zollbeamte sich aneignen, dazu eine persönliche Verbindung durch Judy mit Flug Zwei –, irgend etwas ließ den Inspektor weiterbeobachten, hielt seinen Blick an dem Aktenkoffer fest, den der dünne Mann da immer noch ans Herz drückte.

Das Gefühl der Zuversicht, das bei D. O. Guerrero am Versicherungsschalter wiedergekehrt war, hatte angehalten. Als er sich dem Ausgang siebenundvierzig näherte und bemerkte, daß er noch rechtzeitig zum Flug Zwei kam, war er der Überzeugung, im großen ganzen seien seine Schwierigkeiten vorüber. Von nun an, sagte er sich zur Beruhigung, würde alles wie geplant ablaufen. Dieser Erwartung entsprechend, gab es an der Sperre kein Problem. Wie er von Anfang an geplant hatte, machte er auf die Diskrepanz zwischen dem Namen »Buerrero« auf seinem Flugschein und Guerrero in seinem Paß aufmerksam. Nach einem flüchtigen Blick in den Paß korrigierte der Mann an der Sperre sowohl den Schein wie auch seine Passagierliste und entschuldigte sich: »Bedaure, Sir, manchmal sind unsere Buchungsmaschinen unzuverlässig.« Guerrero stellte mit Genugtuung fest, daß sein Name richtig eingetragen war. Es würde also später, wenn Flug Zwei als vermißt galt, keinen Zweifel an seiner Identität geben.

»Ich wünsche einen angenehmen Flug, Sir.« Der Mann gab ihm den Flugschein zurück und wies einladend auf die Gangway zur Touristenklasse.

Als D. O. Guerrero an Bord ging, seinen Koffer nach wie vor fest an sich gedrückt, liefen die Steuerbordmaschinen bereits.

Sein numerierter Platz – am Fenster, in einer Reihe von drei Sitzen – war ihm zugeteilt worden, als er sich im Stadtbüro gemeldet hatte. Eine Stewardeß wies ihm den Weg. Ein männlicher Mitreisender, der bereits auf dem Sitzplatz am Gang saß, erhob sich etwas, um Guerrero vorbeizulassen, der Platz zwischen ihnen war unbesetzt.

D. O. Guerrero balancierte sein Köfferchen vorsichtig auf den Knien, als er sich anschnallte. Sein Platz lag in der Mitte des Abteils, auf der linken Seite. Überall in der Kabine waren die Leute damit beschäftigt, sich einzurichten, Handgepäck und Mäntel unterzubringen. Einige Menschen blockierten den Mittelgang. Eine der Stewardessen bewegte tonlos ihre Lippen und sah aus, als wünschte sie, daß alle einmal ruhig wären, denn sie war bei der Kopfzählung.

Zum ersten Male, seit D. O. Guerrero seine Wohnung verlassen hatte, entspannte er sich, lehnte sich in seinen Sitz zurück und schloß die Augen. Seine Hände, die jetzt ruhiger waren, lagen fest auf dem Aktenkoffer. Ohne die Augen zu öffnen, tastete er mit den Fingern unter dem Griff und überzeugte sich, daß die wichtige Schlinge noch da war. Das Gefühl war beruhigend. Er würde genau so sitzen, beschloß er bei sich, wenn er in etwa vier Stunden daran zöge und den elektrischen Stromkreis schloß, der die Dynamitladung im Köfferchen zur Explosion bringen würde. Und wenn dann der Augenblick käme, fragte er sich, wieviel Zeit würde ihm wohl bleiben, um es zu merken?

Diese Frage beantwortete er mit der Überlegung, daß es nur einen Moment dauern würde – den Bruchteil einer Sekunde –, um seinen Erfolg zu genießen. Dann, barmherzigerweise, war alles zu Ende.

Nun, da er an Bord und bereit war, wünschte er, der Flug möge starten. Doch als er die Augen öffnete, war dieselbe Stewardeß immer noch beim Zählen.

Im Augenblick waren zwei Stewardessen in der Touristenklasse. Mrs. Ada Quonsett hatte beide beobachtet, indem sie von Zeit zu Zeit einen Spalt der Toilettentür öffnete, hinter der sie sich verborgen hielt.

Die Vorstartkopfzählung durch eine Stewardeß, die nun stattfand, kannte Mrs. Quonsett. Sie wußte auch, daß in diesem Augenblick jemand, der illegal an Bord war, der Entdeckung am stärksten ausgesetzt war. Wenn ein blinder Passagier aber diese Zählung überstand, hatte er oder sie die Chance, erst viel später, falls überhaupt, entdeckt zu werden.

Glücklicherweise war die Stewardeß, die nun die Kopfzählung machte, nicht die gleiche, der Mrs. Quonsett begegnet war, als sie an Bord kam. Mrs. Quonsett hatte ein paar angstvolle Augenblicke hinter sich gebracht, als sie vorsichtig die rothaarige Hexe von der Passagierbetreuung beobachtete, die sie zu ihrer Bedrängnis am Ausgang siebenundvierzig im Dienst fand. Gott sei Dank verschwand die Frau, ehe das An-Bord-Gehen für den Flug beendet war, und der Mann an der Sperre erwies sich als leichtgläubig.

Danach wiederholte Mrs. Quonsett ihre Geschichte mit der Brieftasche bei der Stewardeß, die an der Tür des Flugzeugs Dienst hatte. Die Stewardeß, mit den Fragen verschiedener Personen, die sich am Eingang herumdrückten, beschäftigt, lehnte es ab, die Brieftasche zu übernehmen, als sie hörte, es sei eine »Menge Geld« darin – eine Reaktion, mit der Mrs. Quonsett gerechnet hatte. Wie erwartet, wurde also der kleinen alten Dame gesagt, sie könne ihrem Sohn die Brieftasche ja selbst geben, wenn sie sich beeile.

Der große blonde Mann, der unwissentlich ein Sohn von Mrs. Quonsett war, nahm seinen Platz in der vorderen Kabine ein. Mrs. Quonsett ging in seine Richtung vor, aber nur wenige Schritte. Sie beobachtete heimlich die Stewardeß an der Tür und wartete darauf, daß deren Aufmerksamkeit abgelenkt würde. Und das wurde sie auch gleich.

Mrs. Quonsett hatten ihre Pläne elastisch gehalten. Da war ein Platz, ganz in der Nähe, den sie hätte einnehmen können; jedoch hatte eine plötzliche Bewegung mehrerer Reisender auf einmal einen Weg zu einer Toilette freigegeben. Ein oder zwei Momente später sah sie durch die leicht geöffnete Toilettentür, wie die ursprüngliche Stewardeß nach vorne ging und verschwand und eine andere Stewardeß mit der Kopfzählung, und zwar von vorn, begann.

Als die zweite Stewardeß, immer noch zählend, sich dem hinteren Teil des Flugzeugs näherte, tauchte Mrs. Quonsett aus der Toilette auf und ging schnell mit einem gemurmelten »Entschuldigung« an ihr vorbei. Sie hörte die Stewardeß ärgerlich mit der Zunge schnalzen. Mrs. Quonsett wußte, daß sie nun in die Zählung eingerechnet war – aber das war alles.

Ein paar Reihen weiter vorn, auf der linken Seite, war in einer Reihe von drei Plätzen der mittlere unbesetzt. Durch ihre Erfahrung als blinder Passagier hatte die kleine alte Dame aus San Diego gelernt, sich solche Plätze auszusuchen, weil die meisten Reisenden sie nicht gern mochten; daher wurden sie auch als letzte bei Vorbestellungen belegt, und wenn ein Flugzeug nicht restlos besetzt war, blieben sie leer.

Einmal auf ihrem Platz, ließ Mrs. Quonsett den Kopf sinken und versuchte so unverdächtig wie möglich auszusehen. Sie machte sich nicht vor, sie könne ewig unentdeckt bleiben. In Rom würde es Paßkontrollen und Zollformalitäten geben, die es ihr unmöglich machten, so ungehindert vom Flughafen zu kommen, wie sie es nach ihren illegalen Reisen nach New York gewohnt war. Mit etwas Glück aber würde sie die Sensation erleben, Italien zu erreichen. Inzwischen würde es auf diesem Flug ein gutes Essen geben, einen Film und vielleicht eine gute Unterhaltung mit ihren beiden Platznachbarn.

Ada Quonsett war neugierig auf ihre Reisegefährten. Sie hatte festgestellt, daß beides Männer waren, aber sie vermied es, sich den auf ihrer Rechten anzusehen, weil das bedeutet hätte, ihr Gesicht dem Mittelgang und den beiden Stewardessen zuzuwenden, die beide nun vor und zurück gingen und eine neue Kopfzählung machten. Mrs. Quonsett musterte inzwischen den Mann zu ihrer Linken, was ihr durch die Tatsache erleichtert wurde, daß er zurückgelehnt saß und die Augen geschlossen hatte. Es war ein hagerer, dünner Mann mit eingefallenem Gesicht und krummem Rücken, der aussah, als ob ihm eine tüchtige Mahlzeit guttun würde. Er hatte einen dünnen, sandfarbenen Schnurrbart.

Auf seinen Knien hatte er, wie Mrs. Quonsett sah, einen Aktenkoffer, den er krampfhaft festhielt, obwohl seine Augen geschlossen waren.

Die Stewardessen waren mit ihrer Kopfzählung fertig. Nun tauchte eine dritte Stewardeß aus der ersten Klasse vorn auf, und die drei hielten eine eifrige Besprechung ab.

Der Mann neben Mrs. Quonsett hatte seine Augen geöffnet. Immer noch hielt er den Koffer eisern fest. Die alte Dame – von Haus aus eine neugierige Seele – fragte sich, was da wohl drin sein mochte.

Auf seinem Weg zur Zollkontrolle – diesmal durch den Publikumsteil – dachte Harry Standish immer noch an den Mann mit dem Aktenkoffer. Standish hätte den Mann nicht anhalten können, denn außerhalb der Zollabfertigung hatte ein Zollbeamter nicht das Recht, irgend jemand zur Rede zu stellen, es sei denn, daß er annahm, er habe die Zollkontrolle umgangen. Das hatte der Mann am Ausgang aber bestimmt nicht getan.

Natürlich konnte er dem italienischen Zoll die Beschreibung des

Mannes telegrafieren und darauf hinweisen, er führe vielleicht Schmuggelware mit sich. Aber Standish wußte nicht so recht, ob er das tun sollte. Es gab nur eine geringe internationale Zusammenarbeit zwischen den Zollverwaltungen, doch große Rivalität. Selbst beim kanadischen Zoll, unmittelbar vor der Tür, war das der Fall. In den Akten waren Fälle enthalten, bei denen der Zoll der Vereinigten Staaten informiert worden war, daß Diamanten nach Kanada geschmuggelt werden würden, aber aus grundsätzlichen Erwägungen wurden die kanadischen Behörden nicht unterrichtet. Statt dessen lauerten amerikanische Agenten den Verdächtigen bei der Ankunft in Kanada auf und beschatteten ihn, nahmen ihn aber erst fest, als er die Grenze der Vereinigten Staaten wieder überschritt. Die Überlegung der Amerikaner war: Der Staat, der derartige Schmuggelware beschlagnahmte, behielt alles für sich, denn Zollbehörden sind abgeneigt, Beute zu teilen.

Nein, beschloß Standish, kein Telegramm nach Italien. Auf alle Fälle würde er den Trans America Airlines seine Bedenken mitteilen und ihnen die Entscheidung überlassen.

Vor sich hatte er Mrs. Livingston gesehen, die vorhin an der Abgangssperre zu Flug Zwei gewesen war. Sie sprach mit einem Gepäckträger und einer Gruppe Reisender. Standish wartete, bis der Gepäckträger und die Passagiere gegangen waren.

»Hallo, Mr. Standish«, grüßte Tanya, »hoffentlich ist es bei Ihnen im Zoll ruhiger als hier.«

»Nicht die Spur«, antwortete er und dachte an Mrs. Mossman, die sicher noch in der Zollkontrolle verhört wurde.

Da Tanya darauf zu warten schien, daß er noch etwas sagen würde, zögerte er. Er fragte sich selbst manchmal, ob er nicht langsam zum Überdetektiv geworden war, seinen Instinkt überspitzt hatte. Aber meistens hatte er sich ja als richtig erwiesen.

»Ich habe bei der Abfertigung von Flug Zwei zugesehen«, sagte Standish, »dabei ist mir etwas aufgefallen.« Er beschrieb den hageren, spindeldürren Mann, der den kleinen Aktenkoffer auf eine so verdächtige Art an sich gedrückt hatte.

»Meinen Sie, daß er etwas schmuggelt?«

Der Inspektor lächelte. »Wenn er aus dem Ausland käme, statt hinzufliegen, würde ich ihn durchsuchen. Das einzige, was ich Ihnen sagen kann, Mrs. Livingstone, ist, daß in dem Koffer etwas ist, was er anderen nicht zeigen will.«

Tanya sagte nachdenklich: »Ich weiß nicht recht, was ich dabei tun kann. Selbst wenn der Mann schmuggelt, was geht das die Fluggesellschaft an?«

»Ja, wahrscheinlich ist nichts zu machen. Aber wir ziehen ja doch am selben Strang, und da dachte ich nur, ich wollte meinen Eindruck weitergeben.«

»Danke schön, Mr. Standish. Ich werde es unserem Bezirksverkehrsleiter berichten, und der wird vielleicht den Kapitän verständigen.«

Als der Zollinspektor ging, sah Tanya auf die Zentraluhr; sie zeigte eine Minute vor elf. Auf dem Weg zu den Räumen der Trans America überlegte sie: es war zu spät, Flug Zwei am Ausgang noch zu erreichen. Selbst wenn der Flug die Sperre noch nicht verlassen hatte, würde er das in den nächsten Sekunden tun. Sie fragte sich, ob der Bezirksverkehrsleiter in seinem Büro sein würde. Hielt er die Mitteilung für wichtig, könnte er sie an Kapitän Demerest über Funk weitergeben, solange der Flug noch auf der Rollbahn war. Tanya beeilte sich.

Der Bezirksverkehrsleiter war nicht in seinem Büro, dafür aber Peter Coakley.

Tanya fragte nur: »Was machen Sie denn hier?«

Der junge Trans-America-Angestellte, dem die alte Dame aus San Diego entwischt war, schilderte verlegen, was passiert war.

Peter Coakley hatte bereits eine Abkanzlung hinter sich. Der Arzt, von einem Idioten in die Damentoilette geholt, war deutlich und wütend gewesen. Der junge Mann war auf weitere Vorwürfe von seiten Mrs. Livingstons gefaßt. Er wurde nicht enttäuscht.

Tanya explodierte. »Verdammt und zugenäht noch mal! Habe ich Ihnen nicht gesagt, sie hätte einen Sack voll Tricks?«

»Ja, das haben Sie, Mrs. Livingston. Ich dachte, ich . . .«

»Schluß damit jetzt! Rufen Sie alle unsere Ausgänge an. Sie sollen auf eine alte, unschuldig aussehende Frau in Schwarz achten

– die Beschreibung kennen Sie ja. Sie versucht nach New York zu kommen, macht vielleicht aber auch eine Rundreise. Wenn sie entdeckt wird, soll sie festgehalten und es hier gemeldet werden. Sie darf kein Flugzeug betreten, gleichgültig, was sie sagt. Während Sie das machen, verständige ich die anderen Linien.«

»Jawohl, Ma'm.«

Es waren mehrere Apparate in dem Büro. Peter benutzte den einen, Tanya den anderen. Die Nummern von TWA, American United und Northwest wußte sie auswendig. Alle vier Linien hatten Direktflüge nach New York. Als sie mit dem ersten Partner, Jenny Henline bei TWA, sprach, hörte sie Coakley sagen: »Ja, sehr alt – in Schwarz –, wenn man sie sieht, hält man's nicht für möglich...«

Tanya erkannte, daß sich ein wahrer Wettstreit zwischen ihr und der einfallsreichen Ada Quonsett entwickelt hatte. Wer, dachte sie, würde am Ende wohl den anderen überlisten?

Für den Augenblick hatte sie sowohl ihr Gespräch mit dem Zollinspektor wie auch ihre Absicht, den Bezirksverkehrsleiter zu suchen, vergessen.

An Bord von Flug Zwei schäumte Kapitän Demerest: »Woran liegt es denn in Teufels Namen?«

Die Motoren drei und vier auf der Steuerbordseite des Flugzeugs N-731-TA liefen. Im ganzen Flugzeug war das gedämpfte, mächtige Dröhnen der Düsenmaschinen zu spüren.

Die Piloten hatten durch Funk vor einigen Minuten das Startzeichen des Rampeninspektors erhalten, drei und vier anzulassen, warteten aber immer noch auf Erlaubnis, um eins und zwei auf der Backbordseite zu starten, die normalerweise nicht angelassen wurden, ehe alle Türen geschlossen waren. Ein Rotlicht auf dem Armaturenbrett hatte vor ein oder zwei Minuten aufgeblinkt, was bedeutete, daß die hintere Rumpftür geschlossen und gesichert war. Gleich danach war die hintere Gangway abgezogen worden. Doch ein anderes, kräftiges Rotlicht leuchtete noch und besagte, daß die vordere Kabinentür noch nicht geschlossen war, ein Blick durch das Fenster des Cockpits nach hinten zeigte, daß die vordere Gangway noch an ihrem Platz war.

Sich auf seinem Sitz auf der rechten Seite umdrehend, befahl Kapitän Demerest dem Zweiten Offizier Jordan: »Machen Sie die Tür auf.«

Jordan saß hinter den beiden anderen Piloten vor einer Tafel mit Instrumenten und Maschinenkontrollen. Nun erhob er sich halb, beugte seine lange, schlanke Gestalt vor und öffnete die Tür des Cockpits, die nach außen aufging. Durch die offene Tür zur vorderen Passagierabteilung konnten sie ein halbes Dutzend Gestalten in Uniformen der Trans America sehen, unter denen Gwen Meighen war.

»Gwen!« rief Demerest. Als sie in die Kanzel kam, fragte Demerest: »Was ist denn los, zum Kuckuck?«

Gwen war ärgerlich. »Die Zählung in der Touristenklasse will nicht stimmen. Wir haben sie schon zweimal gemacht, aber wir können mit der Liste und den Flugscheinen nicht klarkommen.«

»Ist der Rampeninspektor da?«

»Ja, er prüft jetzt unsere Zählung.«

»Ich möchte ihn sprechen.«

In diesem Stadium eines Fluges gab es immer eine Zuständigkeitsfrage. Nominell hatte der Kapitän schon das Kommando, aber er konnte ohne Erlaubnis des Rampeninspektors weder die Maschinen anlassen noch abrollen. Sowohl Kapitän wie Rampenchef hatten das gleiche Ziel – planmäßig zu starten; doch ihre unterschiedlichen Pflichten führten manchmal zu einem Zusammenstoß.

Einen Augenblick später kam der Rampeninspektor, einen einzelnen, seinen Rang angebenden Silberstreifen am Ärmel seiner Uniform, ins Cockpit.

»Hören Sie mal«, sagte Demerest, »ich weiß ja, daß Sie Ihre Probleme haben, aber wir haben auch welche. Wie lange sollen wir hier noch sitzen?«

»Ich habe gerade eine neue Flugscheinprüfung angeordnet, Kapitän. Es ist ein Passagier mehr in der Touristenklasse als sein sollte.«

»Na schön«, sagte Demerest, »jetzt will ich Ihnen mal was sagen. Jede Sekunde, die wir hier sitzen, verbrauchen wir Treibstoff mit drei und vier, für die Sie die Starterlaubnis gegeben haben. Kostbaren Treibstoff, den wir heute nacht in der Luft dringend brauchen. Also, wenn die Maschine nicht sofort startet, mache ich erst mal den Laden dicht, und wir fordern Treibstoff an, um unsere Tanks nachzufüllen. Und noch was sollten Sie wissen. Die Flugsicherung hat uns gerade wissen lassen, daß wir augenblicklich eine Verkehrslücke haben. Wenn wir gleich 'rausrollen, können wir schnell vom Boden sein. In zehn Minuten kann das anders aussehen. Nun treffen Sie Ihre Entscheidung! Was soll also sein?«

Hin- und hergerissen zwischen zwei Verantwortlichkeiten, zögerte der Rampenchef. Er wußte ja, daß der Kapitän mit dem Treibstoffverbrauch recht hatte, aber jetzt die Maschinen zu stoppen und die Tanks nachzufüllen, bedeutete den teuren zusätzlichen Aufschub von einer halben Stunde zu der Stunde, die Flug Zwei bereits Verspätung hatte. Aber andererseits war dies ein wichtiger internationaler Flug, bei dem Kopfzählung und Flugscheinliste übereinstimmen sollten. Wenn wirklich jemand unberechtigt an Bord war und entdeckt und hinausgesetzt wurde, konnte der Rampenchef später seine Entscheidung, zu warten, rechtfertigen. Stellte sich aber die Differenz als ein Fehler heraus – was ja möglich war –, würde ihn der Bezirksverkehrsleiter lebendig vierteilen.

Er traf die klarste Entscheidung. Er rief durch die Cockpittür: »Scheinkontrolle abbrechen. Der Flug geht ab.«

Als die Tür zum Cockpit zuging, rief der grinsende Anson Harris durch ein Interphon einen Besatzungsmann am Boden an: »Klar zu Start eins.«

Die Antwort rasselte: »Klar zu Start zwei.« Die vordere Rumpftür wurde geschlossen und gesichert, das Kontrollicht im Cockpit erlosch. Maschine Nummer zwei zündete und lief mit einem gleichmäßigen Dröhnen.

»Klar zu Start eins?«

»Klar zu Start eins.«

Gleich einer abgetrennten Nabelschnur glitt die vordere Gangway zum Flughafengebäude zurück.

Vernon Demerest ersuchte über Funk die Bodenkontrolle um Erlaubnis, anzurollen.

Maschine Nummer eins zündete und lief.

Kapitän Harris, der rollen und den Start fliegen würde, hatte die Füße auf die Seitensteuerfußbremse gestemmt.

Noch immer schneite es stark.

»Trans America Flug Zwei von Bodenkontrolle: Sind Sie klar zum Abrollen...«

Die Motoren liefen schneller.

Demerest dachte: Rom – und Neapel – wir kommen!

Es war genau elf Uhr Normalzeit. In Warteraum »D« erreichte, halb rennend, halb stolpernd, eine Gestalt den Ausgang siebenundvierzig. Selbst wenn sie noch Atem gehabt hätte, um zu fragen, wären Fragen überflüssig gewesen. Die Laderampen waren geschlossen. Tragbare Signale, die den Abflug von Flug Zwei *The Golden Argosy* anzeigten, wurden abgenommen. Ein rollendes Flugzeug verließ die Sperre. Hilflos, ohne zu wissen, was sie nun zuerst tun sollte, sah Inez Guerrero die Lichter des Flugzeugs kleiner werden.

23 Uhr 00 bis 1 Uhr 30

I

Wie immer zu Beginn eines Fluges empfand die Chefstewardeß Gwen Meighen ein Gefühl der Erleichterung, als die vordere Kabinentür zuschlug und sich das Flugzeug ein paar Minuten darauf in Bewegung setzte.

Auf dem Flughafen war das Flugzeug, wie ein Mitglied einer großen Familie, abhängig von den Launen und dem Beistand der anderen Mitglieder. Dort war sein Leben nie unabhängig. Seine Einmaligkeit wurde verwischt, Versorgungsleitungen fesselten es, Fremde, die nie Anteil an seiner luftigen Existenz hatten, gingen aus und ein.

Bereitete das Flugzeug sich jedoch auf den Start vor und waren die Türen verriegelt, dann wurde es wieder zu einer Einheit. Besatzungsmitglieder spürten am deutlichsten die Veränderung. Sie waren in eine gewohnte, in sich geschlossene Umgebung zurückgekehrt, in der sie sachkundig und selbständig die Arbeit aufnehmen konnten, für die sie ausgebildet waren. Niemand kam ihnen in die Quere, nichts war ihnen im Wege als das, was sie kannten und was ihnen geläufig war. Ihre Werkzeuge und Ausrüstung waren die allerbesten, ihre Hilfsmittel und deren Begrenzungen inventarisiert und bekannt. Das Selbstvertrauen kehrte zurück. Die Kameradschaft der Luft – nicht greifbar, aber wirklich für alle, die daran teilhatten – umgab sie wieder.

Selbst Passagiere – die feinfühligeren – spürten eine psychische Umstellung, und wenn sie in der Luft waren, verstärkte sich dieses Bewußtsein der Veränderung. War man in großer Höhe, so verloren die Alltagssorgen an Gewicht. Manche, die gründlicher nachdachten, betrachteten die neue Perspektive als ein Abstreifen des armseligen Erdenlebens.

Gwen Meighen war mit den üblichen Vor-Start-Hantierungen beschäftigt und hatte für derlei Betrachtungen keine Zeit. Während die anderen vier Stewardessen sich mit Haushaltsarbeiten im Flugzeug befaßten, hieß Gwen über die Lautsprecheranlage die Gäste an Bord willkommen. Mit ihrem weichen englischen Akzent entledigte sie sich, so gut es ging, des salbungsvollen, unaufrichtigen Textes aus ihrem Stewardessenleitfaden, der auf jedem Flug vorgelesen werden mußte.

»Im Namen von Kapitän Demerest und seiner Besatzung – unseren aufrichtigen Wunsch, daß Ihr Flug angenehm und entspannend sein möge. Bald werden wir das Vergnügen haben, Ihnen ein Abendessen zu servieren. Wenn wir irgend etwas tun können, um Ihnen den Flug angenehmer zu gestalten . . .«

Gwen fragte sich manchmal, wann die Fluggesellschaften wohl merken würden, daß die meisten Passagiere diese Ansprache zu Anfang und zu Ende jedes Flugs für eine aufdringliche Belästigung hielten.

Wichtiger waren die Ansagen über Notausgänge, Sauerstoffmasken und Notlandung. Während zwei andere Stewardessen das vorführten, erledigte sie das schnell.

Sie rollten immer noch, wie Gwen bemerkte, heute abend langsamer als sonst, und brauchten länger, um den Anfang der Startbahn zu erreichen. Zweifellos waren der Verkehr und der Sturm die Ursache. Gelegentlich war das Klatschen von sturmgepeitschtem Schnee gegen den Rumpf und die Tragflächen zu hören.

Nun war noch eine Ansage fällig – jene, die die Besatzungen am wenigsten mochten. Sie wurde vor den Starts verlangt von: Lincoln International, New York, Boston, Cleveland, San Francisco und anderen Flughäfen mit Wohngebieten in ihrer Nähe.

»Kurz nach dem Start werden Sie ein deutliches Nachlassen des Maschinenlärms infolge von Drosselung bemerken. Das ist völlig normal und geschieht aus Rücksicht auf die Menschen, die in der Nähe der Flughäfen und direkt in der Flugschneise wohnen.«

Die zweite Behauptung war eine Lüge. Die Drosselung war weder normal noch wünschenswert. In Wirklichkeit war das eine Konzession, durch die die Sicherheit des Flugzeugs und Menschenleben aufs Spiel gesetzt wurden.

Piloten gingen gegen diese Drosselung erbittert an. Manche riskierten ihre Karriere und weigerten sich, sie zu befolgen.

Gwen hatte in privatem Kreis Vernon Demerest diese Ankündigungen parodieren hören. »Meine Damen und Herren, im allerkritischsten Augenblick des Starts, wenn wir unsere ganze Kraft brauchen und hundert andere Dinge im Cockpit zu tun haben, drosseln wir die Motoren und steigen sehr steil empor mit einem Maximum an Gewicht und einem Minimum an Geschwindigkeit. Das ist ein mehr als törichtes Manöver, durch das ein angehender Pilot aus der Flugschule fliegen würde. Trotzdem tun wir das auf Befehl unserer Fluglinien und des Bundesluftfahrtamtes, weil einige Leute da unten, die sich ihre Häuser gebaut haben, lange nachdem der Flughafen gegründet war, darauf bestehen, daß wir auf Zehenspitzen vorüberschleichen. Sie kümmern sich einen Dreck um Flugsicherheit oder darum, daß wir ihr oder unser Leben riskieren. Und nun nehmt allen Mut zusammen, Kinder, Hals und Beinbruch und betet für uns alle!«

Gwen lächelte bei der Erinnerung. Es gab so vieles, was sie an Vernon schätzte. Er war so energisch und vital. Er war von starken Gefühlen beherrscht. Wenn ihn etwas interessierte, setzte er sich aktiv dafür ein. Selbst seine Schwächen, seine Gereiztheit, seine Eitelkeit waren männlich und anziehend. Er konnte auch zart sein – und war es in der Umarmung ebenso, wie er Leidenschaft heftig erwiderte, wie Gwen nur zu gut wußte. Von keinem der Männer ihrer Bekanntschaft hätte sie lieber ein Kind empfangen als von Vernon Demerest. In dem Gedanken lag eine schmerzliche Süße.

Als sie das Mikrofon in seine Wandnische in der vorderen Kabine zurücklegte, bemerkte sie, daß sich die Rollgeschwindigkeit verlangsamt hatte; sie mußten sich der Startbahn nähern. Das waren jetzt für einige Stunden die letzten Minuten, in denen sie persönlichen Gedanken nachhängen konnte. Nach dem Start blieb keine Zeit mehr, um an anderes als an die Arbeit zu denken. Gwen hatte die Aufsicht über die vier Stewardessen und außerdem ihren eigenen Dienst in der Ersten Klasse. Eine ganze Reihe der Überseeflüge hatte männliche Stewards für die Leitung des Kabinendienstes, aber Trans America ermutigte erfahrene weibliche Angestellte, wie Gwen, den Posten zu übernehmen, wenn sie sich dazu fähig erwiesen.

Nun hatte das Flugzeug gestoppt. Durch ein Fenster konnte Gwen die Lichter eines anderen Flugzeugs vor ihnen und die einer ganzen Reihe hinter ihnen sehen. Das vordere bog in die Startbahn ein. Flug Zwei würde der nächste sein. Gwen klappte einen Faltsitz herunter und schnallte sich fest. Die anderen Mädchen hatten sonstwo einen Platz gefunden.

Sie dachte wieder nach: Eine schmerzliche Süße – und die ständig wiederkehrende Frage. Vernons Kind und ihr eigenes – Abtreibung oder nicht? – Ja oder nein? Sein oder Nichtsein? – Sie waren jetzt auf der Startbahn. Abtreibung oder keine Abtreibung? – Die Geschwindigkeit der Maschine steigerte sich. Sie rollten bereits und verloren keine Zeit; in Sekunden würden sie in der Luft sein. – Ja oder nein? Am Leben lassen oder zum Tode verurteilen? Wie konnte sich einer zwischen Liebe und Realität, zwischen Liebe und Vernunft entscheiden?

Wie sich herausstellte, hätte Gwen die Ankündigung über die Drosselung der Motoren gar nicht zu machen brauchen.

In der Kanzel hatte Kapitän Harris beim Anrollen brummig zu Demerest gesagt: »Das olle Lärmabschwächungsverfahren möchte ich uns heute schenken.«

Vernon, der gerade ihre durch Funk empfangene komplizierte Streckenfreigabe eingetragen hatte – normalerweise die Aufgabe des nicht vorhandenen Ersten Offiziers –, nickte. »Richtig, verdammt noch mal! Tät' ich auch!«

Die meisten Piloten hätten es dabei bewenden lassen, aber Demerest – für ihn bezeichnend – holte das Bordbuch vor und machte unter der Rubrik »Bemerkungen« eine Eintragung: »L. A. P. nicht beachtet. Grund: Wetter, Sicherheit.«

Später mochte es wegen dieser Eintragung Scherereien geben, aber das war die Art Scherereien, die Demerest gern hatte und bei denen er seinen Mann stehen konnte.

Die Cockpitlichter waren verdunkelt. Die Vorstartkontrollen waren beendet.

Sie hatten Glück gehabt mit der augenblicklichen Verkehrslücke. Sie hatte ihnen erlaubt, schnell und ohne die lange Pause am Boden, unter der die meisten Flüge heute abend zu leiden hatten, ihren Startpunkt am Anfang von Startbahn Zwei-Fünf zu erreichen. Aber für die, die nach ihnen kamen, vergrößerte sich die Verspätung noch mehr. Hinter Trans America Flug Zwei hatte sich eine wachsende Schlange von wartenden Flugzeugen angesammelt, und eine ganze Prozession weiterer Maschinen rollte vom Zentralgebäude her an. Über Funk gab die Bodenkontrolle in schneller Folge Weisungen für Flüge der United Airlines, Eastern American, Air France, Flying Tiger, Lufthansa, Braniff, Continental, Lake Central, Delta, TWA, Ozark, Air Canada, Alitalia und Pan Am, deren Bestimmungsorte wie ein Index der Weltgeographie klangen.

Die von Anson Harris angeforderten zusätzlichen Treibstoffreserven für längere Bodenrollzeit waren schließlich doch nicht nötig gewesen. Doch selbst mit der schweren Treibstoffladung blieben sie immer noch unter der Sicherheitsgrenze für den Start.

Demerests wie auch Harris' Funkgeräte waren nun auf die Frequenz der Startbahnkontrolle eingestellt.

Auf Startbahn Zwei-Fünf, unmittelbar vor Trans America, erhielt eine britische VC-10 der BOAC Weisung zum Abflug. Zuerst bewegte sie sich mit schwerfälliger Langsamkeit vorwärts, dann aber schneller. Die Farben ihrer Gesellschaft – Blau, Weiß, Gold – leuchteten in der Widerspiegelung von anderen Flugzeuglichtern kurz auf und verschwanden in einem Wirbel aus Schnee und schwarzem Auspuffqualm. Sofort ließ sich die Stimme des Abflugkontrollers hören: »Trans America Zwei, in Position rollen, Startbahn Zwei-Fünf, und warten; Landeverkehr auf Startbahn Eins-Sieben links.«

Eins-Sieben links war eine Landebahn, die Startbahn Zwei-Fünf direkt schnitt. Es war nicht ungefährlich, beide Bahnen gleichzeitig zu benutzen, doch die Turmkontrolle hatte Erfahrung im Einfädeln der Flugzeuge – der landenden und der startenden –, so daß keine Zeit verloren wurde, aber nie zwei Maschinen gleichzeitig die Kreuzung erreichten. Den Piloten war eine Kollisionsgefahr ungemütlich bewußt, und wenn sie durch das Radio erfuhren, daß beide Bahnen in Betrieb waren, befolgten sie strikt die Weisungen der Flugsicherung.

Anson Harris brachte Flug Zwei schnell und geschickt auf die Startbahn Zwei-Fünf.

Durch das Schneegestöber spähend, konnte Demerest die Lichter eines Flugzeuges sehen, das im Begriff war, auf Eins-Sieben den Boden zu berühren. Er drückte auf seinen Mikrofonknopf. »Trans America Zwei, verstanden. In Position, wir warten. Wir sehen den Landeverkehr.«

Noch ehe das landende Flugzeug ihre eigene Startbahn gekreuzt hatte, ließ sich die Stimme des Kontrollers wieder vernehmen: »Trans America Zwei, klar für Start. Los, Mann, los!«

Die letzten drei Worte standen in keinem Leitfaden für Flugsicherung, aber für Kontroller und für Piloten hatten sie die gleiche Bedeutung: »Saust sofort ab! Gleich kommt die nächste Landung.« Schon näherte sich – bedrohlich nahe dem Boden – Landebahn Eins-Sieben eine neue Reihe von Lichtern.

Anson Harris hatte nicht gezögert. Mit seinen ausgespreizten Fingern schob er die vier Hauptgashebel auf ihren äußersten Grad. Er befahl: »Vergaser trimmen«, und stemmte sich kurz auf seine Fußbremse, um die Triebkraft zu komprimieren, während Demerest das Druckverhältnis für alle vier Maschinen gleich einstellte. Der Maschinenlärm ging von einem gleichmäßigen Winseln in ein tiefes Brüllen über. Dann lockerte Harris die Bremsen, und N-731-TA schoß die Startbahn entlang.

Vernon Demerest meldete dem Kontrollturm: »Trans America Zwei im Rollen«, und gab dann dem Steuerknüppel Vorwärtsdruck, während Harris mit der linken Hand das Steuer des Bugrads hielt und mit der rechten wieder zu den Gashebeln griff.

Die Geschwindigkeit nahm zu. Demerest rief: »Achtzig Knoten!« Harris nickte, gab das Bugradsteuer frei und übernahm die Ruder – Startbahnlichter blitzten im Schneewirbel vorüber. In einem Krescendo schwoll die Leistung der großen Düsenmaschine an. – Bei einhundertunddreißig Knoten, wie vorher berechnet, rief Demerest aus: »V-eins« – womit er Harris andeutete, daß sie die kritische Geschwindigkeit erreicht hatten, bei der der Start gerade noch abgebrochen und das Flugzeug zum Stehen gebracht werden konnte. Bei einer Geschwindigkeit von über V-eins mußte der Start weitergehen – nun waren sie darüber hinaus – die Geschwindigkeit immer noch mehr beschleunigend, rasten sie über die Kreuzung und erblickten zu ihrer Rechten noch die aufblitzenden Lichter des ankommenden Flugzeugs; in wenigen Sekunden würde das andere dort die Bahn kreuzen, wo Flug Zwei eben durchkam. Wieder einmal war ein Risiko – geschickt ausgerechnet – überstanden; nur Pessimisten meinten, ein solches Risiko könnte vielleicht doch eines Tages... Als die Geschwindigkeit hundertvierundfünfzig Knoten erreichte, begann Harris die Maschine abzuheben, indem er die Steuersäule langsam zurücknahm. Das Bugrad löste sich vom Boden; jetzt waren sie in der Auftriebhaltung, bereit, den Boden ganz zu verlassen. Einen Moment später waren sie mit sich immer noch steigender Geschwindigkeit in der Luft.

Harris sagte ruhig: »Fahrwerk einfahren.«

Demerest ergriff einen Hebel auf dem Zentralinstrumentenbrett und legte ihn um. Der Lärm des sich einziehenden Fahrwerks hallte im ganzen Flugzeug wider und endete mit einem Knall, als sich die Klappen schlossen.

Sie stiegen schnell – waren bereits über vierhundert Fuß. Im nächsten Augenblick würden Nacht und Wolken sie verschlukken. »Klappen zwanzig.«

Immer noch den Dienst des Ersten Offiziers versehend, schob Demerest den Hebel für die Klappenbetätigung von dreißig auf zwanzig Grad. Einen Augenblick gab es ein kurzes Gefühl des Sinkens, als die Tragflächenklappen – die beim Starten eine zusätzliche Auftriebskraft verschafften – ein Stück weit einfuhren.

»Flaps up.«

Nun wurden die Klappen völlig angezogen.

Demerest merkte sich für seinen späteren Bericht, daß er in keinem Moment an Harris' Durchführung auch nur das geringste auszusetzen gehabt hatte. Das hatte er auch nicht erwartet. Trotz der vorhergegangenen Sticheleien wußte Demerest, daß Harris ein erstklassiger Kapitän war, so exakt in seiner Arbeit

wie Demerest selbst. Aus dem Grunde hatte Demerest vorher
gewußt, daß sein Flug nach Rom heute abend für ihn selbst
eine bequeme Reise sein würde.

Erst Sekunden waren vergangen, seit sie den Boden verlassen
hatten; nun überflogen sie, immer steil ansteigend, das Ende
der Startbahn, die Lichter unten waren bereits durch Wolken
und fallenden Schnee verschwommen. Anson Harris hatte aufgehört hinauszuschauen und flog nur noch nach seinen Instrumenten.

Der Zweite Offizier, Cy Jordan, reichte von seinem Flug-
ingenieursitz aus nach vorn, um die Treibstoffzufuhr zu regulie-
ren, damit alle vier Maschinen die gleiche Leistung brachten.

In den Wolken gab es allerlei Gerüttel – zu Beginn ihrer Reise
hatten die Passagiere da hinten einen unruhigen Flug. Demerest
schaltete die Leuchtschrift »Nicht rauchen!« aus, das Zeichen
»Anschnallen« sollte aber noch bleiben, bis Flug Zwei eine
ruhigere Höhe erreicht hätte. Später würde entweder Harris
oder Demerest eine Ansprache an die Fluggäste halten, aber
jetzt noch nicht. Im Augenblick war das Fliegen wichtiger.

Demerest meldete der Abflugkontrolle: »Wenden nach backbord eins acht null, verlassen fünfzehnhundert Fuß.«

Er sah Anson Harris lächeln, als er »wenden nach backbord«
statt »wenden nach links« meldete. Das erste war korrekt,
aber inoffiziell. Es war Demerests eigene Formulierung; viele
der älteren Piloten gebrauchten sie – eine kleine Rebellion
gegen die Amtssprache der Flugsicherung, der sich heutzutage
alle fliegenden Menschen, deren Meinung nach, zu fügen hatten. Kontroller erkannten oft einzelne Piloten an ihren persönlichen Redensarten. Einen Augenblick später bekam Flug Zwei
durch Funk Freigabe, auf zwanzigtausend Fuß zu steigen.
Demerest bestätigte, während Anson Harris das Flugzeug weiter steigen ließ. Dort oben würden sie in wenigen Minuten in
klarer, ruhiger Luft sein, die Sturmwolken tief unter ihnen und
hoch über ihnen die Sterne.

Einer, der den Ausdruck »wenden nach backbord« am Boden
gehört hatte, war Keith Bakersfeld. Keith war vor über einer

Stunde zur Radarwache zurückgekehrt, nachdem er eine Weile allein in der Kontrollergarderobe zugebracht und sich dort an die Vergangenheit erinnert hatte, was ihn in seinem Vorhaben für heute abend neu bestärkt hatte.

Verschiedentlich hatte Keith seitdem die Hand in die Tasche gesteckt und nach dem Schlüssel zu dem heimlich bestellten Zimmer in der O'Hagan Inn gegriffen. Im übrigen hatte er sich auf den Radarschirm vor sich konzentriert. Er befaßte sich nun mit den Anflügen aus dem Osten, und das weiterhin große Verkehrsvolumen erforderte intensivste Konzentration.

Mit Flug Zwei hatte er direkt nichts zu tun, da aber der Abflugkontroller nur ein paar Meter neben ihm saß, hörte Keith in einer kurzen Pause zwischen seinen eigenen Übertragungen den Ausdruck »wenden nach backbord« und erkannte an der Stimme seinen Schwager. Bis dahin hatte Keith keine Ahnung gehabt, daß Vernon Demerest heute abend flog; es lag kein Anlaß dafür vor. Keith und Vernon sahen nicht viel voneinander. Wie Mel hatte auch Keith keinen engen Kontakt mit seinem Schwager, wenn auch zwischen ihnen nie derartige Spannungen entstanden waren, wie sie die Beziehungen zwischen Demerest und Mel verdorben hatten.

Kurz nach dem Start von Flug Zwei rollte Wayne Tevis, der Radarchef, auf seinem geräderten Sessel zu Keith hinüber.

»Machen Sie mal fünf Minuten Pause, Junge«, sagte Tevis in seinem schleppenden nasalen Texanisch. »Ich vertrete Sie. Ihr großer Bruder ist da.«

Als Keith den Kopfhörer abnahm und sich umdrehte, sah er hinter sich im Schatten die Gestalt seines Bruders. Bis jetzt hatte er gehofft, Mel würde heute abend nicht kommen, weil eine Begegnung vielleicht mehr sein würde, als er gefühlsmäßig verkraften konnte. Nun aber freute er sich doch, daß Mel da war. Sie waren nicht nur Brüder, sondern auch Freunde gewesen, und es war nur zu berechtigt, daß ein Abschied stattfinden sollte, wenn Mel auch nicht wußte, daß es ein solcher war – wenigstens bis er es morgen erfahren würde.

»Tag«, sagte Mel. »Kam gerade vorbei. Na, wie geht's?«

Keith zuckte die Achseln. »Soweit ganz gut.«

»Einen Kaffee?« Mel hatte aus einem der Restaurants zwei Pappbecher Kaffee mitgebracht. Er gab den einen Keith und behielt den anderen für sich selbst.

»Danke.« Keith war sowohl für den Kaffee wie auch für die Unterbrechung dankbar. Jetzt, da er, wenn auch nur kurz, vom Radarschirm weg war, merkte er, daß seine seelische Spannung in der letzten halben Stunde wieder zugenommen hatte. Er sah auch, als beobachte er einen Fremden, daß seine Hand mit dem Kaffeebecher zitterte.

Mel blickte in dem geschäftigen Radarraum umher. Er bemühte sich, Keith nicht zu auffällig anzusehen, denn dessen Aussehen – das hagere, abgehetzte Gesicht mit den Ringen unter den Augen – hatte ihn erschüttert. Keith hatte sich in den letzten Monaten sehr verändert. Heute abend, fand Mel, sah sein Bruder schlechter aus als je zuvor. Mit seinen Gedanken immer noch bei Keith, deutete er auf die reichhaltige Radarausstattung. »Ich möchte bloß wissen, was der Alte Herr zu all dem gesagt hätte.«

Der Alte Herr war ihr Vater, Wally (Wild Blue) Bakersfeld, gewesen, ein Steuerknüppel- und Schutzbrillenflieger, Kunstflieger, Saatenschutzmittelstreuer, Nachtpostbeförderer und Fallschirmspringer, das letztere vor allem, wenn er dringend Geld brauchte. Wild Blue war Zeitgenosse von Lindbergh, ein alter Bekannter von Orville Wright gewesen und war sein ganzes Leben lang geflogen, bis es mit einer Trickfilmserie in Hollywood ein Ende fand – ein Flugzeugabsturz, der nur markiert sein sollte, sich aber als wirklich herausstellte. Das geschah, als Mel und Keith noch Kinder waren, aber nicht bevor Wild Blue den beiden Jungen die Hingabe an die Fliegerei als Lebensinhalt eingeimpft hatte, die auch für ihr Leben als Erwachsene weiter galt. In Keiths Fall, dachte Mel bisweilen, habe der Vater seinem Sohn einen schlechten Dienst erwiesen.

Keith schüttelte den Kopf, ohne auf Mels Frage zu antworten, die ja sowieso rein rhetorisch war und Mel Zeit zum Überlegen gab, wie er das Problem am besten anfassen könne, das ihm so dringend am Herzen lag. Er beschloß, direkt darauf zuzugehen.

Mel sagte leise: »Keith, dir geht es nicht gut. Du siehst furchtbar aus. Ich weiß es, und du weißt es auch. Warum gibst du es also nicht zu? Wenn du willst, helfe ich dir. Können wir darüber sprechen, was mit dir los ist? Wir sind doch immer offen und ehrlich miteinander gewesen.«

»Ja«, gab Keith zu, »das waren wir immer.« Er nippte an seinem Kaffee und vermied damit, Mel anzusehen.

Die Erwähnung ihres Vaters, wenn sie auch nur nebenbei erfolgt war, hatte Keith seltsam berührt. Er erinnerte sich genau an Wild Blue; er war kein großer Wirtschafter gewesen – die Familie war ständig in Geldsorgen –, doch ein guter und anregender Vater für seine Kinder, besonders wenn die Rede auf die Fliegerei kam, wie die beiden Jungen es immer wünschten. Letzten Endes war aber nicht Wild Blue für Keith die Vatergestalt geworden, sondern Mel Bakersfeld, der, soweit Keith zurückdenken konnte, den gesunden Verstand und die Ausgeglichenheit besaß, die ihrem Vater gefehlt hatten. Mel war es, der sich immer um Keith kümmerte, jedoch nie aufdringlich oder übertrieben bevormundend wie viele ältere Brüder, die ihren jüngeren Brüdern das ganze Selbstvertrauen nahmen. Mel hatte schon damals die Fähigkeit, für andere Menschen etwas in einer Weise zu tun, daß sie sich dabei auch wohl fühlten.

Mel hatte vieles mit Keith geteilt, war rücksichtsvoll und taktvoll gewesen, auch in kleinen Dingen. Das war er immer noch; daß er den Kaffee mitbrachte, dachte Keith, war ein Beispiel dafür. Dann aber schalt er sich selbst: Nun werde nicht gleich wegen einem Becher Kaffee sentimental, nur weil wir uns zum letzten Male sehen. Diesmal gingen Keiths Einsamkeit, seine Angst und seine Schuldgefühle über Mels Vorstellungen hinaus. Selbst Mel konnte die kleine Valerie Redfern und ihre Eltern nicht wieder lebendig machen.

Mel gab mit dem Kopf ein Zeichen, und beide gingen in den Korridor vor dem Radarraum hinaus.

»Hör mal, Junge«, sagte Mel. »Du mußt hier raus – eine ganze Weile; vielleicht für immer.« Zum ersten Male lächelte Keith.

»Du hast mit Natalie gesprochen.«

343

»Natalie kann ganz vernünftig sein.« Welches Problem Keith auch haben mochte, dachte Mel, mit Natalie hatte er unerhörtes Glück gehabt. Bei dem Gedanken an seine Schwägerin fiel Mel seine eigene Frau ein, Cindy, die vermutlich auf dem Weg zum Flughafen war. Seine eigene Ehe mit der eines anderen kritisch zu vergleichen sei ungerecht, sagte sich Mel; zuzeiten war es aber schwer, das nicht zu tun. Er fragte sich, ob Keith wirklich wußte, wie glücklich – wenigstens auf diesem wichtigen Gebiet – er war.

»Ja, da ist noch etwas anderes«, sagte Mel. »Ich habe bis jetzt nicht davon angefangen, aber es ist nun wohl an der Zeit. Ich glaube, daß du mir nie alles erzählt hast, was in Leesburg passiert ist – bei der Katastrophe an diesem Tag. Vielleicht hast du es niemandem erzählt, weil ich ja alle Zeugenaussagen gelesen habe. War da noch etwas, worüber du noch nicht gesprochen hast?«

Keith zögerte nur einen Moment. »Ja.«

»Das habe ich mir gedacht.« Mel wählte seine Worte sorgfältig. Er hatte das Gefühl, was jetzt zwischen ihnen vorging, könne von entscheidender Bedeutung sein. »Aber ich habe mir auch gedacht, du würdest es mir sagen, wenn ich es wissen sollte; und wenn du es nicht tätest, dann ginge es mich auch nichts an. Doch wenn man jemand sehr gern hat – sagen wir, wie einen Bruder –, sollte man sich manchmal darum kümmern, ob er nun will, daß man sich einmischt, oder nicht. Und deshalb mische ich mich jetzt hier ein.« Vorsichtig setzte er hinzu: »Hörst du mich?«

»Ja«, antwortete Keith, »ich höre.« Er dachte, er könne diese Unterhaltung natürlich abbrechen. Vielleicht sollte er es jetzt sofort tun – da sie ja zwecklos war –, indem er sich entschuldigte und zu seinem Radarschirm zurückging. Mel würde annehmen, da er ja nicht wußte, daß es für sie beide kein »später« mehr geben würde, daß sie ein andermal davon reden konnten.

»An dem Tag in Leesburg«, fuhr Mel fort, »das, worüber du nie gesprochen hast, hat das irgendwas mit deinem Zustand zu tun, damit, wie du jetzt bist?«

344

Keith schüttelte den Kopf. »Ach laß doch, Mel. Bitte!«

»Also habe ich recht. Da ist ein Zusammenhang, nicht wahr?«

Was für einen Sinn hatte es, das Offenbare abzuleugnen?

Keith nickte. »Ja.«

»Willst du es mir nicht erzählen? Irgendwann, früher oder später, mußt du doch darüber sprechen.« Mels Stimme wurde bittend, drängend. »So kannst du doch nicht weiterleben, wenn du diese Geschichte – egal, was es ist – weiter in dich hineinfrißt. Und wem solltest du es eher erzählen als mir? Ich würde es verstehen.«

So kannst du doch nicht weiterleben. – Wem solltest du es sagen, wenn nicht mir?

Es schien Keith, als käme seines Bruders Stimme, ja selbst Mels Anblick aus dem fernsten Ende eines Tunnels auf ihn zu. An jenem fernen Tunnelende waren auch all die anderen Menschen – Natalie, Brian, Theo, Perry Yount, Keiths Freunde –, zu denen er seit langem jede Verbindung verloren hatte. Von ihnen allen streckte nur Mel seine Hand aus und versuchte die Kluft zwischen ihnen zu überbrücken – aber der Tunnel war lang, die Entfernung nach all der Zeit, in der Keith allein gewesen war, zu groß. Und doch . . .

Als ob ein ganz anderer redete, fragte Keith: »Du meinst, ich sollte es hier erzählen? Jetzt?«

Mel drängte: »Warum nicht?«

Warum nicht? Irgend etwas im Innersten regte sich bei Keith, das dunkle Verlangen, eine Last abzuschütteln, selbst wenn es im Grunde nichts ändern konnte – oder konnte es das? War es nicht das, was beim Beichten das Wesentliche war? Eine Katharsis. Eine Austreibung der Sünde durch Beichte und Reue? Der Unterschied freilich war, daß die Beichte Vergebung und Absolution bot, aber für Keith würde es nie eine Absolution geben – niemals. Wenigstens – hatte er es nicht geglaubt. Nun fragte er sich, was Mel wohl sagen würde.

Irgendwo in Keiths Geist hatte sich eine Tür, die verschlossen gewesen war, zentimeterweit geöffnet.

»Ich glaube, es gibt keinen Grund«, sagte er langsam, »weshalb ich es dir nicht sagen sollte. Es wird nicht lange dauern.«

Mel schwieg weiter. Instinktiv sagte er sich, wenn die falschen Worte fielen, konnten sie Keiths Stimmung stören, konnten das Geständnis abschneiden, das zu kommen schien und auf das Mel schon so lange und schmerzlich wartete. Er dachte, wenn er endlich erführe, wovon Keith so gequält werde, würden sie es vielleicht zusammen bewältigen können. Nach seines Bruders Zustand heute abend zu urteilen, mußte es möglichst bald sein.

»Die Zeugenaussagen hast du ja gelesen«, sagte Keith mit monotoner Stimme. »Also weißt du das meiste, was an dem Tag passiert ist.«

Mel nickte.

»Was du aber nicht weißt, was außer mir niemand weiß, was in der Untersuchung nicht herauskam, über was ich immer und immer wieder nachgedacht habe...« Keith machte eine Pause. Es schien, als wolle er nicht fortfahren.

»Um Gottes willen! Dir selbst zuliebe, Natalie zuliebe, mir zuliebe – weiter!«

Keith nickte. »Ja, gleich.«

Er begann den Morgen in Leesburg vor anderthalb Jahren zu beschreiben: das Radarbild, als er ging, um die Toilette aufzusuchen, Inspektor Perry Yount, der mit der Verantwortung betraute Kontroller in Ausbildung. In einem Augenblick, dachte sich Keith, würde er eingestehen, wie er getrödelt hatte, wie er die anderen durch Gleichgültigkeit und Nachlässigkeit im Stich gelassen hatte, wie er zu spät zum Dienst zurückgekehrt war, daß der Unfall, die dreifache Tragödie des Todes der Redferns, einzig seine Schuld war und wie sie anderen zugeschoben wurde. Jetzt, als er das tat, wonach er sich so lange gesehnt hatte, ohne es zu wissen, hatte er ein Gefühl von segensvoller Erleichterung. Gleich einem lang gestauten Wasserfall, begannen die Worte sich zu überstürzen.

Mel hörte zu.

Plötzlich ging weiter hinten im Korridor eine Tür auf. Eine Stimme – die des Dienstleiters – rief: »Ach, Mr. Bakersfeld!«

Die Worte hallten im Korridor wider, der Dienstleiter kam auf sie zu.

»Leutnant Ordway hat versucht, Sie hier zu erreichen, Mr. Bakersfeld, ebenso die Schneekontrolle. Sie möchten beide, daß Sie anrufen.« Er nickte: »Hallo, Keith!«

Mel hätte am liebsten gebrüllt, hätte gerufen: »Ruhe!« oder »später«, hätte gesagt, er müsse noch ein paar Minuten mit Keith allein sein. Aber er wußte, daß es nicht möglich war. Beim ersten Wort, das von dem Dienstleiter zu hören war, hatte Keith mitten im Satz abgebrochen, als wäre ein Schalter auf »aus« gestellt worden.

Keith war schließlich doch nicht dazu gekommen, seine eigene Schuld Mel zu beschreiben. Als er automatisch auf den Gruß des Dienstleiters reagierte, fragte er sich, warum er überhaupt damit angefangen hatte. Was war dadurch zu gewinnen? Es konnte keinen Gewinn geben, kein Vergessen. Keine Beichte – gleichgültig, wem gegenüber – würde die Erinnerung auslöschen. Einen Augenblick lang hatte er sich an etwas geklammert, das er mit einem Hoffnungsschimmer, vielleicht sogar mit einer Gnadenfrist verwechselt hatte. Wie zu erwarten, hatte es sich als illusorisch herausgestellt. Vielleicht war es ganz gut so, daß die Unterbrechung gerade jetzt gekommen war.

Wieder einmal spürte sich Keith von Einsamkeit umgeben, die ihn wie ein dicker Vorhang umhüllte. Unterhalb des Vorhangs war er allein mit seinen Gedanken, und innerhalb seiner Gedanken war eine persönliche Folterkammer, in die niemand, nicht einmal ein Bruder, eindringen konnte. Und in dieser Folterkammer – Warten, immer nur Warten . . . Es gab nur eine Erlösung. Es war der Weg, den er bereits gewählt hatte und den er auch zu Ende gehen würde.

»Ich glaube, Sie werden drinnen gebraucht, Keith«, sagte der Dienstleiter. Es war die höflichste Art der Mißbilligung. Keith hatte heute abend bereits eine längere Pause hinter sich, eine weitere bedeutete eine stärkere Belastung der anderen. Es war auch eine vielleicht unbeabsichtigte Erinnerung für Mel, daß die Befehlsgewalt des Flughafendirektors hier keine Geltung hatte. Keith murmelte etwas und nickte geistesabwesend. Mit einem Gefühl der Hilflosigkeit sah Mel seinen Bruder in den Radarraum zurückkehren. Er hatte genug gehört, um zu wissen, daß es verzweifelt wichtig war, mehr zu hören. Er fragte sich, wann das sein würde und wie. Vor wenigen Minuten noch hatte er Keiths Zurückhaltung, seine Verschwiegenheit durchbrochen. Würde das noch einmal gelingen? Bestürzt zweifelte Mel daran.

Ganz gewiß nicht heute abend mehr.

»Es tut mir leid, Mr. Bakersfeld.« Als errate der Dienstleiter nachträglich Mels Gedanken, breitete er bedauernd die Arme aus. »Sie versuchen stets allen zu helfen. Das ist nicht immer leicht.«

»Das stimmt.« Mel war nach Aufseufzen zumute, aber er beherrschte sich. Wenn so etwas wie eben passierte, konnte man nur hoffen, daß wieder einmal die richtige Gelegenheit kommen würde; inzwischen mußte man das, was man zu tun hatte, weiter machen.

»Sagen Sie mir doch bitte«, sagte Mel, »was für Mitteilungen waren das?«

Der Dienstleiter wiederholte sie.

Statt die Schneekontrolle anzurufen, ging Mel im Kontrollturm einen Stock tiefer und trat ein. Danny Farrow saß immer noch über dem Einsatzplan der vielbeschäftigten Schneeräumung.

Es bestand eine Prioritätsfrage bei der Schneeräumung von Parkgebieten verschiedener konkurrierender Fluglinien, die Mel in Ordnung brachte. Dann prüfte er die Situation auf der blockierten Startbahn Drei-Null. Dort hatte sich nichts geändert, außer daß Joe Patroni nun auf dem Flugfeld war und versucht hatte, die versackte Aéreo Mexican 707 fortzubewegen, die immer noch die Benutzung der Startbahn verhinderte. Vor ein paar Minuten hatte Patroni durch Funk gemeldet, er gedenke einen neuen Versuch zu machen, das Flugzeug innerhalb einer Stunde freizubekommen. Mel, der Joe Patronis Ruf als Spitzenkanone auf seinem Gebiet kannte, sagte sich, daß durch Anforderung eines detaillierten Berichts nichts zu gewinnen war. In der Schneeräumungsabteilung fiel Mel die Mitteilung ein, Leutnant Ordway anzurufen. In der Annahme, der Leutnant sei noch in seinem kleinen Büro an der großen Halle, ließ Mel ihm sagen, er warte auf seinen Anruf. Gleich darauf erfolgte dieser. Mel dachte, der Leutnant riefe ihn wegen der Delegation aus Meadowood an. Das stimmte aber nicht.

»Die Leute aus Meadowood sind im Kommen, sind aber kein Problem und haben auch noch nicht nach Ihnen gefragt«, sagte Ordway, als Mel die Frage anschnitt. »Ich lasse es Sie wissen, wenn es soweit ist.«

Er habe wegen einer Frau angerufen, meldete der Polizist, die einer seiner Leute aufgegriffen habe. Sie habe geweint und sei ziellos in der großen Halle umhergewandert. »Wir konnten nichts aus ihr herauskriegen, aber sie tat schließlich nichts Unrechtes, und ich konnte sie also nicht polizeilich belangen. Sie schien auch so schon aufgeregt genug.«

»Was haben Sie denn gemacht?«

Bedauernd sagte Ordway: »Viele ruhige Stellen gibt's ja heute abend hier nicht, und da habe ich sie in das Vorzimmer Ihres Büros gebracht. Ich dachte mir, ich sage es Ihnen lieber, für den Fall, daß Sie zurückkommen und sich wundern.«

»Ist in Ordnung. Ist sie allein?«

»Einer meiner Leute ist bei ihr, aber vielleicht ist er jetzt wieder gegangen. Sie ist aber harmlos, da bin ich sicher. Wir werden später wieder nach ihr sehen.«

»Ich bin in ein paar Minuten wieder in meinem Büro«, sagte Mel. »Ich werde sehen, ob ich selbst was tun kann.« Er fragte sich, ob er mehr Erfolg hätte, mit der unbekannten Frau zu reden, als mit Keith; daß er es schlechter machen würde, bezweifelte er. Der Gedanke an Keith, der so dicht vor dem Zusammenbruch zu stehen schien, beschäftigte Mel immer noch sehr.

Mit einem nachträglichen Einfall fragte er: »Haben Sie den Namen der Frau erfahren?«

»Ja, den haben wir herausgekriegt. Es ist ein spanisch klingender Name. Moment mal, ich hab's aufgeschrieben.« Nach einer Pause sagte Ordway: »Der Name ist Guerrero. Mrs. Guerrero.«

Ungläubig sagte Tanya Livingston: »Sie glauben, Mrs. Quonsett wäre auf Flug Zwei?«

»Ich fürchte, daran besteht kein Zweifel, Mrs. Livingston. Da war so eine kleine alte Dame, wie Sie sie beschrieben«, sagte der Angestellte, der den Abflug von *The Golden Argosy* kontrolliert hatte. Außer ihm war im Büro des Bezirksverkehrsleiters noch der junge Peter Coakley, der immer noch fassungslos darüber war, von Mrs. Quonsett, als sie in seiner Obhut war, so hinters Licht geführt worden zu sein.

Der Angestellte war vor wenigen Minuten ins Büro gekommen, nachdem alle Ausgänge der Trans America telefonisch gewarnt worden waren.

»Ich bin einfach nicht auf die Idee gekommen, daß da etwas nicht stimmen könnte«, sagte der Mann. »Wir haben auch andere Besucher heute abend durchgelassen, und die sind wiedergekommen. Jedenfalls bin ich den ganzen Abend unter Druck gewesen. Wir waren ja knapp an Personal, und abgesehen von der Zeit, in der Sie mir halfen, habe ich die Arbeit von zweien getan. Das wissen Sie ja.«

»Ja, ich weiß«, bestätigte Tanya. Sie hatte nicht die Absicht zu tadeln. Wenn jemand verantwortlich war, dann sie selbst.

»Das war direkt nachdem Sie gegangen waren, Mrs. Livingston. Die alte Dame sagte etwas von ihrem Sohn, der hätte seine Brieftasche vergessen. Die hat sie mir sogar gezeigt. Es sei Geld darin, hat sie gesagt, und deswegen habe ich sie nicht an mich genommen.«

»Das hat sie schon öfters vorgegeben. Das ist eine ihrer alten Nummern.«

»Das wußte ich ja nicht, und so ließ ich sie an Bord gehen. Von da an bis vor ein paar Minuten, als ich die Telefondurchsage bekam, habe ich nicht mehr an sie gedacht.«

»Sie hält einen zum Narren«, sagte Peter. Er warf einen Blick seitwärts zu Tanya hin. »Mich hat sie schön an der Nase herumgeführt.«

Der Angestellte schüttelte den Kopf. »Wenn ich es nicht glauben müßte, würde ich es auch jetzt noch nicht glauben. Aber sie ist bestimmt an Bord.« Er berichtete von der Diskrepanz zwischen der Kopfzählung in der Touristenklasse und der Passagierliste und der dann später erfolgten Entscheidung des Rampeninspektors, lieber das Flugzeug abfliegen zu lassen, als eine weitere Verspätung in Kauf zu nehmen.

Tanya sagte schnell: »Es ist ja wohl anzunehmen, daß Flug Zwei bereits fort ist.«

»Ja, das ist er. Das habe ich auf dem Weg hierher festgestellt. Aber auch wenn er es nicht wäre, würden sie das Flugzeug nicht wieder zurückbringen, besonders nicht an einem solchen Abend.«

»Das täten sie sicher nicht.« Da bestand nicht die leiseste Aussicht, das wußte Tanya, daß *The Golden Argosy* nur wegen Ada Quonsett den Kurs ändern und zu einer Landung zurückfliegen würde. Zeit und Unkosten für das Absetzen eines blinden Passagiers würden in die Tausende laufen – viel mehr, als es kostete, Mrs. Quonsett mit nach Rom zu nehmen und wieder zurückzubringen.

»Ist eine Zwischenlandung zum Auftanken vorgesehen?« Tanya wußte, daß nach Europa gehende Flüge planmäßig Zwischenlandungen für Treibstoffübernahme in Montreal oder Neufundland machten. Wäre das hier der Fall, gäbe es noch eine Chance, Mrs. Quonsett abzusetzen und ihr die Genugtuung, den ganzen Weg nach Italien zu fliegen, zu rauben.

»Ich habe mich danach bei der Planung erkundigt«, antwortete der Angestellte. »Dem Flugplan nach fliegen sie im Nonstop durch.«

»Dieses alte Aas!« rief Tanya aus.

Also kam Ada Quonsett zu ihrer Reise nach Italien und zurück, wahrscheinlich mit einer Übernachtung dazwischen und versorgt mit Mahlzeiten – und alles auf Kosten der Gesellschaft. Verärgert dachte Tanya, sie habe die Entschlossenheit der alten Dame, sich nicht an die Westküste zurückschicken zu lassen, doch unterschätzt. Auch in der Annahme, Mrs. Quonsett würde nur in Richtung New York Kurs nehmen, hatte sie sich geirrt.

Noch vor fünfzehn Minuten hatte Tanya an den sich entwickelnden Wettstreit zwischen sich und Ada Quonsett als an einen Kampf in Fixigkeit und Geschicklichkeit gedacht. Wenn es das war, dann hatte ihn zweifellos die kleine alte Dame aus San Diego gewonnen.

Mit einer für sie gar nicht charakteristischen Boshaftigkeit wünschte Tanya, daß die Gesellschaft eine Ausnahme machen und Mrs. Quonsett anzeigen würde. Aber sie wußte genau, das würde nicht geschehen.

Peter Coakley wollte gerade etwas sagen. Tanya fuhr ihm über den Mund: »Ach, seien Sie doch still.«

Einige Minuten nachdem Coakley und der Angestellte gegangen waren, kehrte der Bezirksverkehrsleiter, Bert Weatherby, in sein Büro zurück. Er war ein arbeitsamer, ehrgeiziger Mann gegen Ende Vierzig, der als Rampenlader angefangen und sich eisern hochgearbeitet hatte. War er in der Regel rücksichtsvoll und hatte Sinn für Humor, so war er heute abend infolge der dauernden Anspannung während der letzten drei Tage müde und reizbar. Ungeduldig hörte er sich Tanyas Bericht an, in dem sie die Hauptverantwortung auf sich nahm und Peter Coakley nur nebenbei erwähnte.

Sich durch sein schütteres, ergrauendes Haar fahrend, bemerkte Bert Weatherby: »Ich fühle gelegentlich mal nach, ob da oben überhaupt noch ein paar sind. Solche Geschichten, wie die da, sorgen dafür, daß der kümmerliche Rest auch noch ausfällt.« Er überlegte und sagte dann, ohne die Zähne auseinander zu bringen: »Sie haben uns in diesen Schlamassel gebracht, nun sehen Sie auch zu, wie Sie uns wieder rausbringen. Reden Sie mit der Flugabfertigung und bitten Sie, den Kapitän von Flug Zwei über unseren Funk anzurufen und ihm zu sagen, was passiert ist. Ich weiß ja nicht, was er da machen kann. Wenn es nach mir ginge, würde ich die alte Vettel aus dreißigtausend Fuß Höhe runterschmeißen, aber das ist ja seine Sache. Übrigens, wer ist der Kapitän?«

»Kapitän Demerest.«

Der Bezirksverkehrsleiter seufzte auf. »Ausgerechnet! Der wird wahrscheinlich finden, das wäre alles ein grandioser Witz, daß die Leitung so zum Narren gehalten worden ist. Jedenfalls weisen Sie ihn an, den ollen Ehrengast nach der Landung an Bord festzuhalten und nicht ohne Begleitung runter zu lassen. Wenn die Italiener sie einsperren wollen, um so besser. Dann verständigen Sie unseren Bezirksdirektor in Rom. Wenn sie ankommen, wird sie ihm ans Herz gelegt, und hoffentlich hat er tüchtigere Mitarbeiter als ich!«

»Ja, Sir«, sagte Tanya.

Sie wollte dem Bezirksverkehrsleiter noch von der anderen Angelegenheit Flug Zwei betreffend berichten – dem verdächtig aussehenden Mann mit dem Aktenkoffer, den Zollinspektor Standish hatte an Bord gehen sehen. Aber ehe sie zu Ende kam, unterbrach Weatherby sie.

»Ach, lassen wir das! Was will denn der Zoll von uns! Sollen wir denen ihre Arbeit abnehmen? Solange die Gesellschaft nichts damit zu tun hat, ist es mir piepegal, was er in seinem Koffer hat. Sollen sie doch den italienischen Zoll bitten nachzusehen, nicht uns. Ich werde den Teufel tun und mich da einmischen und womöglich einen zahlenden Passagier beleidigen wegen etwas, das uns gar nichts angeht!«

Tanya zögerte. Etwas an dem Mann mit dem Köfferchen – obwohl sie selbst ihn nicht einmal gesehen hatte – beunruhigte sie. Sie hatte da von Beispielen gehört, bei denen . . .

»Ich habe mich nur gefragt«, sagte sie, »vielleicht hat er gar nicht geschmuggelt.«

Der Bezirksverkehrsleiter erwiderte kurz: »Ich sagte doch, lassen wir das.«

Tanya ging. Wieder an ihrem Schreibtisch, begann sie die Meldung an Kapitän Demerest in Sachen Mrs. Ada Quonsett aufzusetzen.

II

Während der Taxifahrt zum Flughafen lehnte sich Cindy Bakersfeld in die Polster zurück und träumte. Sie bemerkte es nicht und kümmerte sich auch nicht darum, daß es draußen immer noch schneite und daß der Wagen in dem dichten Verkehr nur langsam vorwärtskam. Sie hatte es nicht eilig. Eine Woge von physischem Wohlbehagen und Befriedigung (ob Euphorie die richtige Bezeichnung sei, fragte sie sich) überschwemmte sie.

Die Ursache davon war Derek Eden.

Derek Eden, der ihr auf der Cocktailparty des Hilfsfonds für Archidona (Cindy wußte immer noch nicht, welches Archidona) einen dreifachen Bourbon gebracht hatte. Derek Eden, bis heute nichts als ein Reporter der *Sun-Times* für zweitrangige Sachen; Derek Eden mit dem verlebten Gesicht, seinem leichtfertigen Wesen, seiner schwer zu beschreibenden Kleidung; Derek Eden und sein verbeulter, innen und außen schmutziger Chevrolet; Derek Eden, der Cindy in einem Moment erwischt hatte, als bei ihr alle Schranken offen waren, weil sie einen Mann brauchte, irgendeinen, und keine großen Hoffnungen hatte; Derek Eden, der sich als der denkbar beste und aufregendste Liebhaber erwiesen hatte.

Noch nie, niemals hatte Cindy jemanden wie ihn erlebt. Weiß der Himmel! dachte sie, wenn es so etwas wie sinnliche, physische Erfüllung gab, dann hatte sie sie heute abend erreicht. Genauer gesagt: Nachdem sie Derek Eden — lieber Derek — kennengelernt hatte, wollte sie ihn wieder haben, oft haben. Erfreulicherweise hatte er ihr gegenüber die gleiche Einstellung.

Immer noch in die Polster zurückgelehnt, erlebte sie die vergangenen beiden Stunden in Gedanken noch einmal.

Sie waren in dem gräßlichen alten Chevrolet von der Lake Michigan Inn zu einem kleinen Hotel in der Nähe des Warenmarktes gefahren. Ein Portier empfing den Chevrolet mit leichter Geringschätzung, was Derek Eden zu übersehen schien — im Inneren, in der Halle, wartete der Nachtportier.

Cindy erriet, daß eins der Telefonate, die ihr Begleiter erledigt hatte, hierher gegangen war. Es gab keinerlei Anmeldeformalitäten. Der Portier führte sie sogleich zu einem Zimmer im elften Stock. Nachdem er den Schlüssel ausgehändigt hatte, verschwand er mit einem kurzen: »Gute Nacht.«

Das Zimmer war so là là; altmodisch möbliert, spartanisch, und mit Brandstellen von Zigaretten auf den Möbeln, aber sauber. Es hatte ein Doppelbett. Auf dem Tisch neben dem Bett waren eine ungeöffnete Flasche Whisky, Wasser und Eis. Auf einer Karte auf dem Tablett stand: »Mit den besten Empfehlungen. Die Direktion.« Derek las die Karte und steckte sie ein.

Als Cindy sich später erkundigte, erklärte er: »Die Hotels wollen sich manchmal bei der Presse einschmeicheln. Wenn sie das tun, versprechen wir ihnen zwar nichts – darauf läßt sich die Zeitung nicht ein –, aber vielleicht bringt ein Reporter oder Redakteur den Namen des Hotels gelegentlich in einem Artikel unter, wenn das vorteilhaft ist; oder wenn es ein abträglicher Bericht ist, wie ein Todesfall – Hotels hassen das –, nennen wir es eventuell nicht. Man tut halt, was man kann.«

Sie tranken ein Glas, plauderten, tranken wieder, und dann küßte er sie. Er begann ganz zart mit seinen Händen durch ihr Haar zu fahren, daß es sie am ganzen Körper durchrieselte, dann wanderten seine Hände langsam, ganz langsam weiter – und Cindy spürte, daß es etwas Besonderes würde.

Als er sie entkleidete und dabei eine Feinfühligkeit bewies, die ihm bisher gefehlt hatte, flüsterte er: »Wir wollen nichts überstürzen, Cindy – alle beide nicht.« Aber als sie bald im Bett und schön warm waren, wie Derek Eden es im Auto versprochen hatte, wollte sie ihn antreiben: »Ja, ja! . . . Bitte, bitte, ich kann nicht mehr warten!« Er aber gab nicht nach und sagte: »Doch, du kannst. Du mußt!« Und sie gehorchte ihm, war völlig, herrlich, in seiner Gewalt, während er sie, wie ein Kind an der Hand, bis an den Rand führte, dann wieder ein, zwei Schritte zurück, während sie ein Gefühl hatte, als schwebten sie in der Luft; dann wieder hin und zurück, und dasselbe wieder und wieder, die Seligkeit war fast unerträglich; und als schließlich keiner mehr warten konnte, gab es ein gemeinsames Krescendo gleich einer Hymne, einer unendlichen Melodie; und wenn Cindy sich einen Augenblick zum Sterben hätte aussuchen müssen, hätte sie diesen gewählt, weil nichts mehr diesem Augenblick gleichen konnte.

Später kam Cindy zu der Erkenntnis, an Derek Eden habe ihr am meisten gefallen, daß jeder Bluff, jede Angeberei fehlten. Zehn Minuten nach ihrem köstlichsten Augenblick, als Cindys Atem wieder ruhiger geworden war und ihr Herz seinen gewöhnlichen Schlag wiedergefunden hatte, stützte sich Derek Eden auf einen Ellbogen und zündete für sie beide eine Zigarette an.

»Wir waren großartig, Cindy.« Er lächelte. »Laß uns bald ein Gegenspiel machen und noch eine Menge danach.« Das war, wie Cindy sich sagte, das Eingeständnis von zwei Dingen: Das, was sie erlebt hatten, war ein rein physisches, sinnliches Abenteuer, und keiner sollte vorgeben, es sei mehr gewesen, daß sie jedoch das seltene Nirwana, einen absoluten sexuellen Gleichklang gefunden hatten. Was sie in greifbarer Nähe vor sich hatte, wann immer sie danach verlangen sollte, war ein privates physisches Paradies, das zu pflegen und immer mehr zu erforschen sich lohnte.

Dieses Abkommen paßte Cindy.

Sie fragte sich, ob sie und Derek Eden wohl außerhalb des Schlafzimmers sehr viel Gemeinsames hätten, und in der Gesellschaft war gewiß nicht viel Staat mit ihm zu machen. Ohne auch nur darüber nachzudenken, wußte Cindy, wenn sie sich öffentlich mit ihm sehen ließe, hätte sie dabei mehr zu verlieren als zu gewinnen. Außerdem hatte er bereits zu verstehen gegeben, daß seine Ehe intakt sei, obwohl Cindy erriet, er finde zu Hause nicht alles, was er brauche, eine Situation, die ihr behagte, da sie ja selbst in der gleichen Lage war.

Ja, Derek Eden war jemand, den man sich warmhalten mußte, bei dem man aber nicht in Gefühlsdinge verwickelt werden durfte. Sie würde ihn warmhalten. Cindy nahm sich vor, nicht allzu anspruchsvoll zu sein, ihre Schäferstunden nicht zu häufig werden zu lassen. Eine Begegnung wie die heute abend würde

Cindy lange Zeit ausreichen und konnte beim bloßen Gedanken daran wieder belebt werden. Sich ein bißchen rar machen, sagte sie sich; dafür sorgen, daß Derek Eden sie weiter so begehrte wie sie ihn, auf diese Weise konnte die Sache jahrelang gehen.

Cindys Entdeckung hatte ihr also auf seltsame Weise eine Freiheit gegeben, die sie vorher nie besessen hatte. Nun, da sie physische Befriedigung zur Verfügung hatte, sozusagen in einem getrennten Regal, konnte sie an die Wahl zwischen Mel und Lionel Urquhart objektiver herangehen.

Ihre Ehe mit Mel war sozusagen schon zu Ende. Psychisch und physisch hatten sie sich auseinandergelebt; ihre geringste Meinungsverschiedenheit artete in erbitterten Streit aus. Das einzige, an das Mel derzeit zu denken schien, war der verdammte Flughafen. Mit jedem Tag wurden Mel und Cindy, wie es schien, weiter auseinandergerissen.

Lionel, der in jeder Beziehung, außer der einen, befriedigend war, wollte eine Scheidung, damit er Cindy heiraten konnte.

Mel konnte Cindys gesellschaftliche Ambitionen nicht ausstehen. Nicht nur, daß er nichts tat, um sie zu unterstützen, er behinderte sie sogar. Lionel andererseits hatte eine gute gesellschaftliche Position, fand in Cindys Zielen nichts Ungewöhnliches und würde und konnte ihr helfen, sie zu erreichen.

Bisher war Cindy die Wahl noch durch die Erinnerung an die fünfzehn Ehejahre mit Mel und die guten Zeiten, psychisch und physisch, die sie miteinander verlebt hatten, erschwert worden. Sie hatte vage gehofft, daß die Vergangenheit – einschließlich der körperlichen Befriedigung – irgendwann wiederaufleben würde. Das war, wie sie selbst zugeben mußte, eine trügerische Hoffnung.

Lionel hatte als Partner in gewisser Beziehung nichts zu bieten, ebensowenig – wenigstens für Cindy derzeit – Mel. Aber wenn das eine ausgeklammert würde – eine Ausklammerung, die Derek Eden wie ein heimlich in den Stall eingedrungener Hengst nun möglich machte –, hatte Lionel als Konkurrent gegenüber Mel einen großen Vorsprung.

Cindy schlug die Augen auf und überlegte.

Sie würde keinen festen Entschluß fassen, ehe sie Mel gesprochen hatte. Sie liebte überhaupt keine Entscheidungen und ging ihnen aus dem Weg, bis sie nicht mehr aufgeschoben werden konnten. Außerdem waren ja auch noch Imponderabilien damit verbunden: die Kinder, Erinnerungen an die Jahre mit Mel, die nicht immer nur schlecht waren; und wenn man jemanden einmal sehr geliebt hatte, schüttelte man das nicht so einfach völlig ab. Aber sie war froh, daß sie sich entschlossen hatte, noch heute abend hinauszufahren.

Zum ersten Male, seit sie die Stadt verlassen hatte, beugte sich Cindy vor und spähte in die Dunkelheit hinaus, um festzustellen, wo sie waren. Es war nicht möglich. Durch die beschlagenen Scheiben sah sie nichts als Schnee und viele andere Wagen, die langsam dahinkrochen. Sie erriet, daß sie auf der Kennedy-Schnellstraße seien, aber das war auch alles.

Sie bemerkte, daß der Fahrer sie im Rückspiegel beobachtete. Cindy hatte keine Ahnung, was für ein Mann der Fahrer war. Darauf hatte sie nicht geachtet, als sie vor dem Hotel in das Taxi gestiegen war. Sie und Derek waren getrennt aus dem Hotel gegangen, da sie beschlossen hatten, gleich von Anfang an vorsichtig zu sein. Jedenfalls verschmolzen heute abend alle Körper und alle Gesichter mit dem Körper und dem Gesicht von Derek Eden.

»Das ist der Portage Park da drüben, Madam«, sagte der Fahrer. »Jetzt ist es nicht mehr weit bis zum Flughafen.«

»Danke.«

»Viel Verkehr da raus, abgesehen von uns! Kann mir vorstellen, daß die vom Flughafen schöne Sorgen haben bei dem Sturm und allem.«

Mein Gott, wen interessiert denn das? dachte Cindy. Dachte oder redete denn nicht irgend jemand mal von was anderem als von diesem blöden Flughafen? Aber sie beherrschte sich.

Am Haupteingang bezahlte Cindy ihr Taxi und ging hinein. Sie bahnte sich ihren Weg durch die Menschenmassen in der Haupthalle und umging eine größere Gruppe, die eine Demonstration zu beabsichtigen schien, da einige Leute eine transportable Lautsprecheranlage aufbauten. Ein schwarzer Polizeileutnant, den Cindy ein paarmal bei Mel getroffen hatte, sprach mit zwei oder drei Männern aus der Gruppe, die die Anführer zu sein schienen. Kaum interessiert – überhaupt nichts, was diesen Ort anging, interessierte sie – ging Cindy weiter in Richtung der Verwaltungsbüros im Zwischenstock.

In allen Büros brannte Licht, obwohl die meisten leer waren und es kein Schreibmaschinengeklapper und Gesprächsgesumme gab wie während der Arbeitsstunden am Tage. Ein paar Menschen wenigstens, dachte Cindy, sind vernünftig genug, nachts nach Hause zu gehen.

Der einzige Mensch, den sie traf, war eine Frau in mittleren Jahren, schlecht gekleidet. Sie saß im Vorzimmer zu Mels Büro auf einem Sofa, schien vor sich hin ins Leere zu starren und nahm von Cindy keine Notiz. Die Augen der Frau waren gerötet, als ob sie geweint hätte. Ihrer Kleidung und den Schuhen nach war sie draußen im Schneesturm gewesen.

Cindy streifte die Frau mit einem kurzen Blick, als sie in Mels Büro ging. Der Raum war leer, und Cindy setzte sich in einen Sessel und wartete. Nach einer Weile schloß sie die Augen und nahm ihre erfreulichen Gedanken an Derek Eden wieder auf.

Ungefähr zehn Minuten später kam Mel schnell herein. Er hinkte stärker als sonst, bemerkte Cindy.

»Ach!« Er schien überrascht, Cindy zu sehen, und schloß die Tür. »Ich habe nicht gedacht, daß du tatsächlich noch kämest.«

»Das wäre dir wohl lieber gewesen?«

Mel schüttelte den Kopf. »Ich glaube immer noch nicht, daß damit was zu gewinnen ist – jedenfalls nicht für das, was du im Sinn zu haben scheinst.« Er sah seine Frau mit prüfendem Blick an und überlegte, was wohl der wirkliche Grund ihres Herauskommens heute abend war. Seit langem wußte er, daß Cindys Motive in der Regel sehr vielschichtig waren und häufig ganz andere, als sie vorgab. Er mußte allerdings einräumen, daß sie heute abend sehr vorteilhaft aussah, tatsächlich bezaubernd, mit einer besonderen Ausstrahlung. Leider hatte der Zauber auf ihn persönlich keine Wirkung mehr.

»Wie wäre es, wenn du mir sagtest, was ich deiner Meinung nach vorhabe?«

Er zuckte die Achseln. »Ich hatte den Eindruck, daß du Streit anfangen willst. Ich finde nur, davon haben wir zu Hause schon genug gehabt, um hier nun auch noch einen zu veranstalten.«

»Vielleicht müssen wir ihn jetzt hier veranstalten, da du ja kaum noch zu Hause bist.«

»Ich wäre zu Hause, wenn die Atmosphäre dort erfreulicher wäre.« Sie sprachen erst ein paar Sekunden, dachte Cindy, und schon gab es nichts als Spitzen. Es schien ihnen beiden unmöglich zu sein, miteinander zu reden, ohne daß es dazu kam. Trotzdem konnte sie sich darauf eine Antwort nicht verkneifen: »Ach nein! Das gibst du aber sonst nicht als Grund dafür an, daß du nie zu Hause bist. Mir erzählst du nur ständig, wie brennend wichtig es für dich ist, hier im Flughafen zu sein – wenn es sein müßte, vierundzwanzig Stunden am Tag. So viel Wichtiges – behauptest du – passierte hier immer.«

Mel erwiderte kurz: »So ist es auch heute abend.«

»Sonst also nicht?«

»Wenn du fragst, ob ich manchmal lieber hier draußen bleibe, als nach Haus zu kommen, dann ist die Antwort darauf, ja.«

»Wenigstens ist es das erste Mal, daß du darin ehrlich bist.«

»Selbst wenn ich mal nach Hause komme, schleppst du mich zu läppischen Veranstaltungen wie der heute abend.«

Seine Frau erwiderte verärgert: »Du hast also nie die Absicht gehabt, heute abend zu kommen!«

»Doch, die hatte ich. Das habe ich versprochen. Aber ...«

»Gar kein Aber! Du hast damit gerechnet, daß irgend etwas passieren würde, um dich davor zu bewahren. Wie immer. Damit du dich drücken könntest und ein Alibi hättest. Und so konntest du dich vor dir selber herausreden, auch wenn du dich vor mir nicht herausreden kannst, weil ich weiß, daß du ein Lügner und ein Schwindler bist!«

»Aber beruhige dich doch, Cindy!«

»Ich will mich aber nicht beruhigen!«

Sie starrten einander an.

Was war bloß mit ihnen los, fragte sich Mel, daß es soweit gekommen war? – Sich zanken wie unartige Kinder, bösartige Sticheleien austauschen – und bei alledem war er nicht besser als Cindy. Wenn sie sich stritten, degradierten sie sich beide. Er fragte sich, ob es sich immer auf diese Art äußerte, wenn es zwischen zwei Menschen, die lange Zeit miteinander gelebt hatten, nicht mehr stimmte. War das so, weil jeder die Schwächen des anderen kannte und daher peinlich auf die Probe stellen konnte? Er hatte einmal sagen hören, eine zerrüttete Ehe bringe das Schlechteste bei beiden Partnern ans Licht. In ihrem Fall stimmte das.

Er versuchte, ihr gut zuzureden. »Ich glaube nicht, daß ich ein Lügner oder ein Schwindler bin. Aber du hast vielleicht damit recht, daß ich insgeheim auf irgend etwas hoffe, das mich vor dem ganzen gesellschaftlichen Kram bewahrt, den ich, wie du weißt, nicht ausstehen kann. Ich habe es mir allerdings nie ganz klargemacht.«

Als Cindy schwieg, fuhr er fort: »Ob du es nun glaubst oder nicht, aber ich hatte vor, heute abend in die Stadt zu kommen – wenigstens glaube ich es. Vielleicht tat ich es nicht wirklich, in der Art, wie du meinst. Ich weiß es nicht. Eins aber weiß ich: daß ich den Schneesturm nicht bestellt habe, und seit er begonnen hat, sind eine Menge Dinge passiert, die mich – diesmal tatsächlich – hier festgehalten haben.«

Er nickte nach dem Vorzimmer hin. »Eines davon ist diese Frau da draußen. Ich habe Leutnant Ordway zugesagt, ich würde mit ihr sprechen. Sie scheint irgendwie in Not zu sein.«

»Deine Frau ist in Not«, entgegnete Cindy. »Die Frau da draußen kann warten. Er nickte. »Na schön.«

»Wir sind fertig«, sagte Cindy. »Du und ich. Nicht wahr?«

Er zögerte, ehe er antwortete. Er wollte nicht voreilig sein, sagte sich auch, da dies nun einmal zur Sprache kam, sei es töricht, nicht die Wahrheit zu sagen. »Ja«, antwortete er endlich. »Leider ist es soweit.«

Cindy erwiderte heftig: »Wenn du dich bloß ändern wolltest! Wenn du die Dinge auf meine Art sehen könntest. Es ging immer nur darum, was du willst oder nicht willst. Wenn du nur einmal das tun würdest, was ich möchte ...«

»Also sechs Abende in der Woche den Smoking und am siebenten den Frack anziehen?«

»Und warum nicht?« Erregt und herrisch sah Cindy ihn an. Immer hatte er sie in dieser herausfordernden Stimmung bewundert, selbst wenn sie gegen ihn selbst gerichtet war. Selbst jetzt . . .

»Ich glaube, ich könnte dasselbe ebensogut sagen«, meinte er. »Mit dem ändern und all das. Das Dumme ist nur, daß sich die Menschen nicht ändern – nicht im Grundlegenden. Sie passen sich an. Das sollte doch – daß zwei Menschen sich einander anpassen –, das sollte doch der Sinn der Ehe sein.«

»Aber die Anpassung sollte nicht einseitig sein.«

»Das ist es doch bei uns auch nicht gewesen«, wandte Mel ein.

»Egal, was du denkst. Ich habe versucht, mich anzupassen, und du doch wohl auch! Ich weiß nicht, wer sich die größere Mühe gegeben hat; offenbar glaube ich, daß ich es war, und du glaubst, du warst es. Der springende Punkt ist der, obwohl wir es ziemlich lange versucht haben, ist es uns nicht gelungen.«

Cindy antwortete langsam: »Da hast du wohl recht. In der letzten Sache jedenfalls. Das habe ich mir auch gedacht.« Sie machte eine Pause und sagte dann: »Ich glaube, das Vernünftigste wäre eine Scheidung.«

»Es wäre besser, wenn du dir da ganz sicher wärest. Es ist doch sehr wichtig.« Auch jetzt noch war Mel der Meinung, Cindy spiele nur mit einer Entscheidung und warte darauf, daß er ihr helfen würde. Wäre das, was sie gesagt hatte, weniger ernst gewesen, hätte er gelächelt.

»Ich bin sicher«, erklärte Cindy. Sie wiederholte mit Nachdruck: »Ja, ich bin sicher.«

Mel sagte ruhig: »Ja, dann wird es wohl die richtige Entscheidung für uns beide sein.«

Eine Sekunde zögerte Cindy. »Bist du ebenfalls sicher?«

»Ja«, sagte er. »Ich bin sicher.«

Der fehlende Widerspruch, seine schnelle Zustimmung schienen Cindy zu beunruhigen. Sie fragte: »Also haben wir uns entschieden?«

»Ja.«

Sie sahen sich immer noch an, aber der Ärger war fort.

»Zum Teufel!« Mel schien einen Schritt vorwärts machen zu wollen. »Es tut mir leid, Cindy.«

»Mir auch.« Cindy blieb regungslos stehen. Ihre Stimme klang wieder gefaßt. »Aber es ist doch das Vernünftigste, nicht wahr?«

Er nickte. »Ja, das denke ich auch.«

Nun war es vorbei. Beide wußten es. Nun blieben nur noch Einzelheiten zu bedenken.

Cindy war schon beim Plänemachen.

»Ich werde natürlich das Erziehungsrecht für die Kinder bekommen, wenn du sie auch jederzeit sehen kannst. Da bin ich großzügig.«

»Das habe ich auch nicht anders von dir erwartet.«

Ja, dachte Mel, es war logisch, daß die Mädchen bei der Mutter blieben. Er würde sie vermissen, besonders Libby. Keine Begegnung an einem dritten Ort, gleichgültig wie häufig, konnte das tägliche Zusammenleben im selben Haus ersetzen. Er erinnerte sich an das Telefongespräch mit seiner jüngeren Tochter heute abend; was hatte sich Libby noch das erste Mal gewünscht? Eine Landkarte vom Februar! Na, er hatte eine; sie zeigte einige unerwartete Umwege.

»Ich muß mir jetzt wohl einen Rechtsanwalt nehmen«, sagte Cindy. »Ich lass' dich wissen, wer es ist.«

Er nickte und fragte sich, ob wohl alle Ehen so nüchtern wurden, sobald der Entschluß gefaßt war, sie zu beenden. Er sagte sich, daß es die zivilisiertere Art war, derlei zu erledigen. Cindy schien jedenfalls ihre Gemütsruhe mit bemerkenswerter Schnelligkeit wiedergefunden zu haben. Sie saß wieder auf dem Stuhl, auf dem sie vorher schon gesessen hatte, überprüfte ihr Gesicht im Taschenspiegel und richtete ihr Make-up. Er hatte sogar den Eindruck, sie wäre in Gedanken bereits woanders; um ihre Mundwinkel spielte der Anflug eines Lächelns. Mel dachte, in solchen Situationen galten Frauen doch als gefühlsbetonter als Männer, aber Cindy ließ sich davon nichts anmerken, während er selbst den Tränen nahe war.

Er hörte Stimmen und Menschenbewegung draußen im Vorzimmer. Es wurde angeklopft. Mel rief: »Herein!«

Es war Leutnant Ordway. Er trat ein und schloß die Tür hinter sich. Als er Cindy entdeckte, sagte er: »Ach, entschuldigen Sie, Mrs. Bakersfeld.«

Cindy blickte auf und sah dann ohne Antwort weg. Ordway, feinfühlig für Stimmungen, blieb zögernd stehen. »Vielleicht sollte ich später wiederkommen.«

Mel fragte: »Was gibt es denn, Ned?«

»Es handelt sich um die Anti-Lärm-Demonstranten aus Meadowood. Da sind schon ein paar Hundert in der Haupthalle, und es kommen noch mehr. Sie wollten alle mit Ihnen sprechen, aber ich habe ihnen gesagt, sie sollen eine Abordnung schicken, wie Sie vorgeschlagen haben. Sie haben ein halbes Dutzend gewählt, und es sind auch drei Zeitungsreporter da. Ich habe gesagt, die Reporter könnten mitkommen.« Der Polizist deutete zum Vorzimmer. »Sie warten draußen.«

Mit der Abordnung mußte er sprechen, das wußte Mel. Nie war ihm weniger danach zumute, mit irgend jemand zu sprechen.

»Cindy«, sagte er bittend. »Das dauert nicht lange. Willst du solange warten?« Als sie nicht antwortete, setzte er hinzu: »Bitte!«

Sie fuhr fort, beide zu ignorieren.

»Wissen Sie«, sagte Ordway, »wenn es Ihnen im Augenblick nicht paßt, sollen sie an irgendeinem anderen Tag kommen.«

Mel schüttelte den Kopf. Er hatte die Verpflichtung übernommen, und es war sein eigener Vorschlag gewesen. »Holen Sie sie nur herein.« Als der Polizist sich zum Gehen wandte, fügte Mel hinzu: »Ach, ich habe noch nicht mit dieser Frau gesprochen – wie hieß sie noch?«

»Guerrero«, antwortete Ordway. »Das brauchen Sie auch nicht mehr. Es sah so aus, als wollte sie gerade gehen, als ich hereinkam.«

Wenige Augenblicke später kam das halbe Dutzend Leute aus Meadowood – vier Männer und zwei Frauen – in Mels Büro. Das Zeitungstrio folgte. Einer der Reporter war von der *Tribune* – ein flinker jüngerer Mann namens Tomlinson, der bei seiner Zeitung den Flughafen und das Flugwesen allgemein bearbeitete. Mel kannte ihn gut und achtete seine Genauigkeit und Redlichkeit. Von Tomlinson erschienen gelegentlich auch Beiträge in Zeitschriften. Die beiden anderen Journalisten waren Mel flüchtig bekannt – der eine, ein junger Mann von der *Sun-Times*, die andere, eine ältere Frau, von einer lokalen Wochenzeitung.

Durch die offengebliebene Tür sah Mel, daß Leutnant Ordway draußen mit Inez Guerrero sprach.

»Guten Abend«, sagte Mel, stellte sich vor und wies auf die Polsterbank und die umherstehenden Sessel. »Bitte, nehmen Sie Platz.«

»Schön, das wollen wir«, sagte einer der Männer. Er war teuer und gut angezogen, mit exakt gekämmtem, angegrautem Haar, und schien der Sprecher der Delegation zu sein. »Aber ich möchte Ihnen gleich sagen, wir kommen nicht zu einem Plauderstündchen. Wir haben ein paar klare, ungeschminkte Dinge vorzubringen, und wir hoffen, ebensolche Antworten und kein Wischiwaschi zu hören zu bekommen.«

»Ich werde versuchen, sie Ihnen zu geben. Würden Sie mir sagen, wer Sie sind?«

»Mein Name ist Elliott Freemantle, und ich bin Rechtsanwalt. Ich vertrete diese Herrschaften hier und alle die anderen unten.«

»Schön, Mr. Freemantle«, sagte Mel. »Warum fangen Sie nicht an?«

Die Tür zum Vorraum stand immer noch offen. Die Frau, die draußen gesessen hatte, war, wie Mel bemerkte, gegangen. Jetzt kam Ned Ordway herein und schloß die Tür hinter sich.

Flug Zwei der Trans America Airlines hatte Lincoln International Airport vor zwanzig Minuten verlassen und stieg stetig weiter aufwärts, bis die Maschine nach weiteren elf Minuten in der Nähe von Detroit die Höhe von dreiunddreißigtausend Fuß erreichen würde. Die Maschine befand sich bereits auf ihrer Luftstraße und hatte ihren weitgezogenen bogenförmigen Kurs nach Rom erreicht. Schon seit einigen Minuten befand sie sich in einer ruhigen Luftschicht und hatte die Sturmwolken und die sie begleitenden Störungen weit unter sich gelassen. Wie ein schief aufgehängter Lampion hing ein Dreiviertelmond oben vor ihnen am Himmel. Ringsherum schienen deutlich und klar die Sterne.

In der Pilotenkanzel hatte die erste Spannung nachgelassen. Kapitän Harris hatte über Lautsprecher den Passagieren einen Bericht über den Verlauf des Flugs gegeben. Jetzt nahmen die Piloten die Routinearbeiten für den Flug auf.

Unter dem Tisch des Zweiten Offiziers hinter den Kapitänen Harris und Demerest ertönte laut ein Klingeln. Im gleichen Augenblick blinkte an der Schalttafel des Funkgeräts oberhalb der Gashebel ein bernsteinfarbenes Licht auf. Sowohl das Klingeln wie das Blinklicht kündeten einen Funkruf über das Selcal-System an, durch das die meisten Verkehrsflugzeuge in der Luft einzeln, wie durch einen privaten Telefonanschluß, angerufen werden konnten. Jede Maschine der Trans America und anderer großer Fluggesellschaften hatte ihre eigenen, besonderen Rufzeichen, die automatisch übertragen und empfangen wurden. Das Rufzeichen, das gerade für das Flugzeug N-731-TA ausgesendet worden war, würde von keiner anderen Maschine gesehen oder gehört werden.

Anson Harris schaltete den Empfang von der Normalfrequenz um und meldete sich. »Hier Trans America Flug Zwei.«

»Achtung Flug Zwei, hier Trans America Vermittlung Cleveland. Ich habe eine Nachricht für den Kapitän vom Bezirksverkehrsleiter Lincoln International Airport. Bitte melden, wenn aufnahmebereit.«

Harris bemerkte, daß auch Vernon Demerest die Funkfrequenz geändert hatte. Jetzt zog Demerest einen Notizblock an sich und nickte.

Harris antwortete: »Wir sind empfangsbereit, Cleveland. Geben Sie durch.«

Es war die Nachricht, die Tanya Livingston über den blinden Passagier in Flug Zwei, Mrs. Ada Quonsett, aufgesetzt hatte. Als die Personenbeschreibung der kleinen alten Dame aus San Diego folgte, lächelten beide Kapitäne unwillkürlich. Die Durchgabe endete mit der Bitte um Bestätigung, daß Mrs. Quonsett an Bord der Maschine sei.

»Wir prüfen nach und geben Meldung«, bestätigte Harris. Als das Gespräch beendet war, schaltete er das Funkgerät wieder auf die Frequenz der Flugsicherung zurück.

Vernon Demerest und der Zweite Offizier Jordan, der das Gespräch durch einen Lautsprecher über seinem Platz mitgehört hatte, lachten laut heraus.

»Man sollte es nicht glauben«, meinte der Zweite Offizier.

»Ich glaube es«, entgegnete Demerest gutgelaunt. »Aber was sind das doch für Dussel da unten auf dem Boden? Da kommt so ein altes Huhn und führt alle an der Nase herum.« Er drückte auf den Rufknopf für das Telefon in der vorderen Galley. »Hallo«, sagte er, als sich eine der Stewardessen meldete. »Sagen Sie Gwen, wir brauchen sie hier im Cockpit.«

Er lachte immer noch vor sich hin, als die Tür zum Cockpit geöffnet wurde und Gwen erschien.

Demerest las Gwen die Nachricht mit der Personenbeschreibung von Mrs. Quonsett vor. »Haben Sie diese Frau gesehen?«

Gwen schüttelte den Kopf. »Ich bin in die Touristenkabine noch gar nicht reingekommen.«

»Sehen Sie mal nach«, befahl Demerest, »und stellen Sie fest, ob die alte Frau da ist. Sie dürfte nicht schwer zu erkennen sein.«

»Und was soll ich tun, wenn sie da ist?«

»Nichts, kommen Sie nur wieder her und melden Sie.«

Gwen blieb nur wenige Minuten fort. Als sie zurückkam, lachte sie genauso wie die anderen.

Demerest drehte sich auf seinem Platz nach ihr um. »Nun, ist sie da?«

Gwen nickte. »Ja, auf Platz Vierzehn-B. Nach der Personenbeschreibung ist sie nicht zu verwechseln, nur wirkt sie noch komischer.«

Der Zweite Offizier fragte: »Wie alt ist sie denn?«

»Mindestens fünfundsiebzig, wahrscheinlich schon an die achtzig. Und sie sieht wie eine Figur von Dickens aus.«

Über die Schulter sagte Anson Harris: »Wohl eher noch aus ›Arsen und Spitzenhäubchen‹.«

»Ist sie wirklich ein blinder Pasagier, Kapitän Harris?«

Harris hob die Schultern. »Die da unten auf der Erde behaupten es. Und vermutlich ist das die Erklärung dafür, weshalb ihre Zahl der Passagiere nicht stimmte.«

»Das läßt sich ja ganz leicht feststellen«, erklärte Gwen. »Ich brauche nur zu ihr gehen und mir ihren Flugschein zeigen lassen.«

»Nein«, widersprach Kapitän Demerest. »Das wollen wir lieber lassen.«

Neugierig versuchten die anderen in dem gedämpft beleuchteten Cockpit sein Gesicht genau zu erkennen. Nach einem kurzen Augenblick wandte Harris seine Augen wieder auf die Fluginstrumente, und der Zweite Offizier beugte sich wieder über seine Treibstofftabellen.

»Bleiben Sie noch«, sagte Demerest zu Gwen und gab eine fällige Standortmeldung über Funkfrequenz der Fluggesellschaft durch, während sie wartete.

»Uns wurde nur gesagt«, erklärte Demerest, nachdem er mit seiner Meldung fertig war, »wir sollten feststellen, ob die alte Dame an Bord ist. Sie ist es, und das werden wir der Zentrale melden. Wahrscheinlich werden sie von dort veranlassen, daß in Rom jemand auf sie wartet. Wir können überhaupt nichts unternehmen, selbst wenn wir wollten. Aber wenn die alte Dame es soweit geschafft hat und da wir doch nicht umkehren, warum sollen wir ihr für die nächsten acht Stunden das Leben unnütz schwermachen? Lassen Sie sie also in Ruhe. Vielleicht sollten wir ihr sagen, daß wir ihr auf die Schliche gekommen sind, kurz ehe wir in Rom landen. Dann ist der Schock für sie vielleicht nicht ganz so groß. Aber bis auf weiteres soll sie den Flug genießen. Geben Sie Oma was zum Abendessen, und sie soll sich in Ruhe den Film ansehen.«

»Wissen Sie«, antwortete Gwen und betrachtete ihn dabei nachdenklich, »es gibt Augenblicke, da kann ich Sie wirklich gut leiden.«

Nachdem Gwen das Cockpit verlassen hatte, schaltete Demerest immer noch schmunzelnd die Funkfrequenz um und meldete sich bei der Zentrale Cleveland.

Anson Harris, der seine Pfeife angezündet hatte, blickte zu ihm auf, nachdem er die Einstellung der automatischen Steuerung berichtigt hatte, und sagte trocken: »Ich hätte nicht geglaubt, daß Sie soviel für alte Damen übrig haben.«

Demerest grinste. »Junge sind mir lieber.«

»Das habe ich auch immer gehört.«

Die Nachricht über den blinden Passagier und seine Antwort darauf hatte Demerest in die denkbar beste Laune versetzt. Aufgeschlossener als vorher fügte er hinzu: »Die Möglichkeiten ändern sich. Bald werden Sie und ich uns mit den nicht mehr ganz so jungen zufriedengeben müssen.«

»Das habe ich bereits getan.« Harris paffte an seiner Pfeife. »Schon seit einer ganzen Weile.«

Beide hatten eine Hörmuschel ihrer Kopfhörer über das Ohr hochgeschoben. Dadurch konnten sie sich unbehindert unterhalten, aber dennoch jeden eingehenden Funkspruch hören, wenn einer erfolgen sollte. Die Stärke der Geräusche im Cockpit war zwar gleichbleibend, übertönte aber nicht alles andere und erlaubte es den beiden, ein ungestörtes Gespräch zu führen.

»Sie sind wohl immer unerschütterlich bei der Stange geblieben, wie?« fragte Demerest. »Ich meine, bei Ihrer Frau. Keine Geschichten nebenbei. Bei Zwischenstationen habe ich Sie immer nur Bücher lesen sehen.« Jetzt war es an Harris, zu grinsen. »Manchmal gehe ich auch ins Kino.«

»Hat das einen besonderen Grund?«

»Meine Frau war Stewardeß – auf DC-4. So haben wir uns

kennengelernt. Sie wußte Bescheid, was vorging; ständig wechselnde Liebesaffären, Schwangerschaften, Abtreibungen und so weiter. Später bekam sie einen Aufsichtsposten und hatte dadurch eine Menge mit solchen Dingen zu tun. Jedenfalls, als wir heirateten, gab ich ihr ein feierliches Versprechen – das Naheliegende. Ich habe es immer gehalten.«

»Wahrscheinlich haben die vielen Kinder, die Sie haben, Ihnen dabei geholfen.«

»Das kann sein.«

Harris berichtigte wieder die automatische Steuerung. Während die beiden Piloten miteinander sprachen, wanderten ihre Augen dank ihrer Ausbildung und aus Gewohnheit über die Reihen der erleuchteten Instrumente vor ihnen, aber auch über jene, die an der Seite und über ihnen angebracht waren. Jedes mangelhafte Funktionieren irgendeines Teils in der Maschine würde sofort durch eine Abweichung auf einem der Instrumente angezeigt werden. Aber es war alles in Ordnung.

»Wie viele Kinder haben Sie? Sechs?« fragte Demerest.

»Sieben.« Harris lächelte. »Vier waren beabsichtigt, die drei weiteren nicht. Aber es hat sich alles gut gefügt.«

»Und die, die nicht beabsichtigt waren – hatten Sie je erwogen, ihretwegen etwas zu unternehmen? Ehe sie geboren wurden.«

Harris warf ihm einen scharfen Seitenblick zu. »Meinen Sie Abtreibung?«

Vernon Demerest war einem Impuls gefolgt, als er diese Frage aussprach. Jetzt fragte er sich, warum er sie gestellt hatte. Offenbar waren seine Gedanken durch seine beiden vorangegangenen Gespräche mit Gwen auf das Thema Kinder gelenkt worden. Aber es war für ihn ungewöhnlich, daß er so viele Gedanken auf etwas so Einfaches und Naheliegendes verschwendete – wie eine Abtreibung bei Gwen. Trotzdem war er auf Harris' Reaktion neugierig.

»Ja«, antwortete er. »Daran hatte ich gedacht.«

Anson Harris erwiderte knapp: »Die Antwort lautet nein.« Weniger schroff fügte er hinzu: »Zufällig habe ich in dieser Frage sehr strenge Ansichten.«

»Aus religiöser Überzeugung?«

Harris schüttelte verneinend den Kopf. »Ich bin Agnostiker.«

»Und was sind Ihre Ansichten?«

»Wollen Sie es wirklich hören?«

»Wir haben eine lange Nacht vor uns«, erwiderte Demerest.

»Warum also nicht?«

Über den Funk hörten sie einen Meldungsaustausch zwischen der Flugsicherung und einer Maschine der TWA auf dem Weg nach Paris mit an. Die Maschine war kurz nach Flug Zwei der Trans America gestartet. Sie befand sich zehn Meilen hinter und einige tausend Fuß unter ihnen. Die Maschine der TWA würde im gleichen Tempo höher steigen wie sie selbst.

Die meisten aufmerksamen Piloten machten sich aus den mitgehörten Funksprüchen anderer Maschinen ein ungefähres Bild von der Verkehrslage in ihrer Umgebung und verloren es nie aus den Augen. Demerest und Harris fügten diese jüngsten Informationen zu den bereits erhaltenen hinzu. Als der Meldungsaustausch zwischen Boden und Flugzeug beendet war, drängte Demerest Anson Harris: »Sprechen Sie doch.«

Harris überprüfte Kurs und Flughöhe der Maschine und begann dann seine Pfeife frisch zu stopfen.

»Ich habe mich viel mit Geschichte befaßt. Auf dem College wurde mein Interesse dafür geweckt, und später habe ich mich weiter damit beschäftigt. Vielleicht tun Sie das auch.«

»Nein«, antwortete Demerest. »Ich habe mich nie mehr damit beschäftigt, als ich unbedingt mußte.«

»Also, wenn man sich das alles so vor Augen hält – die Geschichte meine ich –, dann fällt einem eines auf: Für jeden kleinen Fortschritt der Menschheit gibt es einen einzigen, einfachen Grund: die Erhöhung des Status des einzelnen. Jedesmal, wenn die Zivilisation in ein neues Zeitalter gestolpert ist, das etwas besser, etwas aufgeklärter war als das vorangegangene, dann war es das deshalb, weil sich die Menschen mehr um andere Menschen kümmerten und sie als Einzelwesen respektierten. Die Zeiten, als sie sich nicht darum kümmerten, die brachten die Rückfälle. Selbst eine kurze Weltgeschichte – falls Sie einmal eine lesen – wird Ihnen das beweisen.«

»Ich glaube Ihnen aufs Wort.«

371

»Das brauchen Sie nicht. Es gibt eine Fülle von Beispielen dafür. Wir haben die Sklaverei aufgehoben, weil wir das Leben des menschlichen Individuums respektierten. Aus dem gleichen Grund haben wir aufgehört, Kinder zu hängen, und schufen etwa zur gleichen Zeit das Habeas corpus, und jetzt haben wir Gerechtigkeit für alle geschaffen oder sind dem wenigstens so nahe wie möglich gekommen. In der jüngsten Zeit sind die meisten, die überlegen und nachdenken, gegen die Todesstrafe, nicht so sehr wegen der, die hingerichtet werden, sondern wegen dem, was es für die menschliche Gesellschaft bedeutet, die wir alle bilden, ein menschliches Leben zu vernichten – irgendein menschliches Leben.«

Harris schwieg. Er lehnte sich in seinem Haltegurt vor und sah aus dem verdunkelten Cockpit in die sie umgebende Nacht hinaus. In dem hellen Mondlicht konnte er tief unter sich ein Gewirr dunkler Wolkengipfel ausmachen. Bei der vorausgesagten geschlossenen Wolkendecke bis in die Mitte des Atlantiks hinaus auf ihrer Route war in dieser Nacht kein Blick auf Lichter unten auf der Erde zu erwarten. Einige hundert Meter über ihnen huschten die Positionslichter eines anderen Flugzeugs vorbei, das in entgegengesetzter Richtung flog, und verschwanden.

Von seinem Platz hinter den beiden Piloten griff der Zweite Offizier Jordan nach vorn und verstellte die Einstellung der Treibstoffhebel, um die Motorleistung der größeren Flughöhe der Maschine anzupassen.

Demerest wartete, bis Jordan damit fertig war, ehe er Anson Harris entgegenhielt: »Zwischen der Todesstrafe und einer Abtreibung besteht ein großer Unterschied.«

»Genaugenommen nicht«, antwortete Harris. »Nicht, wenn man es genau überlegt. Das hängt alles mit dem Respekt vor dem einzelnen Menschenleben zusammen, mit dem Weg, den die Zivilisation genommen hat und den sie weiter nehmen wird. Das Merkwürdige ist, daß man Leute im gleichen Atemzug gegen die Todesstrafe und für die Legalisierung der Abtreibung argumentieren hören kann. Was diese Leute nicht sehen, ist der Widerspruch, der darin liegt, auf der einen Seite den Wert des menschlichen Lebens höher einzuschätzen, ihn aber auf der anderen Seite herabzusetzen.«

Demerest erinnerte sich an das, was er an diesem Abend zu Gwen gesagt hatte. Jetzt wiederholte er es. »Ein ungeborenes Kind hat kein Leben – kein individuelles Einzelleben. Es ist ein Embryo, es ist noch keine Person.«

»Lassen Sie mich etwas fragen«, erwiderte Harris. »Haben Sie jemals einen Embryo gesehen? Nach dem Eingriff, meine ich.«

»Nein.«

»Ich habe einmal einen gesehen. Ein Arzt, den ich kenne, zeigte ihn mir. Er war in einem Glasgefäß, in Formaldehyd. Mein Freund bewahrte ihn in einem Schrank auf. Ich weiß nicht, woher er ihn hatte, aber er sagte mir, wenn dieses Kind am Leben geblieben wäre – wenn es nicht abgetrieben worden wäre –, wäre es ein normales Kind geworden. Ein Junge. Es war ein Embryo, richtig, gerade wie Sie gesagt haben, abgesehen davon war es aber auch ein menschliches Wesen. Es war alles vorhanden, alles war vollkommen ausgebildet: ein gutaussehendes Gesicht, Hände, Füße, Zehen, sogar ein kleiner Penis. Wissen Sie, was ich empfand, als ich es sah? Ich schämte mich. Ich fragte mich, wo zum Teufel ich gewesen war, wo alle anderen anständig gesinnten, mit einem Gewissen begabten Menschen gewesen waren, als dieses Kind, das sich nicht verteidigen konnte, ermordet wurde. Denn genau das war ja geschehen! Auch wenn wir in den meisten Fällen Angst haben, dieses Wort zu gebrauchen.«

»Teufel, ich sagte ja nicht, daß ein Baby beseitigt werden soll, wenn es schon soweit ist.«

»Wissen Sie was?« entgegnete Harris. »Wissen Sie, daß acht Wochen nach der Empfängnis in einem Embryo alles schon genauso vorhanden ist wie in einem voll ausgetragenen Kind? Im dritten Monat sieht der Embryo wie ein Baby aus. Wo wollen Sie also die Grenze ziehen?«

Demerest knurrte: »Sie hätten Rechtsanwalt werden sollen, nicht Pilot.«

Trotzdem fand er sich plötzlich vor der Frage, wie weit Gwen wohl sein mochte; und dann überlegte er, wenn sie es in

San Francisco empfangen hatte, wie sie ihm versichert hatte, lag es acht oder neun Wochen zurück. Deshalb war es jetzt, falls die Behauptung von Harris zutraf, ein fast schon fertig entwickeltes Kind.

Es war Zeit für die nächste Meldung bei der Flugsicherung. Vernon Demerest gab sie durch. Sie befanden sich jetzt in neuntausendneunhundert Meter Höhe, hatten nahezu den Gipfel ihres Aufstiegs erreicht und würden in wenigen Augenblicken die Grenze nach Kanada überfliegen und sich über dem südlichen Ontario befinden. Detroit und Windsor, die Zwillingsstädte, die sich längs der Grenze erstreckten, waren im allgemeinen helle Lichtflecke, die schon aus einer Entfernung von vielen Meilen sichtbar waren. Heute lag nur Finsternis unter ihnen, die Städte irgendwo von Wolken verhüllt auf der Steuerbordseite. Demerest erinnerte sich, daß Detroit Metropolitan Airport kurz vor ihrem Start geschlossen worden war. Inzwischen würden beide Städte den Schneesturm, der weiter nach Osten zog, mit voller Wucht über sich ergehen lassen müssen.

In den Passagierkabinen hinten servierten Gwen und die anderen Stewardessen jetzt die zweite Runde Getränke und begannen in der ersten Klasse auf exquisitem Rosenthalporzellan warme Vorgerichte auszugeben.

»Ich habe Sie gewarnt, daß ich sehr strenge Ansichten in dieser Frage habe«, sagte Anson Harris. »Man braucht keine Religion, um an die ethischen Pflichten der Menschen zu glauben.«

Demerest antwortete grollend: »Oder verrückte Vorstellungen zu haben. Jedenfalls sind die Leute mit Ihren Ansichten auf der falschen Seite und werden verlieren. Die Tendenz geht dahin, Abtreibungen zu erleichtern und schließlich vielleicht völlig freizugeben und zu legalisieren.«

»Wenn es dazu kommt«, antwortete Harris, »werden wir einen Schritt rückwärts in der gesellschaftlichen Entwicklung machen.«

»Unsinn!« Demerest blickte von dem Logbuch auf, in das er gerade die eben durchgegebene Positionsmeldung eintrug. Seine Gereiztheit, die nur selten weit unter der Oberfläche schlummerte, begann erkennbar zu werden. »Es gibt viele gute Argumente für die Erleichterung von Abtreibungen – unerwünschte Kinder, die in Armut geboren werden und nie eine Chance im Leben bekommen werden; und dann die Sonderfälle – Vergewaltigung, Blutschande, die Gesundheit der Mutter.«

»Sonderfälle gibt es immer. Es ist genauso, wie wenn man sagen wollte: ›Also gut, ein bißchen Morden wollen wir erlauben, vorausgesetzt, daß überzeugende Gründe dafür vorgebracht werden.‹« Harris schüttelte widersprechend den Kopf. »Sie haben von unerwünschten Kindern gesprochen. Nun, sie können durch Empfängnisverhütung vermieden werden. Dazu hat heutzutage jeder die Möglichkeit, in jeder Einkommensschicht. Aber wenn wir dabei einen Fehler begehen und ein neues menschliches Leben zu wachsen beginnt, das ein neues Menschenwesen ist, haben wir kein moralisches Recht, es zum Tode zu verdammen. Wozu wir geboren werden, das ist das Risiko, das wir alle auf uns nehmen müssen, ohne es zu kennen. Aber wenn wir einmal ein Leben haben, ob gut oder schlecht, haben wir auch den Anspruch darauf, es zu behalten, und nicht viele würden, wie schlecht es auch sei, darauf verzichten. Das Mittel gegen Armut ist nicht, ungeborene Kinder zu töten, sondern die gesellschaftlichen Verhältnisse zu verbessern.«

Harris dachte kurz nach, dann fuhr er fort. »Und was die Wirtschaft angeht, wirtschaftliche Argumente gibt es für alles. Es ist wirtschaftlich logisch, geistig Minderwertige und Krüppel sofort nach der Geburt zu töten, an unheilbar Kranken Euthanasie zu praktizieren, alte und nutzlose Menschen auszumerzen, wie es in Afrika geschieht, indem man sie im Dschungel den Hyänen zum Fraß überläßt. Aber wir tun das nicht, weil wir das Leben und die Würde des Menschen hochhalten. Was ich sagen will, Vernon, ist, wenn wir weiter fortschreiten wollen, müssen wir sie noch höher einschätzen.«

Die Höhenmesser, vor jedem der Piloten einer, erreichten die Zehntausend-Meter-Marke. Sie hatten den Gipfel ihres Aufstiegs erreicht. Anson Harris brachte die Maschine behutsam in eine waagerechte Position, während der Zweite Offizier Jordan wieder nach vorn griff, um die Hebel der Treibstoffzufuhr neu einzustellen.

Demerest sagte mürrisch zu Harris: »Ihr Fehler ist, daß Sie Hirngespinste haben.« Er war sich bewußt, daß er die Diskussion begonnen hatte; jetzt wünschte er sich verärgert, er hätte es unterlassen. Um das Thema abzubrechen, griff er nach dem Rufknopf für die Stewardessen. »Lassen wir uns etwas von den warmen Vorspeisen kommen, ehe die Passagiere in der ersten Klasse alles aufgefressen haben.«

Harris nickte zustimmend. »Gute Idee.«

Ein oder zwei Minuten später brachte Gwen auf die telefonische Bestellung hin drei Teller mit appetitanregend duftenden Vorspeisen und Kaffee. Bei der Trans America wurden, wie bei den meisten Fluggesellschaften, die Kapitäne am schnellsten bedient.

»Danke, Gwen«, sagte Kapitän Demerest. Als sie sich dann vorneigte, um Anson Harris zu bedienen, bestätigten ihm seine Augen, was er bereits wußte. Gwens Taille war so schlank wie eh und je, noch kein Anzeichen war zu erkennen. Es würde auch nie soweit kommen, gleichgültig, was in ihrem Körper vorging. Zum Teufel mit Harris und seinem Altweibergeschwätz. Selbstverständlich würde Gwen eine Abtreibung vornehmen lassen – sobald sie von dieser Reise zurückkamen.

Etwa zwanzig Meter hinter ihnen, in der Touristenkabine, war Mrs. Ada Quonsett in ein angeregtes Gespräch mit dem Passagier auf ihrer rechten Seite vertieft, in dem sie einen liebenswürdigen Oboisten des Chicago Symphony Orchestras, einen Mann in den mittleren Jahren, entdeckt hatte. »Wie wunderbar, Musiker und so schöpferisch zu sein! Mein verstorbener Mann liebte klassische Musik. Er hat selbst ein bißchen gegeigt, aber selbstverständlich nicht beruflich.«

Mrs. Quonsett war von dem Dry Sack Sherry, den ihr neuer Freund, der Oboist, bezahlt hatte, angenehm erwärmt, und er hatte gerade gefragt, ob sie nicht noch ein Glas trinken wolle. Mrs. Quonsett strahlte. »Also das ist wirklich zu freundlich von

Ihnen, und vielleicht sollte ich es nicht annehmen, aber ich glaube, ich trinke noch eins.«

Der Passagier auf ihrer linken Seite, der Mann mit dem kleinen sandfarbenen Schnurrbart und dem ausgemergelten Hals, war weniger gesprächig gewesen. Genaugenommen war er eine Enttäuschung. Die verschiedenen Versuche von Mrs. Quonsett zu einem Gespräch waren durch einsilbige, fast unhörbare Antworten abgewiesen worden, während er meistens völlig ausdruckslos, das Aktenköfferchen auf seinen Knien unverändert fest umklammernd, neben ihr gesessen hatte.

Eine Zeitlang, als alle sich etwas zu trinken bestellt hatten, fragte sich Mrs. Quonsett, ob der Passagier links von ihr nicht doch noch auftauen würde. Aber er hatte es nicht getan. Er hatte von der Stewardeß einen Scotch entgegengenommen, dafür mit einer Menge Kleingeld, das er umständlich vorzählen mußte, bezahlt und das Glas fast auf einen Zug heruntergestürzt. Ihr Sherry besänftigte Mrs. Quonsett sofort so weit, daß sie dachte: Der arme Mann, vielleicht hat er Sorgen, und vielleicht sollte ich ihn nicht behelligen.

Sie bemerkte jedoch, daß der Mann mit dem mageren Hals sofort aufmerksam wurde, als der Kapitän bald nach ihrem Start in einer Durchsage Geschwindigkeit, Kurs, Flugzeit und so weiter bekanntgab, Mitteilungen, denen Mrs. Quonsett nur selten zuhörte. Der Mann zu ihrer Linken dagegen kritzelte Notizen auf die Rückseite eines Briefumschlags und nahm sich dann eine der Karten »Zeichnen Sie selbst den Kurs Ihrer Maschine ein« vor, die die Fluggesellschaft frei zur Verfügung stellte, und breitete sie auf seinem Aktenkoffer aus. Jetzt studierte er diese Karte, machte mit einem Bleistift Eintragungen und blickte zwischendurch auf seine Uhr. Mrs. Quonsett kam das alles sehr albern und kindisch vor, denn sie war fest überzeugt, daß vorn ein Navigator saß, der sich darum kümmern würde, wo die Maschine zu welcher Zeit zu sein hätte.

Darauf wandte Mrs. Quonsett ihre Aufmerksamkeit wieder dem Oboisten zu, der ihr erklärte, daß er erst kürzlich, als er bei der Aufführung einer Brucknersinfonie als Zuhörer im Saal gesessen habe, erkannt hätte, daß in einem Augenblick, wenn seine Instrumentengruppe »pom-tideh-pom-pom« spiele, die Celli das mit einem »ah-diddleh-ah-dah« begleiteten. Zur Illustrierung summte er ihr die beiden Phrasen leise vor.

»Wirklich? Wie ungeheuer interessant. Daran hätte ich nie gedacht«, rief Mrs. Quonsett aus. »Mein verstorbener Mann hätte sich so gefreut, wenn er Sie kennengelernt hätte, obwohl Sie selbstverständlich viel jünger sind.«

Sie trank jetzt mit Genuß ihren zweiten Sherry und fühlte sich vollkommen wohl und behaglich. Sie hatte sich einen sehr angenehmen Flug ausgesucht, dachte sie, so ein schönes Flugzeug und eine gute Besatzung, und die Stewardessen höflich und hilfsbereit, und so interessante Mitreisende, außer dem Mann zu ihrer Linken, der aber eigentlich bedeutungslos war. Bald würde das Abendessen serviert werden, und es sollte ein Film mit Michael Caine, einem ihrer Lieblingsstars, gezeigt werden. Was konnte man noch mehr verlangen?

Mrs. Quonsett hatte sich geirrt, als sie annahm, daß vorn im Cockpit ein Navigator sitzen würde. Den gab es nicht. Bei der Trans America flogen, wie bei den meisten großen Fluggesellschaften, nicht einmal mehr bei Überseeflügen Navigatoren mit, weil die Fülle der zur Verfügung stehenden Radar- und Funkanlagen in den modernen Düsenflugzeugen sie entbehrlich machten. Die Piloten, die ständig die Hilfe der Flugsicherung hatten, übernahmen das wenige an Navigation, das noch gebraucht wurde, selbst.

Wenn jedoch ein altmodischer Luftnavigator an Bord von Flug Zwei gewesen wäre, dann hätten die von ihm eingezeichneten Positionen jenen, die D. O. Guerrero durch sein Über-den-Daumen-Peilen errechnet hatte, bemerkenswert geglichen. Guerrero hatte vor einigen Minuten geschätzt, daß sie dicht vor Detroit sein mußten. Diese Schätzung war richtig. Er wußte es, weil der Kapitän in seiner Ankündigung an die Passagiere bekanntgegeben hatte, daß der weitere Kurs über Montreal, Fredericton in New Brunswick, Cape Ray und später St. John's in Neufundland führen werde. Der Kapitän war sogar so hilfreich gewesen, sowohl die Bodengeschwindigkeit als auch die Fluggeschwindigkeit des Flugzeugs bekanntzugeben und es Guerrero dadurch zu ermöglichen, daß seine weiteren Berechnungen ebenso genau ausfielen.

Die Ostküste von Neufundland, rechnete D. O. Guerrero, würde in zweieinhalb Stunden überflogen werden. Bis es jedoch soweit war, würde der Kapitän vermutlich noch einmal die Position bekanntgeben, und danach konnte er seine Schätzung dann berichtigen, wenn es nötig sein sollte. Danach wollte Guerrero, wie er es geplant hatte, eine weitere Stunde warten, um sicherzugehen, daß die Maschine sich weit draußen über dem Atlantik befand, ehe er an der Schnur an seinem Aktenkoffer zog und das Dynamit darin zur Explosion brachte. In diesem Augenblick krampften sich seine Finger vor Erwartung fester um das Köfferchen.

Jetzt, da der entscheidende Augenblick so dicht bevorstand, wünschte er, daß es schon soweit wäre. Vielleicht brauchte er doch nicht so lange zu warten. Sobald die Maschine Neufundland erst hinter sich gelassen hatte, war ein Augenblick so gut wie der andere.

Der Schluck Whisky hatte seine Spannung gemildert. Zwar war sie schon weitgehend von ihm abgefallen, sobald er an Bord der Maschine gekommen war, jedoch bald nach dem Start wieder von neuem aufgetreten, besonders als diese aufreizende alte Ziege auf dem Platz neben ihm versucht hatte, ihn in ein Gespräch zu ziehen. D. O. Guerrero wünschte keine Unterhaltung, weder jetzt noch später. Genaugenommen wünschte er keinerlei Kontakt mehr mit irgend jemand in seinem Leben. Alles, was er sich wünschte, war, dazusitzen und zu träumen – von dreihunderttausend Dollar, einer größeren Summe, als er sie je besessen hatte und die, wie er annahm, Inez und den Kindern in wenigen Tagen zukommen würde.

In diesem Augenblick wäre ihm ein zweiter Whisky sehr willkommen gewesen, aber er hatte kein Geld mehr, um ihn bezahlen zu können. Nach seinem unerwartet hohen Versicherungsabschluß war ihm kaum genug Kleingeld für das eine Glas geblieben. Deshalb mußte er eben auf das zweite verzichten.

Wieder schloß er die Augen. Diesmal dachte er an die Wirkung auf Inez und die Kinder, wenn sie von dem Geld erfuhren. Sie sollten ihm dankbar sein für das, was er für sie tat, selbst wenn sie nie die ganze Wahrheit erfuhren – daß er sich für sie aufopferte, sein Leben für sie hingab. Vielleicht würden sie aber einen kleinen Teil erraten. Wenn ja, dann hoffte er, würden sie dankbar sein, obwohl ihm das fraglich zu sein schien, da er aus Erfahrung wußte, daß Menschen auf das, was in ihrem Interesse getan wurde, überraschend undankbar reagieren konnten.

Das Merkwürdige war: bei all seinen Gedanken an Inez und die Kinder konnte er sich ihre Gesichter nicht mehr richtig vorstellen. Fast schien es, als ob er an Leute dachte, die er niemals wirklich gekannt hatte.

Er gab sich mit einem Kompromiß zufrieden, indem er sich Dollarzeichen vorstellte, denen Dreier und endlose Reihen von Nullen folgten. Nach einer Weile mußte er eingeschlafen sein, denn als er die Augen öffnete, zeigte ihm ein schneller Blick auf seine Uhr, daß zwanzig Minuten vergangen waren, und eine Stewardeß beugte sich vom Mittelgang her zu ihm nieder. Die Stewardeß, ein anziehendes dunkelhaariges Mädchen, das mit einem englischen Akzent sprach, fragte: »Darf ich Ihnen jetzt Ihr Abendessen servieren, Sir? Wenn ja, darf ich Ihnen solange Ihren Koffer abnehmen?«

IV

Fast vom ersten Augenblick ihrer Begegnung an empfand Mel Bakersfeld eine instinktive Abneigung gegen Rechtsanwalt Elliott Freemantle, der die Delegation der Einwohner von Meadowood anführte. Nachdem jetzt etwa zehn Minuten vergangen waren, seit die Delegation in Mels Büro marschiert war, hatte sich die Abneigung zu unverhülltem Abscheu gesteigert.

Es schien, als ob der Rechtsanwalt bewußt so unangenehm wie möglich aufträte. Noch ehe die Aussprache begann, hatte Freemantle die unfreundliche Bemerkung fallenlassen, er wünsche keine »Doppelzüngigkeiten«, die Mel in gemäßigtem Ton parierte, obwohl sie ihn ärgerte. Seither war jede Erwiderung Mels mit der gleichen Grobheit und verletzenden Skepsis aufgenommen worden. Sein Instinkt warnte Mel, daß Freemantle ihn bewußt herausfordere in der Hoffnung, Mel würde seine Selbstbeherrschung verlieren und unüberlegte Erklärungen abgeben, die die Presse dann aufgreifen konnte. Falls das die Taktik dieses Rechtsanwalts war, dann hatte Mel nicht die Absicht, ihr Vorschub zu leisten. Mit einiger Mühe gelang es ihm, selbst gemäßigt und höflich aufzutreten.

Freemantle hatte gegen etwas protestiert, das er »gefühllose Gleichgültigkeit der Flughafenleitung gegenüber der Gesundheit und dem Wohlergehen meiner Klienten, der ehrenwerten Bewohner und Mitbürger von Meadowood«, nannte.

Mel erwiderte ruhig, weder die Flughafenleitung noch die Fluggesellschaften seien gefühllos oder gleichgültig. »Im Gegenteil, wir haben das echte Problem des bestehenden Lärms erkannt und unser Bestes getan, um eine Lösung dafür zu finden.«

»Dann ist Ihr Bestes, Sir, eine elende, unzulängliche Bemühung. Denn was haben Sie denn getan?« hielt ihm Rechtsanwalt Freemantle entgegen. »Soweit meine Klienten und ich sehen können – und hören –, haben Sie nichts als leere Versprechungen abgegeben, die wertlos sind. Es ist vollkommen klar – und das ist auch der Grund, weshalb wir vor Gericht gehen werden –, daß sich hier niemand auch nur einen Dreck darum kümmert.«

Diese Beschuldigung entspreche nicht der Wahrheit, entgegnete

Mel. Es sei ein Programm entwickelt worden, Starts über die Startbahn Zwei-Fünf zu vermeiden, die unmittelbar auf Meadowood zuführe, wann immer die Möglichkeit bestehe, eine andere Startbahn zu benutzen. Deshalb werde Zwei-Fünf überwiegend für Landungen benutzt, wodurch für Meadowood nur geringe Lärmbelästigung entstehe, selbst wenn dadurch die Leistungsfähigkeit des Flughafens beeinträchtigt werde. Darüber hinaus bestehe für die Piloten aller Fluggesellschaften die Anweisung, nach jedem Start in der allgemeinen Richtung über Meadowood, gleichgültig welche Startbahn benutzt werde, alle Maßnahmen zur Lärmdrosselung zu befolgen, einschließlich des Abdrehens von Meadowood unmittelbar nach dem Abheben vom Boden. Die Flugsicherung habe alle diese Maßnahmen unterstützt.

»Was Sie sich vor Augen halten sollten, Mr. Freemantle«, fügte Mel hinzu, »wir treffen heute abend keineswegs zum erstenmal mit den Bewohnern aus unserer Umgebung zusammen. Wir haben über unsere gemeinsamen Probleme schon oft diskutiert.«

»Vielleicht wurde bei diesen Gelegenheiten nicht offen und deutlich genug gesprochen«, entgegnete Elliott Freemantle schroff.

»Ob das so war oder nicht, Sie scheinen sich jedenfalls zu bemühen, etwas Versäumtes jetzt nachzuholen.«

»Wir haben die Absicht, eine Menge Versäumtes nachzuholen – versäumte Zeit, vergebliche Mühe, vergeudeten guten Glauben, letzteres ausschließlich auf seiten meiner Klienten.«

Mel zog es vor, darauf nicht zu antworten. Für keine der beiden Seiten konnte durch Ausfälle dieser Art etwas gewonnen werden – außer vielleicht Publicity für Elliott Freemantle. Mel beobachtete, daß die Bleistifte der Reporter übers Papier flogen. Was der Rechtsanwalt jedenfalls eindeutig verstand, war, der Presse Nahrung für spannende Berichte zu geben.

Mel beschloß, diese Zusammenkunft abzubrechen, sobald das mit Anstand möglich war. Er war sich Cindys Anwesenheit deutlich bewußt, die noch an der gleichen Stelle saß wie in dem Augenblick, als die Delegation erschienen war. Jetzt schien sie sich aber zu langweilen, und das war typisch für Cindy, sobald etwas zur Sprache kam, das den Flughafen betraf. Diesmal hatte Mel jedoch völliges Verständnis für sie. In Anbetracht des ernsten Themas, über das sie diskutiert hatten, empfand er selbst diese ganze Meadowood-Geschichte als eine Belästigung.

In Mels Gedanken tauchte auch immer wieder seine Sorge um Keith auf. Er fragte sich, wie es mit seinem Bruder drüben in der Radarkontrolle stehe. Hätte er darauf bestehen sollen, daß Keith seinen Dienst für diese Nacht abbrach, und das Gespräch weiterführen sollen – das bis zu dem Punkt, als es vom Dienstleiter des Kontrollturms unterbrochen worden war, zu etwas zu führen schien. Vielleicht war es jetzt noch nicht zu spät... Aber da war auch Cindy, die ganz gewiß ein Recht darauf hatte, von Keith berücksichtigt zu werden. Und jetzt auch noch dieser giftige Rechtsanwalt Freemantle, der ihn weiter belästigte...

»Da Sie es für richtig halten, von diesen sogenannten Maßnahmen zur Lärmdrosselung zu sprechen«, faßte Elliott Freemantle sarkastisch nach, »darf ich fragen, was heute abend aus ihnen geworden ist?«

Mel seufzte. »Wir haben seit drei Tagen Schneesturm.« Sein Blick umfaßte die anderen Mitglieder der Delegation. »Damit sage ich Ihnen bestimmt nichts Neues. Dadurch ist für uns ein Notstand eingetreten.« Er erklärte die Blockierung der Startbahn Drei-Null, die vorübergehende Notwendigkeit, über Startbahn Zwei-Fünf mit allen unvermeidlichen Auswirkungen auf Meadowood zu starten.

»Das ist alles schön und gut«, sagte einer der anderen Männer, ein bereits kahlwerdender Mann mit Hängebacken, dem Mel bereits bei anderen Diskussionen über den Lärm des Flughafens begegnet war. »Daß Schneesturm ist, wissen wir, Mr. Bakersfeld. Aber wenn man direkt darunter wohnt, hilft es nichts, wenn man weiß, *warum* die Flugzeuge über einen wegfliegen. Daran kann auch ein Schneesturm nichts ändern. Übrigens, mein Name ist Floyd Zanetta. Ich war der Leiter der Versammlung...«

Elliott Freemantle mischte sich geschickt ein. »Entschuldigen Sie, da muß noch ein anderer Punkt erwähnt werden, ehe wir fortfahren.« Offensichtlich hatte der Rechtsanwalt nicht die Ab-

sicht, die Herrschaft über die Delegation, und sei es auch noch
so kurz, aus der Hand zu geben. Er wandte sich mit einem Seitenblick auf die Journalisten wieder an Mel. »Es geht nicht nur
um den Lärm, der in die Häuser und Ohren der Einwohner von
Meadowood dringt, obwohl der schon schlimm genug ist – die
Nerven zerrüttet, die Gesundheit zerstört, Kinder um den nöti-
gen Schlaf bringt. Sondern da ist auch eine körperliche Belästigung...«

Diesmal unterbrach Mel. »Wollen Sie ernsthaft als Alternative
zu dem, was heute abend geschieht, vorschlagen, wir sollten den
Flughafen schließen?«

»Das schlage ich Ihnen nicht nur vor, wir könnten Sie dazu
zwingen. Vor einem Augenblick sprach ich von der körperlichen
Belästigung. Und genau das ist es, was ich beweisen will, vor
Gericht, im Interesse meiner Klienten. Und wir werden gewinnen.«

Die anderen Mitglieder der Delegation einschließlich Floyd Zanetta nickten zustimmend.

Während Elliott Freemantle wartete, um seine Worte wirken
zu lassen, überlegte er. Er nahm an, er sei jetzt weit genug gegangen. Für ihn war es eine Enttäuschung, daß bei dem Generaldirektor des Flughafens die Sicherung nicht durchgebrannt
war, worum Freemantle sich so sehr bemüht hatte. Diese Technik hatte er schon früher benutzt, häufig mit Erfolg, und es war
eine gute Technik, denn Leute, die ihre Selbstbeherrschung verloren, kamen in Presseberichten unweigerlich schlecht weg, und
daran lag Freemantle am meisten. Aber Bakersfeld war zwar
eindeutig verärgert, aber zu klug, um auf dieses Spiel 'reinzu-
fallen. Macht nichts, dachte Elliott Freemantle, er hatte trotzdem
Erfolg gehabt. Auch er hatte bemerkt, daß die Reporter fleißig
jedes seiner Worte mitschrieben – Worte, die ohne die Anma-
ßung und den Hohn in seiner Stimme sich gut lesen würden;
besser noch, wie er glaubte, als seine vorherige Rede auf der
Versammlung in Meadowood.

Selbstverständlich erkannte Freemantle, daß das Ganze nicht
mehr als ein leeres Wortgefecht war, aus dem sich nichts ergeben würde. Selbst wenn er den Direktor des Flughafens zu ihrer

Ansicht bekehren könnte – was höchst unwahrscheinlich war –, Bakersfeld konnte wenig oder gar nichts unternehmen. Der Flughafen war eine gegebene Tatsache, und nichts würde etwas daran ändern, daß er vorhanden war und wie er war. Nein, der Wert seiner Anwesenheit hier draußen lag zum Teil darin, die öffentliche Aufmerksamkeit zu gewinnen, in erster Linie aber – vom Standpunkt des Rechtsanwalts Freemantle aus gesehen – darin, die Bevölkerung von Meadowood zur Überzeugung zu bringen, sie habe einen unerschütterlichen Vorkämpfer gefunden, und daß infolgedessen die unterschriebenen Rechtsvollmachten – aber auch die Schecks – reichlich in das Büro von Freemantle und Sye strömten.

Es war ein Jammer, überlegte Freemantle, daß die restliche Versammlung aus Meadowood, die unten wartete, ihn hier oben nicht hatte hören können, wie er Bakersfeld in ihrem Interesse Grobheiten an den Kopf geworfen hatte. Aber das konnten sie alles morgen in der Zeitung lesen. Außerdem war Elliott Freemantle durchaus noch nicht überzeugt, daß im Flughafen für diese Nacht schon das letzte Wort im Fall Meadowood gefallen war. Er hatte den Fernsehleuten, die unten warteten, weil sie mit ihrer Ausrüstung hier oben nicht hereinkommen durften, bereits versprochen, eine Erklärung abzugeben, sobald seine jetzige Besprechung beendet sei. Er hoffte, inzwischen seien die Fernsehkameras in der Haupthalle aufgebaut worden – denn das hatte er angeregt –, und obwohl dieser farbige Leutnant von der Polizei dort jede Demonstration untersagt hatte, vermutete Freemantle, daß sich aus dem Fernsehinterview, wenn man es geschickt handhabe, eine solche entwickeln könne.

Elliott Freemantles Erklärung von vor wenigen Minuten hatte sich auf gerichtliche Schritte bezogen – jene Schritte, die, wie er den Einwohnern von Meadowood früher am Abend versichert hatte, seine wichtigste Handlung in ihrem Interesse sein werde. »Mein Beruf ist das Recht«, hatte er erklärt, »das Recht und nichts anderes.« Selbstverständlich stimmte das nicht; aber schließlich war Elliott Freemantle durchaus befähigt, sich jeder Notwendigkeit anzupassen.

»Was Sie für juristische Schritte ergreifen«, stellte Mel Bakersfeld fest, »ist selbstverständlich Ihre Angelegenheit. Trotzdem darf ich Sie darauf hinweisen, daß die Gerichte das Recht der Flughäfen, ihren Betrieb zu unterhalten, im Dienst und im Interesse der Öffentlichkeit ungeachtet angrenzender Wohngebiete bestätigt haben.«

Freemantle hob die Augenbrauen. »Mir war nicht bekannt, daß Sie auch Rechtsanwalt sind.«

»Ich bin kein Rechtsanwalt. Aber mir ist durchaus bekannt, daß Sie einer sind.«

»Nun, ich fing schon an, mich zu wundern.« Elliott Freemantle grinste höhnisch. »Denn ich bin es, verstehen Sie? Und habe einige Erfahrung in diesen Dingen. Überdies kann ich Ihnen versichern, daß es einige Präzedenzfälle gibt, die zugunsten meiner Klienten sprechen.« Wie schon bei der Versammlung rasselte er eine eindrucksvoll klingende Liste von Fällen herunter: *die Vereinigten Staaten gegen Causby, Griggs gegen das County von Allegheny, Thornburg gegen den Flughafen von Portland, Martin gegen den Flughafen von Seattle.*

Mel war belustigt, zeigte es aber nicht. Die genannten Fälle waren ihm bekannt, er kannte aber auch andere, die zu völlig entgegengesetzten Urteilen geführt hatten und mit denen Elliott Freemantle entweder nicht vertraut war, oder die er vorsichtshalber nicht erwähnte.

Mel vermutete das letztere, hatte aber nicht die Absicht, sich auf eine juristische Debatte einzulassen. Der Ort dafür war, falls es dazu kam, das Gericht.

Mel hatte aber auch nicht die Absicht, alles nach dem Willen des Rechtsanwalts gehen zu lassen, den er jetzt noch unsympathischer fand. An die gesamte Delegation gewendet, erklärte Mel seine Gründe, warum er Rechtsfragen auswich, fügte aber hinzu: »Da wir aber gerade beisammen sind, möchte ich Ihnen gern ein paar Dinge zum Thema Flughafen und Lärm ganz allgemein sagen.«

Er bemerkte, daß Cindy gähnte.

Freemantle reagierte sofort.

»Ich bezweifle, ob das notwendig ist. Soweit wir betroffen sind, ist der nächste Schritt...«

»Ah so!« Zum erstenmal gab Mel seine Zurückhaltung auf und unterbrach scharf. »Soll ich das so verstehen, daß, nachdem ich Sie geduldig angehört habe, Sie und Ihre Gruppe nicht bereit sind, mir die gleiche Höflichkeit zu erweisen?«

Der Delegierte Zanetta, der bereits vorher gesprochen hatte, sah die anderen an.

»Ich finde, wir sollten . . .«

Mel unterbrach scharf: »Lassen Sie Mr. Freemantle antworten.«

»Es ist wirklich nicht erforderlich«, sagte der Rechtsanwalt milde lächelnd, »daß hier irgend jemand seine Stimme erhebt oder unhöflich wird.«

»Und warum haben Sie denn beides getan seit dem Augenblick, in dem Sie hier hereingekommen sind?«

»Ich bin mir nicht bewußt . . .«

»Aber ich bin mir dessen bewußt.«

»Verlieren Sie nicht Ihre Selbstbeherrschung, Mr. Bakersfeld?«

»Nein.« Mel lächelte. »Leider muß ich Sie enttäuschen, das tue ich nicht.«

Er spürte, daß er einen Vorteil errungen und daß er den Rechtsanwalt überrumpelt hatte. Jetzt fuhr er fort. »Sie haben eine ganze Menge gesagt, Mr. Freemantle, und das meiste nicht gerade höflich. Aber es gibt auch ein paar Dinge, die ich gern zu Protokoll geben möchte. Außerdem bin ich überzeugt, daß die Presse daran interessiert ist, beide Seiten zu hören, selbst wenn es sonst niemand sein sollte.«

»Oh, dafür interessieren wir uns schon. Nur haben wir alle diese faulen Ausreden schon oft genug gehört.« Wie üblich, faßte Elliott Freemantle sich schnell. Aber er gestand sich ein, daß er sich durch Bakersfelds bisherige Sanftmut hatte täuschen lassen, so daß der scharfe Gegenangriff ihn unerwartet traf.

Er erkannte, daß der Generaldirektor des Flughafens ein härterer Gegner war, als er erwartet hatte.

»Ich habe nichts von Ausreden gesagt«, begann Mel mit Nachdruck, »sondern einen Überblick über grundsätzliche Fragen des Lärms auf Flughäfen angekündigt.«

Freemantle hob die Schultern. Das letzte, was er sich wünschte, war ein neuer, für die Zeitungen vielleicht behandelnswerter Aspekt der Auseinandersetzung, durch den die Aufmerksamkeit von ihm womöglich abgelenkt wurde.

»Meine Damen und Herren«, fuhr Mel fort, »als Sie heute abend hierherkamen, wurde als erstes etwas von offener, unverblümter Sprache von beiden Seiten gesagt. Nachdem Mr. Freemantle bisher das Wort gehabt hat, will ich nicht weniger offen sprechen.«

Mel spürte, daß die beiden Frauen und die vier Männer der Delegation mit voller Aufmerksamkeit zuhörten, aber auch die Journalisten; selbst Cindy beobachtete ihn verstohlen. Er sprach sicher und ruhig weiter.

»Sie alle kennen die Maßnahmen oder sollten sie wenigstens kennen, die wir auf dem Lincoln International Airport gegen die Lärmentwicklung der Flugzeuge ergriffen haben, um jenen, die in der Nachbarschaft des Flughafens wohnen, das Leben leichter und erträglicher zu machen. Einige dieser Maßnahmen wurden bereits genannt, und es gibt weitere, zum Beispiel, daß für das Erproben von Motoren nur abgelegene Gebiete des Flughafens benutzt werden dürfen, und auch das nur während bestimmter, vorgeschriebener Stunden.«

Elliott Freemantle wurde bereits unsicher. »Sie haben aber zugegeben, daß diese sogenannten Systeme nicht funktioniert hätten«, warf er dazwischen.

»Ich habe nichts dergleichen zugegeben«, entgegnete Mel scharf. »Im allgemeinen haben sie sich bewährt und funktionieren so gut, wie man das von Kompromissen nur erwarten kann. Zugegeben habe ich, daß es auf Grund außergewöhnlicher Umstände heute abend nicht funktioniert. Und offen gesagt, wenn ich Pilot wäre und bei solchem Wetter starten müßte, hätte ich auch Hemmungen, die Motoren zu drosseln und dazu noch im Steigen eine Wendung zu machen. Außerdem wird es sich nicht vermeiden lassen, daß diese Umstände von Zeit zu Zeit wieder eintreten.«

»Es wird meistens so sein!«

»Nein, mein Herr! Aber erlauben Sie mir bitte, meine Ausführungen zu beenden!« Ohne auf eine Antwort zu warten, fuhr Mel fort. »Tatsache ist, Flughäfen, hier so gut wie anderswo, haben nahezu die Grenze dessen erreicht, was sie zur Verminderung des Lärms tun können. Sie werden das vielleicht nicht gern hören und nicht jeder in unserem Arbeitsgebiet gibt es zu, die Wahrheit aber ist: Viel kann in dieser Hinsicht von niemandem mehr getan werden. Sie können Maschinen im Gewicht von einhundertfünfzigtausend Kilo mit Hochleistungstriebwerken nicht so leise wie auf Zehenspitzen von einem Ort zum anderen bringen. Wenn man also ein großes Düsenflugzeug landen oder starten läßt, ist es unvermeidlich, daß die Leute in seiner unmittelbaren Nähe kräftig durchgeschüttelt werden.« Bei verschiedenen zeigte sich ein flüchtiges Lächeln. Nicht so bei Elliott Freemantle. Er runzelte finster die Stirn.

Mel fügte hinzu: »Wenn wir also Flughäfen benötigen, und offensichtlich ist das der Fall, müssen sich manche eben mit einem gewissen Lärm abfinden oder woanders hinziehen.«

Jetzt war Mel an der Reihe beobachten zu können, wie die Bleistifte der Reporter über das Papier flogen, um seine Worte festzuhalten.

»Zutreffend ist«, nahm Mel wieder das Wort, »daß die Flugzeugwerke an Vorrichtungen zur Lärmverminderung arbeiten, aber – um wieder aufrichtig Ihnen gegenüber zu sein – nur wenige Menschen im Flugwesen nehmen das sehr ernst, und ganz gewiß hat die Entwicklung neuer Flugzeugtypen den Vorrang. Im besten Fall sind es Beruhigungspillen. Wenn Sie mir nicht glauben, dann lassen Sie sich daran erinnern, daß Lastwagen zwar um viele Jahre länger im Gebrauch sind als Flugzeuge, daß aber noch niemand einen wirklich wirksamen Schalldämpfer für Lastwagenmotoren erfunden hat. Und noch etwas, das man sich vor Augen halten muß: Wenn es so weit ist, daß ein Typ von Düsenmotor etwas leiser geworden ist – falls es überhaupt dazu kommt –, werden neue, noch stärkere Maschinen eingeführt, die selbst mit eingebauten Schalldämpfern lauter sind, als die ersten je gewesen waren. Wie ich schon sagte«, fügte Mel hinzu, »ich bin vorbehaltlos offen.«

Eine der Frauen in der Delegation murmelte düster: »Das kann man wohl sagen.«

»Damit komme ich auf die Zukunft zu sprechen«, fuhr Mel fort. »Eine neue Generation von Flugzeugen steht bevor – eine weitere Familie von Düsenmaschinen folgt der Boeing 747, in der sich Giganten wie die Lockheed 500 befinden, die bald eingesetzt werden wird. Kurz darauf werden die überschallschnellen Transportmaschinen kommen, die Concorde und alle folgenden. Die Lockheed 500 und ihresgleichen werden mit Überschallgeschwindigkeit fliegen, und sie werden uns den gleichen Lärm bescheren, den wir jetzt schon haben, nur wird der Lärm noch größer sein. Auch die überschallschnellen Maschinen werden einen starken Motorenlärm verursachen, dazu noch den Knall, wenn sie die Schallmauer durchbrechen, und der stellt ein weit größeres Problem dar als jeder andere Lärm, mit dem wir es bisher zu tun hatten. Vielleicht haben Sie wie ich die optimistischen Darstellungen gelesen, daß das Durchbrechen der Schallmauer in großer Höhe, weit von Städten und Flughäfen entfernt, eintreten und die Auswirkung auf dem Boden gering sein wird. Glauben Sie das nicht! Wir müssen uns auf einiges gefaßt machen, wir alle – die Menschen in ihren Häusern wie Sie; Menschen, die auf Flughäfen arbeiten wie ich; Fluggesellschaften, die eine Milliarde Dollar in Flugzeuge investieren, die sie ständig einsetzen müssen, wenn sie nicht bankrott machen wollen. Glauben Sie mir, die Zeit wird kommen, in der wir uns den gewöhnlichen Lärm zurückwünschen werden, von dem wir heute abend sprechen.«

»Was sagen Sie also praktisch meinen Klienten?« hielt ihm Elliott Freemantle voll Sarkasmus entgegen. »Geht jetzt freiwillig ins Irrenhaus, statt zu warten, bis Sie und Ihre Ungeheuer sie dorthin treiben!«

»Nein«, entgegnete Mel nachdrücklich. »Das sage ich Ihnen nicht. Ich erkläre Ihnen nur offen – wie Sie es von mir verlangt haben –, daß ich über keine einfachen Antworten verfüge. Ich werde Ihnen aber auch keine Versprechungen machen, die der Flughafen nicht einlösen kann. Ferner sage ich, daß meiner Meinung nach der Lärm des Flughafens stärker werden wird, und nicht schwächer. Indessen möchte ich Sie alle daran erinnern, daß dieses Problem nicht neu ist. Es existiert, seit die Züge zu fahren anfingen und seit sich Lastwagen, Busse und Automobile ihnen anschlossen. Das gleiche Problem trat auf, als die Fernstraßen durch Wohnbezirke gelegt wurden und als Flugplätze entstanden und sich entwickelten. Alle diese Dinge dienen dem allgemeinen Wohl – oder wenigstens glauben wir das –, aber alle haben sie auch Lärm mit sich gebracht und werden das trotz aller Bemühungen auch weiterhin tun. Der entscheidende Punkt ist doch: Lastwagen, Züge, Fernstraßen und Flugzeuge und alles andere sind nun einmal da. Sie sind ein Teil unserer Lebensführung, und solange wir diese Lebensführung nicht ändern, ist Lärm etwas, womit wir uns abfinden und fertig werden müssen.«

»Mit anderen Worten: Meine Klienten sollen die Hoffnung auf Lebensfreude, gesunden Schlaf, Ungestörtsein und Ruhe für den Rest ihres Lebens aufgeben?«

»Nein«, erwiderte Mel, »ich glaube aber, daß sie schließlich einmal wegziehen müssen. Ich spreche nicht in amtlicher Eigenschaft, selbstverständlich nicht, aber ich bin überzeugt, daß unser Flughafen und andere letzten Endes viele Milliarden Dollar werden aufwenden müssen, um die umliegenden Wohngebiete aufzukaufen. Aus einem großen Teil dieser Gebiete können Industrieviertel werden, für die Lärm keine Rolle spielt. Und selbstverständlich sollten alle, die dort Häuser besitzen und gezwungen sein werden, sie aufzugeben, eine angemessene Entschädigung erhalten.«

Elliott Freemantle erhob sich und gab den übrigen ein Zeichen, das gleiche zu tun.

»Ihre letzte Bemerkung ist das einzig Vernünftige, was ich heute abend gehört habe«, sagte er zu Mel. »Allerdings wird die Entschädigung früher fällig werden und höher ausfallen, als Sie denken.«

Freemantle nickte knapp. »Sie werden von uns hören. Vor Gericht sehen wir uns wieder.«

Er ging hinaus. Die anderen folgten ihm.

Durch die Tür zum Vorzimmer hörte Mel eine der beiden

Frauen in der Delegation ausrufen: »Sie waren großartig, Mr. Freemantle. Ich werde es jedem erzählen.«

»Ich danke Ihnen. Ich danke Ihnen viel ...« Die Stimmen verklangen.

Mel ging zur Tür, in der Absicht, sie zu schließen.

»Es tut mir alles sehr leid«, sagte er zu Cindy. Nachdem sie beide wieder allein waren, war er nicht sicher, ob sie sich überhaupt noch etwas zu sagen hatten.

Eisig erwiderte Cindy:

»Es hat nichts zu bedeuten. Du hättest einen Flughafen heiraten sollen.«

Unter der Tür bemerkte Mel, daß einer der Reporter in das Vorzimmer zurückgekommen war. Es war Tomlinson von der *Tribune*.

»Mr. Bakersfeld, kann ich Sie einen Moment sprechen?«

Mel antwortete unwirsch: »Was gibt es denn?«

»Ich habe den Eindruck gehabt, daß Sie von Mr. Freemantle nicht gerade begeistert waren.«

»Wollen Sie meine Antwort zitieren?«

»Nein, Sir.«

»Dann kann ich Ihren Eindruck nur bestätigen.«

»Ich dachte, Sie würden sich für das hier interessieren«, sagte der Reporter.

»Das hier« war eines der Formulare für die Bevollmächtigung, die Elliott Freemantle bei der Versammlung der Einwohner von Meadowood verteilt hatte

Nachdem Mel das Formular durchgelesen hatte, fragte er: »Woher haben Sie das?«

Der Reporter erklärte es ihm.

»Wie viele Leute waren auf der Versammlung?«

»Ich habe sie nicht gezählt, aber ungefähr sechshundert.«

»Und wie viele dieser Formulare wurden unterschrieben?«

»Das kann ich nicht genau sagen, Mr. Bakersfeld. Ich würde schätzen, daß hundertfünfzig unterschrieben zurückgegeben wurden. Aber es waren auch Leute da, die sagten, sie würden ihre Vollmacht mit der Post schicken.«

Jetzt ist Elliott Freemantles Theatervorstellung verständlich, dachte Mel grimmig. Und auch warum und bei wem er Eindruck schinden wollte.

»Wahrscheinlich stellen Sie jetzt die gleiche Rechnung auf wie ich«, sagte Reporter Tomlinson.

Mel nickte. »Da kommt ein ganz hübsches Sümmchen heraus.«

»Und ob. Davon hätte ich gern selbst eine Scheibe ab.«

»Vielleicht haben wir beide den falschen Beruf. Haben Sie auch an der Versammlung in Meadowood teilgenommen?«

»Ja.«

»Hat denn dort keiner darauf hingewiesen, daß das Gesamthonorar voraussichtlich mindestens fünfzehntausend Dollar betragen würde?«

Tomlinson schüttelte den Kopf. »Entweder hat niemand daran gedacht, oder es war ihnen gleichgültig. Außerdem ist Freemantle eine recht bemerkenswerte Erscheinung. Hypnotisch könnte man beinahe sagen. Er hat sie richtiggehend berauscht, fast als ob er Billy Graham wäre.«

Mel reichte das gedruckte Formular zurück. »Werden Sie das in Ihren Bericht aufnehmen?«

»Ich nehme es hinein, aber wundern Sie sich nicht, wenn die Redaktion es mir wieder herausstreicht. Bei Rechtsfragen sind sie immer vorsichtig. Außerdem glaube ich, wenn man die Sache ganz genau betrachtet, läßt sich kaum etwas dagegen machen.«

»Nein«, bestätigte Mel. »Es mag unmoralisch sein, und ich könnte mir vorstellen, daß die Anwaltskammer nichts dafür übrig hat, aber gesetzwidrig ist es wohl nicht. Selbstverständlich hätten die Leute in Meadowood sich zusammentun und als Gruppe einen Anwalt beauftragen sollen. Aber wenn Leute einfältig sind und einen Rechtsanwalt reich machen wollen, dann ist das wohl ihre eigene Angelegenheit.«

Tomlinson grinste. »Darf ich das als Ihre Worte zitieren?«

»Sie haben mir gerade erst erklärt, daß Ihre Zeitung es doch nicht drucken würde. Außerdem ist das alles vertraulich gesagt. Vergessen Sie das nicht.«

»In Ordnung.«

Wenn es etwas nützen würde, dachte Mel, würde er seinen

Kropf leeren und es darauf ankommen lassen, ob er zitiert werden würde oder nicht. Er wußte aber, daß es nichts nützen würde. Er wußte auch, daß überall im Land geschäftstüchtige und unternehmungsfreudige Rechtsanwälte wie Elliott Freemantle unterwegs waren, um Gruppen von Leuten zusammenzubringen und dann Flughäfen, Fluggesellschaften und in manchen Fällen auch Piloten lästig zu fallen.

Es war nicht die Belästigung, gegen die Mel sich wehrte. Dazu hatte jeder das gleiche Recht wie zu rechtlichen Schritten. Es war einfach die Tatsache, daß in vielen Fällen die Hausbesitzer irregeführt, mit falschen Hoffnungen aufgehetzt wurden und eine eindrucksvoll klingende, aber einseitig ausgesuchte Liste juristischer Präzedenzfälle, wie von Elliott Freemantle an diesem Abend, vorgebetet bekamen. Die Folge war eine Flut von kostspieligen und zeitraubenden Prozessen, von denen die meisten von vornherein zum Scheitern verurteilt waren und aus denen nur die daran beteiligten Rechtsanwälte einen Vorteil zogen.

Mel wünschte, er hätte schon vorher gewußt, was Tomlinson ihm gerade eröffnet hatte. Dann hätte er seine Ausführungen vor der Delegation mit Andeutungen geladen, um die Bewohner von Meadowood vor Elliott Freemantle und dem, worauf sie sich einließen, zu warnen. Jetzt war es zu spät.

»Mr. Bakersfeld«, sagte der Reporter der *Tribune*, »ich würde Sie gern noch ein paar andere Dinge fragen – über den Flughafen allgemein. Wenn Sie noch ein paar Minuten entbehren könnten...«

»Zu jeder anderen Zeit herzlich gern.« Mel hob mit einer hilflosen Geste die Hände. »Gerade jetzt passieren hier fünfzehn Dinge auf einmal.«

Der Reporter nickte. »Ich verstehe. Jedenfalls werde ich noch eine Weile hier sein. Ich habe gehört, daß Freemantle mit seinem Haufen unten noch etwas vorhat. Wenn also später eine Möglichkeit besteht...«

»Ich will mich gern darum bemühen«, antwortete Mel, obwohl er nicht die Absicht hatte, noch heute nacht zur Verfügung zu stehen. Er respektierte Tomlinsons Wunsch, bei jedem Fall, über den er berichtete, unter die Oberfläche zu gehen. Trotzdem, für einen Abend war Mels Bedarf an Reportern und Delegationen gedeckt.

Und was alle weiteren Vorhaben Freemantles und der Leute aus Meadowood anging, die Sorge darüber wollte Mel Leutnant Ordway und seinen Polizisten überlassen.

V

Als Mel sich umdrehte, nachdem er die Tür hinter dem Reporter der *Tribune* geschlossen hatte, stand Cindy da und zog sich die Handschuhe an. Eisig bemerkte sie: »Fünfzehn Dinge passieren, sagtest du, glaube ich. Was die anderen vierzehn auch sein mögen, ich bin sicher, daß sie alle Vorrang vor mir haben.«

»Das war doch nur bildlich gesprochen«, wandte Mel ein, »das weißt du ganz genau. Ich sagte schon, daß es mir leid tut. Ich wußte ja nicht, daß das hier kommen würde – wenigstens nicht alles auf einmal.«

»Aber du hast es doch gern, nicht wahr? Alles miteinander. Viel lieber als mich, dein Heim, die Kinder, guten gesellschaftlichen Verkehr.«

»Ach!« sagte Mel. »Ich habe mich schon gefragt, wann du darauf kommen würdest.« Er machte eine Pause. »Mein Gott! Warum zanken wir uns schon wieder? Wir hatten doch alles geregelt, oder nicht? Da ist es doch nicht mehr nötig, daß wir uns noch streiten.«

»Nein«, sagte Cindy. Sie gab plötzlich nach. »Nein, du hast wohl recht.«

Ein unschlüssiges Schweigen folgte. Mel brach es als erster.

»Sieh mal, eine Scheidung durchzuführen, ist eine recht ernste Sache für uns beide; und für Roberta und Libby ebenfalls. Falls du noch irgendwelche Bedenken hast...«

»Haben wir das nicht bereits hinter uns?«

»Ja, aber wenn du willst, wiederholen wir es noch fünfzigmal.«

»Das will ich aber nicht.« Cindy schüttelte entschieden den Kopf. »Ich habe gar keine Bedenken. Und du auch nicht. Oder doch?«

»Nein«, bestätigte Mel. »Leider habe ich keine!«

Cindy schien etwas sagen zu wollen, unterließ es aber. Sie hatte Mel von Lionel Urquhart erzählen wollen, beschloß dann aber, es zu unterlassen. Mel hatte später Zeit genug, das selbst herauszufinden. Und was Derek Eden anging, an den Cindy fast die ganze Zeit, während die Abordnung dagewesen war, gedacht hatte, so hatte sie nicht die Absicht, dessen Existenz Mel oder Lionel zu enthüllen.

Es wurde an die Tür geklopft – leise, aber entschlossen.

»Mein Gott!« murmelte Cindy. »Gibt es hier denn gar kein Privatleben mehr?«

Mel rief irritiert: »Wer ist da?«

Die Tür öffnete sich. »Bloß ich«, sagte Tanya Livingston. »Mel, ich muß einen Rat haben...« Als sie Cindy erblickte, hielt sie abrupt inne. »Bitte um Entschuldigung. Ich dachte, Sie wären allein.«

»Das wird er auch gleich sein«, erklärte Cindy. »Das wird er sofort sein.«

»Bitte nicht!« widersprach Tanya errötend. »Ich kann ja später kommen, Mrs. Bakersfeld. Ich wußte nicht, daß ich stören würde.«

Cindy musterte Tanya, die immer noch ihre Trans-America-Uniform trug.

»Offenbar war es höchste Zeit, daß wir gestört wurden«, sagte Cindy. »Schließlich ist es gut drei Minuten her, daß die letzten Leute gegangen sind, und das ist mehr, als wir gewöhnlich miteinander haben.« Sie wandte sich an Mel. »Ist es nicht so?«

Er schüttelte den Kopf, ohne zu antworten.

»Übrigens«, Cindy wandte sich wieder an Tanya. »Eines möchte ich gern wissen. Wieso waren Sie so sicher, wer ich bin?«

Für eine Sekunde verlor Tanya ihre übliche Fassung, fand sie aber schnell wieder und lächelte. »Das habe ich wohl erraten.«

Cindys Augenbrauen gingen in die Höhe. »Wird von mir erwartet, daß ich dasselbe tue?« Sie blickte Mel an.

»Nein«, sagte er und machte sie miteinander bekannt.

Mel bemerkte Cindys kritisch abschätzenden Blick auf Tanya. Er hatte nicht den geringsten Zweifel, daß seine Frau bereits über Tanya und ihn ihre Schlüsse zog. Schon längst war Mel dahintergekommen, daß Cindys Instinkte hinsichtlich männlich-weiblicher Beziehungen unheimlich scharf waren. Außerdem war er sicher, daß seine Vorstellung Tanyas irgend etwas verraten hatte. Eheleute waren mit ihren Sprechnuancen zu vertraut, als daß so etwas nicht auffiel. Es würde ihn nicht einmal überraschen, wenn Cindy sein Rendezvous mit Tanya für heute abend erriete, obwohl das, wie er selbst meinte, die Phantasie überschätzen hieß.

Nun, was Cindy auch immer wußte oder erriet, war seiner Meinung nach unwichtig. Schließlich hatte sie ja die Scheidung vorgeschlagen, warum sollte sie also etwas gegen jemand anderen in Mels Leben einwenden, gleichgültig, wieviel oder wie wenig Tanya ihm bedeutete, und das wußte er ja selbst nicht genau. Doch das war logisch gedacht. Und Frauen – einschließlich Cindy und wahrscheinlich auch Tanya – dachten selten logisch.

Der letzte Gedanke erwies sich als richtig.

»Wie nett für dich«, sagte Cindy mit falscher Liebenswürdigkeit, »daß nicht nur so langweilige alte Abordnungen mit ihren Nöten zu dir kommen.« Sie faßte Tanya ins Auge. »Sagten Sie nicht, Sie hätten etwas auf dem Herzen?«

Tanya nahm den Fehdehandschuh auf. »Ich sagte, ich bräuchte einen Rat.«

»Oh, wirklich? War es geschäftlich oder persönlich?... Oder haben Sie das vielleicht vergessen?«

»Cindy«, sagte Mel scharf, »nun ist es genug! Du hast keinen Grund...«

»Wozu keinen Grund? Und warum ist es genug?« Die Stimme seiner Frau war voll Spott. Er hatte den Eindruck, daß sie sich auf eine perverse Weise amüsierte. »Erzählst du mir nicht ständig, ich nähme an deinen Sorgen nicht genug Anteil? Jetzt bin ich ganz begierig darauf, die Sorgen deiner Freundin zu hören... das heißt, wenn es welche sind.«

Tanya sagte knapp: »Es handelt sich um Flug Zwei.« Sie fügte hinzu: »Das ist der Trans America Flug nach Rom, Mrs. Bakersfeld. Er ging vor einer halben Stunde ab.«

Mel fragte: »Was ist mit Flug Zwei los?«

»Die Wahrheit zu sagen«, Tanya zögerte. »Ich bin nicht ganz sicher.«

»Nur raus damit«, sagte Cindy. »denken Sie sich was aus.«

Mel fuhr dazwischen: »Ach, sei doch still!« Zu Tanya: »Was ist los?«

Tanya schaute Cindy an, dann berichtete sie Mel ihr Gespräch mit Zollinspektor Standish. Sie beschrieb den Mann mit dem verdächtigen Aktenkoffer, den Standish für einen Schmuggler hielt.

»Und er ist an Bord von Flug Zwei gegangen?«

»Ja.«

»Selbst wenn der Mann schmuggelt«, sagte Mel, »dann wäre das nach Italien. Darum kümmert sich die US-Zollbehörde doch nicht. Die lassen andere Länder selber auf sich aufpassen.«

»Ich weiß. So sieht es auch der Bezirksverkehrsleiter.« Tanya beschrieb die Unterhaltung zwischen ihr und dem Bezirksverkehrsleiter, die mit dessen gereizter, aber fester Entscheidung geendet hatte: »Lassen wir das!«

Mel sah sie ratlos an. »Dann verstehe ich aber nicht, warum...«

»Ich sagte Ihnen ja, ich bin nicht sicher, und vielleicht ist das alles töricht. Ich mußte aber immer daran denken, und so begann ich nachzuforschen.«

»Nachzuforschen? Wonach?«

Beide hatten Cindy ganz vergessen.

»Der Inspektor hat mir erzählt«, sagte Tanya, »der Mann – der mit dem Köfferchen – wäre einer der letzten gewesen, die an Bord des Flugs gegangen sind. Das muß er auch, weil ich an der Sperre war und eine alte Frau übersehen habe...«

Sie unterbrach sich. »Aber diese Geschichte spielt keine Rolle. Jedenfalls habe ich vor ein paar Minuten den Mann von der Sperre erwischt, und wir haben die Flugscheine und die Liste verglichen. Er konnte sich an den Mann mit dem Köfferchen nicht erinnern, aber wir haben den Kreis auf fünf Namen eingeengt.«

»Und dann?«

»Aus einer Ahnung heraus rief ich unseren Abfertigungsschalter an, um zu hören, ob sich irgendwer an irgendwas bei diesen fünf Personen erinnert. Beim Flughafenschalter wußte niemand etwas, aber in der Stadt erinnerte sich einer der Angestellten an diesen Mann – den mit dem Koffer. Und so erfuhr ich seinen Namen. Die Beschreibung und alles paßt.«

»Ich sehe immer noch nicht, was daran sonderbar sein soll. Irgendwo mußte er sich ja melden, und das hat er in der Stadt getan.«

»Der Angestellte erinnert sich deshalb«, erklärte Tanya, »weil der Mann kein Gepäck hatte, außer diesem Köfferchen. Der Angestellte sagte noch, er wäre äußerst nervös gewesen.«

»Nervös sind viele Menschen...« Mel brach plötzlich ab. Seine Stirn krauste sich. »Kein Gepäck? Für einen Flug nach Rom?«

»Das ist es ja. Außer dem Köfferchen. Der Angestellte nannte es Aktenmappe.«

»Auf eine solche Reise geht niemand ohne Gepäck. Das ist doch unsinnig.«

»Das fand ich auch.« Tanya zögerte. »Es ist unbegreiflich, wenn man nicht...«

»Nicht was?«

»Nicht zufällig schon weiß, daß die Maschine, in der man sitzt, nie ankommt, wo sie ankommen soll. Wenn man das weiß, weiß man auch, daß man kein Gepäck braucht.«

»Tanya«, fragte Mel leise, »was wollen Sie damit sagen?«

Zögernd kam es aus ihr heraus. »Ich bin ja nicht sicher. Deshalb bin ich ja zu Ihnen gekommen. Wenn ich es mir überlege, scheint es mir töricht und melodramatisch, nur...«

»Weiter!«

»Na ja, angenommen, der Mann ist gar kein Schmuggler – wenigstens nicht in der Art, wie alle angenommen haben. Angenommen, die Erklärung dafür, daß er kein Gepäck hatte und nervös war und das Köfferchen so an sich drückte, wie Inspektor Standish es gesehen hat – angenommen, er hätte darin statt Schmuggelware eine Bombe...?«

Sie sahen sich beide starr an. Mels Verstand wog die verschiedenen Möglichkeiten gegeneinander ab. Auch für ihn schien der Gedanke, den Tanya eben ausgesprochen hatte, lächerlich und absurd. Doch... in der Vergangenheit waren solche Dinge gelegentlich vorgekommen. Die Frage war: Wie konnte man entscheiden, ob es diesmal auch so war? Je mehr er darüber nachdachte, desto mehr stellte er sich vor, die ganze Geschichte von dem Mann mit dem Köfferchen könnte ganz harmlos sein, war es wahrscheinlich auch wirklich. Falls sich das später herausstellte, wenn man jetzt einen großen Wirbel um die Geschichte machte, dann stünde derjenige, der ihn verursacht hatte, schön lächerlich da. Es war doch menschlich, davor zurückzuscheuen; doch wenn die Sicherheit von Flugzeug und Passagieren auf dem Spiel stand, spielte es dann eine Rolle, ob man sich lächerlich machte? Gewiß nicht. Andererseits sollten für so drastische Aktionen, wie sie das Schreckgespenst einer Bombe auslösen würde, triftigere Gründe als bloße Vermutungen und Ahnungen vorliegen. Gab es eine Möglichkeit, fragte sich Mel, durch die sich ein deutlicherer Hinweis oder gar eine Bestätigung finden ließe?

Auf Anhieb fand er keine.

Aber etwas gab es, das sich erforschen ließ. Es war ein Schuß ins Dunkle, er erforderte aber nicht mehr als ein Telefongespräch.

Mel nahm an, die Tatsache, daß er heute abend Vernon getroffen hatte und die Erinnerung an ihren Streit in der Verwaltungsratsitzung, habe ihn auf die Idee gebracht.

Zum zweitenmal heute abend schlug Mel die Alarmnummern in seinem Telefonverzeichnis auf. Dann griff er nach dem internen Flughafentelefon auf seinem Schreibtisch und wählte die Nummer des Versicherungskiosks in der Haupthalle. Das Mädchen am Apparat war eine langjährige Angestellte, die Mel gut kannte.

»Marj«, begann er, nachdem er sich zu erkennen gegeben hatte, »haben Sie heute viele Policen für Flug Zwei ausgeschrieben?«

»Ein paar mehr als sonst, Mr. Bakersfeld. Aber bei allen anderen Flügen auch. Das ist bei solchem Wetter immer so. Für Flug Zwei habe ich ungefähr ein Dutzend gehabt, und ich weiß, daß Bunnie – das ist meine Kollegin – auch welche gehabt hat.«

»Ich möchte Sie um etwas bitten, Marj«, sagte Mel. »Lesen Sie mir doch mal alle Namen und die Beträge der Policen vor.« Als er spürte, daß sie zögerte, drängte er: »Wenn es sein muß, kann ich Ihren Bezirksinspektor anrufen und mir die Erlaubnis geben lassen. Aber Sie wissen ja, daß er sie mir gibt. Bitte, glauben Sie mir, daß es sehr wichtig ist. Wenn Sie es tun, können Sie mir viel Zeit ersparen.«

»Schön, Mr. Bakersfeld. Wenn Sie meinen, daß es in Ordnung ist. Es wird aber ein paar Minuten dauern, die Policen zusammenzusuchen.«

»Ich warte.«

Mel hörte, wie das Telefon hingelegt wurde und das Mädchen jemand vor dem Schalter um Entschuldigung für die Unterbrechung bat. Dann gab es ein Geraschel von Papieren und die Stimme der Kollegin, die fragte: »Ist irgendwas nicht in Ordnung?«

Mel bedeckte die Sprechmuschel mit der Hand und fragte Tanya: »Wie war der Name, den Sie haben – von dem Mann mit dem Koffer?«

Sie sah auf einem Zettel nach. »Guerrero oder vielleicht auch Buerrero; wir haben beide Schreibarten.« Sie sah Mel stutzen. »Vornamen D. O.«

Mels Hand war noch auf der Muschel. Seine Gedanken konzentrierten sich. Die Frau, die vor einer halben Stunde in sein Büro gebracht worden war, hieß Guerrero; er entsann sich, daß Leutnant Ordway das gesagt hatte. Es war die Frau, die der Flughafenpolizei auffiel, als sie ziellos in der Halle umhergewandert war. Ned Ordway zufolge war sie verzweifelt und weinte; die Polizei konnte nichts Vernünftiges aus ihr herausbringen. Mel hatte mit ihr sprechen wollen, war aber nicht dazu gekommen. Er hatte die Frau im Vorzimmer aufbrechen sehen, als die Abordnung aus Meadowood hereinkam. Natürlich war es möglich, daß kein Zusammenhang bestand . . .

Durch das Telefon konnte Mel immer noch die Stimmen an den Versicherungsschaltern hören und dahinter den Lärm der großen Zentralhalle.

»Tanya«, sagte er ruhig, »vor etwa zwanzig Minuten war da draußen im Vorzimmer eine Frau – mittleren Alters, schlecht gekleidet, sie sah durchnäßt und verschmutzt aus. Ich glaube, sie ging, als die Leute aus Meadowood kamen –, sie ist vielleicht noch irgendwo in der Nähe. Wenn sie noch draußen ist, bringen Sie sie herein. Wenn Sie sie finden, lassen Sie sie auf keinen Fall wieder weg.« Tanya sah ihn überrascht an. Er fügte hinzu: »Sie heißt Inez Guerrero.«

Als Tanya das Büro verließ, kam die Versicherungsangestellte wieder an den Apparat zurück. »Ich habe nun alle Policen, Mr. Bakersfeld. Soll ich die Namen vorlesen?«

»Ja, Marj. Los!«

Er hörte aufmerksam zu. Als gegen Ende der Name kam, hatte er ein Gefühl äußerster Spannung. Zum erstenmal hatte seine Stimme etwas Drängendes. »Sagen Sie mir mehr von dieser Police. Haben Sie sie selbst ausgeschrieben?«

»Nein. Das war Bunnie. Ich gebe sie Ihnen mal.«

Er hörte sich an, was die Kollegin zu sagen hatte, und stellte noch zwei oder drei Fragen. Es war nur ein kurzer Wortwechsel. Er brach das Gespräch ab und wählte eine andere Nummer, als Tanya wiederkam.

Zwar blickte sie ihn fragend an, aber das ignorierte er im Augenblick. Darum berichtete sie sofort: »Es ist niemand im ganzen Zwischenstock. Unten sind natürlich noch Unzählige, aber da kann man niemand herausfinden. Sollen wir sie ausrufen?«

»Das können Sie versuchen, obwohl ich da wenig Hoffnung habe.« Nach allem, was er von ihr gehört hatte, dachte Mel, würde nicht viel bis zu der Frau durchdringen, und der öffentliche Aufruf würde das auch kaum schaffen. Außerdem konnte sie den Flughafen inzwischen verlassen haben und unterwegs zur Stadt sein. Er machte sich Vorwürfe, daß er nicht, wie beabsichtigt, mit ihr gesprochen hatte, aber da waren ja die anderen Dinge gewesen. Die Abordnung von Meadowood, seine Sorgen um seinen Bruder Keith – Mel besann sich, daß er noch einmal zum Kontrollturm gehen wollte –, nun, das mußte warten –, und dann war da noch Cindy. Schuldbewußt stutzte er, als er feststellte, daß Cindy gegangen war.

Er ergriff das Mikrofon für die Publikumsansage auf seinem Schreibtisch und schob es Tanya hinüber.

Da antwortete die Nummer, die er gewählt hatte. Es war die

Polizeihauptwache. Mel sagte knapp: »Ich möchte Leutnant Ordway sprechen. Ist er noch auf dem Flughafen?«

»Ja, Sir.« Mels Stimme war dem Sergeanten bekannt.

»Suchen Sie ihn, so schnell Sie können. Ich bleibe in der Leitung. Dabei fällt mir ein, wie war doch der Vorname der Frau, die Ihre Leute heute abend aufgegriffen haben? Ich weiß ihn, glaube ich, möchte mich aber vergewissern.«

»Moment, Sir. Ich sehe nach.« Nach einem Augenblick sagte er: »Inez, Inez Guerrero. Und den Leutnant haben wir bereits über seine Piep-Dose angerufen.«

Mel wußte, daß Ordway, wie viele andere im Flughafen, einen Taschenempfänger bei sich trug, der ein Pfeifsignal von sich gab, wenn man dringend verlangt wurde. Irgendwo eilte nun Ordway zweifellos zum nächsten Telefon.

Mel gab Tanya Anweisungen und schaltete dann die öffentliche Ansage ein, die alles andere im Flughafen übertönte. Durch die offenen Türen zum Vorzimmer und zum Zwischenstock hörte er, wie eine Flugansage der American Airlines mitten im Satz abgebrochen wurde. Nur zweimal während der acht Jahre seiner Direktion war diese alles übertönende Anlage benutzt worden. Die erste Gelegenheit – ein Markzeichen in Mels Erinnerungen – war die Ansage von Präsident Kennedys Tod gewesen, die zweite, ein Jahr darauf, als ein verlorengegangenes weinendes Kind direkt in Mels Büro gewandert war. Für gewöhnlich gab es reguläre Maßnahmen für die Behandlung verlorener Kinder, doch damals hatte Mel selbst das Mikrofon benutzt, um die verstörten Eltern aufzufinden.

Er gab Tanya ein Zeichen, mit der Ansage zu beginnen, sagte sich aber zugleich, er wisse eigentlich nicht genau, wozu sie diese Inez Guerrero brauchten, ja, er wisse nicht einmal sicher, ob da überhaupt etwas nicht in Ordnung sei. Aber sein Instinkt sagte ihm, daß irgend etwas Ernstes geschehen sei oder geschehen werde. Und wenn man vor einem Puzzlespiel stehe, sei es das richtigste und dringendste, alle Einzelteile zusammenzutragen und zu hoffen, sie mit Hilfe anderer so anordnen zu können, daß sie einen Sinn ergäben.

»Achtung! Achtung!« sagte Tanya in ihrer klaren und ungekünstelten, nun in jedem Winkel des Flughafens hörbaren Stimme. »Mrs. Inez Guerrero, oder Buerrero, wird gebeten, umgehend in das Büro des Flughafendirektors im Verwaltungszwischenstock zu kommen. Jeder Angestellte des Flughafens oder einer Fluggesellschaft kann den Weg zeigen. Ich wiederhole . . .«

Mels Telefon läutete. Leutnant Ordway war am Apparat.

»Wir brauchen die Frau«, sagte Mel. »Die, die vorhin hier war – Guerrero. Wir lassen sie ausrufen . . .«

»Ja, ich weiß«, sagte Ordway, »ich höre es ja.«

»Wir brauchen sie dringend. Ich erkläre Ihnen später . . .«

»Wann haben Sie sie zuletzt gesehen?«

»In meinem Vorzimmer. Als sie mit Ihnen zusammen war.«

»Schön, sonst noch was?«

»Nur, daß es ein ernster Fall sein kann. Ich würde vorschlagen, alles andere abzubrechen. Setzen Sie alle Ihre Leute ein und ob Sie die Frau finden oder nicht, kommen Sie selbst schnell zu mir.«

»Schön.« Wieder ein Klingeln, als Ordway auflegte.

Tanya war mit ihrem Aufruf fertig und schaltete das Mikrofon ab. Mel hörte draußen eine andere Ansage beginnen: »Achtung! Achtung! Mr. Lester Mainwaring, Mr. Mainwaring wird mit allen Teilnehmern seiner Gesellschaft gebeten, sich sofort am Haupteingang des Flughafens zu melden.«

Lester Mainwaring war ein Flughafen-Deckname für »Polizist«. Normalerweise bedeutete eine solche Ansage, daß der nächste Polizist im Dienst zu der bezeichneten Stelle zu gehen hatte. »Alle Teilnehmer seiner Gesellschaft« hieß: jeder Polizist im Flughafen. Die meisten Flughäfen hatten ähnliche Systeme, ihre Polizisten zu alarmieren, ohne daß das Publikum es merkte.

Ordway verschwendete keine Zeit. Gewiß würde er seine Leute über Inez Guerrero informieren, wenn sie sich am Haupteingang meldeten.

»Rufen Sie Ihren Bezirksverkehrsleiter an«, beauftragte Mel Tanya. »Er möchte so schnell wie möglich hierher ins Büro kommen. Sagen Sie ihm, es sei wichtig.« Mehr zu sich selbst, fügte er hinzu: »Wir wollen so schnell wie möglich alle hier versammeln.«

Tanya führte das Gespräch und meldete dann: »Er ist schon unterwegs.« Ihre Stimme verriet Nervosität.

Mel war zur Tür gegangen und schloß sie.

»Sie haben mir immer noch nicht erzählt«, sagte Tanya, »was Sie herausgefunden haben.«

Mel wählte seine Worte sorgsam. »Ihr Mann, dieser Guerrero, der ohne Gepäck, außer diesem Köfferchen, reist und der, wie Sie glauben, an Bord von Flug Zwei ist, hat unmittelbar vor dem Abflug eine Flugversicherung über dreihunderttausend Dollar abgeschlossen. Zugunsten von Inez Guerrero. Bezahlt hat er sie mit, wie es schien, seinem letzten Kleingeld.«

»Mein Gott!« Tanyas Gesicht wurde weiß. Sie flüsterte: »O du mein Gott ... Nein!«

VI

Es gab Zeiten – und heute abend war eine solche –, in denen
Joe Patroni dankbar war, daß er auf dem Spezialgebiet der
Wartung arbeitete und nicht Flugscheine verkaufen mußte.
Dieser Gedanke kam ihm, als er bei einem Rundgang die uner-
müdliche Grabarbeit unter und um die versackte Düsenmaschine der Aéreo Mexican herum kontrollierte. Nach wie vor
blockierte das Flugzeug Startbahn Drei-Null.

In den anderthalb Stunden, seit die Arbeit an dem letzten Versuch begonnen hatte, die neben Startbahn Drei-Null festgefahrene Düsenmaschine wieder flott zu bekommen, hatten sich
Patronis Hilfskräfte fast verdoppelt. Ursprünglich hatte er mit
der kleinen Mannschaft der Aéreo Mexican angefangen, die
durch einige seiner eigenen Leute von TWA verstärkt wurde.
Jetzt gruben sie unermüdlich mit dem anderen Bodenpersonal
von Braniff, Pan Am, American und Eastern.

Aus dem Eintreffen der verschiedenen Neuankömmlinge in
Fahrzeugen der verschiedensten Fluggesellschaften ging hervor,
daß sich die Nachricht von Joe Patronis Problem auf dem Flughafen schnell herumgesprochen hatte, und die anderen War-
tungsabteilungen waren zu Hilfe gekommen, ohne erst zu warten, bis sie aufgefordert wurden. Das gab Joe Patroni ein
gutes, dankbares Gefühl.

Trotz der zusätzlichen Hilfe war Patronis Schätzung von einer
Stunde für die vorbereitenden Arbeiten bereits überschritten.
Das Ausheben der beiden parallelen Gräben, die gleich mit
schweren Bohlen ausgelegt wurden, ging stetig, wenn allerdings auch langsam voran, da die Männer in regelmäßigen Abständen Schutz suchen mußten, um sich wieder aufzuwärmen.

Die beiden Gräben, jeder sechs Fuß breit, erstreckten sich aufwärts führend vor den großen Rädern des Hauptfahrwerks der
Düsenmaschine auf den festen Grund zu, auf den Patroni
hoffte, das Flugzeug mit eigener Kraft bringen zu können.

Nachdem die Vorbereitungen jetzt nahezu abgeschlossen waren,
hing der Erfolg des nächsten Schrittes von den Piloten der
Maschine ab, die noch im Cockpit der Boeing 707, hoch über

dem gegenwärtigen Arbeitsgebiet, warteten. Sie würden entscheiden müssen, mit wieviel Kraft sie die Motoren sicher laufen lassen konnten, um das Flugzeug vorwärts zu bewegen, ohne daß sie Gefahr liefen, die Maschine auf den Kopf zu stellen.

Während des größten Teils der Zeit hatte Patroni seit seiner Ankunft wie alle anderen Männer mit einer Schaufel gearbeitet. Er nahm manchmal ganz gern eine Chance wahr, sich in Form zu halten. Selbst jetzt, zwanzig Jahre nachdem er den Boxsport aufgegeben hatte, war er körperlich in besserer Verfassung als die meisten jüngeren Männer.

Die Leute vom Bodenpersonal sahen es gern, daß der kräftige, untersetzte Patroni genauso wie sie arbeitete. Er trieb sie an und munterte sie auf:

»Nur immer weiter, Junge, sonst glauben wir noch, wir wären Totengräber und du die Leiche.« – »Also, wenn man sieht, wie oft ihr zu dem Bus da rennt, könnte man meinen, ihr hättet dort ein Weib versteckt.« – »Wenn du dich noch lange auf deine Schaufel stützt, Jack, dann bist du bald so steif gefroren wie Lots Weib.« – »Mann, wir wollen das Flugzeug hier rausholen, ehe es völlig veraltet ist.«

Bisher hatte Joe Patroni noch nicht mit dem Kapitän und dem Ersten Offizier gesprochen. Er hatte das Ingram überlassen, der vor seiner Ankunft die Bergungsarbeiten leitete. Ingram hatte die Piloten telefonisch benachrichtigt und ihnen erklärt, was draußen geschah.

Jetzt richtete Patroni sich auf, drückte Ingram seine Schaufel in die Hand und sagte: »In fünf Minuten müßte es soweit sein. Wenn Sie fertig sind, schaffen Sie die Leute und die Wagen aus dem Weg.«

Er deutete auf die schneebedeckte Maschine.

»Wenn sie hier rauskommt, wird sie losschießen wie der Korken aus einer Sektflasche.«

Ingram, seinen Anorak fest um sich gezogen, der ihn vor dem kalten Wind kaum noch schützen konnte, nickte.

»Inzwischen werde ich mich mit diesen Flugkünstlern da oben unterhalten«, erklärte Patroni.

Die altmodische Einstiegleiter, die vor einigen Stunden vom Flughafengebäude herbeigeholt worden war, um die gestrandeten Passagiere aus der Maschine herauszuholen, stand noch an der gleichen Stelle dicht bei der Nase des Flugzeugs. Patroni kletterte über ihre tiefverschneiten Stufen und öffnete die vordere Kabinentür. Er ging zur Pilotenkanzel nach vorn und zündete sich dabei erleichtert seine unvermeidliche Zigarre an.

Im Gegensatz zu dem kalten, windigen Flugfeld war es in der Pilotenkanzel behaglich und still. Aus einem der Lautsprecher der Funkanlage ertönte gedämpft die Musik eines Rundfunksenders.

Als Patroni eintrat, knipste der Erste Offizier der Aéreo Mexican an einem Schalter, und die Musik brach ab.

»Die Mühe brauchen Sie sich nicht zu machen.« Der untersetzte Patroni schüttelte sich wie ein Bullterrier, daß der schmelzende Schnee in Schwaden von seiner Kleidung stob. »Warum sollten Sie es sich auch nicht bequem und angenehm machen? Wir hatten schließlich gar nicht von Ihnen erwartet, daß Sie aussteigen und mit uns schaufeln würden.«

Im Cockpit befanden sich nur der Kapitän und der Erste Offizier. Patroni erinnerte sich, daß der Flugingenieur mit den Stewardessen und den Passagieren zum Flughafengebäude gefahren war.

Der Kapitän, ein kräftiger, dunkelhäutiger Mann, der Anthony Quinn ähnelte, fuhr auf seinem Sitz links in der Kanzel herum. Steif antwortete er: »Wir haben unsere Aufgaben, Sie die Ihren.« Sein Englisch war präzise.

»Ganz richtig«, bestätigte Patroni. »Nur wird in unsere Aufgaben hineingepfuscht und uns zusätzliche Arbeit gemacht. Von anderen.«

»Falls Sie von dem sprechen, was hier vorgefallen ist«, antwortete der Kapitän, »*Madre de Dios!* Sie nehmen doch wohl nicht an, ich hätte das Flugzeug absichtlich in den Matsch gefahren?«

»Nein, bestimmt nicht.« Patroni warf seine Zigarre fort, die er völlig zerkaut hatte, steckte sich eine neue in den Mund und zündete sie an. »Aber jetzt steckt es da drin, und ich will sichergehen, daß wir es bei dem nächsten Versuch herausbekommen. Wenn das nicht gelingt, sackt die Maschine bestimmt noch erheblich tiefer ein. Dann sitzen wir alle noch tiefer drin, einschließlich Ihnen.« Er deutete mit dem Kopf auf den Sitz des Kapitäns. »Wollen Sie mir nicht den Platz da einräumen und mich das Flugzeug herausrollen lassen?«

Der Kapitän errötete. Bei kaum einer Fluggesellschaft gab es jemand, der so ungeniert mit Kapitänen sprach wie Joe Patroni.

»Nein, danke«, erwiderte der Kapitän kalt. Er hätte vielleicht noch unfreundlicher reagiert, wenn es ihm nicht im höchsten Maß peinlich gewesen wäre, überhaupt in diese Notlage gekommen zu sein. Er rechnete damit, daß er morgen in Mexico City mit dem Chefpiloten seiner Fluggesellschaft eine unerfreuliche, scharfe Auseinandersetzung führen mußte. Innerlich tobte er: *Jesucristo y por la amor de Dios!*

»Da draußen ist ein Haufen halberfrorener Kerle, die sich krumm und lahm geschuftet haben«, erklärte Patroni hartnäckig. »Hier herauszukommen ist riskant. Ich habe das schon mal gemacht. Vielleicht sollten Sie es doch mir überlassen.«

Der Kapitän der Aéreo Mexican wurde störrisch. »Ich weiß, wer Sie sind, Mr. Patroni, und mir wurde gesagt, daß Sie uns wahrscheinlich hier heraushelfen können, wenn es anderen nicht gelingt. Ich zweifle also nicht daran, daß Sie eine Lizenz besitzen, Flugzeuge auf dem Boden zu rollen. Aber lassen Sie sich daran erinnern, daß wir beide hier die Lizenz besitzen, Flugzeuge zu *fliegen*. Dafür werden wir bezahlt. Und deshalb bleiben wir am Steuer.«

»Ganz, wie Sie wollen.« Joe Patroni hob die Schultern. »Nur eines noch. Wenn ich Ihnen das Signal gebe, dann öffnen Sie die Treibstoffhebel ganz. Und ich meine wirklich ganz. Kneifen Sie also nicht, wenn es soweit ist.«

Er ignorierte die wütenden Blicke der beiden Piloten, als er das Cockpit verließ.

Draußen waren die Grabarbeiten beendet. Einige der Männer, die bis eben noch geschaufelt hatten, wärmten sich jetzt wieder im Bus auf. Die Busse und die anderen Fahrzeuge waren mit

Ausnahme eines Kompressorfahrzeugs, das benötigt wurde, um die Motoren anzulassen, weiter von der Maschine fortgeschafft worden.

Joe Patroni schloß die vordere Kabinentür hinter sich und kletterte die Einstiegtreppe hinunter. Ingram, noch fester als vorher in seinen Anorak gehüllt, meldete: »Es ist alles bereit.«

Patroni erinnerte sich, daß seine Zigarre noch brannte, zog ein paarmal kräftig daran und ließ sie in den Schnee fallen, wo sie sofort ausging. Er deutete auf die stummen Düsenmotoren. »Also los, wir wollen alle vier anlassen.«

Mehrere Männer kamen aus dem Mannschaftsbus zurück. Vier von ihnen stemmten sich gegen die Einstiegtreppe neben dem Flugzeug und schoben sie fort. Zwei andere folgten dem von Ingram gegen den Wind geschrienen Befehl: »Motoren klar zum Anlassen machen!«.

Der eine baute sich dicht bei dem Kompressorwagen vor dem Flugzeug auf. Er trug einen Kopfhörer, der mit dem Flugzeugrumpf verbunden war. Der zweite mit leuchtenden Signaltafeln ging bis zu einer Stelle vor, wo er von den Piloten oben in der Kanzel gesehen werden konnte.

Joe Patroni, mit einem geliehenen Kopfschutz, stellte sich neben den Mann mit den Kopfhörern. Die übrigen Leute verließen jetzt den Schutz der Busse, um gespannt zu verfolgen, was sich jetzt ereignen würde.

Die Piloten im Cockpit beendeten ihre Kontrollen vor dem Start.

Unter ihnen auf dem Boden begann der Mann mit dem Kopfhörer das Ritual für das Anlassen von Düsenmotoren. »Klar zum Motoranlassen.« Eine Pause. Dann die Stimme des Kapitäns. »Bereit zum Anlassen und Druckgeben.«

Von dem Kompressorwagen preßte ein Strom Druckluft in den Luftturbinenanlasser des Motors Nummer drei. Kompressorflügel setzten sich in drehende Bewegung, beschleunigten, heulten auf. Bei fünfzehn Prozent Geschwindigkeit führte der Erste Offizier dem Motor Flugtreibstoff zu. Als der Treibstoff zündete, spuckte der Motor eine schwarze Rauchwolke aus, und der Motor sprang mit einem tiefen, rauhen Bellen an.

»Nummer vier klar zum Anlassen.«

Motor Nummer vier folgte Nummer drei. Die Generatoren beider Motoren gaben Strom.

Die Stimme des Kapitäns: »Schalte um auf Generatoren. Kraftzufuhr vom Boden lösen.«

Von oberhalb des Kompressorwagens fielen elektrische Kabel herab. »Verbindung gelöst. Klar zum Anlassen Nummer zwei.«

Motor Nummer zwei sprang an. Jetzt liefen drei Motoren. Ein überwältigendes Dröhnen. Schnee wurde nach hinten gewirbelt.

Nummer eins wurde angeworfen und lief.

»Luftverbindung lösen.«

»Gelöst.«

Die Nabelschnur des Luftschlauchs glitt herunter. Der Fahrer des Kompressorwagens steuerte das Fahrzeug fort.

Die Scheinwerfer vor dem Flugzeug waren auf einer Seite aufgestellt worden.

Patroni übernahm von dem Mann des Bodenpersonals vor dem Flugzeugrumpf den Kopfhörer. Jetzt stand er in telefonischer Verbindung mit dem Piloten.

»Hier Patroni. Wenn Sie da oben soweit sind, dann lassen Sie die Maschine jetzt herausrollen.«

Der Mann vor dem Flugzeug hob jetzt die leuchtenden Signaltafeln, bereit, die Maschine auf ihrem kurvenförmigen Weg durch die Gräben zu dirigieren, und sah zu Joe Patroni herüber. Der Mann war darauf gefaßt, rasch zur Seite zu rennen, wenn die 707 schneller als erwartet aus dem Schlamm herauskommen sollte.

Patroni kauerte dicht neben dem Vorderrad. Wenn sich das Flugzeug schnell bewegte, war auch er gefährdet. Er hatte die Hand an dem Stecker des Telefonkabels und war bereit, ihn sofort herauszuziehen. Er beobachtete den Hauptteil des Fahrgestells angespannt auf das geringste Anzeichen einer Bewegung nach vorn.

Die Stimme des Kapitäns: »Ich gebe Treibstoff.«

Die Umdrehungsgeschwindigkeit der Düsenmotoren steigerte sich. Unter einem Brüllen wie gedämpfter Donner begann das

Flugzeug zu zittern; der Boden unter der schweren Maschine bebte. Aber die Räder blieben unbeweglich.

Patroni schützte mit der Hand die Sprechmuschel des Telefons. »Mehr Kraft! Die Drosselklappen ganz auf!«

Das Motorengeräusch steigerte sich, aber nur geringfügig. Die Räder hoben sich wahrnehmbar, drehten sich aber immer noch nicht vorwärts.

»Verflucht noch mal, volle Kraft!«

Ein paar Sekunden lang blieb die Geschwindigkeit der Motoren unverändert, ließ dann plötzlich nach. Die Stimme des Kapitäns krächzte in den Hörmuscheln. Sie hatte einen sarkastischen Ton. »Patroni, *per favor*, wenn ich die Motoren mit voller Kraft laufen lasse, stellt sich die Maschine auf den Kopf. Dann haben wir statt einer festgefahrenen eine zerstörte 707.«

Der Chef des Wartungsdienstes der TWA hatte die Räder des Fahrgestells scharf beobachtet, die jetzt wieder in den sie umgebenden Schlamm zurückgesunken waren. »Sie kommt heraus, ich sage es Ihnen! Sie brauchen nur den Mumm zu haben, ihr volle Kraft zu geben.«

»Kümmern Sie sich um Ihren eigenen Mumm«, erwiderte der Kapitän schroff. »Ich stelle die Motoren wieder ab.«

Patroni schrie in das Telefon. »Lassen Sie die Motoren im Leerlauf weiterlaufen. Ich komme in das Cockpit hinauf!« Er lief unter dem Rumpf nach vorn und winkte heftig, die Einstiegtreppe wieder an die Maschine heranzuschaffen. Doch gerade, als sie an ihren Platz geschoben wurde, verstummten alle vier Motoren und blieben stehen. Als er das Cockpit erreichte, lösten die beiden Piloten gerade ihre Sicherheitsgurte. »Sie haben gekniffen!« beschuldigte Patroni die beiden.

Die Reaktion des Kapitäns war überraschend sanft. »*Es posible.* Vielleicht ist es das einzige Vernünftige, was ich heute abend getan habe.«

Er fragte förmlich: »Ist Ihre Wartungsabteilung bereit, die Maschine zu übernehmen?«

»Also gut.« Patroni nickte. »Wir übernehmen die Maschine.«

Der Erste Offizier blickte auf seine Uhr und machte dann eine Eintragung in sein Logbuch.

»Wenn Sie diese Maschine freibekommen haben, auf welche Weise auch immer«, erklärte der Kapitän der Aéreo Mexican, »wird Ihre Gesellschaft zweifellos mit meiner Gesellschaft Kontakt aufnehmen. Inzwischen *buenas noches*.«

Nachdem die beiden Piloten gegangen waren, ihre dicken Mäntel am Hals fest zugeknöpft, führte Patroni eine schnelle Routineüberprüfung der Einstellung der Instrumente und der Steuerung durch. Etwa eine Minute später folgte er den Piloten draußen die Einstiegstreppe herunter.

Ingram, der Leiter des Wartungsdienstes der Aéreo Mexican, wartete unten schon auf ihn. Er nickte hinter den beiden Piloten her, die jetzt eilig auf einen der beiden Mannschaftsbusse zustrebten. »Genau das gleiche haben sie mit mir gemacht: nicht genug Kraft gegeben.« Er deutete finster auf das Hauptfahrgestell der Maschine. »Darum ist sie vorhin so tief eingesunken. Sie hat sich sogar noch tiefer hineingewühlt.«

Gerade das hatte Joe Patroni befürchtet.

Ingram leuchtete ihm mit einer elektrischen Lampe, während er sich unter den Rumpf der Maschine duckte, um das Fahrwerk zu inspizieren. Die Räder staken wieder tief im Schlamm und Schneematsch, fast einen Fuß tiefer als vorher. Patroni griff nach der Lampe und leuchtete die Tragflächen von unten ab. Alle vier Motoren waren jetzt dem Boden beunruhigend nahe.

»Jetzt kann sie nur noch ein Hubschrauber da herausholen«, sagte Ingram.

Patroni überprüfte noch einmal die Situation und schüttelte dann den Kopf. »Wir haben noch eine Chance. Wir machen die Gräben noch tiefer, führen sie so tief, wie die Räder jetzt sind, und lassen die Motoren wieder an. Nur werde diesmal ich am Steuer sitzen.«

Nach wie vor heulte der Wind und peitschte den Schnee um sie herum.

Schaudernd stimmte Ingram voller Zweifel zu. »Na schön, Sie haben das Kommando, aber besser Sie als ich.«

Joe Patroni grinste. »Wenn ich sie nicht herausreiße, dann reiße ich sie vielleicht in Stücke.«

Ingram ging zu dem gebliebenen Mannschaftsbus hinüber, um

die Männer wieder herauszurufen. Der andere Bus war mit den beiden Piloten zum Flughafengebäude gefahren.

Patroni rechnete nach. Es lag eine weitere Stunde Arbeit vor ihnen, ehe sie das nächstemal versuchen konnten, das Flugzeug von der Stelle zu bewegen. Deshalb würde Startbahn Drei-Null mindestens noch solange außer Betrieb bleiben müssen.

Er wandte sich seinem mit Sprechfunk ausgerüsteten Wagen zu, um der Flugsicherung zu berichten.

VII

Die Theorie, daß ein überforderter, erschöpfter Verstand sein
eigenes Sicherheitsventil betätigen kann, indem er sich in ein
passives Dämmerbewußtsein versinken läßt, war Inez Guerrero
unbekannt. Dessenungeachtet erwies sich diese Theorie für sie
als zutreffend. Im Augenblick mußte sie als eine Schlafwand-
lerin angesehen werden.

Die Ereignisse dieses Abends, die sie persönlich getroffen hatten, in Verbindung mit den Sorgen und den Strapazen der vergangenen Wochen, hatten sich als ein letzter vernichtender
Schlag erwiesen. Sie drängten ihren Verstand, wie bei einem
Kurzschluß in einem elektrischen Stromkreis, abzuschalten. Der
Zustand war vorübergehend, nicht endgültig, doch solange er
währte, hatte Inez Guerrero vergessen, wo sie war.

Der niederträchtige, ungehobelte Taxifahrer, der sie zum Flugplatz gebracht hatte, war keine Hilfe gewesen. Bei der Verhandlung in der Stadt hatte er einem Fahrpreis von sieben Dollar
zugestimmt. Als Inez ausstieg, gab sie ihm eine Zehndollar-
note, fast das ganze Geld, das sie noch besaß, und erwartete,
daß er ihr herausgeben würde. Der Fahrer murmelte etwas davon, daß er kein Wechselgeld habe, aber es sich irgendwo beschaffen wolle, und fuhr davon. Inez wartete ängstlich zehn
Minuten, behielt die Uhr des Flughafens im Auge, die sich immer mehr 11 Uhr näherte – der Startzeit für Flug Zwei –, bis
ihr aufging, daß der Mann nicht wiederkommen würde. Sie
hatte sich weder die Nummer des Taxis noch die des Fahrers
gemerkt – und darauf hatte der Fahrer spekuliert. Und selbst
wenn Inez Guerrero das getan hätte, sie war nicht der Typ, der
sich bei den Behörden beschwerte. Auch das hatte der Fahrer
richtig berechnet.

Trotz des zunächst langsamen Tempos bei ihrer Fahrt aus der
Stadt hätte sie Flug Zwei noch rechtzeitig vor dem Start erreichen können, wenn sie nicht ihre Zeit mit dem vergeblichen
Warten auf das Wechselgeld vergeudet hätte. So konnte sie
gerade noch das Flugzeug davonrollen sehen, als sie den Ausgang zum Flugsteig erreichte.

Doch auch dann besaß Inez noch die Geistesgegenwart, die Ausrede zu gebrauchen, zu der ihr Miß Young von der telefonischen Auskunft der Trans America geraten hatte, als sie herauszufinden versuchte, ob ihr Mann, D. O., an Bord des Flugzeugs sei. Ein uniformierter Angestellter der Gesellschaft verließ gerade Ausgang siebenundvierzig, an dem Flug Zwei abgefertigt worden war. Inez wandte sich an ihn.

Wie Miß Young empfohlen hatte, vermied es Inez, eine direkte Frage zu stellen, und stellte eine Behauptung auf. »Mein Mann ist in der Maschine, die gerade abgeflogen ist.« Sie erklärte, daß sie ihren Mann aber nicht selbst gesehen habe, sich aber vergewissern wolle, daß er sicher an Bord gekommen sei. Inez faltete den gelben Ratenzahlungsvertrag auseinander, den sie zu Hause unter D. O.s Hemden entdeckt hatte. und zeigte ihn dem Angestellten der Trans America. Er warf kaum einen Blick darauf und sah dann in den Papieren nach, die er in der Hand hatte.

Einen Augenblick lang hoffte Inez zaghaft, daß sie sich irrte, wenn sie annahm, daß D. O. mit der Maschine abgeflogen sei. Die Vorstellung, daß er nach Rom fliegen wollte, erschien ihr immer noch allzu phantastisch. Doch dann bestätigte ihr der Mann von der Trans America, ja, ein D. O. Guerrero sei an Bord von Flug Zwei, und er persönlich bedauere es sehr, daß Mrs. Guerrero ihren Mann nicht mehr zu sehen bekommen habe, aber heute abend gehe infolge des Schneesturms alles durcheinander, und sie möge ihn jetzt bitte entschuldigen...

Erst nachdem der Mann gegangen war und Inez erkannte, daß sie trotz des sie umgebenden Menschengedränges auf dem Flughafen völlig allein und verlassen war, begann sie zu weinen.

Die ersten Tränen kamen langsam. Doch als ihr dann zu Bewußtsein kam, was alles schiefgegangen war, strömten sie mit tiefem, schwerem Schluchzen, das ihren ganzen Körper beben ließ. Sie weinte um die Vergangenheit und um die Gegenwart; um ihr Heim, das sie besessen und verloren hatte; um ihre Kinder, die sie nicht bei sich haben konnte; um D. O., der trotz seiner Mängel als Ehemann und seines Versäumnisses, seine

Familie zu erhalten, ihr wenigstens vertraut war, sie jetzt aber verlassen hatte. Sie weinte um das, was sie selbst gewesen war; über die Tatsache, daß sie kein Geld hatte, daß sie nirgends hingehen konnte als in die elenden, ungezieferverseuchten Zimmer in der Innenstadt, aus denen sie morgen herausgesetzt werden würde, da ihr nach der Taxifahrt und dem Betrug durch den Fahrer nichts von dem kläglichen Betrag übriggeblieben war, mit dem sie gehofft hatte, den Hauswirt vertrösten zu können... Sie war sich nicht einmal sicher, ob das Kleingeld, das sie besaß, ausreichen würde, in die Stadt zurückzukommen. Sie weinte, weil sie die Schuhe an ihren Füßen drückten, über ihre Kleidung, die schäbig und durchnäßt war, und weil sie erkältet war und Fieber hatte, von dem sie spürte, daß es stieg. Sie weinte über sich selbst und über alle, für die jede Hoffnung geschwunden war.

Dann begann sie, um den neugierigen Blicken der Leute auszuweichen, die sie beobachteten, ziellos durch das Flughafengebäude zu wandern, weinte aber weiter. Irgendwann zu dieser Zeit setzte dann auch der Abwehrmechanismus ihrer Psyche ein, umhüllte sie mit einer schützenden Benommenheit, so daß ihr Kummer zwar weiter in ihrem Bewußtsein erhalten blieb, sich seine Gründe aber wohltuend verwischten.

Bald darauf entdeckte sie einer der Polizisten des Flughafens und brachte sie mit einem Verständnis, das der Polizei nicht immer nachgesagt wird, in einer Ecke unter, die so still und abgelegen wie möglich war, während er mit seinem Vorgesetzten telefonierte, um sich Anweisungen geben zu lassen. Zufällig hielt Leutnant Ordway sich in der Nähe auf und nahm sich des Falles persönlich an. Er stellte fest, daß Inez Guerrero zwar zusammenhanglos sprach und verstört, aber wohl harmlos war, und ordnete an, daß sie in das Büro des Generaldirektors des Flughafens gebracht werde, denn das war der einzige Ort, der Ned Ordway einfiel, der ruhig, aber weniger einschüchternd war als das Polizeirevier.

Inez war folgsam mitgegangen, in einen Fahrstuhl und durch einen Gang im Zwischenstock, hatte nur halb mitbekommen, daß sie überhaupt irgendwohin gebracht wurde. Es war ihr auch gleichgültig. Danach hatte sie still in einem Sessel gesessen, zu dem man sie geführt hatte, hatte sich dankbar körperlich und wohl auch seelisch ausgeruht. Sie hatte bemerkt, daß Leute kamen und gingen, und manche hatten auch gesprochen, aber weder ihr Aussehen noch ihre Worte waren ihr deutlich geworden. Die Mühe schien ihr zu groß. Doch nach einer Weile brachte ihre Widerstandskraft, die nur ein anderes Wort für die Kraft der menschlichen Psyche ist, die alle besitzen, wie belastet oder gedemütigt sie auch sein mögen, sie zu der Erkenntnis zurück, so verschwommen sie auch war, daß sie weitermachen mußte, weil das Leben weiterging, es immer getan hatte und immer tun würde, gleichgültig, wie viele Niederlagen es mit sich brachte oder wie trübe und leer es erscheinen mochte.

Deshalb stand Inez Guerrero auf. Sie war sich zwar nicht klar, wo sie war oder wie sie dorthin gekommen war, aber sie war entschlossen, zu gehen.

In diesem Augenblick betrat die Delegation aus Meadowood in Begleitung von Leutnant Ordway das Vorzimmer zu Mel Bakersfelds Büro, wo Inez sich aufhielt. Die Delegation ging weiter ins nächste Zimmer, dann kehrte Ned Ordway zurück, um mit Inez Guerrero zu sprechen, und Mel bemerkte die beiden kurz, ehe sich die Tür zu seinem Büro schloß.

Durch den Nebel der Ungewißheit nahm Inez auch den großen Negerpolizisten wahr, von dem sie das Gefühl hatte, ihn schon einmal vor kurzem gesehen zu haben und daß er ebenso freundlich gewesen war wie jetzt. Nach seinen ruhigen, nicht drängenden Fragen schien er zu verstehen — ohne daß sie es eindeutig aussprach —, daß sie in die Stadt zurück mußte, aber nicht sicher war, ob sie genügend Geld für die Fahrt hatte. Sie begann in ihrer Geldbörse zu suchen, beabsichtigte das Geld zu zählen, das darin war, aber er unterbrach sie. Dann drückte er ihr, mit dem Rücken zum Nebenzimmer, drei Eindollarnoten in die Hand, kam mit ihr hinaus, erklärte ihr den Weg zu der Stelle, wo sie, wie er sagte, einen Bus finden werde, und fügte hinzu, daß er ihr genug für die Fahrt gegeben habe und auch noch etwas mehr, das bis nach Hause reichen würde.

Danach war der Polizist gegangen, in die Richtung zurückgekehrt, aus der sie gekommen waren, und Inez tat, was sie geheißen worden war. Sie ging eine Treppe hinunter und war beinahe schon bei der großen Tür, durch die sie mußte, um zu dem Bus zu kommen, als sie einen vertrauten Anblick sah: einen Würstchenstand. In diesem Augenblick merkte sie, wie hungrig und durstig sie trotz allem war. Sie wühlte in ihrer Börse und fand 35 Cents. Sie kaufte sich eine heiße Wurst und einen Pappbecher Kaffee. Und irgendwie war der Anblick dieser beiden so gewöhnlichen Dinge aufmunternd. Nicht weit von dem Stand entfernt fand sie eine Bank und nahm auf einer Ecke Platz. Jetzt wußte sie nicht, wieviel Zeit seitdem vergangen war, aber nachdem sie den Kaffee getrunken und die Wurst gegessen hatte, ließ das eben erst einsetzende Bewußtsein für die Wirklichkeit bei ihr in für sie tröstlicher Weise wieder nach. Auch die Menschenmenge um sie herum, der Lärm und die Ankündigungen über die Lautsprecher besaßen für sie etwas Tröstendes. Zweimal glaubte Inez ihren Namen über die Lautsprecher zu hören, wußte aber, daß es Einbildung war und nicht Wirklichkeit sein konnte, weil niemand sie rufen würde oder auch nur wissen konnte, daß sie hier war.

Dunkel erkannte sie, daß sie bald weiter mußte, und spürte, daß das heute nacht für sie besonders anstrengend war. Doch ein Weilchen, dachte sie, könne sie wohl hier noch still sitzen bleiben.

VIII

Mit einer Ausnahme trafen alle, die in das Büro des Flughafendirektors in den Verwaltungsräumen im Zwischenstock gerufen worden waren, schnell dort ein. Die Anrufe – manche von
Mel Bakersfeld, andere von Tanya Livingston – hatten auf Eile
gedrängt und auf die Notwendigkeit hingewiesen, das, was sie
gerade taten, stehen- und liegenzulassen.

Der Bezirksverkehrsleiter der Trans America, Tanyas Chef,
Bert Weatherby, kam als erster.

Leutnant Ordway, der seine Polizisten auf die Suche nach Inez
Guerrero geschickt hatte, wenn er auch noch nicht wußte, warum, folgte kurz danach. Für den Augenblick hatte Ordway die
beträchtliche Gruppe der Einwohner von Meadowood, die sich
in der Haupthalle drängte und zuhörte, wie Rechtsanwalt Freemantle ihren Fall vor den Fernsehkameras erläuterte, sich selbst
überlassen.

Als Weatherby durch die Tür zum Vorzimmer in Mels Büro
eintrat, fragte er ungeduldig. »Um was geht es eigentlich,
Mel?«

»Wir sind uns noch nicht sicher, Bert, und haben auch noch
nicht sehr viel in der Hand, aber es besteht die Möglichkeit, daß
sich an Bord Ihres Fluges Zwei eine Bombe befindet.«

Der Bezirksverkehrsleiter blickte Tanya forschend an, vergeu-
dete aber keine Zeit auf die Frage, warum sie hier sei. Sein
Blick fiel auf Mel zurück. »Lassen Sie hören, was Sie wissen.«

Mel faßte für Weatherby und Ned Ordway zusammen, was
bisher bekannt war oder vermutet werden mußte: den Bericht
von Zollinspektor Standish über den Passagier mit dem Aktenkoffer, den der Mann in einer Weise an sich drückte, die Standish, ein erfahrener Beobachter, für verdächtig hielt; Tanyas
Ermittlung, daß der Mann mit dem Koffer ein gewisser D. O.
Guerrero oder vielleicht Buerrero war; die Enthüllung des Angestellten der Fluggesellschaft in der Stadt, daß Guerrero den
Flug mit keinem anderen Gepäck als nur dem bereits erwähnten
Aktenkoffer angetreten hatte; Guerreros Abschluß einer Flugversicherung über dreihunderttausend Dollar auf dem Flug-

hafen, für die zu bezahlen er kaum genug Geld besaß, so daß er eine fünftausend Meilen lange Reise nicht nur ohne Gepäck, sondern auch ohne Barmittel anzutreten schien; und schließlich – vielleicht rein zufällig, vielleicht aber auch nicht – Mrs. Inez Guerrero, die einzig Begünstigte in der Flugversicherungspolice ihres Mannes, die anscheinend im Zustand größter Verzweiflung durch das Flughafengebäude geirrt war.

Während Mel sprach, kam Zollinspektor Harry Standish, noch in Uniform, gefolgt von Bunnie Vorobioff, herein. Bunnie trat unsicher in das Büro und sah die ihr unbekannten Menschen und die ihr fremde Umgebung forschend an. Als sie die Bedeutung dessen, was Mel sagte, erfaßte, wurde sie blaß und schien verstört zu sein.

Der einzige, der nicht kam, war der Angestellte der Trans America, der an Ausgang siebenundvierzig Dienst gehabt hatte, als Flug Zwei abgefertigt worden war. Ein Inspektor, mit dem Tanya vor wenigen Minuten gesprochen hatte, hatte ihr mitgeteilt, daß der Betreffende jetzt dienstfrei sei und sich auf dem Weg nach Hause befinde. Sie gab Anweisungen, den Angestellten zu Hause zu benachrichtigen, daß er sich sofort telefonisch melden solle, wenn er nach Hause käme. Tanya bezweifelte, daß es etwas nützen könne, ihn noch heute nacht zum Flughafen zurückzuholen. Einmal wußte sie bereits, daß er sich nicht daran erinnerte, ob Guerrero an Bord gegangen war, aber vielleicht wollte ihn jemand anderes telefonisch befragen.

»Ich habe jeden angerufen, der bisher mit der Sache etwas zu tun hatte«, informierte Mel den Bezirksverkehrsleiter, »falls Sie oder jemand anderes Fragen hat. Was wir entscheiden müssen, ist meiner Meinung nach – und diese Entscheidung liegt in erster Linie bei Ihnen –, ob wir genügend Gründe haben, Ihren Kapitän von Flug Zwei zu warnen oder nicht.« Mel wurde wieder daran erinnert, was er vorübergehend aus seinen Gedanken verdrängt hatte: daß der Kommandant dieses Flugs sein Schwager Vernon Demerest war. Mel war klar, daß er später gewisse Auswirkungen neu überdenken mußte – doch nicht jetzt.

»Ich denke darüber nach.« Der Bezirksverkehrsleiter war grimmig. Er wandte sich an Tanya. »Doch, was wir auch entscheiden, ich will die Operationsabteilung dabei haben. Stellen Sie fest, ob Royce Kettering noch auf dem Flughafen ist. Wenn ja, holen Sie ihn schnell her.«

Kapitän Kettering war der Chefpilot der Trans America auf Lincoln International Airport. Er hatte an diesem Abend das Flugzeug N-731-TA erprobt, ehe die Maschine als Flug Zwei *The Golden Argosy* nach Rom startete.

»Ja, Sir«, antwortete Tanya.

Während sie an einem Telefon sprach, klingelte ein anderes. Mel meldete sich.

Es war der Dienstleiter im Kontrollturm. »Ich habe die Meldung über Trans America Zwei, die Sie haben wollten.« Einer der Anrufe Mels vor wenigen Minuten war an die Flugsicherung gegangen und hatte um Informationen über die Startzeit und den Verlauf des Flugs gebeten.

»Sprechen Sie.«

»Der Start erfolgte um 11.13 Uhr Ortszeit.« Mels Blick wanderte zur Wanduhr. Es war jetzt fast zehn Minuten nach Mitternacht. Die Maschine befand sich seit fast einer Stunde in der Luft.

Der Dienstleiter fuhr fort: »Chicago Center gab den Flug um 12.27 Uhr EST an Cleveland Center weiter, Cleveland um 01.03 Uhr EST an Toronto weiter. Das war vor sieben Minuten. Im Augenblick berichtet Toronto Center die Position des Flugzeugs in der Nähe von London, Ontario; wenn Sie wollen, habe ich weitere Informationen: Kurs, Höhe, Geschwindigkeit.«

»Das genügt im Augenblick«, sagte Mel. »Vielen Dank.«

»Noch etwas, Mr. Bakersfeld.« Der Dienstleiter gab eine Zusammenfassung von Joe Patronis letztem Bericht über Startbahn Drei-Null. Die Startbahn würde mindestens noch eine weitere Stunde lang nicht betriebsfähig sein. Mel hörte ungeduldig zu. Im Augenblick erschienen ihm andere Dinge wichtiger.

Nachdem er eingehängt hatte, wiederholte Mel die Informationen über die Positionen von Flug Zwei für den Bezirksverkehrsleiter.

Tanya kam von dem anderen Telefon. Sie meldete: »Die Operationsabteilung hat Kettering gefunden. Er ist auf dem Weg hierher.«

»Diese Frau – die Ehefrau des Passagiers –«, sagte der Bezirksverkehrsleiter, »wie heißt sie noch?«

»Inez Guerrero«, antwortete Ned Ordway.

»Wo ist sie?«

»Wir wissen es nicht.« Der Polizeioffizier erklärte, daß seine Leute den Flughafen absuchten, obwohl die Frau inzwischen fort sein könne. Er fügte hinzu, daß das Polizeipräsidium in der Stadt alarmiert sei und daß alle Busse vom Flughafen bei ihrer Ankunft in der Stadt nach ihr durchsucht würden.

»Als sie hier war, hatten wir keine Ahnung«, erklärte Mel.

Der Bezirksverkehrsleiter grunzte. »Wir waren alle langsam.« Er sah zu Tanya hinüber, dann zu Zollinspektor Standish, der bisher noch nichts gesagt hatte. Tanya wußte, daß ihr Chef jetzt seine Anweisung, es zu vergessen, bereute. Jetzt sagte er zu ihr: »Wir müssen dem Kapitän des Flugs etwas mitteilen. Er hat ein Recht darauf, alles zu erfahren, was wir wissen, selbst wenn wir bisher nur Vermutungen anstellen können.«

Tanya fragte: »Sollten wir ihm nicht eine Personenbeschreibung von Guerrero durchgeben? Vielleicht will Kapitän Demerest ihn identifizieren, ohne daß der Mann es merkt.«

»Wenn Sie das tun wollen«, erklärte Mel, »können wir Ihnen helfen. Hier sind Leute anwesend, die den Mann gesehen haben.«

»Gut«, stimmte Weatherby zu. »Wir wollen das vorbereiten. Tanya, rufen Sie inzwischen unsere Nachrichtenübermittlung an. Sagen Sie, in wenigen Minuten käme eine wichtige Mitteilung, und sie sollten eine Selcal-Verbindung mit Flug Zwei herstellen. Ich wünsche die Sache vertraulich zu behandeln: keine Funksprüche, die jeder mithören kann. Vorläufig wenigstens.«

Tanya ging wieder ans Telefon.

Mel wandte sich an Bunnie. »Sie sind Miß Vorobioff?«

Sie nickte nervös, und alle Augen richteten sich auf sie. Automatisch wanderten die Blicke der Männer zu Bunnies vollem Busen. Der Bezirksverkehrsleiter schien pfeifen zu wollen, beherrschte sich aber.

Mel fragte: »Sie wissen, von welchem Mann wir sprechen?«

»Ich – ich bin mir nicht sicher.«

»Es ist ein Mann namens D.O. Guerrero. Sie haben heute abend eine Versicherungspolice für ihn ausgefertigt, oder nicht?«

Bunnie nickte wieder. »Ja.«

»Haben Sie sich ihn genau angesehen, als Sie die Police ausfüllten?«

Sie schüttelte den Kopf. »Eigentlich nicht.« Ihre Stimme war leise. Sie feuchtete ihre Lippen an.

Mel schien überrascht. »Am Telefon dachte ich...«

»Es waren so viele andere Leute da«, sagte Bunnie abweisend.

»Aber Sie haben mir doch gesagt, daß Sie sich an ihn erinnern.«

»Das war jemand anderes.«

»Und an diesen Guerrero erinnern Sie sich nicht?«

»Nein.«

Mel machte ein ratloses Gesicht.

»Lassen Sie mich mal, Mr. Bakersfeld.« Ned Ordway trat einen Schritt vor. Er schob sein Gesicht vor das des Mädchens. »Sie haben Angst vor Schwierigkeiten, oder nicht?« Ordways Stimme hatte den harten, schroffen Ton eines Polizisten, war ganz und gar nicht die sanfte Stimme, mit der er vorher zu Inez Guerrero gesprochen hatte.

Bunnie wich zurück, aber antwortete nicht.

»Also, ist es so? Antworten Sie mir«, drängte Ordway.

»Ich weiß nicht.«

»Doch. Sie wissen es. Sie fürchten sich, jemand zu helfen, aus Angst davor, was für Sie dabei herauskäme. Ich kenne Ihre Sorte.« Ordway spie die Worte verächtlich aus. Hier zeigte sich die brutale, harte Seite in der Natur des Leutnants, die Mel noch nie zu sehen bekommen hatte.

»Jetzt hören Sie mir gut zu, mein Kind. Wenn Sie Angst vor Schwierigkeiten haben: die handeln Sie sich gerade ein. Die Möglichkeit, sich Schwierigkeiten zu ersparen – falls Sie das noch können –, ist Fragen beantworten. Und schnell antworten. Unsere Zeit ist knapp.«

Bunnie zitterte. Sie hatte Polizeiverhöre in der harten Schule

Osteuropas fürchten gelernt. Das war eine Lehre, die niemand völlig vergessen konnte. Ordway hatte die Anzeichen erkannt.

»Miß Vorobioff«, sagte Mel, »an Bord des Flugzeugs, um das es hier geht, sind fast zweihundert Menschen. Sie können in großer Gefahr sein. Jetzt frage ich Sie noch einmal: Haben Sie sich diesen Guerrero genau angesehen?«

Bunnie nickte langsam. »Ja.«

»Beschreiben Sie ihn bitte.«

Das tat sie, zunächst stockend, dann mit größerer Sicherheit.

Während alle aufmerksam zuhörten, entstand ein Bild von D. O. Guerrero: hager und spindeldürr; ein blasses, ausgemergeltes Gesicht mit vorstehendem Kinn; langer, magerer Hals; dünne Lippen; ein kleiner, sandfarbener Schnurrbart; nervöse Hände mit rastlosen Fingern. Wenn man es genau betrachtete, erwies Bunnie Vorobioff sich als eine scharfe Beobachterin.

Der Bezirksverkehrsleiter, der jetzt an Mels Schreibtisch saß, notierte die Beschreibung und arbeitete sie in die Mitteilung an Flug Zwei ein, die er schon entwarf.

Als Bunnie zu dem Teil kam, daß D. O. Guerrero kaum genug Geld hatte, vor allem gar kein italienisches Geld, seine nervöse Spannung, sein Fummeln mit Zehncent- und Eincentstücken, seine Aufregung bei der Entdeckung der Fünfdollarnote in einer Innentasche, blickte Weatherby mit einer Mischung aus Abscheu und Entsetzen auf. »Mein Gott! Und trotzdem haben Sie ihm eine Police ausgestellt? Sind Sie denn wahnsinnig?«

»Ich dachte . . .«, begann Bunnie.

»Sie dachten! Aber getan haben Sie nichts?«

Mit blassem verstörtem Gesicht schüttelte Bunnie Vorobioff den Kopf.

»Bert, wir vergeuden Zeit«, mahnte Mel den Bezirksverkehrsleiter.

»Ich weiß, ich weiß. Trotzdem . . .«

Weatherby hielt den Bleistift gepackt, mit dem er geschrieben hatte. Er murmelte: »Sie ist es ja nicht allein, und nicht einmal die Leute, die sie beschäftigen. Wir sind es, die Fluggesellschaften. Wir verdienen die gleichen Vorwürfe. Wir sind mit den Piloten über den Abschluß von Flugversicherungen auf den

426

Flughäfen einer Meinung, aber wir haben nicht den Mut, es zu sagen. Wir lassen sie unsere schmutzige Arbeit ...«

Mel wandte sich kurz an Zollinspektor Standish: »Harry, haben Sie zu der Beschreibung von Guerrero noch etwas hinzuzufügen?«

»Nein«, antwortete Standish. »Ich war nicht so nahe bei ihm wie diese junge Dame, und sie bemerkte Dinge, die ich nicht gesehen habe. Aber wie Sie wissen, habe ich die Art und Weise beobachtet, wie er den Koffer behandelte, und ich würde folgendes sagen: Wenn dort wirklich das drin ist, was Sie glauben, dann darf niemand versuchen, ihm den Koffer zu entreißen.«

»Was schlagen Sie also vor?«

Der Zollbeamte schüttelte den Kopf. »Ich bin kein Fachmann, folglich kann ich Ihnen nichts sagen, höchstens, daß man zu irgendeinem Trick greifen muß. Doch wenn es eine Bombe ist, muß sie sich geschlossen in dem Koffer befinden, und das bedeutet, daß ein Auslöser für sie dasein muß. Und vermutlich ist es ein Auslöser, an den er leicht herankommt. Er wacht jetzt scharf über den Koffer. Falls jemand versucht, ihm den Koffer wegzunehmen, wird er befürchten, daß er durchschaut wurde, und glauben, daß er nichts zu verlieren hat.« Grimmig fügte Standish hinzu: »Ein Finger am Abzug kann gefährlich jukken.«

»Selbstverständlich wissen wir noch nicht«, sagte Mel, »ob der Mann nicht ein gewöhnlicher Exzentriker ist, der nur seinen Schlafanzug im Koffer hat.«

»Wenn Sie meine Meinung wissen wollen«, entgegnete der Zollinspektor, »das glaube ich nicht. Ich wünschte, ich könnte es, denn eine Nichte von mir befindet sich in dem Flugzeug.«

Standish hatte bedrückende Überlegungen angestellt. Wie sollte er, um Gottes willen, die Nachricht seiner Schwester in Denver überbringen, wenn irgend etwas schiefging? Er erinnerte sich des letzten Anblicks von Judy: dieses reizende junge Mädchen, das mit dem Baby auf dem Nachbarsitz gespielt hatte. Zum Abschied hatte sie ihn geküßt. *Auf Wiedersehen, Onkel Harry.* Jetzt wünschte er sich verzweifelt, entschiedener gewesen zu sein, dem Mann mit dem Aktenkoffer gegenüber verantwortungsbewußter gehandelt zu haben.

»Ich möchte noch etwas sagen.« Die Augen der anderen richteten sich auf ihn. »Ich muß Ihnen das sagen, weil wir keine Zeit mit Bescheidenheit zu vergeuden haben. Ich bin ein guter Menschenkenner, meistens auf den ersten Blick, und im allgemeinen kann ich riechen, wenn etwas faul ist. Es ist ein Instinkt, fragen Sie mich nicht, wie er funktioniert, denn ich kann es Ihnen nicht sagen, nur daß manche es in meinem Beruf lernen. Ich habe diesen Mann heute abend entdeckt und habe gesagt, er ist ›verdächtig‹. Ich gebrauchte dieses Wort, weil ich an Schmuggeln dachte, denn darauf bin ich geschult. Nach dem, was wir jetzt wissen, so wenig es auch ist, will ich es schärfer ausdrükken. Dieser Guerrero ist gefährlich.« Standish sah den Bezirksverkehrsleiter der Trans America an. »Mr. Weatherby, übermitteln Sie Ihren Leuten in der Luft dieses Wort: gefährlich!«

»Das ist meine Absicht, Inspektor.« Der Bezirksverkehrsleiter blickte von seiner Niederschrift auf. Das meiste von dem, was Standish gesagt hat, war bereits in der Mitteilung an Flug Zwei enthalten. Tanya, noch am Telefon, sprach mit der Nachrichtenübermittlung der Trans America in New York über eine direkte Verbindung. »Ja, es wird eine lange Mitteilung. Würden Sie bitte jemand mit der Aufnahme des Textes beauftragen.«

Ein scharfes Klopfen ertönte an der Tür, und ein großer Mann mit zerfurchtem, wettergegerbtem Gesicht und scharfen blauen Augen kam aus dem Vorzimmer herein. Er trug einen dicken Mantel und einen blauen Serge-Anzug, der eine Uniform sein konnte, es aber nicht war. Der Neuankömmling nickte Mel zu, doch ehe einer von beiden etwas sagen konnte, mischte sich der Bezirksverkehrsleiter ein.

»Danke, daß Sie so schnell gekommen sind, Royce. Wir befinden uns in einer schwierigen Situation.« Er hob den Notizblock hoch, auf dem er geschrieben hatte.

Kapitän Kettering, der Chefpilot der Trans America auf dem Flughafen, las den Entwurf für die Nachricht sorgfältig durch. Seine einzige Reaktion war eine Anspannung seines Mundes, während seine Augen über das Blatt flogen. Wie für viele andere, einschließlich des Bezirksverkehrsleiters, war es ungewöhnlich, daß der Chefpilot noch so spät in der Nacht auf dem Flughafen war. Aber die Auswirkungen des dreitägigen Schneesturms mit der Notwendigkeit, häufig Entscheidungen für den Einsatz zu treffen, hatten ihn dort festgehalten.

Das zweite Telefon klingelte und durchschnitt die vorübergehende Stille. Mel meldete sich und winkte dann Ned Ordway, der den Hörer übernahm.

Kapitän Kettering las zu Ende. Bert Weatherby fragte: »Stimmen Sie zu, daß wir das absenden? Die Nachrichtenübermittlung steht mit einer Selcal-Verbindung bereit.«

Kettering nickte: »Ja, aber ich möchte, daß Sie hinzusetzen: ›Empfehle Rückkehr oder Landung andernorts nach Belieben des Kapitäns‹, und lassen Sie ihm von der Nachrichtenübermittlung das letzte Wetter durchgeben.«

»Selbstverständlich.« Der Bezirksverkehrsleiter setzte die Worte hinzu und reichte den Block dann Tanya. Sie begann die Mitteilung zu diktieren.

Kapitän Kettering sah die anderen im Raum an. »Ist das alles, was wir wissen?«

»Bisher ja«, bestätigte Mel.

»Vielleicht wissen wir bald mehr«, sagte Leutnant Ordway. Er war gerade vom Telefon zurückgekommen. »Wir haben gerade Guerreros Frau gefunden.«

Die Mitteilung des Bezirksverkehrsleiters von Lincoln International Airport war adressiert an KAPITÄN, TRANS AMERICA FLUG ZWEI, und begann:

UNBESTÄTIGTE MÖGLICHKEIT VORHANDEN DASS PASSAGIER D. O. GUERRERO TOURISTENKLASSE AN BORD IHRER MASCHINE SPRENG-KÖRPER IN BESITZ HAT! PASSAGIER OHNE GEPÄCK UND ANSCHEINEND OHNE GELDMITTEL VERSICHERTE SICH NOCH VOR ABFLUG. VERDÄCH-TIGES VERHALTEN MIT AKTENKOFFER ALS HANDGEPÄCK WURDE BE-OBACHTET. PERSONENBESCHREIBUNG FOLGT . . .

Wie der Bezirksverkehrsleiter vorausgesehen hatte, dauerte es einige Minuten, um über den Funk der Fluggesellschaft die Verbindung mit Flug Zwei herzustellen. Seit der früheren Selcal-Nachricht an die Maschine über den blinden Passagier Mrs. Ada Quonsett hatte das Flugzeug das Nachrichtenübermittlungsgebiet Cleveland der Trans America verlassen und war in das von New York hinübergewechselt. Jetzt mußten Mitteilungen der Gesellschaft durch die Nachrichtenübermittlung in New York an die Maschine weitergeleitet werden.

Die Mitteilung, die Tanya diktierte, wurde in New York von einer Stenotypistin getippt. Neben ihr las der Nachrichtenübermittler der Trans America die ersten Zeilen und griff nach einem direkt geschalteten Telefon, das ihn mit einem Vermittler bei ARINC, einem privaten Fernsprechnetz, das kooperativ von allen großen Fluggesellschaften unterhalten wurde, verband.

Der Vermittler bei ARINC – an einem anderen Ort in New York – stellte eine zweite Verbindung zwischen sich und dem Vermittler der Trans America her, drückte dann auf einer Schalttafel das vierbuchstabige Codewort AGFG, das dem Flugzeug N-731-TA zugeteilt war. Und wieder wurde, wie bei einem Telefonanruf an eine bestimmte Nummer in einem Fernsprechnetz, nur an Bord von Flug Zwei das Rufsignal empfangen.

Wenige Augenblicke später wurde in New York die Stimme von Kapitän Demerest hörbar, der sich von hoch oben über Ontario in Kanada meldete. »Hier Trans America Zwei. Antworten auf Selcal.«

»Trans America Zwei, hier Vermittlung New York. Wir haben eine wichtige Nachricht. Bestätigen Sie, wenn aufnahmebereit.« Eine kurze Pause folgte. Dann wieder Demerest: »Okay, New York, geben Sie durch.«

»Kapitän, Trans America Flug Zwei«, begann die Nachrichtenübermittlung. »UNBESTÄTIGTE MÖGLICHKEIT VORHANDEN ...«

Inez saß noch still in ihrer Ecke bei dem Würstchenstand, als sie spürte, daß sie an der Schulter geschüttelt wurde. »Inez Guerrero! Sind Sie Inez Guerrero?«

Sie blickte auf. Sie brauchte einige Sekunden, um ihre Gedanken zu sammeln, die vage dahinschweiften; sie erkannte aber, daß es ein Polizist war, der sich über sie beugte.

Er schüttelte sie wieder und wiederholte die Frage.

Inez gelang es zu nicken. Es wurde ihr bewußt, daß es diesmal ein anderer Polizist war als vorhin. Dieser war weiß und sprach weder so sanft noch so freundlich wie der andere.

»Auf, auf, meine Dame!« Der Polizist verstärkte seinen Griff an ihrer Schulter in einer Weise, die schmerzte, und zog sie abrupt auf die Füße. »Verstehen Sie mich? Wir müssen gehen! Da oben schreien sie nach Ihnen, und jeder Polizist hier in dem Laden sucht Sie.«

Zehn Minuten später stand Inez in Mels Büro im Mittelpunkt des Interesses. Sie saß in einem Sessel mitten im Zimmer, zu dem man sie bei ihrem Eintreffen geführt hatte. Leutnant Ordway stand ihr gegenüber. Der Polizist, der Inez heraufgebracht hatte, war wieder gegangen.

Die anderen, die schon vorher dagewesen waren – Mel, Tanya, Zollinspektor Standish, Bunnie Vorobioff, der Bezirksverkehrsleiter der Trans America, Bert Weatherby und der Chefpilot, Kapitän Kettering –, standen um sie herum. Auf Mels Bitte waren alle geblieben.

»Mrs. Guerrero«, begann Ned Ordway, »warum fliegt Ihr Mann nach Rom?«

Inez erwiderte seinen Blick düster und gab keine Antwort. Die Stimme des Polizeioffiziers wurde schärfer, aber nicht unfreundlich. »Mrs. Guerrero, hören Sie mir bitte genau zu. Ich habe ein paar wichtige Fragen an Sie zu richten. Sie betreffen Ihren Mann, und ich brauche Ihre Hilfe. Verstehen Sie mich?«

»Ich – ich weiß nicht recht.«

»Sie brauchen nicht genau zu verstehen, warum ich diese Fragen stelle. Das hat Zeit bis später. Was ich von Ihnen will, ist, daß Sie mir durch Ihre Antworten helfen. Wollen Sie das? Bitte.«

Der Bezirksverkehrsleiter mischte sich ungeduldig ein. »Wir haben nicht die ganze Nacht über Zeit, Leutnant. Dieses Flugzeug bewegt sich mit einer Geschwindigkeit von sechshundert Meilen in der Stunde von uns fort. Wenn es notwendig ist, müssen wir hart werden.«

431

»Überlassen Sie das mir, Mr. Weatherby«, entgegnete Ordway scharf. »Wenn wir alle anfangen zu schreien, dauert es viel länger, und es kommt viel weniger dabei heraus.«

Der Bezirksverkehrsleiter zeigte weiter seine Ungeduld, schwieg aber.

»Inez«, sagte Ordway, ». . . ich darf Sie doch Inez nennen?«

Sie nickte.

»Inez, wollen Sie meine Fragen beantworten?«

»Ja – wenn ich kann.«

»Warum fliegt Ihr Mann nach Rom?«

Ihre Stimme war gepreßt, kaum mehr als ein Flüstern. »Ich weiß es nicht.«

»Haben Sie dort Freunde, Verwandte?«

»Nein . . . Da ist ein entfernter Vetter in Mailand, aber wir haben ihn nie gesehen.«

»Hat Ihr Mann mit dem Vetter korrespondiert?«

»Nein.«

»Wissen Sie einen Grund, weshalb Ihr Mann diesen Vetter besuchen sollte – ganz plötzlich?«

»Dafür gibt es keinen Grund.«

Tanya warf dazwischen: »Auf jeden Fall würde niemand, der nach Mailand will, unseren Romflug nehmen, Leutnant. Er würde mit Alitalia fliegen, die eine direkte Verbindung hat und billiger ist. Und die Alitalia hat heute abend auch einen Flug.«

Ordway nickte. »Den Vetter können wir wahrscheinlich ausschalten.« Er fragte Inez: »Hat Ihr Mann in Italien Geschäfte?«

Sie schüttelte den Kopf.

»Was ist Ihr Mann von Beruf?«

»Er ist – war – Unternehmer.«

»Was für ein Unternehmer?«

Langsam, aber sicher fand Inez in die Wirklichkeit zurück. »Er hat Gebäude errichtet. Häuser. Wohnsiedlungen.«

»Sie sagten ›war‹. Warum ist er kein Unternehmer mehr?«

»Es – ging alles schief.«

»Sie meinen finanziell?«

»Ja, aber warum fragen Sie danach?«

»Bitte, glauben Sie mir, Inez«, antwortete Ordway, »dazu habe

ich einen guten Grund. Es geht um die Sicherheit Ihres Mannes. Aber auch die Sicherheit anderer. Wollen Sie mir glauben?«
Sie blickte auf. Ihre Augen begegneten seinen. »Ja.«
»Befindet sich Ihr Mann jetzt in finanziellen Schwierigkeiten?«
Sie zögerte nur kurz. »Ja.«
»Großen Schwierigkeiten?«
Inez nickte langsam.
»Ist er bankrott? Verschuldet?«
Wieder ein Flüstern. »Ja.«
»Woher hat er dann das Geld für den Flug nach Rom?«
»Ich glaube...« Inez wollte etwas von ihrem Ring sagen, den D. O. verpfändet hatte, erinnerte sich dann aber an den Ratenzahlungsvertrag mit Trans America Airlines. Sie nahm das jetzt zerknitterte gelbe Blatt aus ihrer Handtasche und reichte es Ordway, der es überflog. Der Bezirksverkehrsleiter trat neben ihn.
»Es ist auf den Namen Buerrero ausgestellt«, sagte Weatherby, »obwohl die Unterschrift alles mögliche sein kann.«
Tanya erläuterte: »Buerrero ist der Name, der zuerst auf der Passagierliste stand.«
Ned Ordway schüttelte den Kopf. »Das ist jetzt nicht wichtig. Es ist aber ein alter Trick, wenn jemand nicht kreditwürdig ist: Der Betreffende verändert den Anfangsbuchstaben, damit bei Nachforschungen die mangelnde Kreditwürdigkeit nicht herauskommt. Jedenfalls nicht so schnell. Wenn es später entdeckt wird, kann die Schuld dem zugeschoben werden, der das Formular ausgefüllt hat.«
Ordway wandte sich wieder streng an Inez. Er hielt das gelbe Formular in der Hand. »Warum haben Sie Ihre Zustimmung dazu gegeben, da Sie doch wußten, daß Ihr Mann betrog?«
»Davon habe ich nichts gewußt«, protestierte sie.
»Wie kommen Sie dann in den Besitz dieses Papiers?«
Stockend schilderte sie, wie sie es am Abend gefunden hatte und zum Flughafen gekommen war, um ihren Mann vor dem Abflug abzufangen.
»Sie hatten also bis heute abend keine Ahnung, daß er fliegen wollte?«

»Nein, Sir.«

»Daß er überhaupt fort wollte?«

Inez schüttelte den Kopf.

»Und selbst jetzt können Sie keinen Grund angeben, weshalb er ging?«

Sie sah ihn ratlos an. »Nein.«

»Hat Ihr Mann jemals unerklärliche Dinge getan?«

Inez zögerte.

»Nun«, drängte Ordway, »hat er oder nicht?«

»In letzter Zeit manchmal ...«

»War er unberechenbar?«

Ein Flüstern. »Ja.«

»Gewalttätig?«

Widerstrebend nickte Inez.

»Ihr Mann hatte heute abend eine Tasche bei sich«, sagte Ordway ruhig. »Einen kleinen Aktenkoffer. Und er scheint ihn besonders vorsichtig behandelt zu haben. Haben Sie eine Ahnung, was darin sein kann?«

»Nein, Sir.«

»Inez, Sie haben gesagt, daß Ihr Mann Unternehmer war – Bauunternehmer. Hat Ihr Mann bei seiner Arbeit jemals Sprengstoff verwendet?«

Die Frage wurde so beiläufig und ohne jede Vorbereitung gestellt, daß die Zuhörenden kaum zu bemerken schienen, daß sie gestellt worden war. Doch als ihre Bedeutung begriffen wurde, herrschte plötzlich Spannung im Raum.

»O ja«, antwortete Inez. »Oft.«

Ordway ließ eine merkliche Pause eintreten, ehe er fragte: »Versteht Ihr Mann viel von Sprengstoff?«

»Ich glaube, ja. Er hat immer gern damit gearbeitet. Aber ...« Unvermittelt brach sie ab.

»Was aber, Inez?«

Plötzlich sprach Inez Guerrero mit einer Nervosität, die sie vorher nicht gezeigt hatte. »Aber – er geht sehr vorsichtig damit um.« Ihre Augen wanderten durch den Raum. »Bitte – was soll das bedeuten?«

Ordway sagte leise: »Sie haben eine Vermutung, oder nicht?«

Als sie nicht antwortete, fragte er fast gleichgültig: »Wo wohnen Sie?«

Sie nannte die Adresse ihrer Wohnung, und er schrieb sie auf.

»War Ihr Mann dort heute nachmittag, am frühen Abend?«

Sie war jetzt völlig verstört. Sie nickte.

Ordway wandte sich an Tanya. Ohne die Stimme zu heben, bat er: »Stellen Sie mir bitte eine Verbindung mit dem Polizeipräsidium in der Stadt her, mit diesem Nebenanschluß.« Er kritzelte eine Nummer auf einen Block. »Ich komme gleich an den Apparat.«

Tanya trat schnell an Mels Schreibtisch.

Ordway fragte Inez: »Bewahrte Ihr Mann noch Sprengstoff in der Wohnung auf?« Als sie zögerte, fuhr er sie plötzlich mit überraschender Schärfe an: »Bisher haben Sie die Wahrheit gesagt. Fangen Sie jetzt nicht an, mich anzulügen! Also?«

»Ja.«

»Was war das für Sprengstoff?«

»Dynamit – und Zündkapseln ... Sie waren übriggeblieben.«

»Von seiner Arbeit als Bauunternehmer?«

»Ja.«

»Hat er zu Ihnen je etwas darüber gesagt? Hat er einen Grund genannt, warum er es aufbewahrte?«

Inez schüttelte den Kopf. »Nur, daß – wenn man wüßte, wie man damit umgehen muß – es sei dann ungefährlich.«

»Wo wurde der Sprengstoff aufbewahrt?«

»Einfach in einer Schublade.«

»In einer Schublade, wo?«

»Im Schlafzimmer.« Inez' Gesichtsausdruck verriet plötzlich einen tiefen Schock. Ordway bemerkte es.

»Sie haben gerade an etwas gedacht. An was?«

»Es ist nichts!« Ihre Augen und ihre Stimme verrieten Panik.

»Doch, es ist etwas!« Ned Ordway beugte sich vor, neigte sich dicht zu Inez hinab; sein Ausdruck war aggressiv. Zum zweitenmal an diesem Abend zeigte er hier in dem Raum nichts von seiner Freundlichkeit; nur die rauhe, harte Brutalität eines Polizisten, der eine Antwort braucht und weiß, wie er sie bekommt. Er schrie sie an: »Versuchen Sie nicht, etwas zu verschweigen oder zu lügen! Das gelingt Ihnen nicht. Sagen Sie mir jetzt, woran Sie gedacht haben?« Als Inez wimmerte: »Sparen Sie sich das! Reden Sie!«

»Heute abend ... Bisher hatte ich nicht daran gedacht ... Diese Sachen ...«

»Das Dynamit und die Zündkapseln?«

»Ja.«

»Sie vergeuden Zeit! Was ist damit?«

Inez flüsterte: »Sie waren fort.«

Tanya sagte ruhig: »Ich habe Ihre Verbindung, Leutnant. Sie warten auf Sie.«

Keiner sagte etwas.

Ordway nickte, sein Blick war unentwegt scharf auf Inez gerichtet. »Haben Sie gewußt, daß sich Ihr Mann heute abend, ehe er das Flugzeug bestieg, hoch versichert hat? Sehr hoch versichert hat? Und Sie als Begünstigte angab?«

»Nein, Sir. Ich schwöre, davon weiß ich überhaupt nichts ...«

»Ich glaube Ihnen«, antwortete Ordway. Er überlegte. Als er wieder sprach, klang seine Stimme rauh und drohend.

»Inez Guerrero, hören Sie mir jetzt sehr gut zu. Wir glauben, daß Ihr Mann diesen Sprengstoff, von dem Sie gesprochen haben, heute abend bei sich hat. Wir nehmen an, daß er ihn mit in das Flugzeug nach Rom nahm und daß er, da es keine andere Erklärung dafür gibt, beabsichtigt, das Flugzeug zu zerstören, sich selbst und alle anderen Menschen an Bord der Maschine zu töten. Jetzt habe ich nur noch eine Frage, und denken Sie gründlich nach, ehe Sie mir darauf antworten, und denken Sie an diese anderen Menschen – Unschuldige, Kinder darunter –, die auch in dem Flugzeug sind. Inez, Sie kennen Ihren Mann. Sie kennen ihn besser als jeder andere lebende Mensch. Könnte er – um das Versicherungsgeld zu bekommen – für Sie – könnte er das tun, was ich gerade geschildert habe?«

Tränen strömten Inez Guerrero über das Gesicht. Sie schien einem Zusammenbruch nahe zu sein, aber sie nickte langsam. »Ja.« Ihre Stimme war kaum vernehmbar. »Ja, ich glaube, das könnte er.«

Ned Ordway wandte sich ab. Er nahm den Telefonhörer von

Tanya entgegen und begann schnell mit leiser Stimme zu sprechen. Er gab Informationen weiter, ergänzte sie durch mehrere Anforderungen.

Einmal machte Ordway eine Pause und drehte sich nach Inez Guerrero um. »Ihre Wohnung wird durchsucht werden, und wenn nötig beschaffen wir uns einen Haussuchungsbefehl. Aber es wäre einfacher, wenn Sie zustimmten. Wollen Sie das?«

Inez nickte stumpf.

»In Ordnung«, sagte Ordway ins Telefon. »Sie gibt ihre Zustimmung.« Gleich darauf legte er den Hörer zurück.

Zu dem Bezirksverkehrsleiter und Mel gewandt erklärte er: »Wir stellen das Belastungsmaterial in der Wohnung sicher, falls wir noch etwas finden. Davon abgesehen können wir im Augenblick nicht viel tun.«

Grimmig sagte Weatherby: »Von uns kann keiner viel tun, höchstens beten.« Mit erschöpftem, grauem Gesicht begann er, eine weitere Nachricht an Flug Zwei aufzusetzen.

IX

Die warme Vorspeise, die Kapitän Vernon Demerest bestellt
hatte, war den Piloten von Flug Zwei serviert worden. Die von
einer der Stewardessen aus der Galley der Ersten Klasse auf
einem Tablett gebrachte appetitliche Auswahl verschwand
schnell. Demerest grunzte genießerisch, als er den letzten Bissen
einer mit Parmesan bestreuten Pastete mit Hummer und Pilzen
in den Mund schob.

Wie üblich machten sich die Stewardessen einen Spaß daraus,
den dürren jungen Zweiten Offizier Cy Jordan besonders zu
füttern. Verstohlen hatten sie ihm auf seinem Platz hinter den
beiden Kapitänen einen Teller mit besonderen Leckerbissen
zugeschoben, und während er an den Treibstoffventilen herum-
fingerte, kaute er mit vollen Backen Hühnerleber in Schinken.

Gleich würde den drei Piloten, die sich abwechselnd in dem
Dämmerlicht entspannten, dasselbe köstliche Hauptgericht
nebst Dessert gebracht werden, das die Fluggesellschaften ihren
Passagieren in der Ersten Klasse servierten. Das einzige, was
die Passagiere, nicht aber die Besatzungen bekamen, waren
Wein und Sekt.

Trans America gab sich, wie die meisten Fluggesellschaften,
große Mühe, in der Luft eine ausgezeichnete Küche zu bieten.
Zwar gab es Leute, die meinten, die Fluggesellschaften sollten
sich, selbst auf internationalen Linien, ausschließlich um den
Transport kümmern, ihren Service während des Flugs den im
Kurzstreckenverkehr üblichen Maßstäben anpassen und auf
allen übertriebenen Luxus verzichten, auch bei den Mahlzeiten,
soweit sie über einen kalten Imbiß hinausgingen. Andere wieder waren der Meinung, ein zu großer Teil des modernen Reise-
verkehrs beschränke sich noch auf das Sandwichpaketniveau,
und begrüßten den Stil und die Eleganz, den gute Flugmahl-
zeiten pflegten. Fluggesellschaften hörten erstaunlich wenig
Klagen über den Eßservice. Die meisten Fluggäste begrüßten
die Mahlzeiten als Abwechslung und verzehrten sie mit Beha-
gen.

Vernon Demerest, der die letzten Hummerreste auf der Zunge

zergehen ließ, fand das auch. In diesem Augenblick ertönte das Glockenzeichen des Selcal-Rufs im Cockpit, und das Achtungszeichen auf dem Funkschaltbrett leuchtete auf.

Anson Harris zog die Augenbrauen hoch. Ein einziger Anruf über Selcal war schon ungewöhnlich, zwei, innerhalb weniger als einer Stunde, etwas ganz Besonderes.

»Was wir bräuchten«, sagte Cy Jordan von hinten, »wäre eine Geheimnummer!«

Demerest griff nach dem Funkschalter. »Ich mach' das schon.«

Nach der gegenseitigen Identifizierung zwischen Flug Zwei und der Vermittlung New York machte sich Demerest daran, unter abgedecktem Licht eine Mitteilung auf einem Block zu notieren. Die Mitteilung kam von B. V. L. Lincoln International und begann: »Unbestätigte Möglichkeit vorhanden...« Als es weiterging, strafften sich die vom Licht beleuchteten Züge Demerests. Am Schluß bestätigte er knapp und zeichnete ohne Kommentar ab.

Demerest gab Harris die Mitteilung weiter, der sie unter dem Licht neben sich las, leise pfiff und sie über die Schulter an Cy Jordan weiterreichte.

Die Selcal-Nachricht endete: »Empfehlen Rückkehr oder Landung andernorts nach Belieben des Kapitäns.«

Wie beide Kapitäne wußten, war die Frage des Kommandos zu entscheiden. Obwohl Anson Harris heute abend als Kapitän flog und Demerest den Dienst des Ersten Offiziers versah, hatte Demerest – als Chefpilot – die größere Autorität, wenn er sie anwenden wollte.

Auf Harris' fragenden Blick hin sagte Demerest: »Sie sitzen auf dem linken Platz. Worauf warten Sie?«

Harris überlegte nur kurz und sagte dann: »Wir kehren um, aber in einem weiten, langsamen Bogen, damit die Passagiere nichts merken. Dann lassen wir Gwen Meighen diesen Kerl herausfinden, um den es geht, denn wir können uns in der Kabine nicht sehen lassen, ohne ihn mißtrauisch zu machen.« Er zuckte die Achseln. »Und danach, nehme ich an, spielen wir's nach Gehör.«

»In Ordnung«, sagte Demerest. »Sie kehren um, und ich kümmere mich um die Kabine hinten.« Er drückte auf den Knopf, der die Stewardessen rief, und benutzte das verabredete dreimalige Zeichen für Gwen.

Auf der Radiofrequenz, die er früher benutzt hatte, rief Harris die Flugsicherung an. Lakonisch sagte er kurz: »Hier Trans America Zwei. Wir scheinen vor einem Problem zu stehen. Erbitten Freigabe nach Lincoln zurück und Radar-Vektor von augenblicklicher Position bis Lincoln.« Harris' schnelle Überlegung hatte eine Landung auf Ausweichflughäfen ausgeschaltet. Ottawa, Toronto und Detroit waren, wie ihnen vor dem Abflug schon mitgeteilt worden war, wegen des Sturms für den Luftverkehr geschlossen. Abgesehen davon brauchte die Besatzung von Flug Zwei Zeit, um mit dem Mann in der Kabine, um den es ging, fertig zu werden. Rückkehr nach Lincoln International würde diese Zeit verschaffen.

Er zweifelte nicht daran, daß Demerest zu demselben Schluß gekommen war.

Von der Flugsicherung Toronto, mehr als sechs Meilen unter ihnen, antwortete eine Stimme: »Trans America Zwei, verstanden!« Kurze Pause, dann: »Können jetzt Kehrtwendung links beginnen auf Richtung zwei sieben null. Warten mit Höhenveränderung.«

»Verstanden, Toronto. Wir beginnen Wendung. Am liebsten weit und allmählich.«

»Trans America Zwei. Einverstanden mit weitem Bogen.«

Der Wortaustausch erfolgte in ruhigem Ton, denn sowohl in der Luft als auch am Boden war man überzeugt, daß mit Ruhe am meisten zu erreichen war und am wenigsten durch Dramatisierung und Aufregung. An der Art des Ersuchens von Flug Zwei hatte der Bodenkontroller sofort erkannt, daß Gefahr – wirkliche oder drohende – bestand. In Reisehöhe fliegende Düsenmaschinen kehrten auf ihrem Kurs nicht ohne triftigen Grund plötzlich um. Aber der Kontroller wußte auch, sobald der Kapitän es für erforderlich hielt, würde er offiziell den Notstand erklären und die Ursache dafür mitteilen. Bis dahin belästigte kein Kontroller die Besatzung, die fraglos mit dringenden eigenen Problemen beschäftigt war, mit unnötigen Fragen.

Jede von der Flugsicherung erbetene Hilfe wurde jedenfalls widerspruchslos und so schnell wie möglich gegeben.

Auch jetzt begann auf dem Boden das Räderwerk der Maßnahmen anzulaufen. Sobald der Kontroller in der Flugsicherung Toronto – die in einem hübschen modernen Gebäude etwa vierzehn Meilen jenseits der Stadtgrenze untergebracht war – den Funkspruch von Flug Zwei empfangen hatte, rief er einen Inspektor. Der Inspektor setzte sich mit anderen Sektoren in Verbindung und machte eine Schneise vor Flug Zwei und in den Höhen unmittelbar unter dem Kurs der Maschine frei – letzteres war eine Vorsichtsmaßnahme. Cleveland Center, das früher den Flug an Toronto Center weitergegeben hatte und ihn nun zurückbekommen würde, war bereits benachrichtigt worden, Chicago Center, das ihn von Cleveland übernehmen würde, wurde jetzt schon verständigt.

Im Cockpit von Flug Zwei traf soeben eine neue Meldung der Flugsicherung ein. »Tiefer gehen auf Höhe zwei acht null. Meldet Verlassen von Flughöhe drei drei null.«

Anson Harris bestätigte. »Toronto Center, hier Trans America Zwei. Wir gehen jetzt tiefer.«

Auf Harris' Anordnung meldete der Zweite Offizier Jordan an die Vermittlung der Trans America über den Funk der Fluggesellschaft den Entschluß, umzukehren.

Die Tür zur vorderen Kabine öffnete sich. Gwen Meighen kam herein.

»Also, wenn es um eine zweite Portion Vorspeisen geht«, sagte sie, »tut es mir leid, aber es ist nichts mehr da. Falls Sie es noch nicht wissen sollten: Wir haben nämlich ein paar Passagiere an Bord.«

»Auf die Insubordination komme ich später zurück«, sagte Demerest. »Im Augenblick« – hier ahmte er Gwens englischen Akzent nach – »haben wir etwas Wichtigeres zu tun.«

Äußerlich hatte sich in der Pilotenkanzel nichts verändert, seit vor ein paar Minuten die Nachricht des Bezirksverkehrsleiters eingegangen war. Die entspannte Stimmung, die vorher geherrscht hatte, war jedoch verschwunden. Unter ihrer gespielten Gelassenheit war die Drei-Mann-Besatzung ganz sachlich und angespannt, der Verstand bis zum äußersten geschärft, und jeder spürte das auch bei den anderen beiden. Es ging darum, verantwortungsvoll und schnell solche Augenblicke zu meistern, wie jahrelanges Training und Erfahrung auf dem langen Weg zum Flugkapitän es forderten. Das Fliegen selbst – ein Flugzeug beherrschen – war keine so schwierige Aufgabe; ihre hohen Gehälter bekamen die Piloten für ihre Reserven an Geistesgegenwart, Hingabe an ihren Beruf, ihr allgemeines fliegerisches Wissen. Demerest, Harris und – in geringerem Maße – Cy Jordan mobilisierten nun ihre Reserven. Die Lage an Bord von Flug Zwei war noch nicht kritisch; mit etwas Glück würde sie vielleicht überhaupt nicht kritisch werden. Wenn aber eine Krise kommen sollte, war die Besatzung dafür gerüstet.

»Ich möchte, daß Sie einen Passagier identifizieren«, sagte Demerest zu Gwen. »Er darf aber nicht merken, daß er gesucht wird. Hier haben wir eine Beschreibung. Am besten, Sie lesen das Ganze selbst.«

Er reichte Gwen den Block mit der Meldung. Sie trat näher und hielt ihn unter das abgeschirmte Licht neben ihm.

Da das Flugzeug ein wenig rollte, streifte Gwens Hand Demerests Schulter. Er spürte ihre Nähe und den Duft ihres ihm wohlbekannten Parfüms. Zur Seite blickend, konnte er Gwens Profil in dem Halbdunkel sehen. Ihr Ausdruck beim Lesen war ernst, aber nicht bestürzt; es erinnerte ihn an das, was er heute abend schon einmal an ihr bewundert hatte – ihre Stärke, die keineswegs ihre Weiblichkeit schmälerte. Eine flüchtige Sekunde lang erinnerte er sich, daß Gwen zweimal heute abend erklärt hatte, sie liebe ihn. Er fragte sich, ob er selbst je ernsthaft geliebt habe. Wenn man seinen Gefühlen einen straffen Zügel anlegte, wußte man das selbst nicht genau. Doch nie war er der Liebe näher gewesen als in diesem Augenblick in seinen Gefühlen für Gwen.

Gwen las die Meldung noch einmal langsamer durch.

Einen Augenblick nur verspürte er heftigen Zorn über diesen neuen Zwischenfall, der sie zwang, ihre Pläne – seine und Gwens – für Neapel aufzuschieben. Dann besann er sich aber. Die augenblickliche Situation duldete nur berufliche Sachlichkeit. Außerdem bedeutete das, was jetzt geschah, lediglich einen Aufschub von vielleicht vollen vierundzwanzig Stunden nach ihrer Rückkehr auf Lincoln; irgendwann würde der Flug ja stattfinden. Er kam nicht auf den Gedanken, daß die Bombendrohung vielleicht nicht so schnell beseitigt werden oder nicht so friedlich ausgehen könnte wie die meisten anderen.

Anson Harris auf dem Platz neben Demerest hielt das Flugzeug weiter in einer weitausholenden Wendung und legte es nur ganz flach in die Kurve. Es war eine perfekte Wendung, exakt durchgeführt, wie es der Nadelkompaß vor jedem der Piloten anzeigte. Er war der Großvater unter den Fluginstrumenten, der auch in modernen Düsenmaschinen benutzt wurde, so, wie er schon in viel früheren Flugzeugen in Gebrauch gewesen war. Die Nadel war gekippt, die Kugel mitten im Zentrum. Aber nur Nadelkompaß und Kreiselkompaß verrieten das Ausmaß der Schwenkung – daß Flug Zwei den Kurs um hundertachtzig Grad änderte. Harris hatte erklärt, die Passagiere würden die Kursveränderung nicht bemerken, und er würde recht behalten – wenn nicht irgend jemand aus einem Kabinenfenster blickte, der zufällig mit den Bahnen von Mond und Sternen und ihren Stellungen am westlichen und östlichen Himmel vertraut war. Dann konnte man die Änderung bemerken. Doch das war ein Risiko, das eingegangen werden mußte. Glücklicherweise sorgte die Verdunklung des Bodens durch Wolken dafür, daß niemand Städte wahrnehmen und erkennen konnte. Nun begann Harris vorsichtig tieferzugehen, und die Nase des Flugzeugs senkte sich leicht. Mit äußerster Behutsamkeit drosselte er die Motoren, damit ihre Geräusche sich nicht stärker änderten, als üblich ist. Harris war konzentriert, er flog mit Lehrbuchexaktheit und kümmerte sich nicht um Gwen und Demerest. Gwen gab die Mitteilung zurück.

»Ich möchte folgendes«, erklärte ihr Demerest: »Gehen Sie nach hinten, und machen Sie diesen Mann ausfindig. Stellen Sie fest, ob der Koffer irgendwo zu sehen ist und ob eine Möglichkeit besteht, ihn ihm wegzunehmen. Sie verstehen, daß von uns keiner nach hinten gehen kann – wenigstens vorläufig nicht –, weil er sonst mißtrauisch werden könne.«

»Gewiß«, sagte Gwen, »das verstehe ich. Aber ich brauche gar nicht erst zu gehen.«

»Warum nicht?«

Ganz ruhig sagte sie: »Ich weiß schon, wo er sitzt. Auf Platz 14-A.«

Demerest sah sie scharf an. »Ich brauche Ihnen nicht zu sagen, daß es von größter Wichtigkeit ist. Wenn Sie irgendwelche Zweifel haben, gehen Sie besser zurück und vergewissern Sie sich.«

»Ich habe keine Zweifel.«

Vor einer Stunde sei sie, erklärte Gwen, nachdem sie das Essen für die Erste Klasse serviert habe, in die Touristenklasse gegangen, um dort zu helfen. Einer der Passagiere – auf einem Fensterplatz links – sei im Halbschlaf gewesen. Als Gwen ihn angesprochen habe, sei er sofort wach geworden. Er habe ein Köfferchen auf den Knien gehalten, und Gwen habe ihm angeboten, ihn davon zu befreien oder es auf den Boden zu stellen, während er esse. Der Passagier habe das abgelehnt und das Köfferchen weiter auf den Knien gehalten. Ihr sei aufgefallen, daß er es festhielt, als ob etwas besonders Wichtiges darin wäre. Und später, statt es abzusetzen und die Tischplatte hinter dem vorderen Sitz herunterzuklappen, habe er es als Unterlage für sein Tablett benutzt. Gwen war an die Eigenheiten der Fluggäste gewöhnt und dachte nicht weiter daran. Aber jetzt entsann sie sich des Mannes gut, auf den die Personalbeschreibung der Mitteilung genau paßte.

»Ein anderer Grund, weshalb ich mich genau erinnere, ist der, daß er neben der schwarzfliegenden alten Dame sitzt.«

»Er hat einen Fensterplatz, sagen Sie?«

»Ja.«

»Das erschwert es, hinüberzugreifen und zuzupacken.« Demerest dachte an den Passus in der Mitteilung des Bezirksverkehrsleiters: »Falls Vermutung zutrifft, befindet sich der Abzug für Explosivstoff wahrscheinlich außen am Koffer, leicht erreichbar. Daher äußerste Vorsicht bei Versuch, Koffer gewaltsam wegzunehmen.« Er erriet, daß Gwen ebenfalls an diese Warnung dachte.

444

Zum ersten Male beeinträchtigte ein Gefühl, nicht der Angst, aber der Unsicherheit seine Überlegungen. Angst kam vielleicht später, aber jetzt noch nicht. Bestand die Möglichkeit, daß diese Bombendrohung sich als mehr als eine bloße Drohung herausstellen konnte? Vernon Demerest hatte über solche Situationen oft nachgedacht und gesprochen, aber niemals hatte er geglaubt, sie könnten einmal für ihn selbst wahr werden. Anson Harris war dabei, aus dem Kreisbogen ebenso sanft wieder herauszugleiten, wie er hineingegangen war. Sie flogen jetzt genau in entgegengesetzter Richtung.

Wieder erklang das Glockensignal. Demerest nickte zu Cy Jordan hinüber, der das Funkgerät einschaltete, sich meldete und dann eine Nachricht zu notieren begann. Anson Harris sprach wieder mit der Flugsicherung Toronto.

»Ich möchte wissen«, sagte Demerest zu Gwen, »ob irgendeine Möglichkeit besteht, die beiden anderen Personen neben Guerrero von ihren Plätzen wegzukriegen, so daß er in dem dreisitzigen Abschnitt allein wäre. Dann könnte vielleicht einer von uns von hinten kommen, sich vorbeugen und zupacken.«

»Das würde er bestimmt bemerken«, sagte Gwen nachdrücklich. »Da bin ich ganz sicher. Er ist sehr auf der Hut. Wenn wir die beiden anderen Leute von ihren Plätzen holen, gleichgültig unter welchem Vorwand, würde er merken, daß etwas im Gange ist, und wäre darauf gefaßt.«

Der Zweite Offizier reichte die Selcal-Mitteilung herüber, die er aufgenommen hatte. Sie kam vom B. V. L. Lincoln. Unter dem abgeschirmten Licht lasen Gwen und Demerest zusammen:

NEUE INFORMATION BESTÄTIGT FRÜHEREN VERDACHT, DASS SPRENGKÖRPER IM BESITZ VON PASSAGIER GUERRERO ALS HÖCHSTWAHRSCHEINLICH, WIEDERHOLE, HÖCHSTWAHRSCHEINLICH. PASSAGIER WOHL GEISTESGESTÖRT, VERZWEIFELT. WIEDERHOLE FRÜHERE WARNUNG, MIT ÄUSSERSTER VORSICHT VORGEHEN! VIEL GLÜCK.

»Das hab' ich gern«, sagte Cy Jordan. »Ist doch nett, daß sie uns das wünschen.«

Demerest sagte scharf: »Ruhe!«

Sekundenlang herrschte – von den üblichen Geräuschen eines Cockpits abgesehen – Stille.

»Wenn es eine Möglichkeit gäbe«, sagte Demerest langsam,
»... irgendeine Möglichkeit, ihn zu verleiten, den Koffer los-
zulassen, dann brauchten wir bloß ein paar Sekunden, um ihn
in die Hände zu bekommen und wegzuschaffen. Wenn wir
schnell wären, genügten zwei Sekunden.«

Gwen meinte: »Er wird ihn aber nie aus der Hand geben ...«

»Ich weiß! Ich weiß! Ich denke ja nur nach.« Er machte eine
Pause. »Wir wollen es noch einmal durchgehen. Da sitzen
zwei Leute neben Guerrero, und dann kommt der Gang. Einer
von ihnen ...«

»Einer ist ein Mann, der auf dem äußeren Platz. In der Mitte
sitzt die alte Dame, Mrs. Quonsett. Dann kommt innen Guerrero.«

»Oma sitzt also direkt neben Guerrero, direkt neben dem
Koffer?«

»Ja, aber was soll das nützen? Selbst wenn wir ihr etwas sagen,
könnte sie unmöglich ...«

Demerest fragte scharf: »Sie haben ihr doch noch nichts gesagt? Sie ahnt doch noch nicht, daß wir Bescheid wissen über
sie?«

»Nein. Das sollte ich doch nicht.«

»Ich wollte nur sicher sein.«

Wieder herrschte Stille. Vernon Demerest konzentrierte sich,
dachte nach, erwog Möglichkeiten. Schließlich sagte er zögernd:
»Ich habe eine Idee. Vielleicht geht es nicht, aber im Augenblick
haben wir wohl nichts Besseres. Also hören Sie mir zu, ich will
Ihnen genau erklären, was zu tun ist.«

In der Touristenklasse von Flug Zwei hatten die meisten Passagiere ihr Essen beendet, und die Stewardessen räumten ge-
schäftig die Tabletts ab. Die Abfütterung war heute abend
schneller als sonst vonstatten gegangen. Das war auch darauf
zurückzuführen, daß manche Passagiere infolge des verspäte-
ten Starts im Flughafen gegessen und nun zu so fortgeschritte-
ner Stunde das Essen abgelehnt oder nur daran genippt hatten.

Neben der Reihe mit den drei Plätzen, wo Mrs. Ada Quonsett

immer noch mit ihrem neuen Freund, dem Oboisten, plauderte, fragte eine der Stewardessen, eine schnippische Blondine: »Darf ich Ihr Tablett schon mitnehmen?«

»Ja bitte, Miß«, sagte der Oboist.

Mrs. Quonsett lächelte freundlich. »Ich danke Ihnen, meine Liebe, nehmen Sie meins auch. Es war sehr gut.«

Der finstere Mann neben Mrs. Quonsett trennte sich von seinem Tablett ohne Kommentar.

Da erst sah die kleine alte Dame die andere Stewardeß im Gang stehen.

Mrs. Quonsett hatte sie schon ein paarmal vorher bemerkt und den Eindruck gehabt, sie sei wohl die Vorgesetzte der anderen Mädchen. Sie hatte tiefschwarzes Haar, ein anziehendes Gesicht mit hohen Backenknochen und sehr dunklen Augen, die im Augenblick fest und kühl auf Ada Quonsett gerichtet waren.

»Entschuldigen Sie, Madam. Darf ich einmal Ihren Flugschein sehen?«

»Meinen Flugschein? Nun, natürlich.« Mrs. Quonsett tat überrascht, obwohl sie sofort erriet, was hinter dem Ersuchen steckte. Offenbar wurde ihr Status als blinder Passagier entweder vermutet oder er war bekannt. Aber sie hatte nie schnell klein beigegeben, und auch jetzt war ihr Verstand an der Arbeit. Die Frage war nur: Wieviel wußte diese Person?

Mrs. Quonsett öffnete ihre Handtasche und tat, als suche sie zwischen ihren Papieren. »Ich weiß, daß ich ihn eben noch hatte, meine Liebe. Er muß irgendwo hier stecken.« Mit dem unschuldigsten Ausdruck schaute sie auf. »Das heißt, wenn ihn der Mann an der Sperre, als ich an Bord ging, nicht noch hat. Vielleicht hat er ihn behalten, und ich habe es nicht bemerkt.«

»Nein«, sagte Gwen Meighen, »das tut er nie. Wenn es ein Schein für Hin und Zurück war, müßten Sie ja den Rückflugabschnitt haben.«

»Das ist aber wirklich sonderbar...« Mrs. Quonsett fummelte weiter in ihrer Handtasche herum.

Gwen fragte eisig: »Soll ich einmal nachsehen?« Von Beginn

447

ihres Wortwechsels an hatte sie nichts von ihrer gewohnten Freundlichkeit gezeigt. Sie setzte hinzu: »Wenn in Ihrer Tasche ein Flugschein ist, finde ich ihn. Wenn keiner drin ist, erspart das uns beiden Zeit.«

»Auf keinen Fall«, entgegnete Mrs. Quonsett schroff. Dann lenkte sie ein: »Ich weiß ja, Sie meinen es gut, meine Liebe, aber da drin sind persönliche Papiere. Als Engländerin sollten Sie die Privatsphäre achten. Sie sind doch Engländerin, nicht wahr?«

»Das spielt hier keine Rolle. Im Augenblick sprechen wir über Ihren Flugschein. Das heißt: darüber, ob Sie einen haben.« Gwens Stimme, etwas schärfer als üblich, war mehrere Reihen weit gut vernehmbar. Einige Passagiere wandten die Köpfe.

»Aber ich habe ja einen Flugschein. Fragt sich nur, wo er steckt.« Mrs. Quonsett lächelte verbindlich. »Aber daß Sie Engländerin sind, habe ich vom ersten Moment an gemerkt, als Sie zu sprechen anfingen. Bei so vielen Engländern – Menschen wie Ihnen, meine Liebe – klingt unsere Sprache wundervoll. Es ist ein Jammer, daß so wenige von uns Amerikanern das können. Mein verstorbener Mann sagte immer...«

»Das gehört nicht hierher. Wie ist es mit Ihrem Flugschein?«

Es fiel Gwen schwer, so grob und unfreundlich zu sein, wie sie es jetzt war. Unter anderen Umständen hätte sie mit der alten Frau klar und fest verhandelt, wäre dabei aber freundlich geblieben. Es widerstrebte Gwen auch, jemanden zu drangsalieren, der mehr als doppelt so alt war wie sie. Doch als sie das Cockpit verließ, hatte ihr Vernon Demerest klare und deutliche Anweisungen gegeben.

Mrs. Quonsett zeigte eine gewisse Empörung. »Ich habe viel Geduld mit Ihnen, junge Dame. Aber wenn ich meinen Schein finde, werde ich bestimmt etwas über Ihr Benehmen zu sagen haben...«

»Wirklich, Mrs. Quonsett?« Gwen sah, wie die alte Dame stutzte, als ihr Name fiel, und zum erstenmal zeigte sich etwas wie ein Erwachen hinter der sicheren Fassade. Gwen ließ nicht nach: »Sie sind doch Ada Quonsett, oder etwa nicht?«

Die kleine alte Dame betupfte ihre Lippen mit dem Spitzentuch, seufzte auf und sagte: »Da Sie es ja wissen, hat es keinen Sinn, es zu leugnen, oder?«

»Nein, denn wir wissen alles über Sie. Sie füllen ja eine ganze Akte bei uns, Mrs. Quonsett.«

Noch mehr Passagiere beobachteten jetzt die Szene und hörten zu. Zwei oder drei hatten die Plätze verlassen und waren näher getreten. Ihre Mienen drückten Sympathie für die alte Dame und Mißbilligung für Gwen aus. Der Mann auf dem Eckplatz, mit dem sich Mrs. Quonsett unterhalten hatte, als Gwen kam, schaltete sich verlegen ein: »Wenn da ein Mißverständnis vorliegt, kann ich vielleicht helfen...«

»Nein, da ist kein Mißverständnis«, sagte Gwen. »Reisen Sie mit der Dame zusammen?«

»Nein.«

»Dann besteht für Sie kein Grund, sich einzumischen, Sir.«

Bis jetzt hatte Gwen vermieden, den hinten am Fenster sitzenden Mann, von dem sie wußte, daß es Guerrero war, direkt anzusehen. Auch er hatte nicht zu ihr aufgesehen, obwohl sie an seiner Kopfhaltung bemerkte, daß er alles, was gesagt wurde, aufmerksam verfolgte. Doch stellte sie unauffällig fest, daß er immer noch das Köfferchen auf seinen Knien umklammert hielt. Bei dem Gedanken an den vermutlichen Inhalt des Koffers überkam sie plötzlich eine eiskalte Angst. Sie fühlte, daß sie im Vorgefühl von etwas Schrecklichem, das kommen würde, zitterte. Sie wollte fortlaufen, zurück ins Cockpit und Vernon sagen, er solle das selbst zu Ende bringen. Aber sie tat es nicht, und der Augenblick der Schwäche ging vorüber. »Ich sagte, wir wüßten alles über Sie, und das tun wir tatsächlich«, versicherte Gwen Mrs. Quonsett. »Sie sind heute abend als blinder Passagier auf einem unserer Flüge aus Los Angeles entdeckt worden. Sie waren unter Aufsicht genommen worden, aber es gelang Ihnen, zu entwischen. Dann haben Sie sich durch Lügereien an Bord dieses Flugs geschmuggelt.«

Die kleine alte Dame aus San Diego erwiderte heiter: »Wenn Sie schon so viel wissen oder zu wissen glauben, hat es keinen Zweck, darüber zu streiten.« Jetzt hatte es keinen Sinn mehr, sich Sorgen zu machen, fand sie. Schließlich hatte sie damit gerechnet, geschnappt zu werden; nun war es wenigstens erst dazu gekommen, nachdem sie ein Abenteuer und ein feines Abendessen hinter sich hatte. Außerdem, was schadete es schon? Wie die rothaarige Frau in Lincoln zugegeben hatte, zeigten die Fluggesellschaften blinde Passagiere nie an. Sie war aber doch neugierig, was nun kommen würde. »Kehren wir nun um?«

»Nein, so wichtig sind Sie nicht. Wenn wir in Italien landen, werden Sie dort den Behörden übergeben.« Vernon Demerest hatte Gwen instruiert, alle im Glauben zu lassen, Flug Zwei ginge weiter nach Rom, und ja nicht zu verraten, daß sie bereits eine Kehrtwendung gemacht hatten. Vor allem hatte er ihr auf die Seele gebunden, recht grob mit der alten Dame umzugehen, was Gwen gar nicht behagt hatte. Aber es war nötig gewesen, um auf den Passagier Guerrero Eindruck zu machen, damit Demerest seinen nächsten Schritt unternehmen konnte.

Obwohl Guerrero nichts davon ahnte – und falls alles klappte, es erst erfahren würde, wenn es zu spät war, um etwas zu ändern –, fand diese Vorstellung allein seinetwegen statt.

»Sie müssen sofort mit mir kommen«, befahl Gwen Mrs. Quonsett. »Der Kapitän hat einen Funkspruch über Sie bekommen und muß Bericht erstatten. Vorher aber will er mit Ihnen sprechen.«

Sie bat den Mann auf dem Eckplatz: »Würden Sie bitte diese Dame vorbeilassen?«

Zum ersten Male sah die alte Dame nervös aus. »Ich soll zum Kapitän kommen?«

»Ja, und er hat es nicht gern, wenn man ihn warten läßt.«

Zögernd schnallte Mrs. Quonsett ihren Sicherheitsgurt ab. Als der Oboist sich erhob und von seinem Platz trat, um sie vorbeizulassen, schritt sie unsicher in den Gang hinaus. Gwen packte sie beim Arm, schob sie vor sich her. Sie spürte geradezu alle die auf sie gerichteten feindlichen Blicke.

Sie widerstand dem Impuls, sich umzudrehen und nachzusehen, ob der Mann mit dem Koffer auch zusah.

»Ich bin Kapitän Demerest«, sagte Vernon Demerest. »Bitte kommen Sie herein – so weit vor wie möglich. Schließen Sie die Tür, Gwen. Wir wollen versuchen, ob wir uns alle hereinquetschen können.« Er lächelte Mrs. Quonsett an. »Leider entwerfen sie Pilotenkanzeln noch immer nicht groß genug, um Gäste dort zu empfangen.«

Die alte Dame aus San Diego blickte zu ihm hin. Nach dem hellen Licht in der Passagierkabine, aus dem sie kam, waren ihre Augen noch nicht auf das Halbdunkel im Cockpit eingestellt. Das einzige, was sie ausmachen konnte, waren schattenhafte sitzende Gestalten, von Dutzenden rötlich glühender Zifferblätter umgeben. Aber die Freundlichkeit in der Stimme konnte nicht mißverstanden werden; ihr Ausdruck war so ganz anders als das, was sie erwartet und wogegen sie sich gewappnet hatte.

Cy Jordan klappte die Armlehne seines Sitzes hinter Anson Harris in die Höhe. Ganz im Gegensatz zu ihrem Verhalten vor ein paar Minuten geleitete Gwen die alte Dame sanft zu diesem Sitz.

Draußen war es immer noch ruhig, was die Kehrtwendung erleichterte. Obwohl sie an Höhe verloren hatten, waren sie doch noch weit über dem Sturm, und trotz der Geschwindigkeit von über fünfhundert Meilen je Stunde zog das Flugzeug leicht seine Bahn wie auf stiller, unbewegter See.

»Mrs. Quonsett«, begann Vernon Demerest, »was da draußen auch vor sich gegangen sein mag – denken Sie nicht mehr daran. Das ist auch nicht der Grund, weshalb wir Sie hierhergeholt haben.« Er fragte Gwen: »Waren Sie auch richtig grob mit ihr?«

»Ja, leider.«

»Miss Meighen tat das auf meinen Befehl. Ich hatte es ihr genauso aufgetragen. Wir wußten, daß ein bestimmter Passagier aufmerksam werden und zuhören würde. Es sollte echt aussehen, damit es allen plausibel erschien, daß wir Sie herholten.«

Die große schattenhafte Gestalt, die von dem rechten Sitz sprach, wurde für Ada Quonsett allmählich deutlicher. Seinem

Gesicht nach, soweit sie es sehen konnte, schien er ein netter Mann zu sein. Im Augenblick hatte sie noch keine Ahnung, wovon er da sprach. Sie sah sich um. In einem Cockpit war sie noch nie gewesen. Es war weit enger und kleiner, als sie angenommen hatte. Sehr warm war es auch, und die drei Männer, die sie nun sehen konnte, waren in Hemdsärmeln. Das war wieder einmal etwas, wovon sie in New York erzählen konnte – wenn sie hinkäme.

»Oma«, sagte der Mann, der sich als Kapitän vorgestellt hatte, »sind Sie sehr schreckhaft?«

Das war eine komische Frage, und sie dachte darüber nach, ehe sie antwortete. »Nicht so sehr, glaube ich. Ich werde ja manchmal nervös, aber nicht mehr so oft wie früher. Wenn man älter wird, gibt es nicht mehr so viel, worüber man erschrickt.«

Die Augen des Kapitäns sahen sie forschend an. »Ich habe beschlossen, Ihnen etwas zu erzählen und Sie um Ihre Hilfe zu bitten. Wir haben nicht viel Zeit, deshalb werde ich mich kurz fassen. Ich nehme an, Sie haben den Mann bemerkt, der in der Kabine neben Ihnen sitzt – auf dem Fensterplatz?«

»Den Dünnen mit dem kleinen Schnurrbart?«

»Ja«, sagte Gwen, »den meinen wir.«

Mrs. Quonsett nickte. »Das ist ein komischer Heiliger. Er will mit keinem reden, und er hat so einen kleinen Koffer bei sich, den er nicht aus der Hand gibt. Ich glaube, er hat irgendwelche Sorgen.«

»Wir haben auch Sorgen«, sagte Vernon Demerest in aller Ruhe. »Wir haben Grund zu der Annahme, daß er eine Bombe in dem Koffer hat. Wir wollen sie ihm wegnehmen, und dabei brauchen wir Ihre Hilfe.«

Hier vorn bei den Piloten zu sein, dachte Ada Quonsett, war ja schon eine Überraschung, aber das Überraschendste war doch wohl diese Bitte. Während des Schweigens, das auf Demerests Eröffnung folgte, hörte sie in einem über ihrem Platz angebrachten Lautsprecher eine Meldung ankommen.

»Trans America Zwei, hier Toronto Center. Ihre Position ist fünfzehn Meilen östlich von Kleinburg Leuchtfeuer. Melden Sie Flughöhe und Absichten.«

Der Mann auf dem anderen Vordersitz, auf der linken Seite, dessen Gesicht sie noch nicht gesehen hatte, antwortete: »An Toronto von Trans America Zwei. Verlassen Flughöhe zwei neun null. Ersuchen weiter langsames Sinken, bis wir uns melden. Keine Änderung in Absicht zur Landung nach Lincoln zurückzukehren.«

»Verstanden, Trans America. Wir klaren Verkehr vor Ihnen. Sie können langsames Sinken fortsetzen.«

Ein dritter Mann an einem kleinen Tisch mit noch mehr Zifferblättern beugte sich zu dem, der geredet hatte, hinüber: »Nach meiner Berechnung in einer Stunde und siebzehn Minuten. Das heißt, auf Grund der angesagten Winde. Wenn die Front aber schneller als erwartet weitergekommen ist, kann es auch früher sein.«

»Wir fliegen also zurück, nicht wahr?« Mrs. Quonsett fiel es schwer, die Aufregung in ihrer Stimme zu verbergen.

Demerest nickte. »Sie sind der einzige an Bord, der das weiß, außer uns selbst, und Sie müssen es streng geheimhalten. Vor allem darf Guerrero – das ist der Mann mit dem Koffer – es nicht merken.«

Ada Quonsett verschlug es die Rede. Erlebte sie das wirklich? Es war alles so aufregend, richtig wie im Fernsehen. Man konnte geradezu Angst kriegen, aber sie beschloß, nicht weiter daran zu denken. Hauptsache war: sie war hier, gehörte dazu, stand mit dem Kapitän auf gleich und gleich, teilte Geheimnisse. Was würde ihre Tochter wohl dazu sagen?

»Also, wollen Sie uns helfen?«

»Aber natürlich. Sie erwarten doch von mir, daß ich versuchen soll, ihm den Koffer wegzunehmen...«

»Nein!« Nachdrücklich beugte Demerest sich über die Rücklehne seines Sitzes und sagte betont: »Sie dürfen den Koffer nicht einmal berühren oder ihm auch nur zu nahe kommen.«

»Wenn Sie es sagen, werde ich es auch nicht tun.«

»Ja, ich sage es. Und denken Sie daran, wie wichtig es ist, daß Guerrero keinen Verdacht schöpft, daß wir etwas von seinem Koffer oder dem, was darin ist, wissen. Und jetzt will ich, wie ich es vorhin auch bei Miss Meighen getan habe, Ihnen genau sagen, was Sie zu tun haben, wenn Sie wieder in der Kabine sind. Bitte passen Sie genau auf.« Als er zu Ende war, erlaubte sich die alte Dame aus San Diego ein leichtes, kurzes Lächeln.

»Ja, gut. Ja, ich glaube, das werde ich schaffen.«

Sie stand von ihrem Platz auf, und Gwen öffnete bereits die Tür des Cockpits, als Demerest fragte: »Dieser Flug von Los Angeles, auf dem Sie sich versteckt hatten, man hat mir gesagt, Sie hätten versucht, nach New York zu kommen. Warum?«

Sie erzählte ihm, daß sie sich manchmal an der Westküste einsam fühle und dann ihre verheiratete Tochter im Osten besuchen wolle.

»Oma«, sagte Vernon Demerest, »wenn Sie diese Geschichte schaffen, garantiere ich Ihnen persönlich, daß nicht nur jede Schwierigkeit behoben wird, in der Sie gerade stecken, sondern daß unsere Fluggesellschaft Ihnen einen Freiflugschein Erster Klasse nach New York und zurück gibt.«

Mrs. Quonsett war so gerührt, daß sie beinahe weinte.

»Oh, vielen Dank! Vielen Dank!« Zum ersten Male fiel es ihr schwer, zu sprechen. Was für ein bemerkenswerter Mann, dachte sie, so ein freundlicher, lieber Mann.

Ihre echte Bewegtheit half Mrs. Quonsett, nachdem sie die Pilotenkanzel verlassen hatte und den Weg durch die Kabine Erster Klasse zurück in die Touristenklassekabine wankte. Gwen Meighen hatte sie fest am Arm gepackt und schob sie vor sich her, wobei die alte Dame sich mit ihrem Spitzentüchlein die Augen betupfte und eine tränenreiche, glaubwürdige Darstellung absoluter Verzweiflung bot. Unter ihren Tränen fast schmunzelnd, dachte sie, daß dies heute abend ihre zweite Vorstellung war. Die erste hatte sie im Flughafen für den jungen Passagierbetreuer Peter Coakley gegeben, als sie ihm gegenüber so tat, als ob sie krank wäre. Dabei war sie überzeugend gewesen – warum sollte sie es diesmal nicht auch sein?

Die Vorstellung war so überzeugend, daß ein Passagier Gwen erregt fragte: »Miß, gleichgültig, was die alte Dame getan hat – ist das ein Grund, so grob zu ihr zu sein?«

Gwen erwiderte im Bewußtsein, daß sie bereits in Hörweite dieses Guerrero war, abweisend: »Mischen Sie sich bitte nicht ein, Sir!«

Als sie in die Touristenkabine traten, schloß Gwen den Vorhang zu dem Durchgang zwischen der Kabine Erster Klasse und der Touristenkabine. Das war ein Teil von Vernons Plan. Sie blickte durch das Flugzeug zurück nach vorn und erkannte, daß die Tür der Pilotenkanzel nur angelehnt war. Sie wußte, daß Vernon dahinter wartete und sie beobachtete. Sobald der Vorhang zwischen den beiden Abteilungen geschlossen war, würde Vernon nach hinten kommen und hinter dem Vorhang stehenbleiben, um durch einen Spalt, den Gwen absichtlich offengelassen hatte, weiter zu beobachten. Wenn der geeignete Augenblick gekommen war, würde er den Vorhang beiseite reißen und vorstürzen.

Bei dem Gedanken, was in den nächsten paar Minuten geschehen würde – wie es auch immer ausgehen mochte –, überfiel Gwen wieder eine kalte Angst, eine schreckliche Vorahnung. Und wieder konnte sie sie überwinden. Sie hielt sich ihre Verantwortung für die Besatzung und die anderen Passagiere – die von dem Drama, das sich in ihrer Mitte abspielte, keine Ahnung hatten –, vor Augen und begleitete Mrs. Quonsett das letzte Stück bis zu ihrem Platz.

Der Passagier Guerrero blickte kurz auf und sah dann wieder weg. Gwen sah den kleinen Aktenkoffer noch an der gleichen Stelle auf seinen Knien, wo seine Hände ihn festhielten. Der Mann auf dem Außenplatz neben Mrs. Quonsett, der Oboist, stand auf, als sie näher kamen. Sein Ausdruck verriet Mitgefühl, und er trat beiseite, um die alte Dame vorbeizulassen. Unauffällig stellte Gwen sich vor ihn und verstellte ihm den Rückweg. Der Sitz am Mittelgang mußte unbesetzt bleiben, bis Gwen den Weg freigab. Aus den Augenwinkeln bemerkte sie durch den Spalt, den sie im Vorhang aufgelassen hatte, eine Bewegung. Vernon Demerest hatte seinen Posten bezogen und stand bereit.

»Bitte!« Noch im Mittelgang stehend, wandte sich Mrs. Quonsett unter Tränen bittend an Gwen. »Ich flehe Sie an! Bitten Sie den Kapitän, es sich noch einmal zu überlegen. Ich möchte nicht der italienischen Polizei übergeben werden ...«

Gwen erwiderte schroff: »Daran hätten Sie früher denken sollen. Außerdem kann ich dem Kapitän nicht vorschreiben, was er zu tun hat.«

»Aber Sie können ihn bitten! Auf Sie wird er hören.«

D. O. Guerrero wandte den Kopf. Er nahm die Szene in sich auf, dann blickte er wieder fort. Gwen faßte die alte Dame am Arm. »Setzen Sie sich jetzt endlich hin!«

Ada Quonsetts Stimme bekam einen hohen, schrillen Klang. »Ich bitte doch nur darum, zurückgebracht zu werden. Übergeben Sie mich hier der Polizei, nicht in einem fremden Land.«

Der Oboist hinter Gwen protestierte: »Sehen Sie denn nicht, daß die alte Dame völlig verzweifelt ist, Miß?«

Gwen entgegnete scharf: »Halten Sie sich bitte heraus. Diese Frau hat hier nichts zu suchen. Sie ist ein blinder Passagier.«

Empört sagte der Oboist: »Das ist mir völlig gleichgültig. Auf jeden Fall ist sie eine alte Dame.«

Gwen ignorierte ihn und gab Mrs. Quonsett einen Stoß. »Wollen Sie jetzt hören! Setzen Sie sich, und seien Sie still!«

Mrs. Quonsett ließ sich in ihren Sitz sinken. Sie schrie: »Sie haben mir weh getan! Sie haben mir weh getan!«

Verschiedene Passagiere hatten sich von ihren Plätzen erhoben und protestierten.

D. O. Guerrero starrte weiter geradeaus. Gwen sah, daß seine Hände nach wie vor den Aktenkoffer fest umklammerten.

Mrs. Quonsett stieß wieder einen Klagelaut aus.

Gwen sagte kalt: »Sie sind hysterisch.« Sie verabscheute, was sie tun mußte, beugte sich aber scheinbar eiskalt zwischen den Sitzen vor und schlug Mrs. Quonsett fest ins Gesicht. Das Klatschen hallte in der Kabine wider. Die Passagiere hielten erschrocken den Atem an. Mit ungläubigen Gesichtern tauchten zwei der anderen Stewardessen auf. Der Oboist packte Gwens Arm. Hastig machte sie sich von ihm frei.

Was jetzt geschah, ereignete sich so schnell, daß selbst diejenigen, die dem Schauplatz am nächsten waren, die Reihenfolge nicht deutlich erkannten.

Mrs. Quonsett wandte sich auf ihrem Platz nach links D. O. Guerrero zu. Sie flehte ihn an: »Helfen Sie mir! Bitte helfen Sie mir, Sir.« Mit starrem Gesicht ignorierte er sie.

Von Angst und Schmerz anscheinend überwältigt, streckte sie die Arme nach ihm aus und schlang sie hysterisch um seinen Hals. »Bitte, bitte!«

Guerrero drehte seinen Körper von ihr ab und versuchte sich zu befreien. Es gelang ihm nicht. Statt dessen schlang Ada Quonsett ihre Arme noch fester um seinen Hals. »Oh, helfen Sie mir!«

Mit rotem Gesicht und dem Ersticken nahe, hob D. O. Guerrero beide Hände, um sich von ihr loszureißen. Wie in einem demütigen Gebet löste Ada Quonsett ihren Griff und erfaßte seine Hände.

Im gleichen Augenblick beugte sich Gwen Meighen zu den inneren Sitzen vor. Sie streckte die Hände aus und erfaßte mit einer einzigen glatten Bewegung, fast ohne Hast den Aktenkoffer, und nahm ihn von Guerreros Knien fort. Im nächsten Augenblick war das Köfferchen frei und im Mittelgang. Zwischen Guerrero und dem Aktenkoffer bildeten Gwen und Ada Quonsett eine solide Barriere.

Der Vorhang vor dem Durchgang zur Kabine Erster Klasse wurde aufgerissen. Vernon Demerest, groß und imposant in seiner Uniform, trat schnell heraus.

Sein Gesicht zeigte Erleichterung. Er streckte die Hand nach dem Aktenkoffer aus. »Gut gemacht, Gwen, gib ihn mir.«

Unter normalen Umständen wäre der Vorfall, abgesehen davon, daß man später mit Guerrero hätte fertig werden müssen, damit abgeschlossen gewesen. Daß es nicht dazu kam, war einzig auf Marcus Rathbone zurückzuführen.

Bis zu diesem Augenblick war Rathbone ein unbekannter, unbeachteter Passagier gewesen, der Sitz 14-D auf der anderen Seite des Mittelgangs einnahm. Obwohl er den anderen nicht weiter auffiel, war er ein selbstgefälliger, anmaßender Mensch, der eine hohe Meinung von sich hatte. Er war in der kleinen Stadt in Iowa, in der er lebte, ein kleinerer Geschäftsmann, den seine Nachbarn als »Querulant« bezeichneten. Was auch andere in der Gemeinde taten oder anregten: Marcus Rathbone erhob Einwände. Seine Einwände, groß und klein, waren legendär. Sie richteten sich gegen die Auswahl der Bücher für die Stadtbibliothek, den Plan für Gemeinschaftsantennen in der Gemeinde, die erforderliche Bestrafung seines Sohnes auf der Schule, die Farbe zum Anstrich eines öffentlichen Gebäudes. Kurz vor Antritt seiner gegenwärtigen Reise hatte er einen Vorschlag zur Beschilderung, der das Bild der Hauptstraße der Stadt verschönern sollte, zu Fall gebracht. Und bei all seiner gewohnheitsmäßigen Stänkerei war nie bekanntgeworden, daß von ihm ein konstruktiver Vorschlag gekommen wäre.

Eine weitere Absonderlichkeit von Marcus Rathbone war, daß er Frauen verabscheute, einschließlich seiner eigenen. Keiner seiner Proteste war je zu ihren Gunsten erfolgt. Infolgedessen hatte ihn die gerade erfolgte Demütigung von Mrs. Quonsett auch nicht berührt, wohl aber, daß Gwen Meighen D. O. Guerreros Aktenkoffer an sich brachte.

Für Marcus Rathbone war das Behördenterror in Uniform – und auch noch von einer Frau! –, durch den die Rechte gewöhnlicher Reisender, wie er selbst, beeinträchtigt wurden. Empört erhob Rathbone sich von seinem Platz und baute sich zwischen Gwen und Vernon Demerest auf. Im gleichen Augenblick gelang es D. O. Guerrero, mit hochrotem Gesicht und zusammenhanglose Worte ausstoßend, sich von seinem Sitz zu erheben und sich aus Ada Quonsetts Griff zu befreien. Als er den Mittelgang erreichte, entriß Marcus Rathbone Gwen das Köfferchen und reichte es mit einer höflichen Verbeugung Guerrero, der es wie ein wildes Tier mit Wahnsinn in den Augen packte.

Vernon Demerest warf sich vor, aber es war zu spät. Er versuchte Guerrero zu erreichen, aber die Enge des Mittelgangs und die ihm im Weg stehenden Personen – Gwen, Rathbone und der Oboist – behinderten ihn. D. O. Guerrero hatte sich an den anderen vorbeigedrängt und lief im Flugzeug nach hinten. Andere Passagiere erhoben sich nun auch von den Sitzen. Verzweifelt schrie Demerest: »Haltet den Mann fest! Er hat eine Bombe!«

Dieser Ruf löste Schreie aus und einen Zustrom von den Sitzen in den Mittelgang, der ihn noch mehr blockierte. Nur Gwen Meighen gelang es durch Stoßen, Schlagen und Drängen dicht hinter Guerrero zu bleiben.

Am Ende der Kabine drehte Guerrero sich um. Immer noch ein wildes Tier, aber jetzt ein in die Enge getriebenes. Alles, was sich zwischen ihm und dem Schwanz des Flugzeuges befand, waren die drei hinteren Toiletten. Leuchtzeichen zeigten an, daß zwei frei waren und eine besetzt. Mit dem Rücken zu den Toiletten hielt Guerrero den Aktenkoffer vor sich, die eine Hand am Griff, die andere an der Schnur, die jetzt unter dem Griff zu sehen war. Mit gepreßter Stimme, irgendwo zwischen einem Flüstern und einem Knurren, warnte er: »Bleibt, wo ihr seid. Kommt nicht näher!«

Über die Köpfe der anderen hinweg schrie Vernon Demerest wieder: »Guerrero, hören Sie auf mich! Verstehen Sie mich? Hören Sie doch!«

Für eine Sekunde herrschte Stille, in der sich niemand regte. Das einzige Geräusch war das stetige gedämpfte Dröhnen der Düsenmotoren des Flugzeugs. Blinzelnd starrte Guerrero die anderen mit argwöhnisch wandernden Augen an.

»Wir wissen, wer Sie sind«, rief Demerest ihm zu. »Und wir wissen, was Sie beabsichtigen. Wir wissen von der Versicherung und von der Bombe. Und unten auf der Erde wissen sie es auch. Das bedeutet: Ihre Versicherung ist nichts wert. Verstehen Sie das? Ihre Versicherung ist ungültig, gestrichen, wertlos. Wenn Sie die Bombe auslösen, töten Sie sich umsonst. Niemand wird etwas gewinnen. Am wenigsten Ihre Familie. Ihre Familie wird sogar verlieren, denn ihr wird die Schuld zugeschrieben, und sie wird verfolgt. Hören Sie auf mich! Denken Sie nach!«

Eine Frau schrie auf. Guerrero zögerte immer noch.

Vernon Demerest drängte: »Guerrero, lassen Sie diese Leute sich hinsetzen, dann können wir sprechen, wenn Sie wollen. Sie können mir Fragen stellen. Ich verspreche Ihnen, daß Ihnen niemand zu nahe kommt, solange Sie es nicht wollen.«

Demerest überlegte: Wenn er Guerreros Aufmerksamkeit lange

459

genug fesselte, wurde der Mittelgang vielleicht freigegeben. Danach konnte er Guerrero vielleicht überreden, ihm den Koffer auszuhändigen. Wenn er sich weigerte, bestand immer noch die Chance, daß Demerest vorstürzte, sich auf Guerrero warf und ihm den Aktenkoffer entwand, ehe die Zündung ausgelöst werden konnte. Es war ein ungeheures Risiko, aber eine andere Möglichkeit gab es nicht.

Die Leute wichen ängstlich auf ihre Sitze zurück.

»Nachdem Sie jetzt wissen, Guerrero, daß es Ihnen nichts mehr nützt, fordere ich Sie auf, mir diesen Koffer zu geben.« Demerest versuchte überzeugend zu klingen, er spürte, wie wichtig es war, weiterzusprechen. »Wenn Sie tun, was ich Ihnen sage, gebe ich Ihnen mein Ehrenwort, daß Ihnen niemand in diesem Flugzeug etwas tun wird.«

In D. O. Guerreros Augen spiegelte sich Furcht. Er feuchtete seine dünnen Lippen mit der Zunge an. Gwen Meighen stand ihm am nächsten.

Demerest sagte ruhig: »Halten Sie sich zurück, Gwen. Versuchen Sie einen Sitzplatz zu finden.« Wenn er vorspringen mußte, wollte er niemand im Weg haben.

Hinter Guerrero öffnete sich die Tür der besetzten Toilette. Ein eulenhafter junger Mann mit einer dicken Brille kam heraus. Er hielt inne und blinzelte kurzsichtig. Offensichtlich hatte er nichts von dem gehört, was vorgegangen war.

Einer der Passagiere schrie ihm zu: »Packen Sie den Kerl mit dem Koffer! Er hat eine Bombe!«

Beim ersten Klicken der Toilettentür drehte Guerrero sich halb um. Jetzt stieß er den Mann mit der Brille beiseite und stürzte in die Toilette, die der Neuankömmling freigegeben hatte.

Als Guerrero sich bewegte, bewegte sich auch Gwen Meighen und blieb dicht hinter ihm. Vernon Demerest, einige Meter entfernt, kämpfte sich durch den noch immer gedrängt vollen Gang nach hinten.

Die Toilettentür schloß sich, als Gwen sie erreichte. Sie stellte einen Fuß dazwischen und drückte dagegen. Ihr Fuß verhinderte, daß die Tür sich völlig schloß, aber sie konnte sie nicht bewegen. Ein scharfer Schmerz schoß durch ihren Fuß, während sie Guerreros Gewicht spürte, der sich verzweifelt gegen die andere Seite der Tür stemmte.

Während der letzten Minuten war in D. O. Guerreros Kopf nichts anderes als wallender Nebel gewesen. Weder hatte er völlig begriffen, was vorgegangen war, noch hatte er alles gehört, was Demerest gesagt hatte. Eines jedoch war durchgedrungen. Er erkannte, daß, wie so viele seiner großartigen Pläne, auch dieser fehlgeschlagen war. Irgendwo hatte er auch dies, wie alles – was er versuchte –, verpatzt. Sein ganzes Leben war ein einziges Versagen gewesen. Voller Erbitterung erkannte er, daß auch sein Tod ein Fehlschlag sein würde.

Mit dem Rücken stemmte er sich gegen die Innenseite der Toilettentür. Er spürte den Druck dagegen und wußte, daß dieser Druck sich jeden Augenblick verstärken würde und er die Tür nicht länger geschlossen halten konnte. Verzweifelt fummelte er an dem Aktenkoffer, griff nach der Schnur unter dem Griff, die das Stück Kunststoff lösen, den Kontakt an der Wäscheklammer schließen und das Dynamit zur Explosion bringen würde. Noch als er die Schnur fand und daran zog, fragte er sich, ob die Bombe, die er gemacht hatte, nicht auch versagen würde.

Im letzten Sekundenbruchteil seines Lebens und seines Bewußtseins erfuhr D. O. Guerrero, daß sie nicht versagte.

X

Die Explosion an Bord von Flug Zwei der Trans America, *The Golden Argosy*, erfolgte blitzschnell, war ungeheuerlich und vernichtend. Im beengten Raum der Maschine schlug sie mit dem Getöse von hundert Donnerschlägen, einem Flammenmeer und der Wucht eines gigantischen Schmiedehammers zu.

D. O. Guerrero war auf der Stelle tot, sein Körper, dicht bei dem Explosionsherd, wurde völlig zerfetzt. In diesem Augenblick existierte er noch, im nächsten waren nur noch einige wenige kleine blutige Fetzen von ihm übrig.

Der Rumpf des Flugzeugs wurde aufgerissen.

Gwen Meighen, die neben Guerrero der Explosion am nächsten war, wurde von deren Gewalt im Gesicht und an der Brust getroffen.

Einen Sekundenbruchteil nachdem die Dynamitladung die Außenhaut der Maschine aufgerissen hatte, trat in der Kabine die Dekompression ein. Mit einem zweiten donnernden Tosen und der Gewalt eines Tornados schoß die Luft in der Maschine, die bis dahin unter normalem Druck gehalten worden war, durch die aufgerissene Rumpfhülle und verteilte sich in der dem Vakuum nahen dünnen Außenluft. Durch die Passagierkabine fegte eine dunkle, alles verhüllende Staubwolke nach hinten. Wie von einem Strudel mitgerissen, flog jeder lose Gegenstand, ob leicht oder schwer, Zeitungen, Tabletts, Flaschen, Kaffeekannen, Handgepäck, Kleidungsstücke, das Eigentum der Passagiere, in einem Wirbel durch die Luft, wie von einem riesigen Staubsauger angesogen. Vorhänge rissen ab, Zwischentüren zur Pilotenkanzel, zur Galley und zu den Toiletten wurden aus den Angeln gerissen und mit allem anderen nach hinten gefegt.

Mehrere Passagiere wurden getroffen. Andere, die nicht an ihren Sitzen festgeschnallt waren, klammerten sich an jeden Halt, der sich bot, um von dem Luftstrom und der Saugkraft nicht unwiderstehlich mit nach hinten gerissen zu werden.

In der ganzen Maschine klappten über jedem Sitz Notbehälter auf. Gelbe Sauerstoffmasken schwankten herab; jede war durch

einen kurzen Kunststoffschlauch mit der zentralen Sauerstoffversorgung verbunden.

Unvermittelt ließ der saugende Zug nach. Das Innere des Flugzeugs wurde von Dunst und einer wild beißenden Kälte erfüllt.
Der Lärm der Motoren und der Zugluft war ohrenbetäubend.

Vernon Demerest stand noch im Mittelgang der Touristenkabine, wo er sich instinktiv an einer Rückenlehne festgeklam-
mert hatte, und brüllte: »Sauerstoffmasken anlegen!« Er griff
nach einer der Masken für sich selbst.

Aus Kenntnis und durch Ausbildung erkannte Demerest das,
was die meisten nicht konnten: Die Luft in der Kabine war
jetzt so dünn wie die Außenluft und genügte nicht zum Atmen.
Nur fünfzehn Sekunden volles Bewußtsein blieben jedem, falls
nicht sofort durch die Notanlage der Maschine Sauerstoff ein-
geatmet wurde.

Selbst mit der Hilfe von Sauerstoff konnte innerhalb von fünf
Sekunden eine Verminderung des Urteilsvermögens eintreten.
Nach weiteren fünf Sekunden würde ein Zustand der Euphorie
viele veranlassen, auf den Sauerstoff völlig zu verzichten;
gleichgültig würden sie in Bewußtlosigkeit versinken.

Die Fluggesellschaften waren seit langer Zeit von Leuten, die
die Gefahr einer Dekompression beurteilen konnten, dazu gedrängt worden, vor dem Abflug klarere Erklärungen über die
Ausrüstung mit Sauerstoffmasken abzugeben als bisher. Die
Begründung lautete, den Passagieren müsse gesagt werden:
»Sobald eine Sauerstoffmaske vor ihnen erscheint, greifen
Sie nach ihr, drücken Sie sie sich gegen das Gesicht, und fragen
Sie später nach den Gründen. Wenn eine echte Dekompression
eintritt, haben Sie keine Sekunde zu verlieren. Im Falle eines
falschen Alarms können Sie sie später wieder abnehmen; in-
zwischen kann sie Ihnen nicht schaden.«

Piloten, die sich Dekompressionstests unterzogen, wurde eine
simple Demonstration der Wirkung des Mangels an Sauerstoff
in großen Höhen gegeben. In einer Dekompressionskammer,
mit einer Sauerstoffmaske ausgerüstet, wurden sie aufgefordert,
ihren Namen zu schreiben. Und während des Experiments wurden ihnen die Masken abgenommen. Die Unterschriften zer-

flossen in ein Gekrakel oder in nichts. Ehe die Bewußtlosigkeit eintrat, wurden die Masken wieder angelegt.

Den Piloten fiel es nachher schwer zu glauben, was sie vor sich sahen. Dennoch bestanden die Fluggesellschaften in der Annahme, daß eindeutigere Anweisungen über den Gebrauch der Sauerstoffmasken bei den Passagieren Unruhe auslösen könnten, darauf, vor dem Abflug nur unverfängliche Anweisungen zu geben. Lächelnde Stewardessen, die entweder gelangweilt oder amüsiert schienen, führten die Anlagen gleichgültig vor, während eine unsichtbare Stimme, die hetzte, um vor dem Start fertig zu werden, Phrasen wie die folgende herunterplapperte: *In dem unwahrscheinlichen Fall, daß – und – Vorschriften der Regierung verlangen, daß wir Sie unterrichten.* Niemals wurde auf die Dringlichkeit hingewiesen, wie schnell die Geräte in einem Notfall benutzt werden mußten.

Infolgedessen waren die Passagiere gegenüber den Sauerstoffgeräten ebenso gleichgültig, wie die Fluggesellschaften und ihr Personal es zu sein schienen. Die Klappen über ihren Köpfen und die eintönigen, immer wieder gleichen Demonstrationen waren etwas, fanden die Passagiere, das sich eine Gesellschaft von vorschriftswütigen Beamten ausgedacht hatte, und gähnten! Das Ganze war weitgehend eine Albernheit, auf der die gleiche Sorte Menschen bestand, die Einkommensteuern eintrieben und Spesenabrechnungen nicht anerkannten. Was sollte es also?

Bei normalen Flügen öffneten sich manchmal zufällig die Behälter der Sauerstoffmasken, und die Masken tauchten vor den Passagieren auf. Wenn das geschah, starrten die meisten Fluggäste die Masken neugierig an, trafen aber keine Anstalten, sie anzulegen. Genau diese Reaktion war an Bord eingetreten, obwohl es sich um einen echten Katastrophenfall handelte.

Vernon Demerest sah die Reaktion und erinnerte sich mit plötzlich aufwallender Wut an seine und anderer Piloten Kritik gegen die pflaumenweichen Hinweise auf die Sauerstoffanlage. Ihm blieb aber keine Zeit, eine weitere Warnung herauszuschreien oder auch nur an Gwen zu denken, die wenige Schritte entfernt tot sein oder im Sterben liegen konnte.

Nur eines war wichtig, irgendwie mußte er in die Pilotenkanzel zurückkommen und helfen, das Flugzeug zu retten, wenn es möglich war.

Tief atmete er Sauerstoff ein und überlegte, wie er durch das Flugzeug nach vorn kommen könne.

Über jeder Sitzreihe der Touristenkabine hatten sich vier Sauerstoffmasken herabgesenkt, eine für jeden Platz und eine zusätzliche als Reserve, nach der jeder greifen konnte, der gerade im Mittelgang stand. Demerest hatte nach einer der Reservemasken gegriffen.

Um aber zum Cockpit zu gelangen, mußte er seine Maske aufgeben und eine tragbare finden, die ihm erlaubte, sich frei zu bewegen.

Er wußte, daß weiter vorn in einem oben gelegenen Fach bei der Trennwand zur Kabine Erster Klasse zwei tragbare Sauerstoff-Flaschen untergebracht waren. Wenn er eine davon erreichte, würde sie ihm für den restlichen Weg von der Trennwand bis zur Pilotenkanzel genügen.

Sitzreihe um Sitzreihe bewegte er sich vorwärts und griff jedesmal nach der freihängenden Reservemaske. Einige Reihen vor sich bemerkte er, daß alle vier Masken von den dort sitzenden Passagieren benutzt wurden. Jeder der drei Fluggäste, darunter ein junges Mädchen, hatte eine Maske, die vierte Maske hielt das junge Mädchen vor das Gesicht eines Säuglings, der auf dem Nebensitz auf dem Schoß seiner Mutter lag. Das Mädchen schien den Befehl übernommen zu haben und winkte anderen in ihrer Nähe, das gleiche zu tun wie sie. Demerest wandte sich nach der anderen Seite, sah eine Reservemaske hängen und atmete tief Sauerstoff ein, ließ die Maske vor seinem Gesicht los und griff nach der freihängenden. Er schaffte es, und wieder atmete er tief Sauerstoff ein. Noch hatte er die halbe Länge der Touristenkabine vor sich.

Er machte einen weiteren Schritt, als er spürte, wie die Maschine scharf nach rechts abkippte und dann steil nach unten ging.

Demerest klammerte sich fest. Er wußte, daß er im Augenblick nichts tun konnte. Was als nächstes geschah, hing von zwei Dingen ab: wie groß die Beschädigung war, die die Explosion verursacht hatte, und dem Können von Anson Harris, der allein am Steuer der Maschine saß.

Im Cockpit waren die Ereignisse der letzten paar Sekunden mit noch geringerer Vorwarnung eingetreten als hinten. Nachdem Gwen Meighen und Mrs. Quonsett gegangen waren und Vernon Demerest ihnen folgte, hatten die beiden übrigen Besatzungsmitglieder – Anson Harris und der Zweite Offizier Cy Jordan – keine Ahnung, was hinter ihnen in der Passagierkabine vor sich ging, bis die Dynamitexplosion die Maschine erschütterte und einen Sekundenbruchteil später die explosive Dekompression erfolgte.

Wie die Passagierkabinen, erfüllte auch das Cockpit eine dichte dunkle Staubwolke, die fast augenblicklich abgesaugt wurde, als die Tür zur Pilotenkanzel aus Schloß und Angeln herausgerissen wurde. Alles, was in der Pilotenkanzel nicht befestigt war, wurde fortgerissen und mit dem von Trümmern beladenen Wirbel nach hinten gefegt.

Unter dem Tisch des Flugingenieurs begann eine Warnsirene aufzuheulen. Über den beiden Vordersitzen blitzten hellgelbe Lichter grell auf. Die Sirene und die Lichter signalisierten gefährlichen Unterdruck.

Ein feiner Dunst, tödlich kalt, trat an die Stelle der Staubwolke. Anson Harris spürte einen schmerzhaften Druck auf den Trommelfellen, doch noch vorher hatte er augenblicklich reagiert, die Wirkung vieler Jahre der Ausbildung und Erfahrung. Während des langen, mühsamen Aufstiegs zum Kapitänspatent für Verkehrsflugzeuge verbringen Piloten anstrengende Stunden in Lehrsälen und auf Simulatoren, studieren und üben sich in Flugsituationen, sowohl normalen als auch gefahrvollen. Die Absicht ist, sie zu jeder Zeit auf schnelle, richtige Reaktionen vorzubereiten.

Die Simulatoren standen auf allen wichtigen Flugbasen, und alle großen Fluggesellschaften besaßen sie. Von außen sah ein Simulator wie die Nase eines Flugzeugs aus, von dem der übrige Rumpf abgehackt war. Sein Inneres enthielt alles, was sich in einer normalen Pilotenkanzel befand.

Wenn Piloten einen Simulator betraten, blieben sie dort für Stunden eingeschlossen und ahmten genau die Bedingungen eines Langstreckenflugs nach. Sobald die äußere Tür geschlossen war, trat etwas Unheimliches ein. Selbst Bewegung und Geräusch waren vorhanden und schufen den physischen Eindruck des Fliegens. Alle Umstände gleichen der Wirklichkeit. Auf einer Leinwand vor der vorderen Scheibe erschienen Flughäfen und Startbahnen, wurden größer oder verschwanden, um Starts und Landungen nachzubilden. Der einzige Unterschied zwischen der Pilotenkanzel eines Simulators und einer echten bestand darin, daß der Simulator niemals den Boden verließ.

Piloten im Simulator standen mit einem nahegelegenen Kontrollraum über Funk in Verbindung wie in der Luft. In dem Kontrollraum ahmten geübte Spezialisten die Tätigkeit der Flugsicherung und alle anderen Flugbedingungen nach. Diese Leute konnten auch ohne vorherige Warnung für die Piloten schwierige Situationen herbeiführen. Sie reichten von vielseitigen Motorschäden bis zu Feuer, von heftigem Unwetter über Versagen der elektrischen Anlage und Treibstoffmangel bis zu explosiven Dekompressionen und versagenden Instrumenten und einem Sortiment weiterer Unerfreulichkeiten. Selbst ein Absturz konnte nachgebildet werden. Manchmal wurden Simulatoren umgekehrt benutzt, um festzustellen, was einen Absturz verursacht hatte.

Gelegentlich fütterte ein Tester gleichzeitig mehrere Notstände in den Simulator und verursachte, daß die Piloten nachher erschöpft und schweißgebadet auftauchten. Die meisten Piloten unterwarfen sich diesen Tests. Bei den wenigen, die sich weigerten, wurde diese Tatsache in ihren Personalakten vermerkt, sie wurden wieder und wieder geprüft und später scharf beobachtet. Die Tests im Simulator wurden mehrmals im Jahr während der Laufbahn eines Piloten in jedem Stadium bis zu seiner Pensionierung fortgesetzt.

Die Folge war: Wenn wirklich ein Notfall eintrat, wußten die Piloten genau, was sie zu tun hatten, und taten es, ohne zu zögern und kostbare Zeit zu verlieren. Das war einer der vielen Faktoren, die Reisen mit den Fluggesellschaften zum sichersten

Verkehrsmittel in der menschlichen Geschichte machen. Dieser Faktor hatte auch Anson Harris zu sofortigem Handeln vorbereitet, das auf die Rettung von Flug Zwei abzielte.

Bei der Ausbildung für eine explosive Dekompression gab es eine Grundregel: Die Besatzung muß zuerst für sich selbst sorgen. Vernon Demerest befolgte diese Regel; Anson Harris und Cy Jordan auch.

Sie mußten sofort Sauerstoff haben, sogar noch vor den Passagieren. Nachdem dann die vollen geistigen Fähigkeiten gesichert waren, konnten Entschlüsse gefaßt werden.

Hinter dem Sitz jedes Piloten hing eine schnell anzulegende Sauerstoffmaske, die der Schutzmaske eines Fängers beim Baseball glich. Wie er es zahllose Male geprobt hatte, riß sich Harris den Radiohörer vom Kopf und griff über die Schulter zurück nach der Maske. Er zerrte daran, damit die Halteklammer aufging, und stülpte sich die Maske über, die außer dem Anschlußschlauch an die Sauerstoffversorgung des Flugzeugs auch ein Mikrofon enthielt. Um zu hören, da er seinen Kopfhörer nicht mehr aufhatte, schaltete Harris jetzt einen über ihm befindlichen Lautsprecher ein.

Cy Jordan hatte hinter ihm mit ebenso schnellen Bewegungen das gleiche getan.

Mit einer weiteren Reflexbewegung sorgte Anson Harris für die Passagiere. Die Sauerstoffanlage für die Kabine arbeitete im Fall eines Versagens der Druckanlage automatisch. Doch aus Vorsicht – falls sie es nicht tun sollte – befand sich über den Köpfen der Piloten ein Hauptschalter, der die Freigabe der Masken für die Passagiere betätigte und die Sauerstoffzufuhr einschaltete, falls die Automatik versagte. Harris knipste den Schalter an. Er ließ die rechte Hand auf die Gashebel fallen und riß alle vier zurück. Das Flugzeug wurde langsamer.

Es mußte noch langsamer werden.

Links von den Gashebeln befand sich der Handgriff für die Geschwindigkeitsdrosselung. Oben auf beiden Tragflächen richteten sich Bremsklappen auf, erhöhten den Luftwiderstand und verursachten eine weitere Verringerung der Geschwindigkeit.

Cy Jordan stellte die Warnsirene ab.

Bisher waren alle Handgriffe automatisch erfolgt. Jetzt war der Augenblick der Entscheidung gekommen.

Wesentlich war, daß das Flugzeug eine sichere Flughöhe weiter unten aufsuchte. Aus seiner gegenwärtigen Höhe von achtundzwanzigtausend Fuß mußte es um rund dreieinhalb Meilen tiefer gehen, wo die Luft dichter war, damit die Passagiere und die Besatzung ohne zusätzlichen Sauerstoff atmen und überleben konnten.

Die Entscheidung, die Harris zu treffen hatte, war: Sollte der Abstieg langsam oder mit hoher Geschwindigkeit im Sturzflug erfolgen?

Bis vor etwa ein oder zwei Jahren lautete die Anweisung für die Piloten im Fall einer explosiven Dekompression: sofort in Sturzflug gehen. Tragischerweise hatte die Anweisung jedoch bei mindestens einem Flugzeug dazu geführt, daß es in der Luft zerbrach, während ein langsamer Abstieg es vielleicht gerettet hätte. Gegenwärtig wurden die Piloten gewarnt: Zuerst die strukturellen Schäden prüfen. Wenn der Schaden stark ist, kann er durch einen Sturzflug verschlimmert werden, folglich langsam absteigen. Doch auch dieses Vorgehen hatte seine Gefahren. Anson Harris wurden sie augenblicklich klar.

Zweifellos hatte die Maschine strukturelle Schäden erlitten. Die explosive Dekompression bewies das, und die Explosion, die unmittelbar vorher erfolgt war – obwohl noch keine Minute vergangen war –, konnte bereits großen Schaden angerichtet haben. Unter anderen Umständen hätte Harris Cy Jordan nach hinten geschickt, um zu erfahren, wie stark die Beschädigung war, doch da Demerest sich bereits hinten befand, mußte Jordan bleiben.

Wie schwer jedoch der strukturelle Schaden auch sein mochte, ein anderer Faktor spielte mit, der womöglich noch bedeutender war. Die Außentemperatur betrug fünfzig Grad Celsius unter Null. Der fast lähmenden Kälte nach zu urteilen, die Harris spürte, mußte die Innentemperatur jetzt nahezu die gleiche sein. In dieser scharfen Kälte konnte niemand ohne ausreichende Schutzkleidung länger als eine Minute leben.

Welches also war das geringere Risiko: mit Gewißheit zu erfrieren oder es zu wagen, schnell hinunterzugehen?

Harris traf eine Entscheidung, die sich nur durch spätere Ereignisse als richtig oder falsch erweisen konnte. Über das Bordtelefon rief er Cy Jordan zu: »Warnung an Flugsicherung! Gehen in Sturzflug!«

Im gleichen Augenblick legte Harris die Maschine steil nach rechts und fuhr das Fahrgestell aus. Daß er das Flugzeug auf die Seite legte, ehe er in den Sturzflug ging, würde zweierlei bewirken: Passagiere oder Stewardessen, die nicht auf Sitzen festgeschnallt waren oder standen, würden so durch die Zentrifugalkraft ihre gegenwärtige Stellung beibehalten, wogegen sie, wenn er gerade in den Sturzflug ging, gegen die Decke geschleudert würden. Die dabei erfolgende Wendung würde die Maschine auch aus der Flugschneise bringen, in der sie flog, und hoffentlich von anderen Flugzeugen unter ihnen entfernen. Das Ausfahren des Fahrgestells würde die Geschwindigkeit weiter verringern und den Sturzflug steiler machen.

Durch den Lautsprecher über sich konnte Harris Cy Jordans Stimme hören, der den Notruf anstimmte: »Mayday, mayday. Hier Trans America Zwei. Explosive Dekompression. Sind im Sturzflug.«

Harris stieß die Steuersäule scharf nach vorn. Über die Schulter schrie er: »Verlangen Sie zehn!« Cy Jordan fügte hinzu: »Anfordern zehntausend Fuß.«

Anson Harris stellte den Schalter der Radarübertragung auf 77 – ein S-O-S des Radars. Jetzt war auf allen Radarschirmen der Bodenstationen ein doppelt aufglühendes Signal zu sehen, das sowohl ihren Notstand als auch ihre Identität bestätigte.

Sie kamen schnell tiefer. Der Höhenmesser lief ab wie eine Uhr, deren Triebfeder durchdrehte – passierte die Marke für sechsundzwanzigtausend Fuß – für vierundzwanzig – für dreiundzwanzig. Das Meßgerät für Steigen und Hinuntergehen zeigte eine Abstiegsgeschwindigkeit von nahezu achttausend Fuß in der Minute an... Toronto Air Route Center meldete sich im Lautsprecher: »Alle Höhen unter Ihnen frei. Melden Sie Ihre Absichten, wir bleiben dran.« – Harris war behutsam aus der

Kurve herausgegangen und flog in gerader Richtung abwärts. – Er hatte keine Zeit, an die Kälte zu denken. Wenn er schnell genug herunterkam, konnten sie vielleicht überleben – falls das Flugzeug zusammen hielt – Harris hatte schon Schwierigkeiten am Seiten- und Höhensteuer festgestellt. Die Steuerung ging stramm. Die Höhenruder reagierten nicht – einundzwanzigtausend Fuß – zwanzig – neunzehn. – Die Steuerung fühlte sich an, als ob das Leitwerk durch die Explosion beschädigt worden wäre; wie schwer die Beschädigung war, würden sie feststellen, wenn er in nicht einer Minute versuchen würde, den Sturzflug abzufangen. Das war der Augenblick der größten Belastung. Wenn irgendein wichtiges Teil im kritischen Augenblick versagte, würden sie weiter abstürzen... Harris wäre froh gewesen, von dem rechten Sitz Hilfe zu erhalten, aber es war zu spät für Cy Jordan, diesen Platz einzunehmen. Außerdem wurde der Zweite Offizier an seinem Platz gebraucht. Er mußte die Lufteinlaßöffnungen schließen, alle Wärme aufbringen, über die sie verfügten, und auf Schäden in der Treibstoffzufuhr und auf Feueralarm achten. – Achtzehntausend Fuß – siebzehn. – Wenn sie vierzehntausend erreichten, entschloß sich Harris, würde er beginnen, den Sturzflug abzufangen, und hoffte, die Maschine in zehntausend Fuß Höhe wieder waagerecht zu bringen. Fünfzehntausend – vierzehn. Jetzt vorsichtig abfangen!
Die Steuerung ging schwer, die Maschine reagierte aber – Harris zog die Steuersäule zurück. Der Flugwinkel wurde flacher, die Steuerflächen hielten, das Flugzeug kam aus dem Sturzflug heraus – zwölftausend Fuß. – Der Abstieg erfolgte jetzt langsamer – elftausend – zehn, fünf – zehn!
Sie flogen gerade! Bisher hatte alles zusammengehalten. Hier war die normale Luft atembar und erhielt am Leben, zusätzlicher Sauerstoff war nicht mehr erforderlich. Das Thermometer für die Außentemperatur zeigte minus fünf Grad Celsius – fünf Grad unter dem Gefrierpunkt; immer noch kalt, aber nicht die mörderische Kälte der großen Höhen.
Vom Beginn bis zum Ende hatte der Sturzflug zweieinhalb Minuten gedauert. Der Lautsprecher oben wurde lebendig: »Trans America Zwei. Hier Toronto Center. Wie steht es?«

Cy Jordan bestätigte, Anson Harris mischte sich ein. »Bei zehntausend Fuß im Geradeausflug. Gehen in Richtung zwei sieben null zurück. Haben strukturellen Schaden durch Explosion. Ausmaß unbekannt. Erbitten Wetter und Informationen über Landebahnen – Toronto, Detroit Metropolitan und Lincoln.« In Gedanken hatte Harris sofort das Bild der Flughäfen vor Augen, die für eine Boeing 707 groß genug waren und den besonderen Anforderungen genügten, die er für eine Landung brauchte.

Vernon Demerest kletterte über die zerschmetterte Tür der Pilotenkanzel und andere Trümmer. Er kam schnell und glitt auf seinen Platz auf der rechten Seite.

»Wir haben Sie vermißt«, sagte Harris.

»Sind wir manövrierfähig?«

Harris nickte: »Wenn das Leitwerk nicht abbricht, können wir weiter Glück haben.« Er berichtete über das behinderte Seiten- und Höhenruder. »Hat da hinten jemand einen Knallfrosch losgelassen?«

»So was Ähnliches. Hat ein verdammt großes Loch gemacht. Ich nahm mir nicht die Mühe, es zu messen.«

Beide Männer wußten, daß ihre Schnoddrigkeit nur äußerlich war. Harris bemühte sich, nach wie vor die Maschine ruhig in gleicher Höhe und auf geradem Kurs zu halten. »Es war ein guter Plan, Vernon«, sagte er rücksichtsvoll. »Er hätte gelingen können.«

»Hätte, tat es aber nicht.« Demerest drehte sich nach dem Zweiten Offizier um. »Gehen Sie in die Touristenkabine. Untersuchen Sie den Schaden und melden Sie über das Bordtelefon. Dann tun Sie alles, was Sie können, für die Leute. Wir müssen wissen, wie viele verletzt sind und wie schwer.« Zum erstenmal erlaubte er sich einen angstvollen Gedanken. »Und stellen Sie fest, was mit Gwen ist.«

Die Berichte über die Flughäfen, die Anson Harris angefordert hatte, kamen jetzt vom Toronto Center: Flughafen Toronto noch geschlossen; tiefer Schnee und Verwehungen auf allen Landebahnen. Detroit Metropolitan: alle Landebahnen für regulären Verkehr geschlossen, aber Pflüge werden Landebahn

Drei links räumen, um für Notanflug und Notlandung bereit zu sein. Landebahn hat fünf bis sechs Zoll Schnee mit Eis darunter. Sicht in Detroit hundertachtzig Meter bei Schneetreiben. Lincoln International: alle Landebahnen geräumt und einsatzbereit. Landebahn Drei-Null zeitweise geschlossen, da blockiert. Sicht in Lincoln tausendfünfhundert Meter, Wind Nord-West, dreißig Knoten und böig.

Anson Harris sagte zu Demerest: »Ich beabsichtige nicht, Treibstoff abzulassen.«

Demerest verstand Harris' Überlegung und nickte zustimmend. Angenommen, sie konnten das Flugzeug unter Kontrolle behalten, würde jede Landung infolge der großen Treibstoffladung, die sie unter anderen Umständen nach Rom gebracht hätte, schwierig und hart werden. Doch in ihrer gegenwärtigen Lage war die Gefahr noch größer, wenn sie jetzt überflüssigen Treibstoff abließen. Die Explosion und die Beschädigung hinten konnte einen Kurzschluß in der elektrischen Leitung oder Aneinanderreiben von Metall verursacht haben. Wenn sie während des Flugs Treibstoff abließen, konnte ein einziger Funken das Flugzeug in eine brennende Fackel verwandeln. Beide Kapitäne waren der Überzeugung, daß es besser war, der Feuergefahr auszuweichen und die Mühe einer schwierigen Landung auf sich zu nehmen.

Die gleiche Entscheidung bedeutete jedoch, daß eine Landung in Detroit – dem nächstgelegenen großen Flughafen – nur in letzter Verzweiflung versucht werden durfte. Denn durch ihr hohes Gewicht würden sie schnell landen, was jeden verfügbaren Zentimeter Landebahn und jedes letzte Quentchen Bremskraft erforderte. Landebahn Drei links – die längste auf Detroit Metropolitan, die sie benötigen würden – hatte Eis unter dem Schnee, unter den herrschenden Umständen die denkbar schlechteste Kombination. Ferner bestand der unbekannte Faktor – wo immer die Maschine auch landete –, wie begrenzt ihre Manövrierfähigkeit infolge der Schwierigkeiten mit Seiten- und Höhenruder war, die sie zwar schon kannten, aber nicht wußten, welches Ausmaß sie hatte.

Für eine Landung bot Lincoln International die größten Aussichten auf Sicherheit. Aber Lincoln war mindestens noch eine Flugstunde entfernt. Ihre gegenwärtige Fluggeschwindigkeit von 250 Knoten war weit geringer als in der größeren Höhe, und Anson Harris hielt sie gering, in der Hoffnung, weitere strukturelle Schäden zu vermeiden. Unglücklicherweise war auch damit ein Nachteil verbunden. Auf ihrer gegenwärtigen geringen Höhe von zehntausend Fuß herrschten erhebliche Böen und Turbulenz durch den Sturm, der sie jetzt umgab, statt tief unter ihnen zu liegen. Die entscheidende Frage war: Konnten sie sich eine weitere Stunde in der Luft halten?

Trotz allem, was geschehen war, waren seit der Explosion und der explosiven Dekompression noch keine fünf Minuten vergangen.

Wieder fragte die Flugsicherung an: »Trans America Zwei, melden Sie Ihre Absicht.«

Vernon Demerest antwortete und forderte einen direkten Kurs nach Detroit an, während der Umfang der Beschädigung noch geprüft werde. Landeabsicht auf Detroit Metropolitan oder woanders würde in den nächsten Minuten bekanntgegeben.

»Verstanden, Trans America Zwei. Detroit meldet, daß sie Schneepflüge von Landebahn Drei links entfernen. Bis anderweitig benachrichtigt, werden sie sich auf Notlandung vorbereiten.«

Das Bordtelefon klingelte, und Demerest meldete sich. Es war Cy Jordan, der von hinten anrief. Er mußte schreien, um sich durch den tosenden Wind verständlich zu machen. »Kapitän, hier hinten ist ein großes Loch, etwa sechs Fuß breit, hinter dem hinteren Ausgang. Um die Galley und die Toiletten ist zum größten Teil alles in Trümmern. Soweit ich aber sehen kann, hält alles andere zusammen. Der mechanische Ruderantrieb ist zerfetzt, die Steuerkabel sehen aber aus, als ob sie in Ordnung wären.«

»Was ist mit den Steuerflächen? Können Sie da etwas sehen?«

»Es sieht aus, als ob die Außenhaut des Höhenruders eingedrückt ist, darum ist das Höhensteuer blockiert. Davon abgesehen, kann ich draußen nur ein paar Löcher und böse Dellen sehen, wahrscheinlich von herausgeschleuderten Trümmern.

Sonst hängt nichts lose herum. Wenigstens ist nichts zu sehen. Mir scheint, die Explosion wirkte zum größten Teil seitlich.«

Das war die Wirkung gewesen, die D. O. Guerrero nicht berücksichtigt hatte. Von Anfang an hatte er sich verrechnet. Selbst die Explosion hatte er verpatzt.

Sein größter Irrtum bestand darin, daß er nicht erkannte, daß jede Explosion nach außen wirken würde und weitgehend verpuffte in dem Augenblick, in dem die Außenhaut eines unter Druck stehenden Flugzeugs durchlöchert wurde. Ein weiterer Irrtum war, daß er nicht wußte, wir stark moderne Düsenflugzeuge gebaut werden. In einer Verkehrsmaschine ergänzen strukturelle und mechanische Systeme sich gegenseitig, so daß keine einzelne Fehlfunktion oder Beschädigung zur Zerstörung des ganzen führen kann. Ein Verkehrsflugzeug konnte durch eine Bombe vernichtet werden, doch nur, wenn die Bombe entweder planmäßig oder durch Zufall an einer verletzbaren Stelle explodierte.

Demerest fragte Cy Jordan: »Können wir noch eine Stunde in der Luft bleiben?«

»Ich nehme an, das Flugzeug kann es. Bei den Passagieren bin ich nicht so sicher.«

»Wie viele sind verletzt?«

»Das kann ich noch nicht sagen. Ich habe zuerst die strukturellen Schäden geprüft, wie Sie angeordnet haben. Aber es sieht nicht gut aus.«

Demerest befahl: »Bleiben Sie dort, so lange wie nötig. Tun Sie, was Sie können.« Er zögerte, aus Furcht vor der Antwort auf seine nächste Frage, stellte sie dann aber doch. »Haben Sie etwas von Gwen gesehen?« Er wußte noch nicht, ob Gwen bei der Explosion nicht mit hinausgerissen worden war. Das war anderen schon passiert, darunter auch Stewardessen, die sich ungeschützt nahe der Stelle einer explosiven Dekompression befunden hatten. Selbst wenn das nicht geschehen war, Gwen hatte sich am dichtesten bei der explodierenden Bombe befunden.

Cy Jordan antwortete: »Gwen ist hier. Sie ist aber böse zugerichtet, glaube ich. Wir haben drei Ärzte an Bord, die sich um sie und die anderen bemühen. Ich berichte, sobald ich kann.«

Vernon Demerest hängte das Telefon wieder ein. Trotz seiner letzten Frage und ihrer Antwort versagte er sich noch, privaten Gedanken oder persönlichen Gefühlen nachzugeben; dazu war später noch Zeit. Berufliche Entscheidungen, die Sicherheit des Flugzeugs und der Menschen an Bord kamen zuerst. Er wiederholte für Harris das Wesentliche aus dem Bericht des Zweiten Offiziers.

Harris überlegte und wog alle Faktoren gegeneinander ab. Vernon Demerest hatte noch nicht angedeutet, daß er das Kommando unmittelbar übernahm, und billigte offensichtlich die bisherigen Entscheidungen von Harris, sonst hätte er etwas gesagt. Jetzt schien Demerest Harris auch die Entscheidung zu überlassen, wo sie landeten.

Kapitän Demerest benahm sich selbst in der höchsten Krise so, wie sich ein prüfender Pilot verhalten sollte.

»Wir wollen versuchen, Lincoln zu erreichen«, sagte Harris. Die Sicherheit des Flugzeugs war das allerwichtigste. Wie schlecht die Verhältnisse in den Passagierkabinen auch sein mochten, sie mußten darauf hoffen, daß es den meisten gelingen würde, durchzukommen.

Demerest nickte zustimmend und begann, Toronto Center von der Entscheidung zu unterrichten. In wenigen Minuten würden sie von Cleveland Center übernommen werden. Demerest forderte von Detroit Metropolitan an, sich noch bereitzuhalten für den Fall, daß sie ihren Plan plötzlich änderten, obwohl das nicht wahrscheinlich war. Lincoln International sollte alarmiert werden, daß Flug Zwei einen direkten Notanflug erfordern werde.

»Verstanden, Trans America Zwei. Detroit und Lincoln werden benachrichtigt.«

Darauf folgte ein Kurswechsel. Sie näherten sich dem westlichen Ufer des Huron-Sees, nahe der Grenze zwischen den Vereinigten Staaten und Kanada. Beide Piloten wußten, Flug Zwei stand bei den Bodenstationen jetzt im Mittelpunkt der Aufmerksamkeit. Kontroller und Inspektoren in den folgenden Luftverkehrszentren würden angespannt arbeiten, die Ableitung jedes Flugverkehrs auf ihrer Route koordinieren, die folgenden Abschnitte vor ihrem Anflug warnen und die Flugschneisen räumen. Jede

Anforderung, die von ihnen kam, würde mit höchster Priorität befolgt werden.

Als sie die Grenze überquerten, meldete sich Toronto Center ab und setzte seinem letzten Funkspruch hinzu: »Gute Nacht und viel Glück.«

Einen Augenblick später meldete sich Cleveland Air Route Center auf ihren Ruf.

Als Demerest sich durch die Lücke, wo die Tür zur Pilotenkanzel gewesen war, nach der Passagierkabine umsah, konnte er Gestalten sich bewegen sehen, wenn auch nur undeutlich, weil Cy Jordan unmittelbar, nachdem die Tür verschwunden war, die Beleuchtung der Erste-Klasse-Kabine gedämpft hatte, um Ausstrahlungen in die Pilotenkanzel zu vermeiden. Es hatte jedoch den Anschein, als ob Passagiere nach vorn dirigiert würden, was darauf hinwies, daß hinten jemand das Kommando übernommen hatte, wahrscheinlich Cy Jordan, der jeden Augenblick wieder berichten mußte. Die Kälte war immer noch beißend, selbst im Cockpit. Dort hinten mußte es noch kälter sein. Wieder, in einem zweiten Anfall von Angst, dachte Demerest an Gwen, verscheuchte sie dann rücksichtslos aus seinen Gedanken, um sich auf das zu konzentrieren, was als nächstes geschehen mußte.

Obwohl nur Minuten vergangen waren, seit der Entschluß, eine weitere Stunde in der Luft zu riskieren, gefallen war, war es jetzt an der Zeit, mit der Planung ihres Anflugs und ihrer Landung auf Lincoln International zu beginnen. Während Harris die Maschine weiter steuerte, suchte Vernon Demerest die Tabellen für den Anflug und die Landebahnen heraus und entfaltete sie auf seinen Knien. Lincoln International war der Heimatstandort beider Piloten, und sie kannten den Flughafen sowie seine Landebahnen und den ihn umgebenden Luftraum genau. Sicherheit und Ausbildung verlangten jedoch, daß das Gedächtnis überprüft und ergänzt wurde.

Die Tabellen bestätigten, was beide bereits wußten.

Für die Landung mit großer Geschwindigkeit und hohem Gewicht, die sie durchführen mußten, war die längstmögliche Landebahn erforderlich. Infolge der zweifelhaften Steuerungsmöglichkeit mußte es auch die breiteste Landebahn sein. Sie mußte ferner direkt im Wind liegen, der, wie die Wettervoraussage von Lincoln besagte, mit dreißig Knoten und böig aus Nordwest wehte. Landebahn Drei-Null entsprach allen diesen Anforderungen.

»Wir brauchen Drei-Null«, sagte Demerest.

Harris erwiderte: »Der letzte Bericht meldete sie als vorübergehend gesperrt infolge Blockierung.«

»Das habe ich gehört«, knurrte Demerest. »Diese verdammte Landebahn ist seit Stunden blockiert, und alles, was im Weg steht, ist eine verdammte, festgefahrene mexikanische Düsenmaschine.« Er entfaltete eine Anflugkarte für Lincoln International und befestigte sie an seiner Steuersäule. Dann rief er wütend aus: »Zum Teufel mit der Blockierung. Wir geben ihnen fünfzig Minuten, um sie zu beseitigen.«

Als Demerest auf den Schaltknopf seines Mikrofons drückte, um die Flugsicherung zu unterrichten, kam der Zweite Offizier Cy Jordan mit weißem Gesicht und angeschlagen in das Cockpit zurück.

XI

Rechtsanwalt Freemantle im Hauptgebäude von Lincoln International war ratlos. Er fand es höchst seltsam, daß noch niemand von berufener Seite gegen die immer lauter lärmende Demonstration der Einwohner von Meadowood, die jetzt einen großen Teil der Haupthalle mit Beschlag belegte, eingeschritten war. Als Elliott Freemantle an diesem Abend um Genehmigung ersucht hatte, hier eine öffentliche Protestkundgebung zu veranstalten, war ihm das entschieden verweigert worden. Doch jetzt waren sie da, hatten eine Menge neugieriger Zuschauer gefunden – aber nirgends ließ sich ein Polizist blicken.

Freemantle dachte wieder, hier stimmt doch etwas nicht.

Dabei war das, was sich ereignet hatte, einfach unglaublich.

Nach dem Gespräch mit dem Flughafendirektor Mel Bakersfeld war die Delegation unter Führung von Elliott Freemantle aus dem Verwaltungstrakt in die Haupthalle zurückgekehrt. Dort hatten inzwischen die Fernsehleute, mit denen Freemantle unterwegs gesprochen hatte, ihre Aufnahmeapparatur aufgebaut. Die wartenden Meadowooder – inzwischen mindestens fünfhundert Personen, und ständig kamen neue dazu – standen herum und beobachteten die Vorbereitungen für die Fernsehaufnahmen.

Einer der Fernsehleute sagte zu dem Rechtsanwalt: »Wenn Sie soweit sind, Mr. Freemantle, können wir anfangen.«

Zwei Fernsehstationen waren vertreten; beide beabsichtigten am nächsten Tag ein eigenes Fernsehinterview zu senden. Mit der bei ihm üblichen Umsicht hatte Freemantle sich bereits erkundigt, für welche Programme die Filme bestimmt waren, um sich darauf einstellen zu können. Das erste Interview war, wie er erfuhr, für eine beliebte Sendung während der besten Sendezeit vorgesehen, die gern heiße Eisen anfaßte, auf Aktualität Wert legte und Provokationen nicht scheute. Er war bereit, das alles zu bieten.

Der Fernsehinterviewer, ein gutaussehender junger Mann mit wallender Mähne, fragte: »Warum sind Sie hier, Mr. Freemantle?«

»Weil dieser Flughafen eine Räuberhöhle ist.«

»Würden Sie das näher erklären?«

»Gewiß. Die Hausbesitzer der Gemeinde Meadowood werden ständig beraubt. Geraubt wird ihnen ihr Friede, ihr Recht auf Ungestörtheit, ihre wohlverdiente Ruhe nach der Arbeit und ihr Schlaf. Geraubt wird ihnen, sich ihrer Muße zu erfreuen, geraubt wird ihnen ihre psychische und physische Gesundheit und die Gesundheit und das Wohlergehen ihrer Kinder. All diese Dinge – auf die sie nach unserer Verfassung ein Grundrecht haben – werden ihnen ohne Ausgleich oder Vergütung von der Betriebsleitung des Lincoln International Airport schamlos gestohlen.«

Der Interviewer öffnete den Mund zum Lächeln und zeigte zwei Reihen makelloser Zähne. »Herr Rechtsanwalt, das sind harte Worte.«

»Ja, aber es geht um meine Klienten. Und ich bin in kämpferischer Stimmung.«

»Beruht diese Stimmung auf irgend etwas, das heute abend hier geschehen ist?«

»Jawohl, mein Herr. Uns wurde die gefühllose Gleichgültigkeit der Flughafenleitung gegenüber dem Problem meiner Klienten demonstriert.«

»Und was beabsichtigen Sie?«

»Vor Gericht – wenn nötig, vor dem höchsten Gericht – werden wir auf Schließung bestimmter Startbahnen und sogar des gesamten Flughafens während der Nachtstunden klagen. In Europa, wo man in diesen Dingen zivilisiert ist, auf dem Flughafen von Paris zum Beispiel, gibt es Sperrstunden. Ersatzweise werden wir eine angemessene Entschädigung für die brutal geschädigten Hausbesitzer einklagen.«

»Darf ich annehmen, daß Sie durch das, was Sie im Augenblick tun, die Unterstützung der Öffentlichkeit suchen?«

»Jawohl.«

»Glauben Sie, daß die Öffentlichkeit Sie unterstützen wird?«

»Wenn nicht, dann fordere ich jeden auf, vierundzwanzig Stunden in Meadowood zu verbringen, vorausgesetzt, daß seine Trommelfelle und seine geistige Gesundheit das aushalten.«

»Herr Rechtsanwalt, Flughäfen haben doch zweifellos ihre amtlichen Vorschriften zur Lärmdrosselung.«

»Nichts als Lug und Trug. Die Öffentlichkeit wird belogen. Der
Generaldirektor dieses Flughafens hat mir heute abend gestan-
den, daß selbst die kümmerlichen sogenannten Maßnahmen zur
Lärmdrosselung nicht befolgt werden.«

Und so weiter.

Später fragte Elliott Freemantle sich, ob er seine Behauptung
über die Maßnahme zur Lärmdrosselung nicht – wie Bakersfeld
es getan hatte – durch einen Hinweis auf die ungewöhnlichen
Bedingungen durch den Schneesturm heute nacht hätte näher
erläutern sollen. Doch Halbwahrheit oder nicht, so wie er es
formuliert hatte, war es stärker, und Freemantle bezweifelte,
daß seine Worte angefochten werden würden. Jedenfalls hatte
er eine gute Vorstellung geboten, sowohl in dem zweiten Interview als auch in dem ersten. Auch während der beiden Film-
aufnahmen, wobei die Kameras mehrmals die angespannten,
ausdrucksvollen Gesichter der versammelten Einwohner von
Meadowood im Bild festhielten. Elliott Freemantle hoffte, daß
sie, wenn sie sich morgen zu Hause auf ihren Bildschirmen
selber sahen, sich daran erinnern würden, wer ihnen die Aufmerksamkeit verschafft hatte, die sie fanden.

Die Zahl der Meadowooder, die ihm zum Flughafen gefolgt
waren, so, als ob er ihr persönlicher Rattenfänger wäre, überraschte ihn. Die Zahl der Teilnehmer bei der Versammlung in
dem Gemeindesaal von Meadowood hatte rund sechshundert
betragen. In Anbetracht des schlechten Wetters und der späten
Stunde hätte er es für beachtlich gehalten, wenn die Hälfte noch
die weite Fahrt zum Flughafen auf sich genommen hätte. Aber
nicht nur waren die meisten der ursprünglichen Teilnehmer gekommen, verschiedene mußten auch Freunde und Nachbarn angerufen haben, die sich ihnen daraufhin angeschlossen hatten.
Man hatte sogar noch weitere Formulare von ihm verlangt, und
er hatte sie nur zu gern verteilt. Ein neuerliches Nachrechnen im
Kopf überzeugte ihn, daß seine erste Hoffnung auf ein Honorar
aus Meadowood von insgesamt fünfundzwanzigtausend Dollar
gut und gern überschritten werden konnte.

Nach den Fernsehinterviews fragte der Reporter von der *Tribune*, Tomlinson, der sich während der Aufnahmen Notizen gemacht hatte: »Was geschieht jetzt, Mr. Freemantle? Beabsichtigen Sie hier irgendeine Demonstration?«

Freemantle schüttelte den Kopf. »Bedauerlicherweise hält die Leitung dieses Flughafens nichts von freier Rede und hat uns das Grundrecht einer öffentlichen Versammlung versagt. Jedoch« – er deutete auf die versammelten Meadowooder – »beabsichtige ich, zu diesen Damen und Herren zu sprechen.«

»Ist das nicht das gleiche wie eine öffentliche Versammlung?«

»Nein, das ist es nicht.«

Jedoch, räumte Elliott Freemantle im stillen ein, wäre das eine sehr feine Unterscheidung, besonders, da er die feste Absicht hatte, aus dem folgenden eine öffentliche Demonstration zu machen, wenn es ihm gelang. Seine Absicht war, mit einer aggressiven Ansprache zu beginnen, die die Flughafenpolizei ihm, ihrer Pflicht entsprechend, befehlen würde, abzubrechen. Freemantle hatte nicht vor, Widerstand zu leisten oder sich festnehmen zu lassen. Es genügte, von der Polizei unterbrochen zu werden, möglichst mitten in der Rede, denn das würde ihn zum Märtyrer für Meadowood machen und ganz nebenbei für die Zeitungen am nächsten Tag eine interessante Meldung ergeben. Die Morgenzeitungen, vermutete er, hatten ihre ersten Berichte über ihn und Meadowood bereits abgeschlossen, die Redakteure der Nachmittagsausgaben würden ihm aber für einen neuen Aufhänger dankbar sein.

Wichtiger noch, die Hausbesitzer von Meadowood würden noch stärker überzeugt sein, daß sie einen guten Rechtsanwalt und starken Führer engagiert hatten, der sein Honorar wohl wert war – und die ersten der Schecks, auf die Rechtsanwalt Freemantle hoffte, würden nach dem morgigen Tag hereinzuströmen beginnen.

»Wir sind so weit, daß wir anfangen können«, meldete Floyd Zanetta, der Leiter der Versammlung in Meadowood.

Während Freemantle und der Reporter der *Tribune* miteinander gesprochen hatten, hatten verschiedene Männer aus Meadowood hastig die Lautsprecheranlage aus dem Gemeindesaal aufgebaut. Einer reichte jetzt Freemantle ein Handmikrofon. Er begann zu der Menge zu sprechen.

»Meine Freunde, wir sind heute abend aus guten Gründen und mit konstruktiven Absichten hierhergekommen. Diese Stimmung und diese Absichten versuchten wir der Leitung des Flughafens verständlich zu machen, weil wir glauben, ein echtes und dringendes Problem zu haben, das sorgfältige Überprüfung verdient. In Ihrem Interesse versuchte ich, in vernünftigen, aber festen Worten dieses Problem darzulegen. Ich hoffte, wenn ich zurückkäme, könnte ich Ihnen im besten Fall ein Versprechen auf Abhilfe vorlegen, im schlimmsten Fall Mitgefühl und Verständnis übermitteln. Zu meinem Bedauern muß ich Ihnen sagen, daß Ihre Abordnung nichts von dem fand. Statt dessen stießen wir nur auf Feindschaft, Beschimpfungen und die mißachtende, zynische Versicherung, daß der Lärm des Flughafens in der Umgebung Ihrer Heime noch schlimmer werden wird.«

Ein empörter Aufschrei erfolgte. Freemantle hob eine Hand. »Fragen Sie die anderen, die mit mir waren. Sie werden es Ihnen bestätigen.« Er deutete auf die vorderste Reihe der Menge. »Hat der Leiter dieses Flughafens uns davon unterrichtet, daß es schlimmer werden wird oder nicht?« Zunächst etwas zögernd, dann aber nachdrücklicher nickten die Mitglieder der Delegation.

Nachdem Elliott Freemantle die ehrliche Offenheit, mit der Mel Bakersfeld die Abordnung empfangen hatte, geschickt entstellt hatte, fuhr er fort: »Ich sehe andere, außer meinen Freunden und Klienten aus Meadowood, die neugierig stehengeblieben sind, um zu erfahren, was hier vorgeht. Wir begrüßen Ihr Interesse. Lassen Sie sich darüber unterrichten . . .«

In seinem üblichen aufrührerischen Stil sprach er weiter auf die Leute ein.

Die schon von Anfang an beachtliche Menge war jetzt noch größer geworden und wuchs ständig weiter. Reisende auf dem Weg zu ihren Flugzeugen hatten Schwierigkeiten durchzukommen.

Abrufe von Flügen wurden von dem Lärm übertönt. Einzelne Meadowooder hatten hastig gekritzelte Plakate mit Aufschriften

erhoben wie: FLUGZEUGE ODER MENSCHEN ZUERST? – VERBIETET DÜ-
SENMASCHINEN ÜBER MEADOWOOD! – KEINEN TÖTENDEN LÄRM –
AUCH MEADOWOOD ZAHLT STEUERN – SCHLIESST LINCOLN AIRPORT.

Jedesmal, wenn Freemantle eine Pause machte, wurden die
Rufe und das allgemeine Geschrei lauter. Ein grauhaariger
Mann in einer Windjacke schrie: »Wir wollen dem Flughafen
eine Kostprobe von seinem eigenen Lärm geben!« Seine Worte
riefen tosenden Beifall hervor.

Fraglos hatte Elliott Freemantles »Bericht« sich inzwischen zu
einer ausgewachsenen Demonstration entwickelt. Er erwartete
jeden Augenblick, daß die Polizei eingreifen würde.

Was Rechtsanwalt Freemantle nicht wußte, war, daß während
der Fernsehaufnahmen und während sich die Einwohner Meadowoods versammelte, die Flughafenleitung anfing, sich ernstliche Sorgen um Flug Zwei der Trans America zu machen. Bald
darauf konzentrierte sich jeder Polizist im Flughafen auf die
Suche nach Inez Guerrero, und infolgedessen entging die Mea-
dowood-Demonstration jeder Beachtung. Selbst nachdem Inez
gefunden worden war, blieb Polizeileutnant Ordway in Mel
Bakersfelds Büro und war dort völlig in Anspruch genommen.
So kam es, daß Elliott Freemantle nach weiteren fünfzehn Minuten ernstlich unruhig wurde. So eindrucksvoll die Demonstration war, wenn sie nicht von Amts wegen abgebrochen wurde,
hatte sie wenig Sinn. Wo in Gottes Namen, dachte er, bleibt die
Flughafenpolizei, und warum erfüllt sie ihre Pflicht nicht?

Das war der Augenblick, in dem Leutnant Ordway und Mel
Bakersfeld zusammen aus dem Verwaltungstrakt kamen.

Vor wenigen Minuten war die Zusammenkunft in Mels Büro
beendet worden. Nach dem Verhör von Inez Guerrero und dem
Absenden der zweiten Warnung an Flug Zwei war nichts mehr
dadurch zu erreichen, daß man beieinander blieb. Tanya Livingston kehrte mit dem Bezirksverkehrsleiter der Trans America
und deren Chefpilot besorgt in die Räume der Fluggesellschaft
im Hauptgebäude zurück, um dort auf neue Nachrichten zu
warten. Die anderen suchten mit Ausnahme von Inez Guerrero,
die zum Verhör durch Polizeidetektive aus der Stadt festgehalten wurde, ihre eigenen Räume auf. Tanya hatte Zollinspektor

Standish, der um seine Nichte an Bord von Flug Zwei besorgt war, versprochen, ihn sofort zu benachrichtigen, wenn etwas Neues vorlag.

Mel, der unentschlossen war, wo er die weitere Entwicklung abwarten solle, begleitete Ned Ordway, der als erster die Demonstration bemerkte und Elliott Freemantle entdeckte. Er eilte auf die Menge in der Haupthalle zu.

»Dieser verdammte Rechtsanwalt. Ich habe ihm doch gesagt, er dürfe hier nicht demonstrieren. Dem werde ich schnell ein Ende machen.«

Mel warnte ihn. »Vielleicht wartet er gerade darauf, damit er sich als Held aufspielen kann.«

Als sie näher kamen und Ordway sich durch die Menge hindurchdrängte, verkündete Elliott Freemantle laut: »Trotz der Zusicherung, die die Leitung des Flughafens heute abend gegeben hat, wird starker Flugverkehr so ohrenbetäubend und nervenzerfetzend wie immer, trotz der späten Stunde fortgesetzt. Selbst jetzt...«

»Hören Sie auf«, unterbrach Ned Ordway ihn schroff. »Ich habe Ihnen doch gesagt, daß hier im Flughafengebäude keine Demonstration zugelassen wird.«

»Aber Leutnant, ich versichere Ihnen, daß es sich nicht um eine Demonstration handelt.« Freemantle hielt das Mikrofon weiterhin hoch, so daß seine Worte klar verständlich waren. »Ich habe hier nur nach der Zusammenkunft mit der Flughafenleitung, ich möchte sagen einer höchst unbefriedigten Zusammenkunft, dem Fernsehen ein Interview gegeben und berichte jetzt diesen Leuten...«

»Berichten Sie woanders!« Ordway drehte sich um und trat den ihm am nächsten Stehenden entgegen. »Schluß jetzt. Auseinandergehen!«

Aus der Menge antworteten feindselige Blicke und wütendes Murren. Als der Polizist sich wieder Elliott Freemantle zuwandte, flammten Blitzlichter von Fotografen auf. Scheinwerfer gingen wieder an, während sich die Fernsehkameras auf die beiden richteten. Endlich, dachte Elliott Freemantle, ging alles so, wie er es haben wollte.

Am Rand der Menge sprach Mel Bakersfeld mit einem der Fernsehleute und Tomlinson von der *Tribune*. Der Reporter sah in seine Notizen und las einen Satz vor. Mel wurde rot vor Ärger, als er zuhörte.

»Leutnant«, sagte Elliott Freemantle zu Ned Ordway, »ich habe Respekt. Dessenungeachtet möchte ich darauf hinweisen, daß wir heute abend schon woanders eine Versammlung abgehalten haben, in Meadowood, daß wir aber infolge des Lärms von diesem Flughafen unser eigenes Wort nicht verstehen konnten.«

Ordway erwiderte scharf: »Ich bin nicht hier, um mit Ihnen zu debattieren, Mr. Freemantle. Wenn Sie nicht tun, was ich Ihnen sage, werden Sie festgenommen. Ich befehle Ihnen, diese Leute von hier fortzuschaffen.«

Jemand aus der Menge rief: »Und wenn wir nicht gehen?«

Eine andere Stimme drängte: »Laßt uns hierbleiben. Sie können uns nicht alle festnehmen.«

»Nein!« Elliott Freemantle hob mit selbstgerechter Pose eine Hand. »Hören Sie bitte auf mich. Es darf keine Unordnung und keinen Ungehorsam geben. Meine Freunde und Klienten, dieser Polizeibeamte hat uns befohlen, zu gehorchen und auseinanderzugehen. Wir werden diesem Befehl nachkommen. Wir mögen es für eine schwerwiegende Beschneidung des Rechtes der freien Rede halten«, Beifall und Buhrufe antworteten ihm, »aber es darf unter keinen Umständen gesagt werden, daß wir versäumt hätten, die Gesetze zu respektieren.« Lauter fügte er hinzu: »Für die Presse habe ich draußen noch eine Erklärung abzugeben.«

»Einen Augenblick!«

Mel Bakersfelds Stimme klang scharf über die Köpfe der Umstehenden hinweg. Er drängte sich vor.

»Mr. Freemantle, es interessiert mich zu erfahren, was diese Erklärung für die Presse enthalten soll. Werden es weitere Verdrehungen sein? Eine weitere Dosis entstellter Rechtsfälle, um Menschen zu täuschen, die es nicht besser verstehen, oder nur einfache, abgestandene Lügen, in denen Sie ein so großer Meister sind?«

Mel sprach laut, seine Worte waren allen in der Nähe verständlich. Sie reagierten mit Interesse. Leute, die sich schon abgewandt hatten, blieben stehen.

Elliott Freemantle reagierte automatisch. »Das ist eine böswillige, verleumderische Behauptung.« Einen Augenblick später witterte er Gefahr und hob die Schultern. »Ich werde es Ihnen aber durchgehen lassen.«

»Warum? Wenn es verleumderisch ist, sollten Sie doch wissen, was man dagegen unternimmt.« Mel blickte den Rechtsanwalt scharf an. »Oder fürchten Sie vielleicht, es könne sich als wahr erweisen?«

»Ich fürchte mich vor nichts, Mr. Bakersfeld. Tatsache ist, daß uns von diesem Polizeibeamten hier befohlen wurde, Schluß zu machen. Wenn Sie mich jetzt entschuldigen wollen . . .«

»Ich habe gesagt, daß für Sie Schluß ist«, berichtigte ihn Ned Ordway. »Was Mr. Bakersfeld tut, ist etwas anderes. Er hat hier Hausrecht.« Ordway war neben Mel getreten. Gemeinsam verstellten Sie dem Rechtsanwalt den Weg.

»Wenn Sie ein wirklicher Polizeibeamter wären«, protestierte Freemantle, »würden Sie uns gleich behandeln.«

Überraschenderweise sagte Mel: »Damit hat er, glaube ich, recht.« Ordway sah ihn neugierig an. »Sie sollten uns beide gleich behandeln. Und statt diese Versammlung zu schließen, sollten Sie mir, meiner Meinung nach, das gleiche Recht einräumen, zu diesen Leuten zu sprechen, das Mr. Freemantle gerade hatte, das heißt, wenn Sie ein wirklicher Polizeibeamter sein wollen.«

»Ich denke schon.« Der große Negerpolizist, der die beiden anderen überragte, fügte grinsend hinzu: »Ich fange an, Sie zu verstehen. Sie und Mr. Freemantle.«

Mel bemerkte nüchtern zu Elliott Freemantle: »Sehen Sie, er gibt nach. Und da wir nun einmal alle hier beisammen sind, können wir auch einige Dinge klären.« Er streckte die Hand aus. »Geben Sie mir mal das Mikrofon.«

Mels Zorn von vor einer Minute war jetzt weniger spürbar. Als der Reporter der *Tribune*, Tomlinson, ihm aus seinen Notizen das Wesentliche dessen vorlas, was Elliott Freemantle in den

Fernsehinterviews und anschließend gesagt hatte, war Mel wütend geworden. Sowohl Tomlinson als auch der Fernsehinterviewer baten Mel, sich zu dem Gesagten zu äußern. Mel versicherte ihnen, das wolle er.

»O nein!« Freemantle schüttelte entschieden den Kopf. Die Gefahr, die er vor wenigen Augenblicken gewittert hatte, stand plötzlich nahe und deutlich vor ihm. Schon einmal hatte er diesen Bakersfeld heute abend unterschätzt. Er beabsichtigte nicht, diesen Fehler zu wiederholen. Freemantle hatte jetzt die versammelten Einwohner von Meadowood in seiner Hand. Für ihn war es wichtig, daß das so blieb. Im Augenblick wünschte er nur, daß alle so schnell wie möglich auseinanderliefen.

Hochmütig erklärte er: »Es ist mehr als genug gesagt worden.«

Er ignorierte Mel und reichte das Mikrofon einem der Männer aus Meadowood und deutete auf die Lautsprecheranlage. »Wir wollen das hier abbauen und uns auf den Weg machen.«

»Geben Sie das mal mir.« Ned Ordway streckte die Hand aus und nahm das Mikrofon an sich. »Und alles andere bleibt, wie es ist.«

Er nickte verschiedenen Polizisten zu, die am Rand der Menge aufgetaucht waren. Sie kamen näher. Während Freemantle hilflos zusah, reichte Ordway das Mikrofon Mel.

»Danke.« Mel wandte sich den Leuten aus Meadowood zu – viele zeigten feindselige Gesichter – und anderen, die auf dem Weg durch die Halle stehengeblieben waren, um zuzuhören. Obwohl es zwanzig Minuten nach Mitternacht und jetzt Samstag morgen war, zeigten sich noch keine Anzeichen dafür, daß der starke Verkehr in der Haupthalle nachließ. Infolge der vielen Verspätungen bei den Abflügen würde der starke Verkehr voraussichtlich die ganze Nacht über anhalten und in den verstärkten Wochenendverkehr übergehen, bis die Flugpläne wieder normal eingehalten würden. Wenn sich die Leute aus Meadowood vorgenommen hatten, dem Flughafen lästigzufallen, dachte Mel, war ihnen das gelungen. Die zusätzlichen rund tausend Menschen nahmen Raum in der Halle in Anspruch; ankommende und abreisende Passagiere mußten sich hindurchkämpfen, wie eine Flutwelle, die plötzlich auf eine Sandbank stößt. Es war offensichtlich, daß diese Situation nicht länger als nur noch wenige Minuten dauern durfte.

»Ich will es kurz machen«, begann Mel und erklärte seinen Zuhörern durch das Mikrofon, wer und was er war. »Vor kurzem bin ich heute abend mit einer Delegation zusammengetroffen, die Sie alle vertrat. Ich legte ihr einige der Probleme des Flughafens dar, erklärte aber auch, daß ich Ihre verstände und mit Ihnen sympathisiere. Ich hatte erwartet, daß das an Sie weitergegeben würde, wenn nicht im Wortlaut, so doch dem Sinn nach. Statt dessen stelle ich fest, daß meine Darstellung verfälscht und Sie getäuscht wurden.«

Elliott Freemantle schrie empört auf: »Das ist eine Lüge!« Sein Gesicht war gerötet. Zum erstenmal an diesem Abend geriet seine makellose Frisur in Unordnung.

Leutnant Ordway packte den Rechtsanwalt fest am Arm. »Seien Sie jetzt still. Sie sind an der Reihe gewesen.«

Vor Mel hatte sich dem Handmikrofon, in das er sprach, ein Rundfunkmikrofon hinzugesellt. Die Scheinwerfer des Fernsehteams blieben eingeschaltet, während er weitersprach.

»Mr. Freemantle beschuldigt mich der Lüge. Er verwendet heute abend starke Ausdrücke.« Mel blickte in die Notizen in seiner Hand. »Soweit ich unterrichtet bin, gehörten dazu ›Räuberei‹, ›Gleichgültigkeit‹, daß ich Ihre Delegation mit ›Feindseligkeit‹ und ›Beschimpfungen‹ empfangen hätte, ferner, daß die Maßnahmen zur Lärmbekämpfung, die wir durchzusetzen versuchen, ›Lug und Trug‹ seien, daß ›die Öffentlichkeit belogen‹ würde. Nun, wir werden sehen, wer Ihrer Ansicht nach lügt oder falsche Darstellungen gibt, und wer nicht.«

Mel erkannte, daß er einen Fehler begangen hatte, als er nur zu der kleinen Delegation und nicht gleich zu der großen Menge gesprochen hatte. Sein Ziel war gewesen, Verständnis zu finden, ohne den Flughafenbetrieb zu beeinträchtigen. Beides war ihm nicht gelungen.

Aber wenigstens konnte er jetzt versuchen, Verständnis zu erreichen.

»Lassen Sie mich kurz versuchen, die Politik des Flughafens bei der Lärmdrosselung zu umreißen.«

Zum zweitenmal an diesem Abend schilderte Mel die Einschränkungen für die Piloten und ihre Fluggesellschaften. Er fügte hinzu: »Zu normalen Zeiten wird die Befolgung dieser Vorschriften durchgesetzt, doch bei schwierigen Wetterbedingungen, wie dem Schneesturm heute nacht, muß den Piloten Handlungsfreiheit eingeräumt werden und die Sicherheit der Flugzeuge an erster Stelle stehen.«

Und über die Startbahnen: »Soweit es möglich ist, vermeiden wir Starts über Meadowood auf Startbahn Zwei-Fünf.« Jedoch, erklärte er, gelegentlich werde es notwendig, diese Startbahn zu benutzen, wenn die Startbahn Drei-Null nicht einsatzfähig sei, wie im Augenblick.

»Wir tun unser Bestes für Sie«, erklärte Mel nachdrücklich. »Und wir sind nicht gleichgültig, wie uns unterstellt wurde. Wir müssen aber unsere Aufgabe als Flughafen erfüllen und dürfen unsere primäre Verantwortung nicht außer acht lassen, so wenig wie unsere Sorge um die Flugsicherheit.«

Noch war die Feindseligkeit seiner Zuhörer unverkennbar, aber jetzt zeigte sich dort auch Interesse.

Auch Elliott Freemantle, der Mels Worten mit wütenden Blicken folgte, bemerkte dieses Interesse.

»Nach dem, was ich gehört habe«, sagte Mel, »hat Mr. Freemantle es nicht für richtig befunden, einige Bemerkungen, die ich vor Ihrer Delegation ganz allgemein über das Thema des Lärms von Flughäfen machte, weiterzugeben. Meine Bemerkungen erfolgten« – wieder blickte er in seine Notizen – »nicht in ›rücksichtslosem Zynismus‹, wie behauptet wurde, sondern in dem Versuch, ehrlich und offen zu sein. Ich lege Wert darauf, auch jetzt offen zu Ihnen zu sein.«

Wie schon zuvor, gab Mel zu, daß auf dem Gebiet der Lärmbekämpfung nur wenig zu erwarten war. Finstere Gesichter erschienen vor ihm, als er den größeren Lärm schilderte, den die Flugzeuge machten, die bald eingesetzt werden würden. Er spürte aber, daß seine Objektivität und Ehrlichkeit begrüßt wurden. Außer vereinzelten Bemerkungen gab es keine Zwischenrufe, und seine Worte blieben trotz des lauten Betriebs im Flughafengebäude ringsum verständlich.

»Es gibt noch zwei Dinge, die ich gegenüber Ihrer Abordnung nicht erwähnt habe, doch jetzt will ich es tun.« Mels Ton wurde schärfer. »Ich bezweifle, daß sie Ihnen gefallen werden.«

Der erste Punkt betreffe die Gemeinde Meadowood, unterrichtete er sie.

»Vor zwölf Jahren existierte Ihre Gemeinde überhaupt noch nicht. Es war eine Fläche leeren Landes, von geringem Wert, bis das Wachsen des Flughafens und seine Nähe ringsum die Bodenpreise steil ansteigen ließ. Insofern gleicht Meadowood Tausenden von Gemeinden, die überall in der Welt wie Pilze aus der Erde geschossen sind.«

Eine Frau schrie: »Als wir hierherzogen, wußten wir nichts vom Lärm der Düsenmaschinen.«

»Aber wir wußten Bescheid!« Mel deutete mit dem Finger auf die Frau. »Die Flughafenleitungen wußten, daß Düsenflugzeuge kamen, und wußten, welchen Lärm sie machen, und wir warnten die Menschen und die örtlichen Siedlungsausschüsse und haben sie in zahllosen anderen Orten wie Meadowood bedrängt, hier keine Siedlungen zu bauen. Damals war ich noch nicht auf dem Flughafen hier, aber wir haben unsere Protokolle und Fotografien in den Akten. Auf dem Gelände, wo heute Meadowood ist, hat unser Flughafen Schilder aufgestellt: ÜBER DIESEM GELÄNDE STARTEN UND LANDEN FLUGZEUGE. Andere Flughäfen taten dasselbe. Und überall, wo diese Schilder erschienen, wurden sie von Grundstücksmaklern und Verkäufern niedergerissen. Die verkauften dann Grundstücke und Häuser an Leute wie Sie, schwiegen über den bevorstehenden Lärm und die Erweiterungspläne der Flughäfen, die sie im allgemeinen kannten, und wahrscheinlich haben die Grundstücksmakler letzten Endes uns alle übertölpelt.«

Diesmal wurde kein Widerspruch laut, nur ein Meer nachdenklicher Gesichter zeigte sich, und Mel nahm an, daß das, was er gesagt hatte, bei seinen Zuhörern angekommen war. Er empfand tiefes Bedauern; die Leute vor ihm waren keine Gegner, die er besiegen wollte. Es waren anständige Menschen mit ehrlichen und schwerwiegenden Problemen, Nachbarn, und er wünschte sich aufrichtig, daß er mehr für sie tun könne.

Er entdeckte Elliott Freemantles höhnisches Gesicht. »Mr. Bakersfeld, wahrscheinlich halten Sie sich für sehr schlau.« Der Rechtsanwalt wandte sich ab und schrie, ohne sich der Lautsprecher zu bedienen, über die Köpfe der ihm Nächststehenden hinweg: »Glauben Sie das alles nicht! Sie sollen weichgemacht werden! Wenn Sie sich mir anvertrauen, werden wir mit diesen Flughafenleuten schon fertig werden, und zwar gründlich fertig werden!«

»Falls Sie das nicht verstanden haben sollten«, sagte Mel ins Mikrofon, »Mr. Freemantle hat Ihnen geraten, sich ihm anzuvertrauen. Auch dazu habe ich etwas zu sagen.«

Jetzt hatte er aufmerksame Zuhörer. »Viele Leute – Leute wie Sie – wurden übervorteilt, indem ihnen Bauplätze oder Häuser auf Gelände verkauft wurden, das gar nicht hätte besiedelt werden sollen oder nur für Industrieanlagen erschlossen werden durfte, wo der Lärm eines Flughafens keine Rolle spielt. Sie haben in Ihrem Fall nicht alles verloren, denn Sie haben Ihre Grundstücke und Häuser, aber es ist zu erwarten, daß sie im Wert gesunken sind.«

Ein Mann stimmte finster zu. »Da haben Sie verdammt recht.«

»Jetzt ist wieder so ein Plan im Gange, Sie um Ihr Geld zu bringen. In ganz Nordamerika machen sich Rechtsanwälte an Wohngebiete in der Nähe von Flughäfen heran, weil für sie Gold in dem Lärm steckt.«

Rechtsanwalt Freemantle schrie mit hochgerötetem, verzerrtem Gesicht: »Wenn Sie noch ein Wort sagen, dann verklage ich Sie!«

»Wegen was?« schoß Mel zurück. »Oder haben Sie vielleicht schon erraten, was ich jetzt noch sagen werde?«

Nun ja, es mochte sein, daß Rechtsanwalt Freemantle später eine Verleumdungsklage anstrengen würde, obwohl Mel es bezweifelte.

Doch so oder so, Mel spürte, daß etwas von seiner alten Kühnheit erwachte – die Bereitschaft, offen zu sprechen, ohne sich um die Konsequenzen zu sorgen – die Führung zu übernehmen. Es war eine Stimmung, die er in den letzten ein oder zwei Jahren selten empfunden hatte.

»Einwohnern der Gemeinden, von denen ich spreche«, erläuterte Mel, »wird versichert, daß Flughäfen verklagt werden können – mit Erfolg verklagt werden können. Hausbesitzern aus der Nachbarschaft von Flughäfen wird versichert, am Ende jeder Startbahn stände ein Topf voll mit Dollar. Nun will ich nicht behaupten, daß man Flughäfen nicht verklagen könnte, und ich sage auch nicht, daß es nicht eine ganze Reihe guter, vernünftiger Rechtsanwälte gibt, die gegen Flughäfen Prozesse führen. Ich will nur warnend darauf hinweisen, daß es auch eine ganze Menge gibt, die zu der anderen Sorte gehören.«

Die gleiche Frau, die vorher schon den Zwischenruf gemacht hatte, fragte, aber diesmal sehr viel sanfter: »Woran sollen wir erkennen, mit welcher Sorte wir es zu tun haben?«

»Ohne ein Programm ist das schwierig, das heißt, wenn Sie nicht zufällig einige Kenntnisse über die Gesetze für Flughäfen besitzen. Ist das nicht der Fall, dann können Sie durch eine einseitige Aufzählung von Präzedenzfällen völlig irregeführt werden.«

Mel zögerte nur kurz, ehe er hinzufügte: »Ich kenne einige der spezifischen Gerichtsurteile, die heute abend erwähnt wurden. Wenn Sie wollen, kann ich ein paar Gegenstücke von der anderen Seite nennen.«

Ein Mann in der vordersten Reihe drängte: »Lassen Sie uns Ihre Seite hören, Mann.«

Verschiedene andere blickten neugierig zu Elliott Freemantle hinüber.

Mel zögerte. Er bemerkte, daß er schon länger sprach, als er beabsichtigt hatte. Er nahm jedoch an, daß es nun auf ein paar Minuten nicht mehr ankam.

Am Rand der ihn umstehenden Gruppe bemerkte er Tanya Livingston.

»Die Prozesse, die Ihnen und mir so oberflächlich geschildert wurden«, antwortete Mel, »sind für Leute, die etwas mit der Leitung von Flughäfen zu tun haben, ein alter Hut. Der erste war, glaube ich, *Die Vereinigten Staaten contra Causby*.«

Dieser spezifische Fall – eine Säule bei den Darlegungen von Rechtsanwalt Freemantle vor den Bewohnern von Meadowood

– war, wie Mel erklärte, eine über zwanzig Jahre alte Entscheidung. »Sie betraf einen Hühnerfarmer und Militärflugzeuge. Die Maschinen überflogen wiederholt das Haus des Farmers in einer Höhe von nur fünfundzwanzig Metern – erheblich niedriger, als je ein Flugzeug über Meadowood fliegt. Die Hühner wurden geängstigt, einige gingen ein.«

Nach einem Jahr Prozessieren fand der Fall den Weg vor das höchste amerikanische Gericht. Mel erklärte: »Der gesamte, dem Kläger zugestandene Schadenersatz betrug weniger als vierhundert Dollar, den Wert der eingegangenen Hühner.« Er fügte hinzu: »Für den Farmer stand kein Topf voller Dollar bereit – und ebensowenig bietet dieser Präzedenzfall einen für Sie.«

Mel konnte Elliott Freemantle sehen, dessen Gesicht vor Zorn abwechselnd rot und weiß wurde. Wieder hielt ihn Ned Ordway am Arm zurück.

»Es gibt hingegen einen Prozeß«, bemerkte Mel, »auf den Mr. Freemantle hinzuweisen verzichtet hat. Es ist ein wichtiger Fall – der auch vor dem höchsten Gericht entschieden wurde –, und er ist wohlbekannt. Unglücklicherweise unterstützt er nicht die Argumente von Mr. Freemantle, sondern widerlegt sie.«

Bei dem Fall handelte es sich um den Prozeß *Batten contra Batten*, in dem das oberste Gericht 1963 entschieden hat, daß nur »physische Beeinträchtigung« eine Haftpflicht auslöse. Lärm allein genüge nicht.

»Ein weiteres Urteil auf der gleichen Linie erfolgte in dem Fall *Loma Portal Civic Club contra American Airlines*, das 1964 das oberste Gericht von Kalifornien fällte. Hier entschied das Gericht, Grundstücksbesitzer seien nicht berechtigt, das Überfliegen von Häusern in der Nähe von Flughäfen zu verbieten. Das Interesse der Allgemeinheit an der Fortführung der Luftfahrt, stellte das kalifornische Gericht fest, stehe an erster Stelle und überwiege alles andere...«

Mel hatte die Gerichtsurteile ohne zu zögern und ohne Notizen zu Rate zu ziehen zitiert. Seine Zuhörer waren eindeutig beeindruckt. Jetzt lächelte er. »Juristische Präzedenzfälle sind genau wie Statistiken. Wenn man sie manipuliert, kann man mit ihnen alles beweisen.« Er fügte hinzu: »Sie brauchen mir nicht aufs Wort zu glauben, was ich Ihnen gesagt habe. Schlagen Sie selbst nach. Es ist alles aktenkundig.«

Eine Frau neben Elliott Freemantle knurrte den Rechtsanwalt an: »Davon haben Sie uns nichts gesagt. Sie schilderten nur Ihre Seite.«

Ein Teil der früheren Feindseligkeit gegen Mel richtete sich jetzt gegen den Rechtsanwalt.

Freemantle hob die Schultern. Was macht es schon aus, überlegte er. Schließlich hatte er über hundertsechzig unterschriebene Vollmachten, die er aus Vorsicht in einen geschlossenen Koffer in seinem Auto umgepackt hatte. Das waren Tatsachen, die nichts mehr rückgängig machen konnte.

Gleich darauf mußte er aber anfangen, auch das in Frage zu stellen. Verschiedene Leute hatten sich bei Mel nach den Vollmachtsformularen erkundigt, die sie am Abend unterschrieben hatten. Ihre Stimmen verrieten Zweifel. Offensichtlich hatten sowohl Mels Auftreten wie auch das, was er gesagt hatte, einen starken Eindruck hinterlassen. Die Menge teilte sich in kleine Gruppen auf, von denen die meisten lebhaft diskutierten.

»Ich bin nach gewissen Vertragsabschlüssen gefragt worden«, verkündete Mel. Die anderen Stimmen in der Menge verstummten sofort, als er hinzufügte: »Ich glaube, Sie wissen, welchen Vertrag ich meine. Ich habe eins der Formulare gesehen.«

Elliott Freemantle drängte sich vor. »Na und? Sie sind kein Rechtsanwalt. Das haben wir doch schon klargestellt. Deshalb verstehen Sie auch nichts von Verträgen.« Dieses Mal war Freemantle nicht nahe genug bei dem Mikrofon, so daß seine Worte nicht durchdrangen.

Mel entgegnete scharf: »Ich lebe mit Verträgen! Jeder Pächter und Mieter auf diesem Flughafen – von der größten Fluggesellschaft bis zu dem Mann, der mit Aspirin handelt – arbeitet hier unter einem Vertrag, der von mir gebilligt und von meinen Mitarbeitern ausgehandelt wurde.«

Er wandte sich wieder der Menge zu. »Mr. Freemantle weist richtig darauf hin, daß ich kein Rechtsanwalt bin. Deshalb will ich Ihnen den Rat eines Geschäftsmannes geben. Unter gewissen Umständen könnte die Einhaltung des Vertrags, den Sie heute abend unterschrieben haben, erzwungen werden. Ein Vertrag ist ein Vertrag. Sie könnten vor Gericht gebracht und das Geld zwangsweise eingetrieben werden. Doch meiner Meinung nach wird keines von beiden geschehen, vorausgesetzt, daß Sie sofort in korrekter Form kündigen. Zunächst haben Sie noch keine Ware erhalten, ist noch keine Dienstleistung erfolgt. Ferner müßte gegen jeden einzelnen von Ihnen getrennt geklagt werden.« Mel lächelte. »Das an sich wäre schon eine Aufgabe. Und noch etwas.« Jetzt sah er Elliott Freemantle unmittelbar an. »Ich glaube nicht, daß irgendein Gericht ein Gesamthonorar für einen Rechtsanwalt wohlwollend betrachten wird, das im Bereich von fünfzehntausend Dollar für eine Rechtsberatung, die im besten Falle nebulös ist, liegt.«

Der Mann, der sich schon einmal zu Wort gemeldet hatte, fragte: »Was sollen wir also tun?«

»Wenn Sie wirklich Ihre Ansicht ändern sollten, empfehle ich Ihnen, heute oder morgen einen Brief zu schreiben. Richten Sie ihn an Mr. Freemantle, und erklären Sie darin, daß Sie nicht mehr in der vereinbarten Weise juristisch vertreten werden wollen und warum. Bewahren Sie sich aber einen Durchschlag auf. Meiner Meinung nach werden Sie danach nichts mehr von der ganzen Angelegenheit hören.«

Mel hatte unverblümter gesprochen, als er zunächst beabsichtigt hatte, und war auch, wie er annahm, übertrieben verwegen gewesen, als er ganz so weit ging. Falls Elliott Freemantle es darauf anlegte, konnte er ihm zweifellos Schwierigkeiten machen. In einer Angelegenheit, in der der Flughafen und damit Mel ein aktives Interesse hatte, war er zwischen den Anwalt und seine Klienten getreten und hatte die Integrität des Anwalts in Frage gestellt. Nach dem Haß in den Augen des Rechtsanwalts zu schließen, würde es ihm eine Freude sein, Mel so sehr zu schaden, wie er konnte. Doch sein Instinkt sagte Mel, das letzte, was Freemantle sich wünschte, war eine scharfe Untersuchung in der Öffentlichkeit, wie er seine Klienten warb und mit welchen Methoden er arbeitete. Ein Richter, der in Fragen der Berufsethik empfindlich war, konnte peinliche Fragen stellen und später vielleicht auch noch die Anwaltskammer, die über die Berufsethik der Juristen scharf wachte. Je länger Mel darüber nachdachte, desto weniger neigte er dazu, sich Sorgen zu machen.

Mel wußte zwar nichts davon, aber Elliott Freemantle war zu dem gleichen Ergebnis gekommen.

Was sonst Freemantle auch sein mochte, er war Pragmatiker. Seit langem hatte er erkannt, daß es im Leben Spiele gab, bei denen man gewann, und andere, bei denen man verlor. Manchmal kam der Verlust überraschend und widersinnig. Ein Zufall, eine Wendung, eine Nessel im Gras konnte einen fast greifbaren Erfolg zu einer tödlichen Niederlage machen. Zum Glück für Menschen wie Freemantle trat manchmal auch das Gegenteil ein.

Dieser Flughafendirektor Bakersfeld hatte sich als Nessel erwiesen. Unvorsichtig hatte er etwas angefaßt, dem er hätte ausweichen sollen. Selbst nach dem ersten Zusammenstoß, der Elliott Freemantle eine Warnung hätte sein müssen, hatte er seinen Gegner weiter unterschätzt, indem er auf dem Flughafen geblieben war, statt zu verschwinden, solange er einen Vorsprung besaß. Etwas anderes, das Freemantle zu spät entdeckt hatte, war, daß Bakersfeld zwar gerissen, aber auch ein Spieler war. Nur ein Spieler konnte ein solches Risiko eingehen, wie Bakersfeld es vor einem Augenblick getan hatte. Und nur Elliott Freemantle wußte an diesem Punkt, daß Bakersfeld gewonnen hatte.

Freemantle war sich klar, daß die Anwaltskammer seine Unternehmung an diesem Abend mißbilligen würde, genauer gesagt: er hatte bereits einmal einen Zusammenstoß mit einem Untersuchungsausschuß der Kammer gehabt und beabsichtigte nicht, leichtfertig einen weiteren zu provozieren.

Bakersfeld hatte recht, dachte Elliott Freemantle. Er würde nicht versuchen, vor Gericht auf Grund der unterschriebenen Vollmachtsformulare die eingegangene Schuld einzutreiben. Das Risiko war zu groß, die Gewinnaussichten ungewiß.

Selbstverständlich würde er noch nicht vollständig aufgeben. Morgen, beschloß Freemantle, wollte er an alle Einwohner Meadowoods, die das Formular unterschrieben hatten, einen Brief aufsetzen. Darin würde er sich die größte Mühe geben, die Empfänger dazu zu überreden, seine Bestellung als juristischer Berater gegen das mit dem einzelnen festgelegte Honorar aufrechtzuerhalten. Er bezweifelte jedoch, daß viele antworten würden. Der Argwohn, den Bakersfeld so wirksam geweckt hatte – der verfluchte Hund! –, war zu groß. Ein paar kleine Reste mochten übrigbleiben, von Leuten die bereit waren, weiterzumachen, und später war es dann notwendig, zu entscheiden, ob es sich lohnte. Doch die Aussicht auf eine große Beute war dahin.

Er nahm jedoch an, daß sich bald etwas anderes finden würde. Es hatte sich immer etwas gefunden.

Ned Ordway und verschiedene andere Polizisten trieben die Menge auseinander. Der Verkehr in der Haupthalle nahm wieder normale Ausmaße an. Auch die Lautsprecheranlage war endlich abgebaut und fortgeschafft worden.

Mel Bakersfeld bemerkte, daß Tanya, die er gerade vor wenigen Augenblicken entdeckt hatte, auf ihn zukam.

Eine Frau, eine der Bewohnerinnen Meadowoods, die Mel bereits mehrfach bemerkt hatte, trat zu ihm. Sie hatte ein kräftiges, intelligentes Gesicht und schulterlanges braunes Haar.

»Mr. Bakersfeld«, begann die Frau ruhig, »wir haben alle sehr viel geredet und verstehen jetzt Verschiedenes besser als vorher. Ich habe aber immer noch nicht gehört, was ich meinen Kindern sagen soll, wenn sie weinen und fragen, warum der Lärm nicht aufhört, damit sie schlafen können.«

Mel schüttelte bedauernd den Kopf. In wenigen Worten hatte die Frau umrissen, wie vergeblich alles gewesen war, was sich an diesem Abend ereignet hatte. Er konnte ihr auch keine Antwort geben, und er bezweifelte auch, ob je eine gefunden werden würde, solange Flughäfen und Wohngemeinden enge Nachbarn blieben.

Er überlegte noch, was er antworten sollte, als Tanya ihm ein zusammengelegtes Blatt Papier reichte.

Als er es öffnete, las er eine Mitteilung, die erkennen ließ, daß sie hastig getippt worden war.

»flug 2 hatte explosion in der luft
strukturelle schäden und verletzte
kommt zurück für notlandung
geschätzte ankunft 01.30. kap. sagt
er muß landebahn drei null haben
turm meldet landebahn noch blockiert.«

XII

Zwischen den blutigen Trümmern, die jetzt das hintere Ende der Touristenkabine von Flug Zwei bildeten, wandte Dr. Milton Compagno, ein praktischer Arzt, sein äußerstes Können auf und bemühte sich, Gwen Meighens Leben zu retten. Er war nicht sicher, ob es ihm gelingen würde.

Als D. O. Guerreros Dynamitladung explodierte, war Gwen, nach Guerrero selbst, die Person, die sich dem Explosionsherd am nächsten befand. Unter anderen Umständen wäre sie, wie D. O. Guerrero, auf der Stelle getötet worden. Für den Augenblick retteten sie zwei Dinge.

Zwischen Gwen und der Explosion befanden sich Guerreros Körper und die Toilettentür. Keins von beiden bot einen wirksamen Schutz, doch zusammen genügten sie, die erste Gewalt der Explosion für einen Sekundenbruchteil zu dämpfen. Innerhalb dieses Sekundenbruchteils wurde die Außenhaut des Flugzeugs aufgerissen, und die zweite Explosion, die explosive Dekompression, trat ein.

Trotzdem traf die Dynamitexplosion Gwen, schleuderte sie schwerverletzt und blutend zurück, doch ihrer Gewalt wirkte eine bremsende Kraft entgegen: die Wucht der durch das Loch am hinteren Ende des Flugzeugrumpfs ausströmenden Luft. Die Wirkung war die, als ob zwei Tornados gegeneinanderprallten. Einen Augenblick später siegte die Dekompression und riß die ursprüngliche Explosion mit sich in den hohen dunklen Nachthimmel hinaus.

Trotz der Gewalt der Explosion war die Zahl der Verletzten nicht sehr groß.

Die am gefährlichsten verletzte Gwen Meighen lag bewußtlos im Mittelgang. Neben ihr stand noch der eulenhafte junge Mann, der aus der Toilette aufgetaucht war und Guerrero erschreckt hatte. Auch er war verletzt, blutete stark und war benommen, hielt sich aber noch bei Bewußtsein auf den Beinen. Ein halbes Dutzend Passagiere in der Nähe erlitt Schnittverletzungen und Prellungen von Splittern und Trümmern. Andere wurden von Gegenständen getroffen, die durch den Sog der explosiven Dekompression nach hinten durch das Flugzeug gerissen wurden. Sie waren benommen und erlitten Prellungen, doch keine dieser Verletzungen erwies sich als gefährlich.

Nach der Dekompression wurden zuerst alle, die nicht sicher auf ihren Plätzen saßen, von dem Sog zu dem klaffenden Loch am hinteren Teil des Flugzeugs gerissen. Auch von dieser Gefahr war Gwen Meighen am stärksten bedroht. Aber sie war so gefallen, daß ein Arm – sei es instinktiv oder zufällig – sich um das Bein einer Sitzbank gehakt hatte. Das verhinderte, daß sie zurückgezerrt wurde, und ihr Körper hielt andere auf.

Nach dem ersten heftigen Ausströmen der Luft ließ der Sog schnell nach.

Jetzt bestand die größte unmittelbare Gefahr für alle, ob verletzt oder nicht, im Sauerstoffmangel. Obwohl die Sauerstoffmasken sich sofort aus ihren Gehäusen heruntersenkten, griff nur eine Handvoll Passagiere sofort danach und legte sie an.

Ehe es jedoch zu spät war, bewiesen einige ihre Geistesgegenwart. Stewardessen handelten ihrer Ausbildung entsprechend und griffen, wo sie gerade standen, nach Masken und bedeuteten anderen, das gleiche zu tun. Drei Ärzte, die sich mit ihren Frauen auf einer Gesellschaftsreise befanden, erkannten, daß Eile notwendig war, legten sich Masken an und gaben allen in ihrer Nähe befindlichen Passagieren hastig Anweisungen. Judy, die aufgeweckte achtzehnjährige Nichte von Zollinspektor Standish, legte eine Maske über das Gesicht des Babys auf dem Platz neben sich und griff selbst nach einer. Dann gab sie den Eltern des Babys und den Passagieren auf der anderen Seite des Mittelgangs Zeichen, sich mit Sauerstoff zu versorgen. Mrs. Quonsett, die schwarzfliegende alte Dame, hatte während ihrer illegalen Flüge so oft Sauerstoffmasken demonstriert gesehen, daß sie wußte, was sie zu tun hatte. Sie nahm sich selbst eine Maske und reichte eine ihrem Freund, dem Oboisten, den sie auf seinen Sitz neben sich zog. Mrs. Quonsett hatte keine Ahnung, ob sie überleben würde, war darüber aber nicht sonderlich beunruhigt. Doch was auch geschehen würde – sie wollte bis zu ihrem allerletzten Moment mitbekommen, was vorging.

Jemand drückte dem jungen Mann bei Gwen, der verletzt worden war, eine Maske in die Hand. Er schwankte zwar und begriff kaum, was eigentlich geschah, es gelang ihm aber, sich die Maske vor das Gesicht zu halten.

Trotzdem stand kaum die Hälfte der Passagiere nach fünfzehn Sekunden – der kritischen Zeitspanne – unter Sauerstoff. Danach versanken alle, die keinen Sauerstoff bekamen, in einen Dämmerzustand. Nach weiteren fünfzehn Sekunden waren die meisten bewußtlos.

Gwen Meighen erhielt weder Sauerstoff noch sofortige Hilfe. Die durch ihre Verletzungen verursachte Bewußtlosigkeit vertiefte sich.

Dann nahm Anson Harris in der Pilotenkanzel das Risiko weiterer struktureller Schäden und einer möglichen völligen Zerstörung des Flugzeugs auf sich und entschied sich zu einem schnellen Sturzflug, wodurch er Gwen und andere vor dem Ersticken rettete.

Der Sturzflug begann in einer Höhe von achtundzwanzigtausend Fuß, er endete zweieinhalb Minuten später bei zehntausend Fuß.

Ein Mensch kann ohne Sauerstoff drei bis vier Minuten lang leben, ohne daß das Gehirn geschädigt wird.

Während der ersten Hälfte des Sturzflugs – für ein und eine viertel Minute – blieb die Luft dünn und genügte nicht, Leben zu erhalten. Unter dieser Höhe wurde der Sauerstoffgehalt größer und die Luft atembar.

In zwölftausend Fuß Höhe war reguläres Atmen möglich. Bei zehntausend Fuß war nur noch wenig Zeit zu verlieren, aber es hatte ausgereicht, und alle Passagiere auf Flug zwei kehrten zum Bewußtsein zurück, mit Ausnahme von Gwen. Viele hatten nicht einmal gemerkt, daß sie bewußtlos geworden waren.

Nachdem die Passagiere und die anderen Stewardessen langsam den ersten Schock überwunden hatten, überprüften sie ihre Situation. Die nach Gwen rangälteste Stewardeß, eine muntere Blondine aus Oak Lawn in Illinois, eilte nach hinten zu den Verletzten. Sie erblaßte zwar, rief aber geistesgegenwärtig: »Ist ein Arzt hier, bitte?«

»Ja, Miß.« Dr. Compagno hatte seinen Platz bereits verlassen, ohne zu warten, bis er gerufen wurde. Er war ein kleiner Mann mit scharfen Gesichtszügen und ungeduldigen Bewegungen, der schnell und mit einem Brooklyn-Akzent sprach. Er spürte bereits die beißende Kälte und den scharfen Luftzug, der laut durch das klaffende Loch im Flugzeugrumpf drang. An Stelle der Toiletten und der hinteren Galley war dort ein verbogenes Durcheinander aus verkohltem und blutbeflecktem Holz und Metall. Der hintere Teil des Rumpfes und das Innere des Leitwerks waren offen, und die Steuerkabel und das Gerippe des Rumpfes waren bloßgelegt.

Der Arzt hob seine Stimme, um sich über das Sausen des Zugwinds und das Dröhnen der Motoren verständlich zu machen, die alles übertönten, nachdem die Kabine nicht mehr abgeschlossen war. »Bringen Sie so viele wie möglich weiter nach vorn. Halten Sie alle so warm, wie Sie können. Für die Verletzten brauchen wir Decken.«

Zweifelnd antwortete die Stewardeß: »Ich will versuchen, welche zu finden.« Viele der Decken, die im allgemeinen in den Fächern über den Sitzen untergebracht waren, hatte der scharfe Sog bei der Dekompression mit der Garderobe und anderen Gegenständen der Passagiere hinausgefegt.

Die beiden anderen Ärzte in Dr. Compagnos Reisegesellschaft folgten seinem Beispiel. Einer instruierte eine der Stewardessen: »Bringen Sie uns alles Erste-Hilfe-Material, das Sie haben.« Dr. Compagno, der bereits neben Gwen kniete, war der einzige der drei, der seine Arzttasche bei sich hatte.

Es war charakteristisch für Milton Compagno, daß er überall und immer seine medizinische Bereitschaftstasche mitnahm. Und jetzt übernahm er die Führung, obwohl er nur praktischer Arzt war und in der beruflichen Rangordnung hinter den beiden anderen Ärzten, die Internisten waren, stand.

Milton Compagno betrachtete sich nie außer Dienst. Vor fünfunddreißig Jahren hängte er als junger Mann, der sich aus einem New Yorker Slumviertel zäh emporgekämpft hatte, in Chicagos Klein-Italien nahe der Milwaukee Avenue und der Grand Avenue sein Arztschild aus, und seitdem praktizierte er nur dann nicht, wie seine Frau voller Resignation oft sagte, wenn er im Bett lag und schlief. Es machte ihm Freude, daß er gebraucht wurde. Er handelte, als ob sein Beruf ein Preis wäre, den er gewonnen hatte und wieder verlieren würde, wenn er ihn nicht behütete. Nie hatte man je von ihm gehört, daß er zu irgendeiner Tages- oder Nachtzeit einen Patienten abgewiesen oder einen Hausbesuch verweigert hätte, wenn er gerufen wurde. Niemals fuhr er am Schauplatz eines Unfalls vorbei, wie es viele seiner Berufskollegen aus Furcht vor Verwicklungen taten. Er hielt immer an, stieg aus und tat, was er konnte. Gewissenhaft hielt er seine medizinischen Kenntnisse auf dem neuesten Stand. Doch je angestrengter er arbeitete, desto besser schien es ihm zu gehen. Er machte den Eindruck, indem er jeden Tag so hinter sich brachte, als beabsichtigte er alle Leiden der Welt in einem einzigen Leben, von dem nur noch wenig übriggeblieben war, zu heilen.

Diese Reise nach Rom, seit vielen Jahren immer wieder aufgeschoben, galt dem Besuch des Geburtsorts seiner Eltern. Einen Monat lang wollte Dr. Compagno mit seiner Frau fortbleiben, und da er alt wurde, hatte er zugestimmt, sie solle ausschließlich der Erholung dienen. Doch hatte er fest damit gerechnet, daß er irgendwann einmal unterwegs oder vielleicht in Italien – und um die Zulassungsbestimmungen kümmerte er sich selbstverständlich nicht –, gebraucht würde. Darauf war er vorbereitet. Es überraschte ihn nicht, daß dieser Fall jetzt schon eintrat.

Er trat zuerst zu Gwen, die eindeutig die schwersten Verletzungen erlitten hatte. Zu seinen Kollegen sagte er über die Schulter: »Kümmern Sie sich um die anderen.«

In dem schmalen Mittelgang drehte Dr. Compagno Gwen teilweise um, um festzustellen, ob sie atmete. Das tat sie, aber ihr Atem war dünn und flach. Der Stewardeß, mit der er gesprochen hatte, rief er zu: »Ich brauche hier Sauerstoff.« Während das Mädchen eine tragbare Sauerstoffflasche mit einer Maske brachte, untersuchte er Gwens Mund darauf, ob die Atemwege verstopft wären. Ihr waren Zähne ausgeschlagen worden, die er entfernte sowie eine Menge Blut. Er vergewisserte sich, daß die Blutungen ihre Atmung nicht beeinträchtigten. Zu der Stewardeß sagte er: »Halten Sie ihr die Maske vors Gesicht.« Der Sauerstoff zischte. Nach ein oder zwei Minuten nahm Gwens Haut, die beängstigend weiß gewesen war, einen Hauch Farbe an. Inzwischen begann er die vielen Blutungen im Gesicht und an der Brust zu stillen. Mit einem Hämostat klemmte er eine verletzte Arterie im Gesicht ab, die gefährlichste Stelle für eine äußere Blutung, und legte an anderen Stellen Druckverbände an. Er arbeitete schnell. Er hatte bereits Brüche am Schlüsselbein und am linken Arm festgestellt. Der Arm mußte später geschient werden. Voller Schrecken nahm er im linken Auge seiner Patientin Splitter wahr. Beim rechten Auge war er sich nicht ganz sicher.

Der Zweite Offizier Jordan, der sich vorsichtig an Dr. Compagno und Gwen vorbeigedrängt hatte, übernahm den Befehl über die anderen Stewardessen und überwachte die Unterbringung der Passagiere vorn im Flugzeug. Aus der Touristenklasse wurden so viele wie möglich in der Ersten-Klasse-Kabine untergebracht, manche zu zweit auf einem Sitz, andere in den kleinen halbkreisförmigen Salon gewiesen, wo freie Plätze zur Verfügung standen. Die noch vorhandene Oberkleidung wurde ohne Rücksicht auf die eigentlichen Besitzer an jene verteilt, die sie am dringendsten zu brauchen schienen. Wie immer in solchen Situationen zeigten die Menschen sich selbstlos und bereit, einander zu helfen, sogar mit Anflügen von Humor.

Die beiden anderen Ärzte verbanden die Passagiere, die Schnittwunden erlitten hatten. Keine der Verletzungen war gefährlich. Der junge Mann mit der Brille, der im Augenblick der Explosion hinter Gwen gestanden hatte, hatte einen tiefen Schnitt am Arm erlitten, der aber heilen würde. Weitere leichte Schnittverletzungen hatte er im Gesicht und an den Schultern. Vorläufig erhielt sein verletzter Arm einen Druckverband, und er wurde so bequem wie möglich untergebracht.

Die ärztliche Betreuung und die Verlegung der Passagiere wurde durch die starken Stöße erschwert, denen das Flugzeug in der jetzigen niedrigeren Höhe durch den Sturm ausgesetzt war. Ständig traten Turbulenzen auf, die das Flugzeug alle paar Minuten in heftiges Schwanken und Schaukeln versetzten.

Mehrere Passagiere wurden, zusätzlich zu ihren anderen Nöten, auch noch luftkrank.

Nachdem Cy Jordan sich zum zweitenmal in der Pilotenkanzel gemeldet hatte, kehrte er zu Dr. Compagno zurück.

»Doktor, Kapitän Demerest hat mich gebeten, Ihnen zu sagen, daß er Ihnen für alles, was Sie und die anderen Ärzte tun, sehr dankbar ist. Wenn Sie einen Augenblick Zeit haben, wäre er Ihnen verbunden, wenn Sie selbst in das Cockpit kämen, um ihm zu sagen, was er über Funk für die Verletzten anfordern soll.«

»Halten Sie mal den Verband«, befahl Dr. Compagno. »Drükken Sie fest drauf – gerade hier –, und jetzt möchte ich, daß Sie mir beim Schienen helfen. Wir verwenden dazu eine dieser ledernen Zeitschriftenhüllen mit einem Handtuch darunter. Suchen Sie mir die größte Hülle, die Sie finden können, und nehmen Sie die Zeitschrift heraus.«

Einen Augenblick später fügte er hinzu: »Ich komme, sobald ich kann. Sagen Sie Ihrem Kapitän, ich hielte es für richtig, daß er sobald wie möglich eine Ansprache an die Passagiere richtet. Die Leute überwinden langsam den Schock und könnten eine Aufmunterung gebrauchen.«

»Jawohl, Sir.« Cy Jordan blickte auf die bewußtlose Gwen hinab. Sein schon immer melancholisches hohlwangiges Gesicht verriet seine ernste Sorge. »Besteht für sie eine Chance, Doktor?«

»Sie hat eine Chance, junger Mann, wenn ich auch nicht behaupten will, daß sie besonders groß ist. Es hängt viel von ihrer Energie ab.«

»Ich war immer überzeugt, daß sie sehr viel Energie besitzt.«

»Sie war wohl ein sehr hübsches Mädchen?« Die vielen Verletzungen, das Blut, das schmutzige, zerwühlte Haar ließen das kaum noch erkennen.

»Sehr hübsch.«

Compagno antwortete darauf nicht. Wie es auch ausging: Das Mädchen auf dem Boden würde nicht mehr hübsch sein – nicht ohne Schönheitschirurgie.

»Ich überbringe dem Kapitän Ihre Mitteilung, Sir.« Cy Jordan sah noch bleicher aus als vorher und ging zur Pilotenkanzel zurück.

Wenige Augenblicke später erklang Vernon Demerests ruhige Stimme aus den Lautsprechern in den Kabinen: »Meine Damen und Herren, hier spricht Kapitän Demerest...« Um das Brausen des Windes und das Dröhnen der Motoren zu übertönen, hatte Cy Jordan die Lautstärke voll aufgedreht. Jedes Wort war deutlich zu verstehen. »Sie wissen, daß wir in Gefahr waren, in großer Gefahr, und uns noch darin befinden. Ich will nicht versuchen, das zu beschönigen. Ich werde auch keine Scherze machen, denn hier vorn in der Pilotenkanzel sehen wir nichts, was komisch wäre, und Sie sind wahrscheinlich der gleichen Meinung. Wir haben etwas erlebt, was niemand von unserer Besatzung schon einmal erlebt hat und hoffentlich nie wieder erleben wird. Aber wir sind durchgekommen. Jetzt haben wir das Flugzeug unter Kontrolle, wir sind umgekehrt und nehmen an, daß wir in etwa einer dreiviertel Stunde auf Lincoln International Airport landen werden.«

In den beiden Kabinen, in denen die Passagiere Erster Klasse und die der Touristenklasse jetzt durcheinandergemischt waren, hörte jede Bewegung und jede Unterhaltung auf. Instinktiv wandten alle ihre Augen den Lautsprechern zu und strengten ihr Gehör an, um sich kein Wort entgehen zu lassen.

»Sie wissen selbstverständlich, daß das Flugzeug beschädigt wurde. Die Beschädigungen hätten aber viel schlimmer sein können.«

Vernon Demerest saß mit dem Mikrofon in der Hand im Cockpit und fragte sich, wie detailliert und wie aufrichtig er die Lage schildern solle. Bei seinen regulären Flügen beschränkte er sich in seinen Ankündigungen an die Passagiere auf das knappste Minimum. Er mißbilligte wortreiche Kapitäne, die ihr zwangsweises Publikum vom Anfang bis zum Ende mit einer Reihe von Erklärungen bombardierten. Er spürte jedoch, daß er dieses Mal mehr sagen mußte und daß die Passagiere ein Recht darauf hatten, ihre wahre Situation zu erfahren.

»Ich will Ihnen nicht vorenthalten«, sagte Demerest ins Mikrofon, »daß noch einige Schwierigkeiten vor uns liegen. Unsere

Landung wird hart sein, und wir wissen nicht genau, wie weit die vorhandenen Beschädigungen sie beeinflussen werden. Das sage ich Ihnen, weil die Besatzung sofort nach dieser Ankündigung Ihnen Anweisungen geben wird, wie Sie sich unmittelbar vor der Landung setzen und festhalten sollen. Ferner wird man Ihnen erklären, wie Sie das Flugzeug sofort nach der Landung schnell verlassen können, falls das notwendig wird. Sollte das der Fall sein, dann handeln Sie ruhig, aber schnell, und befolgen Sie jede Anweisung, die Ihnen von einem Besatzungsmitglied gegeben wird. Ich kann Ihnen versichern, daß auf dem Boden alles Erforderliche getan wird, um uns zu helfen.« Demerest dachte dabei, daß sie unbedingt Landebahn Drei-Null brauchten und hoffte, daß seine Behauptung wahr sei. Er kam auch zu der Überzeugung, daß es keinen Sinn habe, im einzelnen auf das Problem des festgeklemmten Höhenruders einzugehen. Die meisten Passagiere würden es sowieso nicht verstehen. In leichterem Ton fügte er hinzu: »In gewisser Weise haben Sie heute nacht Glück, denn der Zufall will es, daß Sie heute statt eines erfahrenen Kapitäns zwei in der Pilotenkanzel haben, Kapitän Harris und mich. Wir sind zwei alte Füchse mit mehr Jahren an Flugerfahrung, als uns selbst manchmal lieb ist, außer gerade in diesem Augenblick, da sich unsere gemeinsamen Erfahrungen als außerordentlich nützlich erweisen werden. Wir werden einander helfen, genau wie der Zweite Offizier Jordan, der einen Teil seiner Zeit hinten bei Ihnen verbringen wird. Helfen auch Sie uns bitte. Wenn Sie das tun, kann ich Ihnen versprechen, daß wir gemeinsam alles sicher überstehen werden.«

Demerest legte das Mikrofon an seinen Platz zurück.

Ohne seine Augen von den Fluginstrumenten abzuwenden, meinte Anson Harris: »Das war sehr gut. Sie sollten in die Politik gehen.«

Mürrisch antwortete Demerest: »Für mich würde niemand stimmen. Meistens schätzen die Leute offene Worte und die Wahrheit nicht.« Er erinnerte sich verbittert an die Sitzung des Verwaltungsrats auf Lincoln International, bei der er auf die Verbannung der Flugversicherungsschalter aus dem Flughafen gedrängt hatte. Dort hatten offene Worte sich als katastrophal erwiesen. Er fragte sich, was der Verwaltungsrat empfinden würde, nachdem sie von D. O. Guerreros Abschluß einer Flugversicherung und seiner wahnwitzigen Absicht, das Flugzeug zu vernichten, erfahren hatten. Wahrscheinlich, dachte Demerest, werden sie genauso selbstgefällig sein wie immer, außer daß sie in Zukunft statt: »Das wird nie geschehen«, sagen werden: »Das war eine einmalige Ausnahme; die Wahrscheinlichkeit spricht dagegen, daß es wieder passiert.« Nun, vorausgesetzt, daß Flug Zwei sicher zurückkam, und gleichgültig, was alles gesagt oder nicht gesagt wurde – er würde unter allen Umständen von neuem einen großen Kampf gegen den Abschluß von Versicherungen auf dem Flughafen beginnen. Aber etwas hatte sich jetzt geändert: Dieses Mal würden mehr Leute aufhorchen. Die heute nacht fast eingetretene Katastrophe würde zweifellos große Beachtung in der Presse finden. Das wollte er nach Kräften ausnutzen. Ungeschminkt würde er die Reporter über die Flugversicherungen aufklären, über den Verwaltungsrat des Flughafens und nicht zuletzt über seinen kostbaren Schwager Mel Bakersfeld. Die Public-Relations-Bosse der Trans America würden sich selbstverständlich die größte Mühe geben, ihm den Mund zu verbieten – »im Interesse der Geschäftspolitik der Gesellschaft«. Das sollten sie nur versuchen!

Das Funkgerät wurde mit einem Knattern lebendig. »Trans America Zwei. Hier Cleveland Center. Lincoln meldet Landebahn Drei-Null vorübergehend außer Betrieb. Sie wollen versuchen, das Hindernis vor Ihrer Ankunft zu beseitigen. Falls das nicht gelingt, müssen Sie auf Zwei-Fünf landen.«

Harris' Gesicht wurde grimmig, während Demerest den Spruch bestätigte. Landebahn Zwei-Fünf war zweitausend Fuß kürzer, aber auch schmäler, und hatte derzeit starken Seitenwind. Wenn sie dort landen mußten, würde die schon bestehende Gefahr noch vervielfacht.

Demerests Ausdruck verriet seine Reaktion auf die Mitteilung unmißverständlich.

Immer noch wurden sie von dem Sturm heftig hin und her

gestoßen. Die meiste Zeit war Harris völlig davon in Anspruch genommen, die Maschine einigermaßen ruhig zu halten.

Demerest drehte sich nach dem Zweiten Offizier um. »Cy, gehen Sie wieder zu den Passagieren, und übernehmen Sie dort das Kommando. Sorgen Sie dafür, daß die Mädchen nochmals das Verhalten bei der Landung vorführen und daß jeder versteht, wie er sich zu verhalten hat. Dann suchen Sie ein paar Schlüsselleute heraus, die einen zuverlässigen Eindruck machen. Sorgen Sie dafür, daß jeder weiß, wo die Notausgänge sind und wie sie geöffnet werden. Wenn wir über die Landebahn hinausrollen, was bestimmt passiert, wenn wir Zwei-Fünf benutzen müssen, kann alles sehr schnell auseinanderbrechen. In diesem Fall wollen wir alle versuchen, nach hinten zu kommen und zu helfen, aber es kann sein, daß dazu keine Zeit mehr ist.«

»Jawohl, Sir.« Wieder erhob sich Jordan von seinem Platz als Flugingenieur.

Demerest, der unruhig auf Nachricht über das Befinden Gwens wartete, wäre lieber selbst gegangen, aber in der gegenwärtigen Lage konnten weder er noch Harris das Cockpit verlassen.

Nachdem Cy Jordan gegangen war, kam Dr. Compagno. Man konnte jetzt leichter in die Pilotenkanzel und hinausgelangen, nachdem Jordan die aus den Angeln gerissene Tür zur Seite geschafft hatte.

Milton Compagno stellte sich Vernon Demerest kurz vor. »Kapitän, ich möchte Ihnen über die Verletzten berichten, wie Sie es gewünscht haben.«

»Wir sind Ihnen dankbar, Doktor. Wenn Sie nicht dagewesen wären ...«

Mit einer Handbewegung schnitt Compagno ihm das Wort ab. »Über all das können wir später sprechen.« Er öffnete ein ledergebundenes Notizbuch, in dem ein dünner goldener Bleistift eine Seite markierte. Für Compagno war typisch, daß er bereits die Namen notiert und die Verletzungen und ihre Behandlung aufgezeichnet hatte. »Ihre Stewardeß Gwen Meighen ist am schwersten verletzt. Sie hat zahlreiche stark blutende Schnittverletzungen im Gesicht und an der Brust, einen komplizierten Bruch des linken Oberarms und selbstverständlich einen schweren Schock erlitten. Benachrichtigen Sie bitte ferner die Stelle, die die Vorbereitungen auf dem Boden trifft, daß sofort ein Augenchirurg zur Verfügung steht.«

Vernon Demerest, mit blasserem Gesicht als sonst, mußte sich zusammennehmen, als er die Angaben des Arztes in das Logbuch der Maschine eintrug. Jetzt hielt er plötzlich erschrocken inne.

»Einen Augenchirurgen? Meinen Sie – ihre Augen seien...?«

»Ich fürchte, ja«, antwortete Dr. Compagno ernst. »Zumindest hat sie in ihrem linken Auge Splitter, ob Holz oder Metall vermag ich nicht zu entscheiden. Nur ein Spezialist kann beurteilen, ob die Netzhaut in Mitleidenschaft gezogen ist. Das rechte Auge ist, soweit ich das beurteilen kann, unverletzt.«

»Mein Gott!« Demerest spürte eine aufkommende körperliche Übelkeit und bedeckte sein Gesicht mit der Hand.

Dr. Compagno schüttelte den Kopf. »Es ist für jede Schlußfolgerung zu früh. Die moderne Augenchirurgie kann Ungewöhnliches vollbringen. Aber die Zeit spielt eine wichtige Rolle.«

»Wir werden alles, was Sie gesagt haben, über die Funkfrequenz unserer Gesellschaft weitergeben«, versicherte ihm Anson Harris. »Sie haben ausreichend Zeit, alles vorzubereiten.«

»Dann will ich Ihnen jetzt das übrige mitteilen.«

Mechanisch notierte Demerest den weiteren Bericht des Arztes. Im Vergleich mit Gwen waren die Verletzungen der anderen Passagiere leicht.

»Ich gehe jetzt lieber wieder nach hinten, um festzustellen, ob sich etwas geändert hat«, sagte Dr. Compagno.

Schroff sagte Demerest: »Bleiben Sie noch.«

Der Arzt hielt inne und sah ihn überrascht an.

»Gwen – das heißt, Miß Meighen...« Demerests Stimme klang mühsam und verlegen, selbst in seinen eigenen Ohren. »Sie war – ist – schwanger. Spielt das irgendwie eine Rolle?«

Er bemerkte, daß Anson Harris ihm einen überraschten Seitenblick zuwarf.

Der Arzt antwortete mit einem leicht abweisenden Unterton: »Das zu erkennen hatte ich keine Möglichkeit. Die Schwangerschaft kann aber noch nicht weit fortgeschritten sein.«

»Nein.« Demerest vermied es, Dr. Compagno in die Augen zu sehen. »Das ist sie noch nicht.« Vor wenigen Minuten noch hatte er sich entschlossen, diese Frage nicht zu stellen. Aber dann war ihm klargeworden, daß er es einfach wissen mußte.

Milton Compagno überlegte. »Auf ihre Kräfte, selbst zu genesen, hat es selbstverständlich keinen Einfluß. Was das Kind betrifft, so stand die Mutter nicht lange genug unter Sauerstoffmangel, um Schaden zu nehmen. Das hat niemand getan. Die Mutter hat keine Verletzungen am Unterleib erlitten.« Er schwieg kurz, ehe er umständlich fortfuhr: »Es sollten sich also keine nachteiligen Wirkungen ergeben. Vorausgesetzt, daß Miß Meighen am Leben bleibt – und wenn sie sofort zur Behandlung in ein Krankenhaus kommt, sind ihre Chancen als mittel bis gut zu beurteilen –, wird das Baby normal zur Welt kommen.«

Demerest nickte wortlos. Nach einem kurzen Zögern ging Dr. Compagno.

Zwischen den beiden Kapitänen herrschte für eine kurze Weile Stille. Anson Harris brach es schließlich. »Vernon, ich möchte mich vor der Landung etwas ausruhen. Würden Sie eine Zeitlang fliegen?«

Demerest nickte. Seine Hände und Füße übernahmen automatisch die Steuervorrichtungen. Er war dankbar, daß Gwens wegen keine Frage gestellt und kein Kommentar gegeben wurde. Was sich Harris auch dachte oder fragen mochte, er besaß den Anstand, es für sich zu behalten.

Harris griff nach den Aufzeichnungen der Informationen von Dr. Compagno. »Ich werde das mal durchgeben.« Er stellte das Funkgerät ein, um die Nachrichtenübermittlung der Trans America zu rufen.

Nach dem Schock und der Gefühlsaufwallung über das, was er gerade gehört hatte, bedeutete das Fliegen für Vernon Demerest eine physische Erleichterung. Möglicherweise hatte Harris das in Betracht gezogen, aber vielleicht auch nicht. Doch so oder so: es war sinnvoll, wenn derjenige, der die Landung durchführen sollte, seine Kräfte schonte.

Was die Landung selbst anging: so gefährlich sie werden

mochte, schien Harris offensichtlich anzunehmen, daß er sie durchführen werde. Demerest sah auf Grund der bisherigen Leistung von Harris keinen Grund, weshalb er das nicht tun sollte.

Harris beendete sein Funkgespräch, stellte dann die Rückenlehne seines Sitzes zurück und entspannte seinen Körper.

Vernon Demerest, rechts neben ihm, versuchte sich ausschließlich auf das Fliegen zu konzentrieren. Für einen Piloten mit Erfahrung und Können war völlige Konzentration beim Geradeausflug, selbst unter schwierigen Umständen wie gerade jetzt, weder üblich noch notwendig. Doch so sehr er sich auch bemühte, jeden Gedanken an Gwen zu verbannen oder hinauszuschieben, sie setzten sich hartnäckig durch.

Gwen, deren Chance zu überleben »mittel bis gut« war, die heute abend strahlend und schön und voller Verheißung gewesen war, würde jetzt niemals nach Neapel kommen, wie sie es geplant hatten ... Gwen, die ihm vor ein oder zwei Stunden mit ihrem klaren, sanften englischen Akzent gesagt hatte: »*Zufällig liebe ich dich ...*« Gwen, die er selber liebte, gegen seinen Willen, und warum sollte er sich das nicht eingestehen? ...

Mit Kummer und Qual sah er sie vor sich – verletzt, bewußtlos und *mit seinem Kind unter dem Herzen;* dem Kind, das er sie gedrängt hatte, wie einen unerwünschten Wurf Jungtiere zu beseitigen ... Sie hatte es tapfer aufgenommen. »*Ich habe mich schon gefragt, wann du darauf zu sprechen kämest ...*« Später war sie unsicher und gequält gewesen. »*Es ist ein Geschenk – etwas Großes und Wunderbares. Und dann steht man plötzlich in unserer Situation davor, allem ein Ende zu machen, zu vergeuden, was einem geschenkt wurde.*«

Doch schließlich hatte sie seinem Zureden nachgegeben. »*Nun, am Ende werde ich wohl das tun, was vernünftig ist. Ich werde eine Abtreibung machen.*«

Das kam jetzt nicht mehr in Frage. In dem Krankenhaus, in das Gwen kam, würde man das nicht zulassen, es sei denn, daß es eindeutig darum ging, die Mutter oder das ungeborene Kind zu retten. Nach dem, was Dr. Compagno gesagt hatte, erschien es unwahrscheinlich, daß es dazu käme. Und nachher würde es zu spät sein.

Wenn Gwen also durchkam, würde das Kind geboren werden. War er darüber erleichtert oder tat es ihm leid? Vernon Demerest war sich dessen nicht sicher.

Er erinnerte sich jedoch an etwas anderes, das Gwen gesagt hatte. »*Der Unterschied zwischen dir und mir ist der, daß du ein Kind gehabt hast... Was auch geschieht, irgendwo wird immer jemand sein, der wieder du ist.*«

Sie hatte von dem Kind gesprochen, das er niemals kennengelernt hatte, nicht einmal den Namen, dem Mädchen, das in das Räderwerk des PPP-Arrangements der Trans America hineingeboren worden war, das sofort und für immer seinem Blick entschwunden war. Heute abend hatte er auf Befragen zugegeben, daß er manchmal an es dachte und sich fragte, was aus ihm geworden sein mochte. Was er nicht zugegeben hatte war: daß er es öfter tat, als ihm angenehm war.

Seine unbekannte Tochter war jetzt elf Jahre alt. Demerest kannte ihren Geburtstag, und obwohl er versuchte, sich dessen nicht zu erinnern, tat er es immer und wünschte sich jedes Jahr dasselbe: daß er irgend etwas tun könne, und sei es auch nur etwas so Gewöhnliches, wie ihr einen Glückwunsch zu schikken... Er nahm an, es geschähe, weil er und Sarah niemals ein Kind gehabt hatten – obwohl sie beide sich Kinder wünschten –, dessen Geburtstag er feiern konnte... Bei anderen Gelegenheiten stellte er sich Fragen, auf die es keine Antworten gab, wie er genau wußte: Wo war seine Tochter? Was war sie für ein Kind? War sie glücklich? Manchmal sah er sich nach Kindern auf der Straße um, wenn sie im richtigen Alter zu sein schienen, und überlegte, ob eines nicht durch einen puren Zufall... Dann verspottete er sich selbst wegen seiner Torheit. Gelegentlich verfolgte ihn der Gedanke, seine Tochter könne mißhandelt werden oder Hilfe brauchen, die er nicht geben konnte, weil er nicht wußte wie... Bei dieser instinktiven Erinnerung packte Vernon Demerest die Steuersäule unwillkürlich fester.

Zum erstenmal erkannte er: Die gleiche Ungewißheit würde

er nicht noch einmal ertragen können. Sein ganzes Wesen verlangte Klarheit. Die Abtreibung hätte er auf sich nehmen und durchstehen wollen und können, weil sie etwas Klares, Endgültiges war. Darüber hinaus hatte nichts von dem, was Harris über das Thema gesagt hatte, seine Ansichten beinflussen können. Gewiß, später mochten ihm Zweifel kommen, würde er es vielleicht bedauern, aber er würde es eindeutig wissen.

Der Lautsprecher über ihm brach abrupt in seine Gedanken ein. »Trans America Zwei, hier ist Cleveland Center. Gehen Sie nach links auf Kurs zwei null fünf. Wenn Sie bereit sind, gehen Sie auf sechstausend hinunter. Melden Sie, wenn Sie zehn verlassen.«

Demerests Hand zog alle vier Treibstoffhebel zurück, um tiefer zu gehen. Er stellte den Flugrichtungsanzeiger neu ein und ging vorsichtig in die Kurve.

»Trans America Zwei geht auf Kurs zwei null fünf«, meldete Harris an Cleveland. »Wir verlassen zehntausend jetzt.«

Das Stoßen wurde stärker, je tiefer sie kamen, aber mit jeder Minute kamen sie ihrem Ziel und der Hoffnung auf Sicherheit näher. Sie näherten sich auch dem Grenzpunkt auf der Flugroute, wo Cleveland sie jeden Augenblick an Chicago Center weitergeben würde. Von da hatten sie noch dreißig Minuten Flugzeit, ehe sie in den Bereich der Anflugkontrolle von Lincoln International kamen.

Harris sagte ruhig: »Vernon, Sie wissen ja wohl, wie tief erschüttert ich wegen Gwen bin.« Er zögerte. »Was zwischen Ihnen beiden besteht, geht mich nichts an, aber wenn ich als Freund irgend etwas tun kann...«

»Nein, nichts«, erwiderte Demerest. Er hatte nicht die Absicht, sich Anson Harris zu offenbaren, der zwar ein fähiger Pilot, in Demerests Augen aber deswegen um nichts weniger ein altes Weib war.

Demerest bedauerte es jetzt, daß er vor einigen Minuten so viel preisgegeben hatte, aber er war das Opfer seiner Gefühle geworden, etwas, das ihm selten widerfuhr. Jetzt ließ er sein Gesicht einen finsteren Ausdruck annehmen: sein Schild gegen die Enthüllung persönlicher Gefühle.

»Durchschreiten Höhe achttausend«, meldete Anson Harris der Flugsicherung.

Demerest hielt die stetig sinkende Maschine weiter auf Kurs. Seine Blicke wanderten unaufhörlich in gleicher Reihenfolge über die Instrumente.

Er erinnerte sich an etwas mit dem Kind – seinem Kind –, das vor elf Jahren geboren worden war. Viele Wochen lang hatte er sich vor der Geburt des Kindes mit dem Problem herumgeschlagen, ob er Sarah seine Untreue gestehen und ihr den Vorschlag machen solle, das Kind als ihr eigenes zu adoptieren. Am Ende hatte ihm dazu der Mut gefehlt. Er fürchtete die schockierte Reaktion seiner Frau; er fürchtete, daß Sarah das Kind nie akzeptieren würde, dessen Vorhandensein sie immer als einen ständigen Vorwurf ansehen würde.

Lange danach und viel zu spät erkannte er, daß er Sarah damit Unrecht getan hatte. Gewiß, sie wäre schockiert und verletzt gewesen, genauso wie sie jetzt schockiert und verletzt sein würde, wenn sie von Gwen erfuhr. Aber dann, bald danach, hätte Sarahs Fähigkeit, mit den Dingen fertig zu werden, gesiegt. Bei all ihrer Gemütsruhe und dem, was Demerest für Langweiligkeit an ihr hielt, trotz ihrer bürgerlichen Vorstadtaktivität – der Kegelklub, die Amateurmalerei –, besaß seine Frau Sarah einen soliden, gesunden Kern. Er nahm an, deshalb habe seine Ehe Bestand gehabt, denn nicht einmal jetzt zog er eine Scheidung überhaupt in Erwägung.

Sarah hätte eine Lösung gefunden. Sie hätte ihn eine Zeitlang zappeln und leiden lassen, vielleicht eine lange Zeit, aber sie hätte der Adoption zugestimmt, und derjenige, der ganz gewiß nicht gelitten hätte, wäre das Kind gewesen. Dafür hätte Sarah gesorgt; zu dieser Sorte Menschen gehörte sie. Er dachte: Wenn bloß ...

Laut sagte Demerest: »Das Leben ist voll von gottverdammten ›Wenn bloß‹.«

Er brachte die Maschine in sechstausend Fuß in eine ebene Lage und schob die Treibstoffhebel vor, um die Geschwindigkeit zu halten. Das Dröhnen der Düsenmotoren wurde stärker.

Harris hatte die Funkfrequenz geändert und meldete sich bei

Chicago Center, nachdem sie den Übergabepunkt passiert hatten. Er fragte: »Haben Sie etwas gesagt?« Demerest schüttelte den Kopf.

Der Sturm war so wild wie eh und je, und die Maschine wurde nach wie vor hin- und hergestoßen.

»Trans America Zwei, wir haben mit Ihnen Radarkontakt«, krächzte eine neue Stimme von Chicago Center.

Harris nahm noch den Funkverkehr wahr.

Was Gwen anging, konnte er gut und gern schon jetzt eine Entscheidung treffen, überlegte Demerest. Also gut, beschloß er, er würde sich Sarahs Tränen und Beschuldigungen aussetzen, vielleicht auch ihrem Zorn, aber er wollte sie über Gwen unterrichten. Er würde zugeben, daß er für Gwens Schwangerschaft verantwortlich war.

Die Hysterie, die sich zu Hause daraus ergeben würde, konnte mehrere Tage anhalten, und die Nachwirkungen vielleicht Wochen und Monate, und in dieser Zeit würde er viel auszuhalten haben. Doch wenn das Schlimmste überstanden war, würden sie ein Arrangement finden. Seltsamerweise – und er nahm an, das zeige die Größe seines Vertrauens zu Sarah – hatte er daran nicht den geringsten Zweifel.

Er hatte keine Ahnung, was sie tun würden, und eine ganze Menge würde von Gwen abhängen. Trotz allem, was der Arzt gerade über die Schwere von Gwens Verletzungen gesagt hatte, war Demerest überzeugt, daß sie durchkommen werde. Gwen besaß Kraft und hatte Mut, selbst in der Bewußtlosigkeit würde sie um ihr Leben kämpfen und sich schließlich, welche Behinderungen sie auch zurückbehalten mochte, mit ihnen abfinden. Sie würde auch ihre eigenen Ansichten wegen des Kindes haben, es vielleicht gar nicht so leicht aufgeben. Gwen war niemand, der sich herumschubsen oder vorschreiben ließ, was sie zu tun hatte. Sie traf ihre Entscheidungen für sich selbst.

Was dabei herauskommen konnte, war, daß er schließlich zwei Frauen plus einem Kind hatte, statt nur einer. Damit war vielleicht nicht ganz leicht fertig zu werden.

Damit war auch die Frage aufgeworfen: Wie weit würde Sarah das mitmachen?

Mein Gott! Was für eine teuflische Situation.

Aber nachdem er jetzt seinen ersten Entschluß gefaßt hatte, war er der Überzeugung, daß etwas Gutes dabei herauskommen würde. Grimmig dachte er, bei allem, was er an Sorgen und barem Geld draufzuzahlen hatte, mußte es gut sein.

Der zurücklaufende Höhenmesser zeigte an, daß sie die Höhe von fünftausend Fuß durchschritten.

Und da war selbstverständlich noch das Kind. Er begann bereits diesen Teil des Problems in einer neuen und andersgearteten Weise zu sehen. Natürlich würde er sich nicht erlauben, deswegen widerwärtig sentimental zu werden, wie manche Leute das taten – Anson Harris bot dafür ein Beispiel –, aber schließlich und endlich war es ja sein Kind. Das war ein für ihn neues Erlebnis.

Was hatte Gwen heute abend auf der Fahrt zum Flughafen noch gesagt? »... *ein kleiner Vernon Demerest in mir. Wenn wir einen Jungen bekommen, könnten wir ihn Vernon Demerest den Zweiten nennen, wie die Amerikaner das so machen.*«

Das war vielleicht gar kein so schlechter Gedanke. Er lachte leise vor sich hin.

Harris sah ihn von der Seite an. »Worüber lachen Sie denn?«

Demerest explodierte. »Ich lache nicht! Warum, zum Teufel, sollte ich lachen? Was gibt es für uns schon zu lachen?«

Harris zuckte die Achseln. »Ich meinte, ich hätte Sie lachen hören.«

»Das ist das zweitemal, daß Sie etwas hören, als es nichts zu hören gab. Ich empfehle Ihnen, nach diesem Testflug Ihre Ohren untersuchen zu lassen.«

»Es besteht gar kein Grund, unfreundlich zu werden.«

»Wirklich nicht? Wirklich nicht?« Demerest wurde wütend und aufgebracht. »Vielleicht fehlt bei dieser ganzen Schweinerei nur jemand, der unfreundlich wird.«

»Wenn das stimmen sollte, ist dazu niemand besser qualifiziert als Sie«, antwortete Harris.

»Dann fliegen Sie also wieder, wenn Sie mit Ihrer verdammten dummen Fragerei fertig sind, und lassen Sie mich mit diesen Schlafmützen auf dem Boden sprechen.«

Anson Harris richtete seine Rückenlehne wieder auf. »Von mir aus, wenn Sie wollen.« Er nickte. »Ich habe sie.«

Demerest gab die Steuerung frei und griff nach dem Funkmikrofon. Nachdem er seinen Entschluß gefaßt hatte, fühlte er sich wohler und stärker. Er gab seiner Stimme einen scharfen Klang. »Chicago Center, hier ist Kapitän Demerest von Trans America Zwei. Hört ihr da unten noch zu, oder habt ihr Schlaftabletten genommen und Feierabend gemacht?«

»Hier Chicago Center, Kapitän. Wir hören noch, und niemand hat Feierabend gemacht.« Die Stimme des Kontrollers hatte einen vorwurfsvollen Ton.

Demerest ignorierte ihn. »Warum bekommen wir dann nichts davon zu spüren, verdammt noch mal. Unsere Maschine ist in ernsten Schwierigkeiten. Wir brauchen Hilfe.«

»Halten Sie sich bitte bereit.« Nach einer kurzen Pause meldete sich eine andere Stimme. »Hier Chicago Center, der Dienstleiter. Kapitän, Trans America Zwei, ich habe Ihren letzten Funkspruch mitgehört. Verstehen Sie bitte, daß wir alles tun, was wir können. Ehe Sie in unseren Bereich kamen, hat ein Dutzend Leute daran gearbeitet, allen anderen Flugverkehr umzuleiten. Wir sind noch dabei. Wir geben Ihnen erste Priorität, eine klare Funkfrequenz und einen geraden Kurs nach Lincoln.«

Demerest schnauzte: »Das genügt nicht.« Er machte eine Pause, drückte den Schaltknopf des Mikrofons herunter und fuhr dann fort: »Dienstleiter Chicago, hören Sie genau zu. Ein gerader Anflugkurs auf Lincoln genügt nicht, wenn er auf Landebahn Zwei-Fünf führt oder irgendeine andere Landebahn außer Drei-Null. Erzählen Sie mir nicht, daß Drei-Null nicht betriebsbereit ist. Das habe ich schon gehört, und ich kenne den Grund. Jetzt schreiben Sie folgendes auf, und sorgen Sie dafür, daß Lincoln es richtig versteht: ›Unsere Maschine ist schwer überladen. Wir werden mit hoher Geschwindigkeit landen. Außerdem haben wir strukturelle Schäden sowie ein nicht funktionierendes Höhensteuer und fragwürdige Seitensteuerung. Wenn wir auf Zwei-Fünf runtergebracht werden, gibt es ein zerschelltes Flugzeug und Tote, ehe die nächste Stunde vorbei

519

ist.‹ Rufen Sie also Lincoln an, und ziehen Sie die Schrauben an. Sagen Sie denen, mir ist es gleichgültig, wie sie es schaffen – wenn es sein muß, sollen sie in die Luft sprengen, was Drei-Null blockiert –, aber wir brauchen diese Landebahn. Haben Sie verstanden?«

»Ja, Trans America Zwei, wir verstehen sehr gut.« Die Stimme des Dienstleiters klang unberührt, aber etwas menschlicher als vorher. »Ihre Nachricht wird gerade an Lincoln weitergegeben.«

»Gut.« Demerest drückte wieder auf den Knopf des Mikrofons. »Ich habe noch eine Nachricht. Sie geht an Mel Bakersfeld, Generaldirektor auf Lincoln. Geben Sie ihm die erste Nachricht und fügen Sie folgendes hinzu: ›Persönlich von seinem Schwager: Du Schuft bist an dieser Schweinerei mit schuld, weil du wegen der Flugversicherungen auf Flughäfen nicht auf mich gehört hast. Jetzt bist du es mir und allen anderen in dieser Maschine schuldig, daß du von deinem Pinguinsteiß herunterkommst und diese Landebahn freimachst.‹«

Die Stimme des Dienstleiters klang zweifelnd. »Trans America Zwei, wir haben Ihren Text aufgenommen. Kapitän, wollen Sie wirklich diese Worte gebrauchen?«

»Chicago Center«, schnauzte Demerests Stimme zurück, »Sie haben verdammt recht, genau diese Worte will ich gebrauchen, und Sie geben sie weiter! Ich befehle Ihnen, diese Mitteilung zu senden – schnell, laut und deutlich.«

XIII

In seinem schnell fahrenden Wagen konnte Mel Bakersfeld über den Funk der Bodenkontrolle hören, wie die Rettungsfahrzeuge des Flughafens aufgerufen und in ihre Positionen beordert wurden.

»Bodenkontrolle an City fünfundzwanzig.«

City fünfundzwanzig war das Rufzeichen für den Leiter der Feuerwehr des Flughafens.

»Hier City fünfundzwanzig unterwegs. Sprechen Sie, Bodenkontrolle.«

»Weitere Informationen. Notlandung Alarmstufe Zwei in etwa 35 Minuten. Die fragliche Maschine ist in ihrer Manövrierfähigkeit behindert und wird auf Landebahn Drei-Null niedergehen, wenn sie offen ist. Wenn nicht, verwenden wir Rollbahn Zwei-Fünf.«

Soweit es möglich war, vermieden die Kontroller der Flughäfen über Funk eine Fluggesellschaft zu nennen, die in einen Unfall oder in einen möglichen Unfall verwickelt war. Die Formel »fragliche Maschine« wurde als Tarnung verwendet. Fluggesellschaften waren in diesen Dingen empfindlich und vertraten den Standpunkt, je seltener ihr Name in einem solchen Zusammenhang genannt wurde, desto besser sei es.

Trotzdem sah Mel voraus: Was heute nacht geschah, würde große Beachtung in der Öffentlichkeit finden, höchstwahrscheinlich in der ganzen Welt.

»City fünfundzwanzig an Bodenkontrolle. Fordert der Pilot Schaum auf der Landebahn an?«

»Keinen Schaum, wiederhole: keinen Schaum.«

Keinen Schaum bedeutete, daß das Flugzeug ein einsatzfähiges Fahrwerk hatte und keine Bauchlandung vornehmen mußte.

Alle Einsatzfahrzeuge – Löschwagen, Werkzeugwagen und Krankenwagen – folgten, wie Mel wußte, dem Leiter der Feuerwehr, der eine eigene Funkfrequenz hatte, um mit jedem einzelnen sprechen zu können. Wenn eine Notlandung angekündigt wurde, wartete niemand. Man befolgte das Prinzip: Besser zu früh bereit als zu spät. Die Fahrzeuge des Notdienstes würden jetzt Posten zwischen den beiden Landebahnen beziehen und bereitstehen, zur einen oder anderen zu fahren, ganz wie es erforderlich sein würde. Dieses Verfahren hatte nichts mit Improvisation zu tun. Jeder Schritt in Situationen dieser Art war in allen Einzelheiten in einem grundlegenden Einsatzplan für Notfälle auf dem Flughafen ausgearbeitet.

Als eine Pause im Funksprechverkehr eintrat, drückte Mel auf den Schaltknopf seines eigenen Mikrofons. »An Bodenkontrolle von Mobil eins.«

»Mobil eins, kommen.«

»Ist Joe Patroni bei dem festgefahrenen Flugzeug auf Landebahn Drei-Null über den neuen Notstand unterrichtet worden?«

»Jawohl. Wir stehen in Funkverbindung.«

»Was berichtet Patroni über seinen Stand?«

»Er rechnet damit, die festgefahrene Maschine in zwanzig Minuten von der Stelle bewegen zu können.«

»Ist er dessen sicher?«

»Nein.«

Mel Bakersfeld ließ den Schaltknopf wieder los. Zum zweitenmal in dieser Nacht fuhr er über das Flugfeld, eine Hand am Steuer, in der anderen das Mikrofon. Er fuhr so schnell, wie er es bei dem fortgesetzten Schneetreiben und der beschränkten Sicht wagen konnte. Die Lichter der Taxiwege und Startbahnen wiesen ihm den Weg durch die Dunkelheit und huschten vorbei. Auf den Vordersitzen des Wagens neben ihm saßen Tanya Livingston und der Reporter Tomlinson von der *Tribune*.

Vor wenigen Minuten hatte Mel sich, nachdem Tanya ihm die Meldung über die Explosion an Bord von Flug Zwei und den Versuch der Maschine, Lincoln International wieder zu erreichen, überbracht hatte, sofort von den versammelten Einwohnern Meadowoods freigemacht. Mit Tanya an seiner Seite eilte er zu den Fahrstühlen, die ihn zwei Stockwerke tiefer zu der Garage und seinem Dienstwagen im Keller bringen sollten. Jetzt war Mels Platz auf Landebahn Drei-Null, um selbst das Kommando zu übernehmen, falls es notwendig werden sollte. Er drängte sich durch die Menschenmenge in der Haupthalle,

als er den Reporter der *Tribune* erblickte und knapp sagte:
»Kommen Sie mit.« Er war Tomlinson als Gegenleistung für
den Tip über Elliott Freemantle – das Formular für die Bevollmächtigung sowohl als die späteren lügenhaften Behauptungen des Rechtsanwalts, die Mel dann widerlegen konnte – eine
Gefälligkeit schuldig. Als Tomlinson zögerte, schnauzte Mel:
»Ich habe keine Zeit zu vergeuden, aber ich gebe Ihnen eine
Chance, und wenn Sie die nicht wahrnehmen, werden Sie es
später vielleicht bereuen.« Ohne weitere Fragen schloß Tomlinson sich ihm an.

Während sie jetzt fuhren, überholte Mel, sobald sich eine Gelegenheit bot, die zum Start rollenden Flugzeuge. Tanya wiederholte das Wesentliche der Nachrichten über Flug Zwei.

»Ich möchte das ganz genau verstehen«, sagte Tomlinson. »Nur
eine Landebahn ist lang genug und führt in der notwendigen
Richtung?«

Mel bestätigte grimmig: »Genauso ist es, obwohl wir zwei
haben müßten.« Erbittert erinnerte er sich an die Vorschläge,
die er in drei aufeinanderfolgenden Jahren für eine zusätzliche
Landebahn parallel zu Drei-Null gemacht hatte. Der Flughafen
brauchte sie. Die Verkehrsdichte und die Sicherheit der Flugzeuge schrien nach einer Verwirklichung von Mels Vorschlägen,
insbesondere da es zwei Jahre dauern würde, die Landebahn
zu bauen. Aber andere Einflüsse erwiesen sich als stärker. Es
war kein Geld dafür dagewesen, die neue Landebahn war nicht
gebaut worden. Und trotz Mels weiteren Vorstellungen war
der Bau noch nicht einmal genehmigt worden.

Bei einer ganzen Reihe von Projekten war es Mel gelungen,
den Verwaltungsrat des Flughafens auf seine Seite zu bringen.
Im Fall der vorgeschlagenen neuen Landebahn hatte sich Mel
jedes Mitglied des Verwaltungsrats einzeln vorgenommen, und
ihm war Unterstützung versprochen worden; später wurden
diese Versprechungen aber wieder zurückgezogen. Theoretisch
war der Verwaltungsrat des Flughafens von jedem politischen
Druck unabhängig, praktisch aber verdankten sie ihre Beru-
fung dem Bürgermeister und waren in den meisten Fällen selbst
politisch gebunden. Wenn der Bürgermeister unter Druck ge-

setzt wurde, die Ausgabe einer Anleihe für den Flughafen zugunsten anderer Projekte, die ähnlich finanziert werden mußten, aber vermutlich mehr Wählerstimmen gewinnen würden,
hinauszuschieben, setzte sich der Druck durch. Bei der vorgeschlagenen neuen Landebahn setzte er sich nicht nur durch,
sondern erwies sich dreimal als erfolgreich. Es lag eine Ironie
darin, daß der dreistöckige Ausbau der Parkplätze des Flughafens, der zwar nicht so notwendig, aber spektakulärer war,
nicht zurückgestellt wurde.

Kurz und in klaren Worten, die er sich bisher für ein vertrauliches Gespräch aufbewahrt hatte, schilderte Mel die Situation
samt ihren politischen Hintergründen.

»Ich möchte das alles verwenden, was ich da von Ihnen höre.«
In Tomlinsons Stimme lag die beherrschte Erregung eines Re-
porters, der weiß, daß er einem guten Bericht auf der Spur ist.
»Darf ich das?«

Wenn das gedruckt erschien, würde der Teufel los sein, das
war Mel klar. Er konnte sich schon die empörten Anrufe vom
Rathaus am Montagmorgen vorstellen. Aber jemand mußte es
einmal sagen. Die Öffentlichkeit mußte erfahren, wie ernst die
Lage war.

»Machen Sie es ruhig«, antwortete Mel. »Wahrscheinlich bin
ich heute in der Laune, mal auszupacken.«

»Den Eindruck habe ich auch.« Der Reporter sah Mel von der
anderen Seite des Wagens her forschend an. »Wenn ich das sagen darf: Sie waren heute abend groß in Form. Gerade eben
und mit dem Rechtsanwalt und diesen Leuten aus Meadowood.
Viel ähnlicher Ihrem alten Selbst. So habe ich Sie schon lange
nicht mehr reden hören.«

Mel hielt seinen Blick auf die Taxibahn vor sich gerichtet und
wartete darauf, an einer DC-8 der Eastern vorbeizukommen,
die nach links abbog. Aber er dachte: War sein Auftreten während der letzten ein oder zwei Jahre, das Fehlen seines alten
Kampfgeistes, so offenkundig gewesen, daß es auch andere
bemerkt hatten?

Neben ihm, dicht genug, daß er ihre Nähe und ihre Wärme
spürte, sagte Tanya leise: »Die ganze Zeit über, während wir

hier reden – über Landebahnen, die öffentliche Meinung, Meadowood und so weiter – ich denke ständig an die Leute in Flug Zwei, was sie jetzt wohl empfinden mögen – ob sie Angst haben.«

»Die haben bestimmt Angst«, antwortete Mel, »wenn sie einigermaßen bei Vernunft sind und wenn sie wissen, was vorgeht. Ich hätte auch Angst.«

Er erinnerte sich seiner Angst, als er vor vielen Jahren in dem sinkenden Militärflugzeug eingeklemmt gewesen war. Wie durch die Erinnerung ausgelöst spürte er einen scharfen Schmerz in der alten Verwundung an seinem Fuß. In der Aufregung der letzten Stunden war es ihm gelungen, die Beschwerden zu vergessen, aber wie immer bei Ermüdung und Überanstrengung setzten sie sich am Ende doch durch. Mel preßte die Lippen fest zusammen und hoffte, der Schmerzanfall würde nachlassen oder vorübergehen.

Er hatte auf eine weitere Pause im Wechsel der Funksprüche zwischen den Bodenstellen gewartet, und als jetzt eine eintrat, drückte er wieder auf den Schaltknopf des Mikrofons.

»Mobil eins an Bodenkontrolle. Haben Sie eine Meldung von der sich in Not befindenden Maschine, wie dringend sie Landebahn Drei-Null braucht?«

»Mobil eins, nach den vorliegenden Meldungen sehr dringend. Spricht dort Mr. Bakersfeld?«

»Ja, ich bin es selbst.«

Mel fuhr weiter und näherte sich jetzt Landebahn Drei-Null, während er auf Antwort wartete. Was jetzt kam, würde darüber entscheiden, ob er zu den drastischen Maßnahmen greifen mußte, die er bereits erwog.

»Bodenkontrolle an Mobil eins. Folgende Nachricht erhielten wir gerade von der betreffenden Maschine. Anfang der Meldung: ›Ein gerader Anflugkurs genügt nicht, wenn er auf Landebahn Zwei-Fünf führt. Maschine ist schwer überladen. Wir werden mit hoher Geschwindigkeit landen...‹«

Die drei in dem Wagen hörten gespannt Vernon Demerests Nachricht an. Bei den Worten: »Wenn wir auf Zwei-Fünf runtergebracht werden, gibt es ein zerschelltes Flugzeug und

Tote«, hörte Mel, wie Tanya scharf einatmete, und spürte ihr Schaudern.

Er wollte schon den Empfang der Durchgabe bestätigen, als die Bodenkontrolle weitersprach.

»Mobil eins – Mr. Bakersfeld, zu dieser Meldung liegt ein Zusatz vor, persönlich an Sie gerichtet, von Ihrem Schwager. Können Sie irgendwo ein Telefon erreichen?«

»Ausgeschlossen«, antwortete Mel. »Lesen Sie den Text ruhig gleich vor.«

»Mobil eins...« Er spürte, daß der Kontroller zögerte. »Die Ausdrücke sind sehr persönlich.«

Dem Kontroller war wie Mel bekannt, daß viele Ohren auf dem ganzen Flughafen zuhören würden.

»Bezieht es sich auf die gegenwärtige Situation?«

»Ja.«

»Dann lesen Sie.«

»Jawohl, Sir. Die Mitteilung beginnt mit: ›Du Schuft bist an dieser Schweinerei mit schuld, weil du wegen der Flugversicherungen auf Flughäfen nicht auf mich gehört hast...‹«

Mel preßte die Lippen zusammen, wartete aber, bis die Durchsage beendet war, und bestätigte dann kommentarlos: »Verstanden. Ende.« Er war überzeugt, daß es Vernon das größte Vergnügen bereitet hatte – soweit gegenwärtig an Bord von Flug Zwei irgend etwas Vergnügen machen konnte – und daß er sich noch mehr amüsieren würde, wenn er erfuhr, auf welchem Weg sie an ihn weitergeleitet worden war.

Allerdings war dieser Zusatz überflüssig, denn Mel hatte seine Entscheidung schon auf Grund der ersten Nachricht getroffen.

Sein Wagen fuhr jetzt schnell die Landebahn Drei-Null entlang. Der Kreis der Scheinwerfer und Hilfsfahrzeuge um die festgefahrene Düsenmaschine der Aéreo Mexican kam jetzt in Sicht.

Befriedigt stellte Mel fest, daß auf der Landebahn nur eine dünne Schneedecke lag. Obwohl ein Teil der Bahn blockiert war, war die übrige Bahn freigefegt worden.

Er schaltete sein Funkgerät auf die Frequenz des Wartungsdienstes des Flughafens.

»Mobil eins an Schneekontrolle.«

»Hier Schneekontrolle.« Danny Farrows Stimme klang müde, was nicht überraschen konnte. »Sprechen Sie.«

»Danny, lösen Sie die Conga-Kette auf. Schicken Sie die Osh-kosh-Pflüge und die schweren Schleudern nach Landebahn Drei-Null herüber. Sie sollen zu der Stelle, wo die festgefahrene Maschine steckt, und dort auf weitere Anweisungen warten. Schicken Sie sie gleich los, und rufen Sie mich sofort zurück.«

»Verstanden, sofort.« Danny schien noch eine Frage stellen zu wollen, überlegte es sich aber offensichtlich. Einen Augenblick später hörten die drei in dem Wagen auf der gleichen Frequenz, wie er dem Führer der Conga-Kette Befehle erteilte.

Der Reporter der *Tribune* beugte sich über Tanya vor. »Ich versuche immer noch, mir ein klares Bild zu machen«, sagte er. »Diese Sache mit der Flugversicherung... Ihr Schwager ist doch ein wichtiger Mann im Pilotenverband, nicht wahr?«

»Ja.« Mel stoppte den Wagen auf der Landebahn wenige Schritte vor dem Lichtkreis um das große feststeckende Flugzeug. Es herrschte emsige Tätigkeit, wie er sehen konnte. Unter dem Rumpf der Maschine und auf beiden Seiten waren Männer fieberhaft am Graben. Die untersetzte Gestalt von Joe Patroni war sichtbar, der die Arbeiten überwachte. Gleich, wenn Danny Farrow von der Schneekontrolle zurückgerufen hatte, wollte Mel zu ihm gehen.

Nachdenklich sagte der Reporter: »Ich erinnere mich dunkel, daß ich vor einiger Zeit etwas läuten gehört habe. Hat Ihr Schwager nicht eine große Schau veranstaltet, um den Abschluß von Flugversicherungen hier verbieten zu lassen – so, wie der Pilotenverband das will –, und Sie haben ihm das Spiel verdorben?«

»Nicht ich habe seinen Vorschlag abgelehnt, sondern der Verwaltungsrat des Flughafens, obwohl ich dieser Entscheidung zustimme.«

»Falls diese Frage nicht unfair ist: Haben Sie nach dem, was heute nacht geschehen ist, Ihre Ansicht in dieser Frage geändert?«

Tanya protestierte. »Ich finde, jetzt ist nicht der richtige Augenblick...«

»Ich will darauf antworten«, unterbrach Mel. »Ich habe meine Ansicht nicht geändert, jedenfalls noch nicht. Aber ich denke darüber nach.«

Mel überlegte: Jetzt, in der hohen Gefühlserregung und im Gefolge der Tragödie, war nicht der geeignete Zeitpunkt, den Standpunkt hinsichtlich der Flugversicherung zu korrigieren, falls es dazu kommen sollte. In ein oder zwei Tagen würde man die Ereignisse dieser Nacht besser überblicken können. Dann sollte Mels eigene Entscheidung erfolgen, ob er bei dem Verwaltungsrat darauf drängen sollte, seine Politik in dieser Frage zu überprüfen, oder nicht. Inzwischen allerdings konnte niemand bestreiten, daß die Ereignisse dieser Nacht den Argumenten Vernon Demerests und des Pilotenverbandes zusätzliches Gesicht verliehen hatten.

Möglicherweise ließ sich ein Kompromiß finden, überlegte Mel. Ein Sprecher des Pilotenverbandes hatte ihm einmal anvertraut, daß die Piloten nicht damit rechneten, ihren Feldzug gegen Flugversicherungen auf Flughäfen vollkommen oder schnell zu gewinnen; es würde Jahre dauern, bis sie Erfolg hätten, und er würde »nach der Salamitaktik erfolgen – Scheibchen für Scheibchen«. Auf Lincoln International mochte eines dieser Scheibchen das Verbot der unüberwachten Automaten sein, wie es auf einigen Flughäfen bereits erfolgt war. Ein Staat – Colorado – hatte die Automaten schon durch ein gesetzliches Verbot abgeschafft. Mel wußte, daß in anderen Staaten ähnliche Gesetze erwogen wurden. Allerdings gab es nichts, was die Flughäfen daran hindern konnte, inzwischen schon aus eigener Initiative zu handeln.

Das System der Versicherungsautomaten mochte Mel am wenigsten, obwohl D. O. Guerreros hohe Versicherungspolice heute nacht nicht auf diesem Weg abgeschlossen worden war. Wenn dann der Abschluß von Versicherungen an Schaltern blieb – für wenige Jahre noch, bis die öffentliche Meinung entsprechend beeinflußt worden war –, mußten größere Sicherungsvorkehrungen getroffen werden...

Wenn Mel sich auch entschlossen hatte, noch keine endgültige Entscheidung zu treffen, so war doch schon deutlich zu erkennen, in welche Richtung sich seine Überlegungen bewegten.

Das immer noch auf die Frequenz der Flughafenwartung eingestellte Funkgerät hatte ununterbrochen Sprüche zwischen den verschiedensten Fahrzeugen wiedergegeben. Jetzt rief es: »Schneekontrolle an Mobil eins.«

Mel antwortete sofort: »Sprechen Sie, Danny.«

»Vier Pflüge und drei Schleudern sind mit dem Leiter des Konvois auf dem Weg nach Landebahn Drei-Null, wie angefordert. Welche weiteren Befehle bitte?«

Mel wählte seine Worte sorgfältig, weil er wußte, daß sie irgendwo in dem elektronischen Irrgarten unter dem Kontrollturm auf Band festgehalten wurden. Vielleicht mußte er sich später dafür rechtfertigen. Er wollte aber auch sichergehen, daß es nicht zu einem Mißverständnis kam.

»Mobil eins an Schneekontrolle. Alle Pflüge und Schleudern halten unter dem Befehl des Konvoiführers in der Nähe der festgefahrenen Maschine der Aéreo Mexican, die die Landebahn Drei-Null blockiert, einsatzbereit. Die Fahrzeuge dürfen nicht – wiederhole: nicht – das Flugzeug behindern, das in wenigen Minuten versuchen wird, unter eigener Kraft freizukommen. Falls der Versuch aber versagt, erhalten Pflüge und Schleudern den Auftrag, das Flugzeug seitlich fortzuschieben und die Landebahn zu räumen. Das muß und wird um jeden Preis und in aller Schnelligkeit geschehen. Landebahn Drei-Null muß in etwa dreißig Minuten einsatzbereit sein. Bis dahin muß sie von dem blockierenden Flugzeug und sämtlichen anderen Fahrzeugen frei sein. Ich werde in Übereinstimmung mit der Flugsicherung entscheiden, wann die Pflüge Befehl zum Einsatz erhalten, falls es notwendig wird. Bestätigen Sie Empfang und daß diese Anordnungen verstanden wurden.«

Der Reporter Tomlinson in Mels Wagen stieß einen leisen Pfiff aus. Tanya wandte sich Mel zu und betrachtete ängstlich forschend sein Gesicht.

Das Funkgerät blieb einige Sekunden lang stumm, ehe Danny Farrows Stimme sich meldete. »Ich glaube, ich habe verstanden, aber ich will mich lieber vergewissern.« Er wiederholte den Inhalt der Durchsage, und Mel konnte sich vorstellen, daß er wieder schwitzte, wie er es schon am Abend getan hatte.

»In Ordnung«, bestätigte Mel. »Aber eines muß völlig klar sein: Wann die Pflüge und Schleudern eingesetzt werden, befehle ich und niemand anderes.«

»Das ist klar«, bestätigte Danny. »Und lieber Sie als ich. Ich nehme an, Sie haben eine Vorstellung davon, was unsere Fahrzeuge mit der 707 anrichten.«

»Sie werden sie auf die Seite schieben«, antwortete Mel schroff, »und im Augenblick ist das das einzig Wichtige.« Er meldete sich ab und legte das Mikrofon zurück.

Tomlinson sagte ungläubig: »Schiebt sie auf die Seite! Ein Flugzeug im Wert von sechs Millionen Dollar, von Schneepflügen auf die Seite geschoben! Mein Gott, sie zerreißen es in Fetzen. Und die Besitzer und Versicherungen werden nachher mit Ihnen das gleiche machen.«

»Das sollte mich nicht wundern«, antwortete Mel. »Selbstverständlich ist das Ganze eine Frage des Standpunkts. Wenn die Besitzer und die Versicherungen in der beschädigten Maschine säßen, würden sie jubeln.«

»Na ja«, räumte der Reporter ein, »ich gestehe Ihnen zu, daß manche Entscheidungen einen Haufen Mut verlangen.«

Tanyas Hand suchte nach der Mels. Leise sagte sie, voller Gefühl: »Ich jubele – über das, was Sie jetzt tun. Was später auch kommen wird – ich werde es nie vergessen.«

Die Pflüge und Schleudern, die Mel herbeordert hatte, kamen in Sicht. Sie fuhren in schnellem Tempo über die Landebahn. Die Warnleuchten auf ihren Führerhäusern blinkten grell.

»Vielleicht kommt es gar nicht so weit.« Mel drückte Tanyas Hand, ehe er sie losließ und die Wagentür öffnete. »Wir haben zwanzig Minuten Zeit zu hoffen, daß es nicht dazu kommt.«

Als Mel Bakersfeld auf ihn zukam, stampfte Joe Patroni mit den Füßen auf den Boden, um sie zu wärmen, trotz der pelzgefütterten Stiefel und dem dicken Anorak, die der Wartungschef der TWA trug, ohne sonderlichen Erfolg. Von den kurzen Augenblicken abgesehen, die Patroni im Cockpit des Flugzeugs

verbracht hatte, als der Kapitän der Aéreo Mexican und sein
Erster Offizier das Feld räumten, hatte er die ganze Zeit seit
seiner Ankunft vor drei Stunden ununterbrochen draußen im
Schneesturm gestanden. Außer der Kälte und der körperlichen
Erschöpfung von den verschiedenen Anstrengungen bei Tag
und bei Nacht hatte auch sein bisheriges Versagen, die fest-
gefahrene Düsenmaschine von der Stelle zu bewegen, seine
Geduld bis an den Rand des Ausbruchs erschöpft.

Als er von Mels Absichten hörte, war es beinahe soweit.

Mit jedem anderen hätte Joe Patroni getobt und geflucht. Da
Mel aber ein guter Freund war, nahm er nur die nichtbren-
nende Zigarre, auf der er herumkaute, aus dem Mund und sah
Mel ungläubig an. »Ein unbeschädigtes Flugzeug von Schneepflügen wegschieben lassen? Hast du den Verstand verloren?«

»Nein«, antwortete Mel, »mir fehlen Landebahnen.«

Bei dem Gedanken, daß kein anderer in einer verantwortlichen
Position, außer ihm selbst, die dringende Notwendigkeit verstand, Landebahn Drei-Null um jeden Preis freizubekommen,
überfiel Mel für einen Augenblick eine Depression. Wenn er
seine Absicht ausführte, würde es zweifellos einige geben, die
später sein Vorgehen verteidigten. Andererseits hatte Mel nicht
den geringsten Zweifel, daß sich morgen eine Menge Leute
melden würden, die es nachträglich besser wußten – darunter
auch die Vertreter der Aéreo Mexican – und behaupten würden, er hätte dieses oder jenes tun sollen, oder Flug Zwei hätte
ja wohl letzten Endes doch auf Landebahn Zwei-Fünf landen
können. Zweifellos war es ein einsamer Entschluß, vor dem er
da stand. Das änderte nichts an Mels Überzeugung, daß er
gefaßt werden mußte.

Beim Anblick der aufgefahrenen Pflüge und Schleudern, die
jetzt rechts von ihnen in einer Reihe auf der Landebahn standen, warf Patroni seine Zigarre endgültig fort. Als er eine
frische aus der Tasche zog, grollte er: »Ich werde dich vor
deiner Wahnsinnstat bewahren. Halte mir deine kleinen Spiel-
zeuge da vom Leib und in gehörigem Abstand von der Maschine. In fünfzehn Minuten, vielleicht schon früher, fahre ich
sie hier heraus.«

Mel mußte schreien, um sich durch das Tosen des Windes und das Dröhnen der Fahrzeuge ringsherum verständlich zu machen. »Joe, über eines wollen wir uns klar sein. Wenn der Turm uns sagt, daß wir keine Zeit mehr zu verlieren haben, dann ist es soweit. Dann gibt es keinen Widerspruch mehr. Bei dem ankommenden Flugzeug geht es um Menschenleben. Wenn du die Motoren laufen hast, müssen sie sofort abgestellt werden. Gleichzeitig müssen alle Fahrzeuge und alle Leute hier sofort verschwinden. Sorge dafür, daß das allen deinen Leuten völlig klar ist. Die Pflüge werden auf meinen Befehl eingesetzt. Falls und wenn es dazu kommt, wird keine Zeit mehr verloren.«

Patroni nickte düster. Trotz seines Ausbruchs fand Mel, daß die übliche, etwas anmaßende Selbstsicherheit des Wartungschefs gedämpft zu sein schien.

Mel kehrte zu seinem Wagen zurück. Tanya und der Reporter standen in ihre Mäntel gehüllt daneben und verfolgten die Grabarbeiten um das Flugzeug. Sie stiegen mit ihm wieder ein, dankbar für die Wärme im Inneren des Wagens.

Wieder rief Mel über Funk die Bodenkontrolle an und verlangte diesmal den Dienstleiter im Kontrollturm. Nach einer kurzen Pause meldete sich dessen Stimme am Apparat.

Mit wenigen Worten erklärte Mel ihm seine Absichten. Was er jetzt von der Flugsicherung erbat, war eine Schätzung, wie lange er warten konnte, ehe er den Pflügen und Schleudern den Befehl zum Einsatz geben mußte. Sobald das geschah, dauerte es nur Minuten, bis das die Landebahn blockierende Flugzeug aus dem Weg geräumt war.

»So, wie es jetzt aussieht«, antwortete der Dienstleiter, »wird die fragliche Maschine früher hier sein, als wir glaubten. Chicago Center rechnet damit, sie in zwölf Minuten an unsere Anflugkontrolle zu übergeben. Danach werden wir den Flug für acht bis zehn Minuten vor der Landung kontrollieren. Danach müßte der Zeitpunkt für sein Aufsetzen spätestens 01.28 Uhr sein.«

Mel sah im gedämpften Licht des Armaturenbretts auf seine Uhr. Sie zeigte 01.01 Uhr.

»Die Entscheidung, auf welcher Landebahn die Maschine heruntergeht«, fuhr der Dienstleiter fort, »kann nicht später als fünf Minuten vor der Landung erfolgen. Danach liegt alles fest. Wir können sie dann nicht mehr umdirigieren.«

Das bedeutete also, rechnete Mel nach, daß seine eigene endgültige Entscheidung in siebzehn Minuten erfolgen mußte, vielleicht früher, je nachdem, wann Chicago Center die ankommende Maschine der Anflugkontrolle übergab. Sie hatten sogar noch weniger Zeit, als er Joe Patroni gesagt hatte.

Mel stellte fest, daß auch er zu schwitzen begann.

Sollte er Patroni noch einmal warnen? Ihn unterrichten, daß seine Zeit kürzer war? Mel entschied sich dagegen. Der Wartungschef führte seine Maßnahmen ohnehin im schnellstmöglichen Tempo durch. Wenn man ihn noch weiter bedrängte, war damit nichts zu gewinnen.

»Mobil eins an Bodenkontrolle«, sagte Mel in sein Funkgerät. »Ich muß über den genauen Status des ankommenden Fluges laufend informiert bleiben. Können wir diese Frequenz dafür freihalten?«

»Wird gemacht«, bestätigte der Dienstleiter. »Wir haben den regulären Sprechverkehr schon auf eine andere Frequenz gelegt.« Mel bestätigte und schaltete ab.

Tanya fragte neben ihm: »Was geschieht jetzt?«

»Wir warten.«

Mel blickte wieder auf seine Uhr.

Eine Minute verging. Zwei.

Draußen konnten sie Männer unermüdlich arbeiten sehen, immer noch dicht vor und auf beiden Seiten des versackten Flugzeugs fieberhaft schaufelnd. Mit blendenden Scheinwerfern traf ein weiterer Lastwagen ein. Männer sprangen von ihm herab und nahmen schnell auch die Arbeit auf. Joe Patronis untersetzte Gestalt war dauernd in Bewegung, gab Anweisungen und trieb an.

Die Pflüge und Schleudern standen abwartend in einer Linie. Wie Aasgeier, dachte Mel.

Der Reporter Tomlinson brach das Schweigen im Wagen. »Ich habe gerade nachgedacht. Als ich noch ein Kind war, was noch gar nicht allzu lange her ist, bestand der größte Teil dieser Gegend hier aus Feldern. Im Sommer sah man Kühe und Mais und Gerste. Es gab auch einen mit Gras bewachsenen Flugplatz. Er war klein. Niemand maß ihm viel Bedeutung bei. Wenn jemand per Luft reiste, benutzte er den Flugplatz in der Stadt.«

»So ist die Luftfahrt«, sagte Tanya. Es bereitete ihr im Augenblick Erleichterung, daß sie von etwas anderem sprachen und an etwas anderes denken konnten, als das, worauf sie warteten. Sie fuhr fort: »Jemand hat mir mal gesagt, hier scheint einem das Leben länger zu sein, weil sich alles so oft und so schnell ändert.«

»Nicht alles geht schnell«, widersprach Tomlinson. »Bei den Flughäfen gehen die Veränderungen nicht schnell genug. Stimmt es nicht, Mr. Bakersfeld, daß wir in drei bis vier Jahren ein Chaos haben werden?«

»Chaos ist immer etwas Relatives«, entgegnete Mel. Seine Gedanken waren noch auf die Szene gerichtet, die er durch die Windschutzscheiben vor sich sah. »Auf vielen Gebieten bringen wir es fertig, damit zu leben.«

»Weichen Sie damit meiner Frage nicht aus?«

»Ja«, gab Mel zu. »Das mag wohl sein.«

Das war kaum überraschend, dachte Mel. Ihn beschäftigten in diesem Augenblick weniger die grundlegenden Probleme der Luftfahrt als das, was draußen unmittelbar vorging. Doch er spürte, daß es für Tanya notwendig war, ihre Spannung zu mildern, selbst durch Illusionen. Sein Verständnis für ihre Empfindungen war ein Teil des wachsenden Einfühlungsvermögens, das sie füreinander hatten. Er dachte auch daran, daß es ein Flug der Trans America war, auf den sie warteten und der hoffentlich sicher landen würde, vielleicht aber auch nicht. Tanya war ein Teil der Trans America, hatte bei der Abfertigung der Maschine mitgearbeitet. In einem ganz nüchternen Sinn war sie von ihnen drei am unmittelbarsten beteiligt.

Er bemühte sich, sich auf das zu konzentrieren, was Tomlinson gesagt hatte.

»Es war bei der Luftfahrt schon immer so«, erklärte Mel, »daß die Entwicklung in der Luft der Entwicklung auf dem Boden vorausgeeilt ist. Wir glauben manchmal, daß wir aufholen, und in der Mitte der sechziger Jahre ist es uns beinahe gelungen. Aber im großen ganzen schaffen wir es nie. Das Beste, was uns gelingen kann, ist anscheinend, nicht zu weit hinterher zu hinken.«

Eindringlich fragte der Reporter: »Was sollte für die Flughäfen geschehen? Was können wir tun?«

»Zunächst einmal können wir unabhängiger denken, mit mehr Phantasie. Wir sollten uns von unseren Bahnhofvorstellungen befreien.«

»Glauben Sie, daß wir daran immer noch kleben?«

Mel nickte. »Unglücklicherweise an sehr vielen Stellen. Die ersten Flughäfen waren alle Imitationen von Bahnhöfen, weil die Erbauer sich auf irgendwelche Erfahrungen stützen mußten; die einzigen Erfahrungen, die sie hatten, waren eben mit Eisenbahnen. Nachher wurde das zur Gewohnheit. Das ist auch der Grund, warum wir heute so viele ›gradlinige‹ Flughäfen haben, bei denen sich das Empfangsgebäude endlos hinzieht und die Passagiere meilenweit laufen müssen.«

»Ändert sich daran nicht schon einiges?« fragte Tomlinson.

»Langsam und erst an wenigen Orten.« Wie immer wurde Mel trotz der drückenden augenblicklichen Sorgen bei diesem Thema warm. »Ein paar Flughäfen wurden kreisförmig angelegt, wie Zuckerkringel. Die Autoparkplätze liegen in der Mitte statt irgendwo außerhalb; die Leute haben nur Mindestentfernungen zu Fuß zu gehen; mit Hilfsmitteln, wie mit hoher Geschwindigkeit laufenden Transportbändern; mit Flugzeugen, die dicht an die Passagiere herangebracht werden statt umgekehrt. Das bedeutet, daß endlich an Flughäfen als an etwas Besonderes und Bestimmtes gedacht wird sowie als an Einheiten statt getrennter Komponenten. Man hört auf schöpferische Ideen, selbst wenn sie aus dem Ausland kommen. Los Angeles erwägt einen großen Seeflughafen vor der Küste, Chicago eine von Menschenhand geschaffene Flughafeninsel im Michigansee, und niemand schreit Hohn und Spott. American Airlines haben einen Plan für ein riesiges hydraulisches Hebewerk, mit dem sie Flugzeuge zum Be- und Entladen übereinander aufstellen können. Aber die Änderungen kommen zu langsam; sie sind nicht koordiniert. Wir bauen Flughäfen wie einen phantasielosen Flickenteppich. So als ob Fernsprechteilnehmer ihre eigenen Telefone entwerfen und bauen würden und sie dann an ein weltweites Fernsprechnetz anschlössen.«

Das Funkgerät schnitt Mel abrupt das Wort ab. »Bodenkontrolle an Mobil eins und City fünfundzwanzig. Chicago Center schätzt Übergabezeit für fraglichen Flug an Lincoln Anflugkontrolle auf 01.17 Uhr.«

Mels Uhr zeigte 01.06 Uhr. Die Nachricht bedeutete, daß Flug Zwei bereits eine Minute früher war, als der Dienstleiter im Kontrollturm vorausgesagt hatte. Eine Minute weniger für Joe Patroni. Nur noch elf Minuten, bis Mel seine Entscheidung treffen mußte.

»Mobil eins. Hat sich am Zustand von Landebahn Drei-Null etwas geändert?«

»Nein, keine Änderung.«

Mel fragte sich: Nahm er es nicht allzu genau? Er war versucht, den Schneepflügen und Schleudern zu befehlen, auf der Stelle loszufahren, bezwang sich dann aber. Verantwortung war eine Straße, die in zwei Richtungen führte, besonders wenn es darum ging, einen Befehl zu geben, der bedeutete, daß ein Flugzeug im Wert von sechs Millionen auf dem Boden zerstört wurde. Noch bestand die Chance, daß Joe Patroni es schaffte, obwohl die Aussichten mit jeder Sekunde geringer wurden. Mel konnte wahrnehmen, daß vor der feststeckenden 707 Scheinwerfer und anderes Gerät beiseite geschafft wurden. Aber die Motoren des Flugzeugs waren noch nicht angelassen worden.

»Diese schöpferischen Leute«, drängte Tomlinson, »die Leute, von denen Sie sprachen: Wer sind sie?«

Nur halb mit seinen Gedanken bei der Frage, erwiderte Mel: »Eine Liste aufzustellen ist da sehr schwer.«

Er beobachtete, was draußen vorging. Auch die übrigen Fahrzeuge und alle Geräte waren vor der Maschine der Aéreo Mexican fortgeschafft worden, und Joe Patronis untersetzte, schneebedeckte Gestalt stieg jetzt die Einstiegrampe hinauf,

536

die dicht bei der Nase der Maschine stand. Fast oben, blieb Patroni stehen, drehte sich um und gestikulierte; er schien den Leuten unter sich etwas zuzurufen. Dann öffnete Patroni die Tür zum Flugzeugrumpf und ging hinein. Sofort danach stieg eine andere, schlankere Gestalt die Stufen der Rampe hinauf und folgte ihm.

Die Tür des Flugzeugs fiel zu. Andere unten schoben die Rampe zurück.

Wieder fragte der Reporter in dem Wagen: »Mr. Bakersfeld, könnten Sie mir ein paar dieser Leute namentlich nennen – der Leute mit der größten Phantasie über Flughäfen und die Zukunft?«

»Ja«, fiel Tanya ein, »könnten Sie das nicht?«

Mel überlegte. Das war genauso wie ein Gesellschaftsspiel im Salon, während über ihnen das Haus brannte. Also gut, dachte er, wenn Tanya es von ihm erwartete, würde er mitspielen.

»Ein paar kann ich Ihnen nennen«, antwortete Mel. »Fox in Los Angeles, Joseph Foster in Houston, jetzt bei der ATA of America. Alan Boyd bei der Regierung, und Thomas Sullivan bei der Flughafenbehörde von New York. Von den Fluggesellschaften: Halaby bei der Pan Am, Herb Godfrey von der United. In Kanada John C. Parkin. In Europa Pierre Cot bei der Air France, Graf Castell in Deutschland. Aber es gibt noch mehr.«

»Wie zum Beispiel Mel Bakersfeld«, warf Tanya dazwischen. »Haben Sie den nicht vergessen?«

Tomlinson, der sich Notizen gemacht hatte, brummte: »Den habe ich bereits notiert. Das brauchte nicht gesagt zu werden.«

Mel lächelte. Aber brauchte es wirklich nicht gesagt zu werden? fragte er sich. Vor einiger Zeit, es war noch gar nicht sehr lange her, wäre die Behauptung wahr gewesen, aber er wußte, daß er von der großen Bühne verschwunden war. Wenn das passiert, wenn man, aus welchem Grund auch immer, vom Schauplatz abtritt, geschieht es nur zu leicht, daß man bald vergessen wird; und später gelang es einem manchmal nicht, wieder aufzutreten, selbst wenn man sich noch so sehr darum bemühte. Dabei ging es nicht darum, daß er auf Lincoln International

Airport eine weniger wichtige Stellung innehatte oder sie weniger gut ausfüllte. Als Generaldirektor eines Flughafens war Mel so gut wie eh und je, wahrscheinlich besser, das wußte er, aber der große Beitrag, der einmal von ihm zu erwarten gewesen war, schien nicht mehr in Sicht zu sein. Er bemerkte, daß er diesem Gedanken zum zweitenmal in dieser Nacht nachhing. Spielte das eine Rolle? Lag ihm etwas daran? Ja, entschied er, ihm lag daran.

»Sehen Sie doch!« rief Tanya. »Sie lassen die Motoren an!«

Der Reporter hob den Kopf. Mel spürte, wie seine eigene Erregung wuchs.

Hinter Motor drei der Aéreo Mexican 707 erschien eine weißgraue Qualmwolke. Sie wurde kurz dichter, dann wurde sie fortgewirbelt, als der Motor ansprang und lief. Jetzt strömte Schnee im Rückstoß des Düsenmotors nach hinten.

Eine zweite Qualmwolke erschien hinter Motor Nummer vier, um einen Augenblick später, von Schnee gefolgt, weggeweht zu werden.

»Bodenkontrolle an Mobil eins und City fünfundzwanzig.« Die Stimme über Funk erklang so unerwartet im Inneren des Wagens, daß Mel spürte, wie Tanya neben ihm erschrocken zusammenfuhr. »Chicago Center meldet berichtigte Zeit für Übergabe des fraglichen Flugs mit 01.16 Uhr – das ist in sieben Minuten.«

Flug Zwei kam noch schneller als erwartet, erkannte Mel. Das bedeutete, daß sie eine weitere Minute verloren hatten. Noch eine Minute weniger für Joe Patronis Versuch, die Düsenmaschine der Aéreo Mexican unter eigener Kraft von der Stelle zu bewegen.

Nur noch sieben Minuten bis zu Mels Entscheidung, ob er brutale Gewalt einsetzen und einen unbeschädigten Luftkreuzer zerstören sollte, um die Landebahn freizumachen.

Wieder hielt Mel seine Uhr in das schwache Licht des Armaturenbretts.

Auf dem weichen Boden, auf der anderen Seite der Landebahn von ihrem Wagen aus, hatte Joe Patroni jetzt Motor Nummer zwei angelassen. Nummer eins folgte. Mel sagte mit gedämpfter Stimme: »Sie könnten es noch schaffen.« Dann erinnerte er sich, daß schon zweimal am Abend sämtliche Motoren angelassen worden waren, um zu versuchen, die festsitzende Maschine aus dem Schlamm zu befreien, und beide Versuche gescheitert waren.

Jetzt erschien vor der versackten Maschine eine einzelne Gestalt mit leuchtenden Signaltafeln und ging weiter vor, damit sie aus dem Cockpit des Flugzeugs gesehen werden konnte. Der Mann hielt sie beide hoch über seinem Kopf, um damit anzuzeigen: »Alles klar«. Mel hörte und spürte die laufenden Düsenmotoren, erkannte aber, daß sie noch nicht mit voller Kraft liefen.

Noch sechs Minuten. *Warum hatte Patroni die Motoren nicht voll aufgedreht?*

Tanya sagte gepreßt: »Ich kann das Warten nicht mehr ertragen.«

Der Reporter bewegte sich unruhig auf seinem Sitz. »Jetzt fange ich auch an zu schwitzen.«

Joe Patroni gab Gas! Jetzt kam es! Mel hörte und spürte das alles überwältigende, stärker werdende Dröhnen der Motoren. Hinter der versackten Düsenmaschine wurden riesige Schneewolken wild in die Dunkelheit hinter der Landebahnbefeuerung hinausgeschleudert.

»Mobil eins«, forderte eine Stimme im Funkgerät scharf, »hier Bodenkontrolle. Hat sich am Zustand von Landebahn Drei-Null etwas geändert?«

Patroni hatte noch drei Minuten, rechnete Mel nach dem Stand seiner Uhr nach.

»Das Flugzeug sitzt noch fest.« Tanya spähte angespannt durch die Windschutzscheibe des Wagens. »Sie haben alle Motoren laufen, aber es bewegt sich nicht.«

Es drängte allerdings nach vorn, soviel konnte Mel selbst bei dem Schneetreiben erkennen. Aber Tanya hatte recht. Das Flugzeug rührte sich nicht von der Stelle.

Die Schneepflüge und Schneeschleudern waren dichter zusammengerückt. Ihre Warnzeichen funkelten hell.

»Achtung«, sagte Mel in das Mikrofon. »Achtung! Dirigieren

Sie die Maschine nicht zum Anflug auf Landebahn Zwei-Fünf. Landebahn Drei-Null wird so oder so jetzt jeden Augenblick geräumt sein.«

Er schaltete das Funkgerät in seinem Wagen auf die Frequenz der Schneekontrolle um, bereit, den Schneepflügen seinen Einsatzbefehl zu geben.

XIV

Im allgemeinen ließ der Hochdruck in der Flugsicherung nach
Mitternacht etwas nach. Heute war das nicht der Fall. Wegen
des herrschenden Schneesturms wurden von allen Fluggesellschaften weiterhin ankommende und abgehende Flüge mit
stundenlanger Verspätung abgefertigt, und bei den meisten
wurden die Verspätungen infolge der allgemeinen Behinderung
auf den überbeanspruchten Start- und Landebahnen und auf
den nach wie vor verstopften Taxiwegen noch vergrößert.

Die meisten Teilnehmer der vorausgegangenen Schicht in der
Flugsicherung hatten ihren Dienst um Mitternacht beendet und
waren erschöpft nach Hause gegangen. Eine neue Schicht hatte
ihre Plätze eingenommen. Einige der Kontroller waren einer
längeren, überlappenden Schicht zugeteilt worden, die bis zwei
Uhr dauerte, weil Personalmangel herrschte und Ausfälle infolge von Krankheit ausgeglichen werden mußten. Zu ihnen
gehörten der Dienstleiter im Kontrollturm, der Radarinspektor
Tevis und Keith Bakersfeld.

Seit der aufwühlenden Begegnung mit seinem Bruder, die vor
anderthalb Stunden unvermittelt und ergebnislos abgebrochen
worden war, hatte Keith Ablenkung von seinen Gedanken in
der Arbeit gesucht und sich intensiv auf den Radarschirm konzentriert.

Wenn er diese Konzentration aufrechterhalten konnte, würde die restliche Zeit – die letzte, die er noch auszufüllen
hatte – schnell vergehen. Keith nahm weiterhin aus Osten
kommende Flüge in Empfang und arbeitete gemeinsam mit
einem jungen Assistenten, der links von ihm saß. Wayne Tevis war noch diensthabender Inspektor, ritt auf seinem mit
Rollen versehenen Stuhl im Kontrollraum herum, wobei er sich
mit seinen Texasstiefeln weiterschob, wenn auch weniger ener-
giegeladen als vorher, da sich auch seine Schicht dem Ende
näherte.

In gewisser Weise war es Keith gelungen, sich völlig auf seine
Arbeit zu konzentrieren, auf eine andere merkwürdige Weise
aber auch nicht. Fast schien es, als ob sein Bewußtsein gespal-

ten wäre und auf zwei Ebenen existierte, wie bei einer Verdoppelung; er war jedoch fähig, auf beiden gleichzeitig anwesend zu sein, auf der einen Ebene dirigierte er den aus Osten kommenden Flugverkehr, der im Augenblick keine Schwierigkeiten bot. Auf der anderen hing er sehr persönlichen, auf sich selbst gerichteten Gedanken nach. Dieser Zustand konnte nicht sehr lange anhalten, aber vielleicht, dachte Keith, verhielt sein Verstand sich wie eine Glühlampe, die kurz vor dem Durchbrennen steht und während der letzten wenigen Minuten am hellsten leuchtet.

Die persönliche Seite seiner Gedanken war jetzt leidenschaftsloser und ruhiger als vorher. Womöglich war das eine Folge seines Gesprächs mit Mel, wenn nicht gar mehr. Alles schien festgelegt und geklärt zu sein. Keiths Schicht würde enden, er würde diesen Ort verlassen, bald darauf würde alles Warten und alle Qual vorüber sein. Er war der Überzeugung, daß sein Leben von dem anderer bereits abgeschnitten war, er gehörte nicht mehr zu Natalie oder Mel oder Brian oder Theo – noch gehörten sie zu ihm. Er gehörte zu den bereits Toten – zu den Redferns, die gemeinsam in dem Wrack ihrer Beechcraft Bonanza gestorben waren, zu der kleinen Valerie – zu ihrer Familie. *Das war es!* Warum hatte er daran bisher noch nie gedacht? Warum nicht erkannt, daß sein eigener Tod eine Sühne war, die er den Redferns schuldete? Unverändert leidenschaftslos fragte Keith sich, ob er geisteskrank sei. Leuten, die sich zum Selbstmord entschlossen, wurde das nachgesagt, aber es spielte so oder so keine Rolle. Für ihn stand Qual oder Friede zur Wahl, und noch ehe das Licht des Morgens erschiene, würde der Friede kommen. Wieder griff seine Hand, wie schon so häufig während der vergangenen letzten Stunden, in seine Tasche nach dem Schlüssel zu Zimmer 224 in der O'Hagan Inn.

Die ganze Zeit über fertigte er auf der anderen Ebene die aus Osten eintreffenden Flüge ab und zeigte dabei Spuren seiner alten Meisterschaft.

Die Krise, die Trans America Flug Zwei befallen hatte, kam Keith erst nach und nach zu Bewußtsein.

Die Flugsicherung auf Lincoln International war über Kapitän

Anson Harris' Entschluß, dorthin zurückzukehren, schon vor fast einer Stunde unterrichtet worden, wenige Sekunden, nachdem Kapitän Harris seine Absicht bekanntgegeben hatte. Die Mitteilung war über einen »heißen Draht« erfolgt, eine direkte Telefonverbindung vom Inspektor im Chicago Center mit dem Dienstleiter im Kontrollturm, nachdem die gleiche Nachricht von den Zentren Cleveland und Toronto eingetroffen war. Zunächst konnte man auf Lincoln International Airport wenig tun, außer die Flughafenleitung über die Schneeräumstelle von der Forderung des Kapitäns auf Landebahn Drei-Null zu landen zu benachrichtigen.

Später, als Flug Zwei durch Chicago Center von Cleveland übernommen worden war, hatten spezifischere Vorbereitungen begonnen.

Der Radarinspektor Wayne Tevis wurde vom Dienstleiter des Kontrollturms benachrichtigt, der persönlich in den Radarraum kam, um Tevis über den Zustand der Maschine zu unterrichten, die geschätzte Ankunftszeit und die Zweifel, die noch bestanden, auf welcher Landebahn – Zwei-Fünf oder Drei-Null – die Maschine landen werde.

Zur gleichen Zeit alarmierte die Bodenkontrolle den Notdienst des Flughafens, sich einsatzbereit zu halten und bald danach mit seinen Fahrzeugen auf dem Flugfeld Position zu beziehen. Ein Bodenkontroller rief über Sprechfunk Patroni an, um nachzuprüfen, ob Patroni informiert worden sei, daß Landebahn Drei-Null dringend benötigt wurde. Das war geschehen.

Danach wurde über eine in Reserve gehaltene Funkfrequenz zwischen dem Kontrollturm und der Pilotenkanzel der Düsenmaschine der Aéreo Mexican, die Landebahn Drei-Null blockierte, Verbindung hergestellt. Diese Vorkehrung wurde getroffen, um eine sofortige Verständigung in beiden Richtungen zu gewährleisten, wenn Patroni den Platz am Steuer des Flugzeugs einnahm.

Wayne Tevis' erste Reaktion war, sich im Radarraum nach Keith umzusehen, als er die Nachricht vom Dienstleiter des Kontrollturms hörte. Falls die Arbeitsverteilung nicht geändert wurde, würde Keith, der den Abschnitt der aus Osten eintreffenden Maschinen bearbeitete, Flug Zwei vom Chicago Center übernehmen und die Maschine zur Landung einweisen.

Leise fragte Tevis den Dienstleiter: »Sollen wir Keith ablösen? Einen anderen an seinen Platz setzen?«

Der Dienstleiter, der ältere der beiden, zögerte. Er erinnerte sich des ersten Notstands, der sich bereits an diesem Abend mit der KC-135 der Air Force ergeben hatte. In diesem Fall hatte er Keith unter einem Vorwand ablösen lassen und sich nachher gefragt, ob er nicht voreilig gehandelt hatte. Wenn ein Mensch zwischen Selbstsicherheit und deren Verlust hin- und herschwankte, konnte man zu leicht, ohne es zu wollen, das Gewicht auf die falsche Waagschale fallen lassen. Auch hatte der Dienstleiter ein unbehagliches Gefühl, weil er in ein privates, vertrauliches Gespräch zwischen Keith und Mel Bakersfeld hineingeplatzt war, als die beiden sich draußen im Gang vor einiger Zeit unterhalten hatten. Er hätte sie ruhig ein paar Minuten länger ungestört reden lassen können, hatte es aber nicht getan.

Der Dienstleiter war selbst müde, nicht nur von der anstrengenden Schicht des heutigen Abends, sondern auch von vorhergegangenen. Er erinnerte sich, kürzlich irgendwo gelesen zu haben, daß neue Systeme für die Flugsicherung für die Mitte der siebziger Jahre vorbereitet wurden, die die Arbeitslast der Kontroller halbierten und damit die berufliche Überbelastung und Nervenzusammenbrüche verringerten. Der Dienstleiter stand dem skeptisch gegenüber. Er bezweifelte, ob die Anforderungen des Dienstes in der Flugsicherung geringer werden würden. Wenn sie auf der einen Seite nachließen, würden sie auf der anderen stärker werden. Deshalb hatte er Verständnis und Mitgefühl für Leute wie Keith – der hager, blaß und angespannt an seinem Platz saß –, die Opfer dieses Systems waren.

Mit gedämpfter Stimme wiederholte Wayne Tevis seine Frage: »Soll ich ihn ablösen oder nicht?«

Der Dienstleiter schüttelte den Kopf. »Wir wollen nichts überstürzen. Lassen Sie Keith an seinem Platz, aber passen Sie gut auf.«

Das war der Augenblick, in dem Keith, der die beiden die Köpfe zusammenstecken sah, erkannte, daß eine kritische Situation bevorstand. Er war schließlich ein alter Hase und mit den Vorzeichen, die Schwierigkeiten ankündigten, vertraut.

Sein Instinkt sagte ihm auch, daß sich die Unterhaltung der beiden Vorgesetzten zum Teil um ihn selbst gedreht hatte. Er konnte verstehen, warum. Keith zweifelte nicht daran, daß er in wenigen Minuten vom weiteren Dienst befreit oder auf eine weniger entscheidende Position im Radarraum versetzt werden würde. Zu seiner Verwunderung war es ihm gleichgültig.

Deshalb überraschte es ihn, als Tevis, ohne vorher die Arbeitsplätze neu aufzuteilen, alle beobachtenden Positionen über die bevorstehende Notlandung von Flug Zwei der Trans America und ihre bevorzugte Behandlung gegenüber allen anderen Maschinen in der Luft unterrichtete. Die Abflugkontrolle wurde angewiesen, alle abfliegenden Maschinen auf Kurse zu leiten, die in weitem Abstand von der vermutlichen Anflugroute von Flug Zwei lagen.

Tevis erklärte Keith das besondere Problem mit den Landebahnen, die Ungewißheit, welche Landebahn eingesetzt werden konnte, und die Notwendigkeit, die Entscheidung bis zum letztmöglichen Augenblick hinauszuschieben.

»Arbeiten Sie sich selbst einen Plan aus, alter Junge«, wies Tevis ihn in seiner nasalen, schleppenden texanischen Sprechweise an. »Und halten Sie sich nur an diese Maschine, nachdem sie uns übergeben worden ist. Wir nehmen Ihnen alles andere ab.«

Zunächst hatte Keith zustimmend genickt, in keiner Weise beunruhigter als vorher. Automatisch begann er den Flugplan zu berechnen, den er befolgen würde. Solche Pläne wurden immer im Kopf aufgestellt, da niemals genügend Zeit blieb, sie schriftlich zu fixieren. Außerdem ergab sich meistens, daß man später doch improvisieren mußte.

Sobald er die Maschine von Chicago Center übernahm, überlegte Keith, würde er sie in die allgemeine Richtung auf Landebahn Drei-Null dirigieren, ihr aber genügend Spielraum lassen, daß sie nach links abbiegen konnte – allerdings ohne daß sie gezwungen wurde, in niedriger Höhe in eine scharfe Kurve zu gehen –, falls man letzten Endes doch gezwungen war, sie auf Landebahn Zwei-Fünf landen zu lassen.

Er rechnete: Ungefähr zehn Minuten lang würde er das Flugzeug unter Anflugkontrolle haben. Tevis hatte ihn bereits unterrichtet, daß sie wahrscheinlich erst in den letzten fünf Minuten zuverlässig erfahren würden, wie es mit den Landebahnen stand. Es mußte unglaublich fein eingefädelt werden, und nicht nur oben im Flugzeug, sondern auch unten im Radarraum würden die Leute in Schweiß ausbrechen. Aber es konnte geschafft werden, wenn auch gerade eben noch. Noch einmal ging Keith in Gedanken den geplanten Flugkurs und die Kompaßrichtungen durch.

Inzwischen begannen inoffiziell genauere Berichte zum Kontrollturm durchzudringen. Die Kontroller gaben die Informationen in Pausen, wenn die Arbeit es erlaubte, untereinander weiter... In der Maschine hatte sich während des Flugs in großer Höhe eine Explosion ereignet – sie kam mit strukturellen Schäden und Verletzten an Bord angeschlagen zurück... Die Manövrierfähigkeit des Flugzeugs war fragwürdig. Die Piloten brauchten die längste vorhandene Landebahn – die vielleicht nicht einsatzfähig sein würde... Kapitän Demerests Warnung wurde wiederholt – *auf Zwei-Fünf ein zerschmettertes Flugzeug und Tote*... Der Kapitän hatte an den Flughafendirektor einen wilden Funkspruch geschickt. Jetzt war der Direktor draußen auf Landebahn Drei-Null und versuchte sie freizubekommen... Die noch verfügbare Zeit wurde immer kürzer...

Selbst die Kontroller, für die Anspannung etwas so Alltägliches war wie der Flugverkehr, fingen jetzt an, die allgemeine Nervosität zu teilen.

Keiths Assistent am Radargerät, der links von ihm saß, gab die Neuigkeiten in Bruchstücken weiter, wie er sie erhielt. Mit ihnen steigerte sich bei Keith die Nervenanspannung und seine Befürchtungen. Er wollte das alles nicht! Er wollte nichts damit zu tun haben! Es gab für ihn nichts, was er beweisen wollte oder beweisen mußte. Für ihn war hier nichts zu gewinnen, selbst wenn er die Lage vorbildlich meisterte. Und wenn ihm das nicht gelang, wenn er etwas verpatzte, konnte er ein Flugzeug voll mit Menschen in den Tod schicken, *wie er es schon einmal getan hatte.*

Auf der anderen Seite des Radarraums nahm Tevis an einem direktgeschalteten Telefon einen Anruf des Dienstleiters entgegen. Vor wenigen Minuten war der Dienstleiter ein Stockwerk höher in die höchste Etage des Turms gegangen, um an der Seite des Bodenkontrollers zu bleiben.

Tevis hängte ein und rollte mit seinem Sitz neben Keith. »Der Alte hat gerade Nachricht vom Center erhalten. Die Übergabe von Trans America Flug Zwei erfolgt in drei Minuten.«

Der Inspektor rollte sich weiter zur Abflugkontrolle und überprüfte, ob der gesamte abgehende Flugverkehr weitab von der Route der anfliegenden Maschine gehalten wurde.

Der Mann an Keiths linker Seite berichtete, draußen auf dem Flugfeld versuchten sie immer noch verzweifelt, die festgefahrene Düsenmaschine freizubekommen, die die Landebahn Drei-Null blockierte. Sie hätten die Motoren angelassen, aber die Maschine rühre sich nicht von der Stelle. Keiths Bruder, so sagte der Assistent links von ihm, habe den Befehl übernommen, und wenn die Maschine nicht aus eigener Kraft herauskomme, wolle er sie in Stücke schlagen lassen, um die Landebahn freizuräumen. Aber jeder fragte sich: Reicht die Zeit noch aus?

Wenn Mel das meint, dachte Keith, reichte sie wahrscheinlich. Mel wurde mit den Dingen fertig, er schaffte es. Er hatte es immer geschafft. Keith konnte nicht mit den Dingen fertig werden – zumindest nicht immer und niemals so wie Mel. Das war der Unterschied zwischen ihnen.

Fast zwei Minuten waren vergangen.

Der Assistent neben Keith sagte ruhig: »Sie kommen auf den Schirm.«

Am Rand des Radarschirms sah Keith die Doppelblüte des Radarnotsignals auftauchen – unverkennbar Flug Zwei der Trans America.

Keith wollte fort! Er konnte es nicht! Ein anderer mußte über-

nehmen. Wayne Tevis selbst konnte es machen. Noch war es Zeit.

Keith wandte sich vom Radarschirm ab und suchte Tevis. Der Inspektor befand sich bei der Abflugkontrolle und drehte Keith den Rücken zu.

Keith öffnete den Mund, um ihn zu rufen. Zu seinem Entsetzen brachte er kein Wort heraus. Er versuchte es noch einmal – das gleiche.

Er erkannte: Das war wie in diesem Traum, in seinem Alptraum. Seine Stimme versagte... Aber das hier war kein Traum, dies war kein Traum, dies war Wirklichkeit! Oder *etwa nicht?*... Während er darum kämpfte, seine Stimme wiederzufinden, überkam ihn Panik.

An einer Schalttafel über dem Radarschirm zeigte ein aufleuchtendes weißes Licht an, daß Chicago Center anrief. Der Assistent nahm den Hörer der direktgeschalteten Leitung ab und meldete sich. »Sprechen Sie, Center.« Er drehte einen Knopf, schaltete einen Lautsprecher ein, damit Keith mithören konnte.

»Lincoln, Trans America Zwei befindet sich dreißig Meilen Südost des Flughafens. Flugrichtung zwei-fünf-null.«

»Verstanden, Center. Wir haben Radarkontakt mit der Maschine. Veranlassen Sie die Maschine, unsere Frequenz einzuschalten.« Der Assistent legte den Hörer zurück.

Chicago Center wies die Maschine jetzt an, ihre Funkfrequenz zu ändern, und wünschte ihr vermutlich viel Glück. Das geschah im allgemeinen, wenn sich eine Maschine in Gefahr befand. Es war das Geringste, was man aus der behaglichen Sicherheit am Boden heraus tun konnte. In dem abgeschlossenen, angenehm warmen Raum mit seinen gedämpften Geräuschen konnte man sich nur schwer vorstellen, daß irgendwo draußen hoch oben in Nacht und Dunkelheit, vom Sturm geschüttelt und mit fragwürdigen Chancen zu überleben, ein verkrüppelter Luftkreuzer sich den Weg nach Hause erkämpfte.

Die Frequenz für die aus Osten anfliegenden Maschinen erwachte zum Leben: Eine schroffe Stimme, unverkennbar die von Vernon Demerest. Bis zu diesem Augenblick hatte Keith nicht daran gedacht. »Lincoln Anflugkontrolle. Hier ist Trans America Zwei. Halten sechstausend Fuß Höhe, Kurs zwei-fünf-null.«

Der Assistent wartete ungeduldig ab. Jetzt war Keith an der Reihe, den Funkspruch zu bestätigen, das Einweisen zu übernehmen.

Aber Keith wollte aus der Sache heraus! Wayne Tevis hielt ihm immer noch den Rücken zugekehrt! Keith fand immer noch nicht seine Sprache wieder.

»Lincoln Anflugkontrolle«, schnarrte die Stimme von Trans America Flug Zwei wieder. »Wo, zum Teufel, bleiben Sie?«

Warum dreht Tevis sich denn nicht um?

Keith kochte plötzlich vor Wut. *Verfluchter Tevis! Verfluchte Flugsicherung! Sein verfluchter toter Vater, der seine Söhne in Berufe hineingehetzt hatte, die Keith sich nie gewünscht hatte! Verfluchter Mel mit seiner rasendmachenden selbstgenügsamen Tüchtigkeit! Verfluchtes Hier und Jetzt! Alles verflucht! . . .*

Der Assistent sah Keith erwartungsvoll an. Jeden Augenblick mußte Trans America Zwei wieder rufen. Keith wußte, daß er in einer Falle saß.

Besorgt, ob ihm seine Stimme gehorchen würde, schaltete er sein Mikrofon ein.

»Trans America Zwei«, begann Keith. »Hier Lincoln Anflugkontrolle. Bedaure die Verzögerung. Wir hoffen noch auf Landebahn Drei-Null. In drei bis fünf Minuten werden wir genau Bescheid wissen.«

Darauf die geknurrte Bestätigung: »Verstanden, Lincoln. Halten Sie uns informiert.«

Jetzt konzentrierte Keith sich. Die zweite Ebene seines Bewußtseins war verschwunden. Er vergaß Tevis, seinen Vater, Mel, sich selbst. Alles, bis auf das Problem Flug Zwei, war ausgeschaltet.

Klar und ruhig gab er seinen Funkspruch durch: »Trans America Zwei. Sie sind jetzt fünfundzwanzig Meilen von der Flughafengrenze entfernt. Fangen Sie an, in der gleichen Richtung tiefer zu gehen. Setzen Sie zu einer Rechtskurve auf Kurs zwei-sechs-null an . . .«

Ein Stockwerk über Keith, in der glasverkleideten obersten Etage des Kontrollturms, hatte die Bodenkontrolle Mel Bakersfeld unterrichtet, daß die Übernahme von Flug Zwei vom Chicago Center erfolgt war.

Mel funkte zurück: »Schneepflüge und Schleudern haben Befehl, die Maschine der Aéreo Mexican von der Landebahn zu schieben. Befehlen Sie Patroni, alle Motoren sofort abzustellen. Sagen Sie ihm, er soll sich selbst in Sicherheit bringen, wenn er noch kann. Wenn nicht, soll er sich gut festhalten. Halten Sie sich für die Meldung bereit, daß die Landebahn frei ist.«

Der Dienstleiter selbst benachrichtigte bereits auf einer anderen Frequenz Patroni.

XV

Noch ehe es soweit kam, wußte Joe Patroni, daß ihm die Zeit knapp wurde.

Er hatte die Motoren der 707 der Aéreo Mexican absichtlich erst im letzten Augenblick anwerfen lassen, weil er wollte, daß die Grabarbeiten um und unter der Maschine, um sie freizuschaufeln, so lange wie möglich fortgesetzt wurden.

Als Patroni erkannte, daß er nicht länger warten konnte, machte er den letzten Rundgang. Was er sah, verursachte ihm ernste Bedenken.

Das Fahrgestell war immer noch nicht von der umgebenden Erde, dem Schlamm und dem Schnee so weit befreit, wie es sein sollte. Auch waren weder die von der gegenwärtigen Höhe aufwärtsführenden Gräben der Haupträder zur festen Oberfläche des nahegelegenen Taxiwegs so breit noch so tief, wie er es gewünscht hatte. Mit weiteren fünfzehn Minuten wäre es zu schaffen gewesen. Patroni wußte, daß er diese Zeit nicht hatte.

Zögernd nur stieg er die Einstiegtreppe hinauf, um zum zweitenmal zu versuchen, die versackte Maschine herauszubekommen, diesmal mit ihm selbst am Steuer. Dem Wartungsleiter der Aéreo Mexican, Ingram, rief er zu: »Schaffen Sie alles aus dem Weg. Wir lassen die Motoren an.«

Die Gestalten unter dem Flugzeug zogen sich zurück.

Es schneite immer noch, aber dünner als vorher.

Wieder rief Joe Patroni von der Einstiegrampe herunter: »Ich brauche jemand bei mir im Cockpit, aber wir wollen das Gewicht leichthalten. Schicken Sie mir einen mageren Burschen, der im Cockpit sitzen darf.«

Er öffnete die vordere Tür des Flugzeugs.

Von innen konnte Patroni durch das Fenster der Pilotenkanzel Mel Bakersfelds Dienstwagen sehen, dessen leuchtendgelbe Lackierung selbst bei der Dunkelheit reflektiert wurde. Der Wagen stand auf der linken Seite der Landebahn. Dicht dabei war die Reihe der Schneepflüge und Schleudern aufgebaut – eine Mahnung, falls er eine gebraucht hätte, daß ihm nur noch wenige Minuten blieben.

Der Wartungschef war tief schockiert und ungläubig gewesen, als Mel ihm seine Absicht bekanntgab, das Flugzeug der Aéreo Mexican einfach gewaltsam von der Landebahn Drei-Null zu schieben, wenn das notwendig werden sollte. Diese Reaktion war natürlich, beruhte aber nicht auf Gleichgültigkeit gegenüber der Sicherheit der Menschen an Bord von Flug Zwei der Trans America. Joe Patroni war von der Vorstellung verkehrssicherer Flugzeuge besessen. Das war das Ziel seiner täglichen Arbeit. Allein die Idee, eine unbeschädigte Maschine in einen Schrotthaufen zu verwandeln, oder etwas, das dem nahekam, war für ihn nahezu unverständlich. In Patronis Augen stellte ein Flugzeug – jedes Flugzeug – Hingabe, Können, technisches Wissen, stundenlange Arbeit und manchmal Liebe dar. Nahezu alles war besser, als eines vorsätzlich zu zerstören. *Nahezu* alles. Patroni beabsichtigte das Flugzeug zu retten, falls er es konnte.

Hinter ihm wurde die Einstiegstür geöffnet und wieder zugeschlagen.

Ein junger Mechaniker, klein und dünn, kam in die Pilotenkanzel und schüttelte den Schnee von sich ab. Joe Patroni hatte seinen Anorak schon ausgezogen und schnallte sich auf dem linken Sitz an.

»Wie heißen Sie, mein Junge?«

»Roller, Sir.«

Patroni lachte verhalten. »Das wollen wir ja aus dieser Maschine machen. Vielleicht sind Sie ein gutes Vorzeichen.«

Während der Mechaniker seinen Anorak abstreifte und sich in den rechten Sitz gleiten ließ, sah Patroni über die linke Schulter hinweg zum Fenster hinaus. Draußen wurde gerade die Einstiegleiter fortgeschoben.

Das Telefon klingelte, und Patroni antwortete. Ingram rief von draußen an. »Wir können anfangen, wenn Sie wollen.«

Patroni blickte zur Seite. »Alles klar, mein Junge?«

Der Mechaniker nickte.

»Startschalter für Nummer drei – Bodenstart.«

Der Mechaniker drehte einen Schalter. Patroni befahl über das Bordtelefon: »Motor unter Druck setzen.«

Von dem Kompressorwagen unten strömte jaulend Druckluft

herauf. Der Wartungschef stellte einen Starthebel auf »Leerlauf«. Der junge Mechaniker, der die Instrumente beobachtete, meldete: »Nummer drei zündet.« Der Lärm des Motors wurde zu einem stetigen Dröhnen.

In glatter Folge sprangen die Motoren vier, zwei und eins an.

Über das Bordtelefon war Ingrams Stimme durch das Heulen des Winds und das Dröhnen der Düsentriebwerke gedämpft zu hören. »Kompressorwagen abgeschaltet, alles andere hier unten klar.«

»Okay«, schrie Patroni zurück. »Lösen Sie die Telefonverbindung, und verschwinden Sie selbst schnell.«

Seinem Gefährten im Cockpit sagte er: »Halten Sie sich fest, mein Junge, und passen Sie auf.« Der Wartungschef verschob seine Zigarre, die er entgegen den Vorschriften vor wenigen Minuten angezündet hatte, so daß sie jetzt aus seinem Mundwinkel baumelte. Dann schob er mit gespreizten plumpen Fingern die vier Treibstoffhebel vor. Als die Motoren halbe Kraft hatten, wuchs ihr Dröhnen.

Vor dem Flugzeug konnte er im Schnee einen Mann vom Bodenpersonal mit erhobenen leuchtenden Signaltafeln sehen. Patroni grinste. »Hoffentlich kann der Bursche schnell rennen, falls wir plötzlich losrasen.«

Alle Bremsen waren gelöst, die Startklappen leicht gesenkt, um den Auftrieb zu verstärken. Der Mechaniker hielt die Steuersäule zurückgezogen. Patroni betätigte das Seitensteuer abwechselnd nach beiden Seiten, in der Hoffnung, der seitliche Druck würde dem Flugzeug vorwärts verhelfen.

Als er nach links blickte, sah er Mel Bakersfeld noch an der alten Stelle. Aus einer früheren Berechnung wußte Patroni, daß ihm nur noch Minuten – vielleicht weniger als eine – geblieben waren. Die Motoren liefen jetzt mit mehr als drei Viertel ihrer Kraft. An ihrem hohen Ton konnte er erkennen, daß es mehr Kraft war, als der Kapitän der Aéreo Mexican, bei dem früheren Versuch freizukommen, gegeben hatte. Die Vibration verriet, warum. Normalerweise würde das Flugzeug bei dieser Stellung unbehindert schnell über die Startbahn rollen. Da es das nicht konnte, bebte es stark mit jedem Teil im oberen Bereich vorwärts, wogegen die verankernde Wirkung auf seine Räder unten Widerstand leistete. Die Tendenz des Flugzeugs, sich auf die Schnauze zu stellen, war unverkennbar. Der Mechaniker blickte Patroni unbehaglich von der Seite an.

Patroni bemerkte den Blick und knurrte: »Wenn sie jetzt nicht herauskommt, ist sie eine tote Ente.«

Aber das Flugzeug rührte sich nicht. Widerspenstig wie seit Stunden und bei zwei früheren Versuchen blieb es sitzen.

In der Hoffnung, die Räder freizurütteln, verringerte Patroni die Leistung der Motoren und steigerte sie wieder.

Das Flugzeug bewegte sich trotzdem nicht.

Joe Patronis Zigarre, vom vorhergegangenen Kauen naß, war ausgegangen. Angewidert warf er sie weg und griff nach einer frischen. Seine Brusttasche war leer. Diese Zigarre war seine letzte gewesen.

Er fluchte und legte seine Hand wieder auf die Treibstoffhebel. Er schob sie noch weiter vor und knirschte: »Komm 'raus, du verdammtes Dreckbiest, komm 'raus!«

»Mr. Patroni«, warnte der Mechaniker, »mehr verträgt sie nicht.«

Unvermittelt wurde der Lautsprecher über ihm lebendig. Der Dienstleiter im Kontrollturm meldete sich: »Joe Patroni an Bord der Aéreo Mexican. Hier ist die Bodenkontrolle. Wir haben eine Meldung von Mr. Bakersfeld: ›Keine Zeit mehr. Alle Motoren abstellen. Wiederhole: Alle Motoren abstellen.‹«

Patroni blickte hinaus und sah die Schneepflüge und Schleudern bereits im Anrollen. Er wußte, daß sie erst gegen das Flugzeug drücken würden, wenn die Motoren abgestellt waren. Er erinnerte sich aber auch an Mels Warnung: »*Wenn der Turm sagt, daß wir keine Zeit mehr haben, gibt es keinen Widerspruch.*«

Er dachte: *Wer widerspricht denn?*

Wieder drängte die Stimme über Funk: »Joe Patroni, haben Sie verstanden? Bestätigen Sie.«

»Mr. Patroni«, schrie der Mechaniker, »haben Sie nicht gehört? Wir müssen die Motoren abstellen.«

Patroni schrie zurück: »Ich höre überhaupt nichts, Junge. Wahrscheinlich ist es hier zu laut.«

Wie jeder erfahrene Wartungsmann wußte, hatte man immer eine Minute länger Zeit, als die zur Panik neigenden Typen in den Büros vorn behaupteten.

Am dringendsten brauchte er allerdings eine Zigarre. Plötzlich erinnerte sich Joe Patroni: Vor Stunden hatte Mel Bakersfeld mit ihm um eine Kiste Zigarren gewettet, daß er dieses Flugzeug heute nacht nicht freibekommen würde.

Er rief durch das Cockpit: »Ich habe hier auch einen Einsatz drin – lassen wir es darauf ankommen.« Mit einer einzigen schnellen Bewegung stieß er die Treibstoffhebel zum Anschlag vor.

Schon vorher schien der Lärm und die Vibration ungeheuerlich gewesen zu sein. Jetzt wurden sie überwältigend. Das Flugzeug bebte, als ob es auseinanderbrechen wolle. Joe Patroni trat wieder hart auf die Steuerpedale.

Ringsherum im Cockpit leuchteten Warnsignale auf. Später beschrieb der Mechaniker die Wirkung als »wie bei einem Spielautomaten in Las Vegas«.

Jetzt schrie er in alarmiertem Ton: »Auspuffgas-Temperatur siebenhundert.«

Der Lautsprecher spie immer noch Befehle aus, darunter einige, die besagten, Patroni solle aussteigen. Er nahm selbst an, es sei an der Zeit. Seine Hand hing zögernd über den Treibstoffhebeln.

Plötzlich rollte das Flugzeug vorwärts. Zunächst bewegte es sich langsam. Dann raste er mit überraschender Schnelligkeit auf die Taxibahn zu. Der Mechaniker schrie eine Warnung. Während Patroni alle vier Treibstoffhebel zurückriß, befahl er: »Bremsklappen ausfahren!« Beide nahmen sie unter und vor sich nur verschwommen davonrennende Leute wahr.

Fünfzig Fuß vor dem Taxiweg rollten sie immer noch schnell. Wenn sie nicht sofort abdrehten, würde das Flugzeug die feste Decke überqueren und in den Schnee auf der anderen Seite rasen. Als er spürte, daß die Räder festen Boden unter sich hatten, trat Patroni hart auf die linke Bremse und riß die Treibstoffhebel für die beiden Steuerbordmotoren auf. Bremsen und Motoren reagierten, und das Flugzeug schwang in einem Winkel von neunzig Grad scharf nach links. Nach der halben Drehung schob er die beiden Treibstoffhebel zurück und betätigte alle Bremsen zusammen. Die 707 der Aéreo Mexican rollte ein kurzes Stück weiter, verringerte dann das Tempo und hielt an.

Joe Patroni grinste. Sie hatten die Maschine sauber in der Mitte der Taxibahn geparkt, die parallel zur Landebahn Drei-Null verlief.

Die Landebahn, zweihundert Fuß entfernt, war nicht mehr blockiert.

In Mel Bakersfelds Wagen auf der Landebahn schrie Tanya: »Er hat es geschafft! Er hat es geschafft!«

Mel Bakersfeld neben ihr hatte an die Schneekontrolle über Funk bereits den Befehl durchgegeben, daß die Schneepflüge und Schleudern verschwinden sollten.

Vor Sekunden noch hatte Mel wütend den Kontrollturm angerufen und zum drittenmal gefordert, daß Joe Patroni die Motoren sofort abstellen solle. Mel war versichert worden, daß sein Befehl weitergegeben, von Patroni aber ignoriert worden sei. Noch brannte in Mel der Ärger. Selbst jetzt konnte er Joe Patroni noch ernstliche Schwierigkeiten bereiten, weil er den eindringlichen Befehl der Flughafenleitung in einer Frage der Verkehrssicherheit weder beachtet noch auch nur bestätigt hatte. Aber Mel wußte, daß er das nicht tun würde. Patroni hatte es geschafft, und kein vernünftiger Mensch würde ihm seinen Erfolg streitig machen. Mel wußte aber auch, daß es nach dieser Nacht eine weitere Legende zum Ruhm Patronis geben würde.

Die Pflüge und Schneeschleudern rollten bereits ab.

Mel schaltete sein Funkgerät auf die Frequenz des Kontrollturms.

»Mobil eins an Bodenkontrolle. Blockierendes Flugzeug von Landebahn Drei-Null entfernt. Fahrzeuge folgen. Ich inspiziere auf Hindernisse.«

Mel ließ den Suchscheinwerfer seines Wagens über die Oberfläche der Startbahn schweifen. Tanya und der Reporter Tomlinson spähten mit ihm hinaus. Manchmal ließen nach Vorfällen wie dem heutigen die Arbeitstrupps Werkzeuge oder Trümmer zurück – eine Gefährdung für jedes startende oder landende Flugzeug. Über die unebene Schneefläche hinaus war in dem Lichtschein keine Erhebung zu sehen.

Der letzte Schneepflug bog an der nächsten Kreuzung ab. Mel setzte seinen Wagen in Bewegung und folgte. Die drei in dem Wagen waren physisch und psychisch von der Spannung der letzten Minuten erschöpft, wußten aber, daß ihnen eine noch größere Nervenbelastung bevorstand.

Als sie hinter den Pflügen nach links abbogen, meldete Mel: »Landebahn Drei-Null frei und offen.«

XVI

Trans America Flug Zwei, *The Golden Argosy*, war noch zehn Meilen entfernt und befand sich in den Wolken in fünfzehnhundert Fuß Höhe.

Nach einer weiteren kurzen Ruhepause hatte Anson Harris das Steuer wieder übernommen.

Der Anflugkontroller auf Lincoln International – mit einer Stimme, die Vernon Demerest dunkel vertraut war, aber er machte sich nicht die Mühe, jetzt darüber nachzudenken –, hatte sie bis dahin über eine Kursfolge mit sanften Richtungskorrekturen, während sie ständig tiefer gingen, eingewiesen.

Beide Piloten erkannten, daß sie mit großer Kunst herangebracht worden waren und sich jetzt in einer Position befanden, da die endgültige Entscheidung, welche der beiden möglichen Landebahnen sie ansteuern sollten, ohne umständliche Flugmanöver erfolgen konnte. Diese Entscheidung mußte jetzt aber jeden Augenblick getroffen werden.

Je näher dieser Augenblick kam, um so höher steigerte sich die Spannung der beiden Piloten.

Vor wenigen Minuten war der Zweite Offizier Cy Jordan auf Demerests Befehl in die Pilotenkanzel zurückgekehrt, um eine Schätzung über ihr Gesamtgewicht bei der Landung aufzustellen, wobei der verbrauchte Treibstoff und der noch übrige zu berücksichtigen waren. Nachdem er alles andere Notwendige in seiner Funktion als Flugingenieur erledigt hatte, war er auf seinen Einsatzposten für die Notlandung in der vorderen Passagierkabine zurückgegangen.

Mit Hilfe von Demerest hatte Anson Harris die Nottrimmprozedur als Vorbereitung für die Landung mit verklemmtem Höhenruder durchprobiert. Als sie damit fertig waren, tauchte Dr. Compagno kurz hinter ihnen auf. »Ich dachte, es würde Sie interessieren, daß Ihre Stewardeß, Miß Meighen, sich tapfer hält. Wenn sie bald in ein Krankenhaus kommt, bin ich ziemlich sicher, daß wir sie durchbringen.«

Demerest, dem es schwerfiel, seine plötzlich aufwallenden Gefühle zu verbergen, zog es vor, zu schweigen. Deshalb war es

Anson Harris, der sich auf seinem Platz halb umwendete. »Vielen Dank, Doktor. Wir haben nur noch ein paar Minuten.«

In beiden Passagierkabinen waren alle Vorsichtsmaßnahmen, die getroffen werden konnten, abgeschlossen. Die Verletzten saßen, mit Ausnahme von Gwen Meighen, auf Sitzen angeschnallt. Zwei der Ärzte hatten zu beiden Seiten von Gwen Stellung bezogen, bereit, sie zu stützen und zu halten, wenn die Maschine aufsetzte. Anderen Passagieren war gezeigt worden, wie sie sich festhalten und gegen das Aufsetzen abstützen sollten, das sich als außergewöhnlich hart und mit noch nicht abzusehenden Konsequenzen erweisen konnte.

Der blinde Passagier in der Maschine, die alte Mrs. Quonsett, hatte zuletzt doch etwas Angst bekommen. Sie klammerte sich fest an die Hand ihres Freundes, des Oboisten. Auch überkam sie jetzt die Erschöpfung von den Anstrengungen eines ungewöhnlich ereignisreichen Tages.

Vor kurzem erst war ihre Laune zu einem strahlenden Höhepunkt geweckt worden, als ihr eine der Stewardessen eine kurze Mitteilung von Kapitän Demerest überbracht hatte. Der Kapitän bedanke sich bei ihr, sagte die Stewardeß. Sie habe alles in ihren Kräften Stehende getan, um zu helfen, und da Mrs. Quonsett ihrerseits das getroffene Abkommen gehalten habe, würde Kapitän Demerest, nachdem sie gelandet seien, das Abkommen auch seinerseits halten und für ihre Weiterbeförderung nach New York sorgen. Wie wundervoll von diesem gütigen Mann, dachte Ada Quonsett, sich daran zu erinnern, während er doch an so vieles andere zu denken hatte... Aber jetzt fragte sie sich: Würde sie überhaupt noch dazu kommen, diese Reise zu machen?

Judy, die Nichte von Zollinspektor Standish, hatte wieder einmal das Baby gehalten, dessen Eltern auf den Plätzen neben ihr saßen. Jetzt reichte sie das Kind der Mutter zurück. Das Baby, das sich die wenigsten Sorgen machte, schlief.

In der Pilotenkanzel saß Vernon Demerest auf dem rechten Sitz und überprüfte die Gewichtschätzung, die der Zweite Offizier ihm vorgelegt hatte, und verglich sie mit der Tabelle über Gewichte und Geschwindigkeit am Instrumentenbrett der Piloten.

Mit gepreßter Stimme verkündete er: »Anfluggeschwindigkeit 150 Knoten.«

Das war die Geschwindigkeit, mit der sie aus Rücksicht auf ihr Gewicht und das verklemmte Höhensteuer die Grenze des Flughafens überqueren mußten.

Harris nickte. Mit düsterem Gesicht streckte er die Hand aus, um eine Warnmarkierung an seinem Fluggeschwindigkeitsmesser einzustellen. Demerest tat das gleiche.

Selbst auf der längsten Landebahn würde ihre Landung gefahrvoll und riskant werden.

Die Geschwindigkeit – über 170 Knoten in der Stunde – war teuflisch hoch für eine Landung. Beide Piloten wußten, daß es ein außergewöhnlich langes Ausrollen nach dem Aufsetzen mit langsamer Verringerung der Geschwindigkeit infolge ihres hohen Gewichts bedeutete. Dadurch wurde ihr Gewicht zu einer doppelten Gefährdung. Doch mit einer geringeren Geschwindigkeit anzufliegen als der, die Demerest gerade berechnet hatte, würde selbstmörderisch sein. Das Flugzeug würde durchsacken und unhaltbar zur Erde stürzen.

Demerest griff nach dem Funkmikrofon.

Noch ehe er einen Funkspruch durchgeben konnte, verkündete die Stimme von Keith Bakersfeld: »Achtung, Trans America Zwei, nach rechts auf Kurs zwei-acht-fünf abdrehen. Landebahn Drei-Null ist offen.«

»Mein Gott!« sagte Demerest. »Es wurde auch Zeit!«

Er schaltete sein Mikrofon ein und bestätigte.

Gemeinsam gingen sie die Prüfungsliste vor der Landung durch.

Als ihr Fahrwerk ausfuhr, ging ein Poltern durch die Maschine.

»Ich fliege ganz tief an«, sagte Harris, »und wir werden frühzeitig aufsetzen. Wir brauchen trotzdem jedes Stückchen Gelände, das sie da unten haben.«

Demerest grunzte zustimmend. Er spähte nach vorn, bemühte sich, die Wolken und die Dunkelheit zu durchdringen, um einen Schein der Flughafenlichter zu entdecken, die bald sichtbar werden mußten. Seine Gedanken beschäftigten sich trotz seiner äußeren Ruhe mit den Beschädigungen an dem Flugzeug. Sie wußten immer noch nicht, wie schwer sie waren oder wie sehr sie sich während des stürmischen Rückflugs verschlimmert hatten. Das Loch war jedenfalls verdammt groß, und dann kam die harte schnelle Landung... Mein Gott! Das ganze Leitwerk konnte abbrechen... Wenn das passiert, dachte Demerest, bei hundertfünfzig Knoten, dann sind wir dran... Dieser verfluchte Schweinehund, der die Bombe losgelassen hatte. Ein Jammer, daß er tot war! Demerest hätte ihn jetzt gern in den Händen gehabt, um persönlich seinem stinkigen Leben ein Ende zu machen...

Anson Harris neben ihm machte den Anflug nach dem Instrumentenlandesystem, steigerte ihre Abstiegrate von siebenhundert auf achthundert Fuß in der Minute.

Demerest wünschte sich verzweifelt, er könnte selbst fliegen. Bei jedem anderen als Harris – bei einem jüngeren Kapitän oder mit einem mit weniger Dienstjahren – hätte Demerest jetzt das volle Kommando übernommen. Aber wie die Dinge nun einmal standen, konnte er Harris nicht den geringsten Tadel aussprechen – er hoffte, daß sich von der Landung das gleiche sagen lassen würde... Seine Gedanken wanderten zur Passagierkabine zurück. *Gwen, wir sind beinahe da! Bleib am Leben!* Seine Überzeugung, daß es mit dem Kind gutgehen, daß er und Gwen und Sarah eine Lösung finden würden, war unvermindert fest.

Über Funk meldete Keith Bakersfelds Stimme: »Trans America Zwei, Ihr Kurs und Anflug sind ausgezeichnet. Auf der Landebahn liegt eine mittlere bis leichte Schneedecke. Wind Nordwest, dreißig Knoten. Sie landen als erste.«

Sekunden später tauchten sie durch die Wolken auf und sahen die Lichter der Landebahn direkt in gerader Linie vor sich.

»Lincoln Anflugkontrolle«, gab Demerest durch. »Wir haben die Landebahn in Sicht.«

»Verstanden, Flug Zwei.« Die Erleichterung in der Stimme des Kontrollers war unverkennbar. »Der Turm gibt Ihnen die Landung frei; sie geben Ihnen die Frequenz durch, sobald sie übernommen haben. Viel Glück und Ende.«

Vernon Demerest knipste zweimal an dem Schalter zu seinem Mikrofon, eine Kurzform für »danke« in der Sprache der Flieger.

Anson Harris befahl kurz: »Landelichter einschalten. Bremsklappen auf fünfzig Grad ausfahren.«

Demerest kam dem Befehl nach.

Sie sanken schnell tiefer.

Harris warnte: »Vielleicht brauche ich Hilfe beim Seitensteuer.«

»Gewiß.« Demerest setzte seine Füße auf die Ruderpedale. Wenn die Geschwindigkeit nachließ, konnte das Ruder infolge des zerstörten Servomechanismus steif wie die defekte Servolenkung eines Wagens werden, nur in noch stärkerem Maß. Nach dem Aufsetzen mußten beide Piloten vielleicht zusammen ihre volle Kraft einsetzen, um die Steuerung der Richtung in der Gewalt zu behalten.

Sie rasten über den Rand des Flughafens dahin; die Lichter der Landebahn erstreckten sich vor ihnen wie zusammenlaufende Perlenketten. Zu beiden Seiten waren Schneewälle aufgehäuft, dahinter lag Dunkelheit. Harris hatte seinen Anflug so tief angesetzt, wie er es nur wagen konnte. Die Nähe am Boden enthüllte die ungewöhnliche Schnelligkeit, mit der sie noch flogen. Beiden Piloten war die eindreiviertel Meilen lange Landebahn vor ihnen nie kürzer erschienen.

Harris fuhr die Landeklappen voll aus, brachte das Flugzeug in die Waagerechte und schloß alle vier Treibstoffhebel. Das Dröhnen der Düsentriebwerke ließ nach; ein drängender heulender Wind trat an seine Stelle. Als sie die Schwelle der Landebahn kreuzten, nahm Demerest verschwommen eine Ansammlung von Rettungsfahrzeugen wahr, die ihnen die Landebahn entlang folgen würden, wie er wußte. Er dachte: *Wir können sie vielleicht verdammt gut gebrauchen! Halte durch, Gwen!*

Sie schwebten immer noch, mit kaum verminderter Geschwindigkeit.

Dann setzte die Maschine auf. Hart. Bewegte sich immer noch mit hohem Tempo.

Schnell richtete Harris die Bremsklappen an den Tragflächen senkrecht auf und stieß den Hebel zur Schubumkehr nach vorn.

Mit einem Aufdröhnen der Motoren wurde die Schubwirkung in entgegengesetzter Richtung wirksam, sie wurde jetzt zur Bremse, stemmte sich der Richtung, in der das Flugzeug rollte, entgegen.

Sie hatten drei Viertel der Landebahn hinter sich und wurden langsamer, aber nicht schnell genug.

Harris rief: »Ruder rechts!« Das Flugzeug schwankte nach links. Mit vereinten Kräften hielten Demerest und Harris die gerade Richtung bei. Aber das vor ihnen liegende Ende – mit aufgehäuftem Schnee und einer Höhle der Dunkelheit dahinter – kam schnell näher.

Anson Harris trat hart auf die Fußbremse. Metall knirschte unter der Anspannung. Gummi kreischte. Die Dunkelheit kam immer noch näher. Dann wurden sie langsamer – mehr und mehr – noch mehr ...

Drei Fuß vom Ende der Landebahn entfernt kam Flug Zwei zum Stehen.

XVII

Auf der Uhr im Radarraum konnte Keith Bakersfeld sehen,
daß seine Schicht noch eine halbe Stunde dauerte. Es war ihm
gleichgültig.

Er schob seinen Stuhl vom Radarpult zurück, zog die Stöpsel
zu seinem Kopfhörer heraus und stand auf. Er sah sich in dem
Raum um und wußte, daß es zum letztenmal war.

»He!« rief Wayne Tevis ihn an. »Was ist los?«

»Hier«, antwortete ihm Keith. »Nehmen Sie das. Vielleicht
braucht jemand anderes es noch.« Er drückte Tevis den Kopfhörer in die Hände und ging hinaus.

Keith wußte, daß er das schon vor Jahren hätte tun sollen.

Er spürte eine seltsame Leichtigkeit in seinem Kopf, fast so
etwas wie Erlösung. Draußen im Gang fragte er sich verwundert, warum.

Es kam nicht davon, daß er Flug Zwei hereingeleitet hatte. Darüber machte er sich keine Illusionen. Keith hatte gute Arbeit
geleistet, aber jeder andere in der Schicht hätte es ebensogut
gekonnt, oder besser. Auch konnte nichts – wie er im voraus
gewußt hatte –, nichts, was in dieser Nacht geschehen war, das,
was sich vorher ereignet hatte, auslöschen oder ein Gegenge-
wicht dazu bilden.

Es spielte auch keine Rolle, daß er sein geistiges Aussetzen von
vor zehn Minuten überwunden hatte. In diesem Augenblick
war Keith alles gleichgültig gewesen. Er wollte nur hinaus.
Nichts, was seither geschehen war, konnte seine Absicht ändern.

Vielleicht war sein plötzlicher Wutanfall von vor einigen Minuten eine Katharsis gewesen, in dem Eingeständnis, das er
sich nicht einmal selbst gegenüber in seinen geheimsten Gedanken gemacht hatte, wie sehr er die Luftfahrt haßte und
immer gehaßt hatte. Jetzt, fünfzehn Jahre zu spät, wünschte er,
er hätte sich diese Tatsache früher eingestanden.

Er trat in den Garderobenraum der Kontroller mit den hölzer-
nen Bänken und dem überladenen Anschlagbrett. Keith öffnete
seinen Spind und zog Jacke und Mantel an. Im Fach des Spinds

befanden sich ein paar persönliche Dinge. Er ignorierte sie. Er wollte nur die Farbaufnahme von Natalie. Behutsam löste er sie von der Innenseite der Metalltür... Natalie in einem Bikini, lachend, ihr freches, koboldhaftes Gesicht und ihre Sommersprossen, ihr im Wind wehendes Haar... Als er das Bild betrachtete, hätte er am liebsten geweint. Hinter dem Foto steckte der Zettel von ihr, den er gehütet hatte:

>»Ich bin froh darüber, daß wir unseren
Anteil noch mit Liebe und Leidenschaft
bekommen haben.«

Keith steckte beides ein. Das übrige konnte jemand anderes ausräumen. Er wollte nichts, was ihn an diesen Ort erinnerte, je wiedersehen.

Er hielt inne.

Er stand da und erkannte, daß er ohne jede Absicht zu einem neuen Entschluß gekommen war. Er war sich nicht sicher, was dieser Entschluß alles mit sich brachte oder wie er ihm morgen erscheinen würde oder auch nur, ob er darüber hinaus mit diesem Entschluß leben konnte. Wenn er nicht damit leben konnte, blieb immer noch ein Fluchtweg; ein Weg, der hinausführte: die Pillenschachtel in seiner Tasche.

Denn heute nacht war die Hauptsache: Er ging nicht in die O'Hagan Inn. Er ging nach Hause.

Dennoch wußte er eines. Wenn es für ihn eine Zukunft geben sollte, mußte sie von der Luftfahrt weit weg sein. Wie andere, die vor ihm die Arbeit in der Flugsicherung aufgegeben hatten, feststellen mußten, konnte sich das als das Allerschwerste von allem erweisen.

Und selbst wenn diese Schwierigkeit überwunden werden konnte – *sei dir jetzt darüber klar*, sagte Keith zu sich selbst – würde es Gelegenheit geben, bei denen er an die Vergangenheit erinnert wurde. An Lincoln International erinnert, an Leesburg, an das, was an beiden Orten geschehen war. Und konnte man auch sonst allem entkommen, wenn man einen gesunden Verstand besaß – es gab kein Entrinnen vor der Erinnerung. Die Erinnerung an die Familie Redfern, die gestorben war – an die kleine Valerie Redfern –, würde ihn nie verlassen.

Aber das Gedächtnis konnte sich anpassen – oder etwa nicht?
– an die Zeit, an die Umstände, an die Realität, daß man hier
und jetzt lebte. Die Redferns waren tot. In der Bibel hieß es:
»Laßt die Toten ihre Toten begraben.« Was geschehen war, war
geschehen.

Keith fragte sich, ob er – von jetzt an – mit Trauer an die Redferns denken, aber sich auch das Leben – Natalie, seine eigenen
Kinder – zur ersten Aufgabe setzen könne.

Er war nicht sicher, ob es ihm gelingen würde. Er war nicht
sicher, ob er die moralische oder die physische Kraft dazu besaß. Aber er konnte es versuchen.

Er nahm den Fahrstuhl im Kontrollturm nach unten.

Draußen blieb er auf dem Weg zum Parkplatz für das Flug-
hafenpersonal stehen. Er folgte einem plötzlichen Impuls, daß
er es später vielleicht bedauern würde, und nahm die Pillenschachtel aus der Tasche und leerte ihren Inhalt in den Schnee.

XVIII

Mel Bakersfeld konnte aus seinem Wagen, mit dem er auf dem nahen Taxiweg parkte, nachdem er Landebahn Drei-Null verlassen hatte, sehen, daß die Piloten von Flug Zwei der Trans America keine Zeit verschwendeten und direkt zum Flughafengebäude rollten. Die Lichter des Flugzeugs, das jetzt das Flugfeld halb hinter sich hatte, waren noch sichtbar und bewegten sich schnell. Über sein auf die Bodenkontrolle eingestelltes Funkgerät konnte er hören, daß andere Flüge auf Taxibahnen und vor den Kreuzungen zu der Landebahn angehalten worden waren, um die beschädigte Maschine vorbeizulassen. Noch waren Verletzte an Bord.

Flug Zwei war angewiesen worden, sofort zu Ausgang siebenundvierzig zu rollen, wo ärztliche Hilfe, Krankenwagen und Personal der Fluggesellschaft warteten.

Mel sah die Lichter der Maschine schwächer werden und im Strahlenglanz der vielen Lampen des dahinterliegenden Flughafens untergehen.

Die Rettungsfahrzeuge des Flughafens, die schließlich doch nicht benötigt worden waren, zerstreuten sich aus dem Gebiet der Landebahn.

Tanya und der Reporter Tomlinson von der *Tribune* waren auf dem Weg zurück zum Flughafengebäude. Sie fuhren mit Joe Patroni, der die 707 der Aéreo Mexican jemand anders übergeben hatte, um sie zu den Hangars zu rollen.

Tanya wollte zum Aussteigen der Passagiere von Flug Zwei an Ausgang siebenundvierzig sein. Wahrscheinlich würde sie gebraucht werden.

Ehe sie gegangen war, hatte sie Mel leise gefragt: »Kommen Sie noch nach Hause?«

»Wenn es nicht zu spät ist, gern«, hatte er geantwortet.

Er sah Tanya an, die sich eine rote Haarsträhne aus dem Gesicht strich. Sie hatte ihn mit ihren offenen, klaren Augen angeblickt und gelächelt. »Es ist nicht zu spät.«

Sie vereinbarten, sich in einer dreiviertel Stunde am Haupteingang des Flughafengebäudes zu treffen.

Tomlinson beabsichtigte, Joe Patroni und danach die Besatzung von Flug Zwei der Trans America zu interviewen. Die Besatzung und zweifellos auch Patroni würden innerhalb weniger Stunden Helden sein. Mel nahm an, daß die dramatische Geschichte der Gefährdung und der Erhaltung des Flugzeugs seine eigenen Bekundungen über die nüchterneren Probleme und Mängel des Flughafens überschatten würden.

Vielleicht allerdings nicht völlig. Tomlinson, dem Mel seine Ansichten anvertraut hatte, war ein ernsthafter und intelligenter Reporter, der womöglich das gegenwärtige dramatische Ereignis mit den nicht weniger ernsten bevorstehenden Problemen in Verbindung brachte.

Die 707 der Aéreo Mexican wurde jetzt fortgeschafft. Anscheinend war die Maschine unbeschädigt, würde aber zweifellos gründlich inspiziert und überprüft werden, ehe sie zu ihrem abgebrochenen Flug nach Acapulco wieder starten durfte. Die verschiedenen Hilfsfahrzeuge, die der Maschine während ihrer Hilflosigkeit im Schlamm beigestanden hatten, folgten ihr.

Für Mel bestand kein Grund, nicht auch zurückzufahren. In ein oder zwei Minuten würde er das tun. Doch zum zweitenmal heute nacht empfand er die Einsamkeit des Flugfelds, seine Nähe zu einem elementaren Teil der Luftfahrt, als anregend für seine Gedanken.

Vor wenigen Stunden hatte ihn hier sein Instinkt, eine Vorahnung, gewarnt, wie Mel sich erinnerte, daß die Geschehnisse einem katastrophalen Ende zustrebten. Nun ja, in gewisser Weise war das geschehen. Die Katastrophe war eingetreten, wenn sie auch glücklicherweise weder vollständig noch unmittelbar auf die Anlagen des Flughafens oder deren Mängel zurückzuführen war.

Aber der Flughafen hätte an der Katastrophe mitschuldig sein können, und der Flughafen seinerseits hätte die Vollendung der Katastrophe verursachen können, durch Unzulänglichkeiten, die Mel vorausgesehen und die zu beheben er sich angeblich eingesetzt hatte.

Denn Lincoln International war veraltet.

Veraltet, trotz seiner guten Leitung, wie Mel wußte, und seinem glänzenden Glas und Chrom. Trotz seiner Flugverkehrsdichte. Trotz seiner Rekordzahl an Passagieren. Trotz seines Niagara an Luftfracht. Trotz seiner Erwartung, noch mehr von allem zu bekommen, und trotz seines prahlerischen Titels »Luftkreuz der Welt«.

Der Flughafen war veraltet, weil die Fortschritte in der Luft jede Voraussage übertroffen hatten, wie es so oft in den sieben Jahrzehnten in der Geschichte der Luftfahrt geschehen war. Wieder einmal hatten sich die Prognosen der Fachleute als falsch, die Visionen der Träumer als richtig erwiesen.

Und was hier galt, galt auch anderswo.

Auf dem gesamten Kontinent, in der ganzen Welt – überall war es das gleiche. Über das Wachstum des Luftverkehrs, seine Bedürfnisse, bevorstehende Entwicklungen in der Luft, durch die für Menschen und Güter die niedrigsten Transportkosten in der Geschichte der Menschheit entstehen würden, die Chance, die er den Völkern der Welt bot, sich in Frieden besser kennenzulernen und freien Handel zu treiben, wurde viel geredet. Aber im Verhältnis zur Größe des Problems war auf dem Boden wenig geschehen.

Nun, eine Stimme allein würde nicht alles ändern, aber jede Stimme, die sachverständig und mit Überzeugung sprach, war eine Hilfe. Während der letzten Stunden war Mel bewußt geworden – er war sich nicht sicher, warum oder wie –, daß er so wie heute abend weitersprechen würde, so, wie er es lange nicht mehr getan hatte.

Morgen – oder richtiger, später am heutigen Tage – würde er damit anfangen, daß er für Montag vormittag eine dringende Sondersitzung des Verwaltungsrates einberief. Auf der Sitzung würde er auf den sofortigen Beschluß drängen, eine neue Landebahn parallel zu Drei-Null zu bauen.

Die Erfahrung der heutigen Nacht hatte, wie nichts anderes, die Argumente für eine Steigerung der Kapazität an Landebahnen unterstützt, die Mel schon vor langer Zeit vorgebracht hatte. Doch diesmal war er entschlossen, dafür zu kämpfen, mit offenen, deutlichen Worten, vor Katastrophen zu warnen, die drohten, solange der allgemeinen Sicherheit nur Lippendienste erwiesen und lebenswichtige Bedürfnisse ignoriert oder zurückgestellt wurden. Er würde dafür sorgen, daß die Presse und die öffentliche Meinung auf seiner Seite marschierten, den Druck ausübten, den die Politiker in der Stadt, die die Ausgabe von Anleihen kontrollierten, verstanden.

Nach neuen Landebahnen mußte auf andere Projekte gedrängt werden, über die man bisher nur geredet und auf die man gehofft hatte. Dazu gehörten ein völlig neues Hauptgebäude und ein neuer Komplex von Taxibahnen, mit größerem Verständnis geplante Wege für den Fluß der Fußgänger und der Fracht, kleine Satellitenfelder für Senkrechtstarter und Flugzeuge mit kurzem Start- und Landeweg, mit denen bald zu rechnen war.

Lincoln International Airport gehörte entweder ins Düsenzeitalter oder nicht; wenn aber ja, dann mußte er mit der Entwicklung weit besser Schritt halten als bisher.

Flughäfen sind ja gar keine wirtschaftlichen Belastungen oder teurer Luxus, dachte Mel. Fast alle tragen sich selbst, schaffen Wohlstand und Stellungen für zahllose Arbeitskräfte.

Doch nicht alle Schlachten um den Fortschritt auf der Erde wie in der Luft konnten gewonnen werden. Das gab es nirgendwo. Manche aber doch, und ein Teil dessen, was hier gesagt und getan wurde, konnte dank Mels Ansehen als Fachmann für Fragen der Flughafenverwaltung auf das ganze Land und sogar international als Vorbild wirken.

Wenn es dazu kam, um so besser! Der englische Dichter John Donne fiel Mel ein, der einmal geschrieben hatte: »Kein Mensch ist eine Insel, völlig auf sich selbst gestellt; jeder Mensch ist ein Stück des Kontinents, ein Teil des Ganzen.« Auch ein Flughafen war keine Insel, und solche, die sich selbst als international bezeichneten, sollten sich einer Art des Denkens befleißigen, die diesen Namen rechtfertigte.

Vielleicht konnte Mel in gemeinsamer Arbeit mit anderen aufzeigen helfen, wie.

Die Leute, die eine Zeitlang nichts mehr von Mel Bakersfeld gehört hatten, würden bald erfahren, daß er noch da war.

Und intensive Arbeit, die Wiederaufnahme seiner alten, den gesamten Bereich der Luftfahrt umfassenden Interessen, mochte vielleicht auch bei seinen persönlichen Problemen hilfreich sein, indem sie ihn beschäftigten. Jedenfalls hoffte Mel darauf.

Der Gedanke erinnerte ihn unvermittelt daran, daß er bald – vielleicht morgen schon – Cindy anrufen und mit ihr verabreden mußte, wann er seine Kleider und seinen privaten Besitz abholen würde. Das würde eine unerfreuliche Arbeit werden, und er hoffte, dabei nicht den Kindern, Roberta und Libby, zu begegnen. Zunächst, nahm Mel an, würde er in ein Hotel ziehen, bis er Zeit fand, nach einem Apartment für sich zu suchen.

Doch besser als je erkannte er, daß Cindys und seine Entscheidung, sich scheiden zu lassen, unvermeidlich gewesen war. Das hatten sie beide gewußt. Heute nacht hatten sie nur beschlossen, eine Fassade einzureißen, hinter der nichts mehr existierte. Weder für sich selbst noch für die Kinder konnte durch weiteres Hinauszögern irgend etwas gewonnen werden.

Trotzdem würde es seine Zeit dauern, bis er sich damit abgefunden hatte.

Und Tanya? Mel war sich nicht sicher, was die Zukunft ihnen gemeinsam zu bieten hatte, falls sie überhaupt etwas zu bieten hatte. Er meinte, es könne eine ganze Menge sein, aber die Zeit zu einer Bindung – falls es je dazu kommen sollte – war noch nicht da. Er wußte nur: Heute nacht, ehe dieser lange und schwierige Arbeitstag endete, sehnte er sich nach Gesellschaft, nach Wärme, nach Zärtlichkeit. Und von allen Freunden, die er hatte, besaß Tanya diese drei Eigenschaften im höchsten Maß.

Zu was diese Gaben zwischen ihm und Tanya sonst noch führen mochten, mußte die Zeit lehren.

Mel schaltete den Gang seines Wagens ein und lenkte ihn zur Verbindungsstraße, über die er zum Flughafengebäude kommen würde. Landebahn Drei-Null lag jetzt rechts von ihm.

Nachdem die Landebahn jetzt frei war, begannen auch andere Flugzeuge sie zu benutzen. Trotz der späten Stunde trafen sie in einem stetigen Strom ein. Eine Convair 880 der TWA fegte vorbei und landete. Hinter ihr, eine halbe Meile weit entfernt, waren die Landelichter des nächsten anfliegenden Flugzeugs zu sehen. Dahinter ein zweites, ein drittes schwenkte gerade ein.

Die Tatsache, daß er die Lichter der dritten Maschine erkennen konnte, brachte ihm zu Bewußtsein, daß die Wolkendecke sich gehoben hatte. Plötzlich fiel ihm auf, daß es nicht mehr schneite. An einigen Stellen im Süden tauchte klarer Himmel auf. Erleichtert erkannte er, daß der Schneesturm weitergezogen war.

Arthur Hailey

der ehemalige Pilot der Royal Air Force und spätere Mitarbeiter im britischen Luftfahrt-Ministerium, wurde 1920 in der Nähe von London geboren. Er wanderte 1947 nach Kanada aus, wo er als Herausgeber einer technischen Zeitschrift und Mitarbeiter eines technischen Betriebes anfing. Als er später zu schreiben begann, wurde sein erstes Stück, das auch in Deutschland wiederholt gezeigte Fernsehspiel »Flug in Gefahr«, sofort ein großer Erfolg. Seine Romane »Letzte Diagnose« und »Hotel« machten ihn weltberühmt und wurden internationale Bestsellererfolge. Auch Haileys jüngster Roman »Airport« stand schon wenige Wochen nach Erscheinen an der Spitze amerikanischer Bestsellerlisten.

Für sein neues Werk um harte Männer, schnelle Flugzeuge und attraktive Stewardessen kamen dem erfolgreichen Autor seine Erfahrungen als Pilot der Royal Air Force und Mitarbeiter des britischen Luftfahrt-Ministeriums zustatten. Meisterhaft gelang Hailey die Darstellung des faszinierenden Milieus eines großen internationalen Flughafens mit all seinen technischen und menschlichen Problemen. Staunend wirft der Leser, so ganz nebenbei, einen Blick hinter die Kulissen des Lincoln International Airport, während er atemlos der packenden Handlung folgt: Verzweifelt kämpft Flughafen-Direktor Mel Bakersfeld für die Flugsicherheit auf dem von einem verheerenden Schneesturm heimgesuchten Flugplatz. Obendrein wird in dieser dramatischen Nacht ein schrecklicher Verdacht zur Gewißheit: an Bord der Maschine, die mit 150 Passagieren unterwegs nach Rom ist, befindet sich eine Bombe! In der Luft, hoch über den Wolken und Tausende von Kilometern vom Flugplatz entfernt, kämpft Flugkapitän Vernon Demerest mit seiner Crew verzweifelt um die Rettung der Maschine. Und die Stewardeß Gwen Meighen, Demerests Geliebte, die ein Kind von ihm erwartet, setzt ihr eigenes Leben aufs Spiel, als das Schicksal aller an einem seidenen Faden hängt.

»Ein Roman wie dieser ist eine prachtvolle Leistung. Er stiftet die vollkommene Ehe zwischen Entertainment und Information« (Christian Ferber). 56 Mill. DM kostete der nach dem Roman gedrehte »Superfilm«, in dem Dean Martin, Burt Lancaster und Jean Seberg die Hauptrollen spielen.